(25 000 žodžių)

LITHUANIAN – ENGLISH
ENGLISH – LITHUANIAN
DICTIONARY

Vilnius

LEIDYKLA

širokas

2011

UDK 801.3=882=20
Pi27

ISBN 978-609-8057-00-3

APIE ŽODYNO SANDARĄ

Žodynas sudarytas lizdine sistema. Žodyne ir jo lizde laikomasi abėcėlinės tvarkos. Lizdo pagrindinis žodis arba jo dalis, pasikartojanti išvestiniuose žodžiuose, žymimi tilde (~). Pagrindinio lizdo žodžio dalis, pasikartojanti išvestiniuose ar gimininguose žodžiuose, atskiriama nuo galūnės ar likusios dalies statiniu brūkšniu (|). Lizdo pirmasis žodis bei išvestiniai giminingi žodžiai pateikiami mėlynu šriftu.

Iš išvestinių žodžių mažai įdėta prieveiksmių, nes jie daugiausia sudaromi iš būdvardžių, pridedant priesagą *-ly*, pvz., **active** aktyvus, o „aktyviai" galima pasidaryti iš *active*, pridedant minėtą priesagą *-ly* – **actively.** Veiksmažodinių daiktavardžių su priesaga – *ing* irgi mažai įdėta, nes jie lengvai sudaromi iš bendraties, pridedant priesagą – *ing*, pvz., **push** stumti, o „stūmimas" – **pushing.** Žodyne nepateikiami priešdėlėti veiksmažodžiai, jei jie į anglų kalbą verčiami taip pat, kaip ir atitinkami pagrindiniai veiksmažodžiai. Netaisyklingai kaitomi žodžiai pažymėti žvaigždute (*), išskyrus **be, do, have.**

Žodyne dažnai nurodomi prielinksniai, su kuriais tas ar kitas žodis vartojamas, pvz.: **insist** (on, upon)...: **bijoti** be afraid (of)... ir pan.

Homonimai išskirti į atskirus lizdus ir sužymėti romėniškais skaitmenimis (I, II ir t.t.). Sinonimai skiriami kableliu, skirtingi prasmės atspalviai – kabliataškiu, o skirtingos prasmės bei prasmių grupės – arabišku skaitmeniu su lenktiniu skliaustu [1], 2) ir t.t.}. Žodžių prasmių aiškinimai duodami skliaustuose kursyvu. Įvardis *one's* angliškuose žodžių junginiuose pagal asmenį ir skaičių keičiamas į *my, his, her, its, our, your, their*, o įvardis *oneself* – į *myself, yourself, himself, herself, itself, ourselves, yourselves, themselves.*

Žodis, žodžio ar posakio dalis, esantys lenktiniuose skliaustuose, nėra privalomi. Įžambus brūkšnys (/) reiškia „arba" ir dedamas tarp žodžių, galinčių vienas kitą pakeisti žodžių junginyje.

Iliustraciniai pavyzdžiai ir frazeologizmai pateikiami retintu šriftu.

Idiomos pateikiamos po rombo (◊) ženklo.

Žodyno gale pateiktas geografinių vardų sąrašas.

Angliški žodžiai anglų - lietuvių kalbų žodyno dalyje transkribuojami, o lietuvių - anglų dalyje nurodoma pagrindinio kirčio vieta.

SUTRUMPINIMAI

Angliški:

a **adjective** būdvardis
adv **adwerb** prieveiksmis
attr **attribute** pažyminys
cj **conjunction** jungtukas
etc **et setera** ir taip toliau
inf **infinitive** bendratis
int **interjection** jaustukas, ištiktukas
n **noun** daiktavardis

num **numeral** skaitvardis
pl **plural** daugiskaita
prep **preposition** prielinksnis
sing **singular** vienaskaita
smb **somebody** kažkas, kas nors (*apie gyvus subjektus*)
smth **something** kažkas, kas nors (*apie negyvus daiktus*)
v **verb** veiksmažodis

Lietuviški:

amer. amerikanizmas
anat. anatomija
aut. automobilis
av. aviacija
bažn. bažnyčia
biol. biologija
bot. botanika
bdv. būdvardis
chem. chemija
dgs. daugiskaita
dkt. daiktavardis
dll. dalelytė
džn. dažnai, dažniausiai
ekon. ekonomika
el. elektrotechnika, elektra
filos. filosofija
fiz. fizika
fon. fonetika
geogr. geografija
geol. geologija
glžk. geležinkelio terminas
gram. gramatika
jng. jungtukas
jūr. jūrinis terminas, laivyba
kalb. kalbotyra
kar. karybos terminas
komp. kompiuteris
lit. literatūra
mat. matematika

med. medicina
men. menas
mok. mokykla; mokyklinis žodis
muz. muzika
pan. panašiai
papr. paprastai
perk. perkeltine prasme
plg. palygink
polit. politinis terminas
prl. prielinksnis
prv. prieveiksmis
sport. sporto terminas
sutr. sutrumpinimas, santrumpa
šachm. šachmatai
šnek. šnekamosios kalbos žodis ar posakis
teatr. teatro terminas
tech. technika, mechanika
teis. teisės
t. p. taip pat
vart. vartojama(s)
vns. vienaskaita
vulg. vulgariai
zool. zoologija
žr. žiūrėk
ž. ū. žemės ūkis

LIETUVIŲ KALBOS ABĖCĖLĖ

Aa (Ąą)	Ii (Įį, Yy)	Ss
Bb	Jj	Šš
Cc	Kk	Tt
Čč	Ll	Uu (Ųų, Ūū)
Dd	Mm	Vv
Ee (Ęę, Ėė)	Nn	Zz
Ff	Oo	Žž
Gg	Pp	
Hh	Rr	

A, Ą

abėcėl|ė álphabet, ABC; **~inis** alphabétical; **~iškai** in alphabétical órder, alphabétically

abejing|as indífferent (to); **~umas** indífference

abejo|jimas, **~nė** doubt; b e ~ n ė s undóubtedly; **~ti** doubt; **~tina** it is dóubtful; **~tinas** dóubtful, quéstionable

abipus on both sides; **~is**, **~iškas** mútual; recíprocal

abiturient|as, **~ė** schóolleaver; sécondary-school gráduate

abonementas subscríption (to, for); séason ticket (*į teatrą ir pan.*)

abonent|as subscríber; t e l e - f o n o ~ ų k n y g a télephone diréctory book

abrikosas ápricot

absoliut|inis, **~us** ábsolute

abstrak|cija abstráction; **~tus** ábstract

abu(du), **abi(dvi)** both; (*bet kuris*) éither

actas vínegar

ačiū thanks, thank you

ad|ata néedle; **~yti** darn

administr|acija administrátion; mánagement; **~acinis** administrative; **~atorius** mánager; administrátor

admirolas ádmiral

adres|as addréss; **~ų b i u r a s** addréss búreau; **~ų k n y g a** diréctory; **~atas** addressée; **~uoti** addréss, diréct

adventas Ádvent

advokatas bárrister; (*gynėjas*) láwyer

aero|bika aeróbics; **~dromas** áirfield, áerodrome; **~klubas** flýing club; **~statas** ballóon

afiš|a a bill, póster; **~uoti** ádvertise

Afrika África

afrikiet|is, **~ė**, **~iškas** Áfrican

agent|as ágent; **~ūra** 1) ágency; 2) (*šnipai*) sécret sérvice

agit|acija propagánda, agitátion; **~atorius** propagándist, ágitator; **~uoti** (*už, prieš*) ágitate (for, agáinst), cárry on propagánda (for, agáinst)

agonija ágony

agrastas góoseberry

agres|ija aggréssion; **~yvus** aggréssive; **~orius** aggréssor

agronom|as agrónomist; **~ija** agrónomy; **~inis** agronómical

aguona póppy; (*grūdas*) póppyseed

agurkas cúcumber

agurotis (végetable) márrow;

squash *amer.*

ai (*reiškiant skausmą, baimę*) oh!, ah!

aid | **as** écho; ~**ėti** resóund, ring*; (*apie aidą*) écho

AIDS (*liga*) AIDS

aikšt | **ė** (*miesto ir pan.*) square; (*miško*) glade; (*futbolo*) fóotball field; ◊ **iškilti ~ėn** come* to light, be revéaled; **iškelti ~ėn** bring* to light

aikštelė 1) ground; (*žaidimams*) pláyground; **sporto ~** (spórts)ground; **teniso ~** ténnis court; 2) (*laiptų*) lánding

aimanuoti moan; grieve

air | **is** Írishman*; ~**iškas**, ~**ių** Írish

aistr | **a** pássion (for); ~**ingas** pássionate

aiškėti grow* clear; clear

aiškin | **amasis** explánatory; ~**imas** explanátion; ~**ti** expláin

aišk | **u** it is clear; ~**us** clear; (*ryškus*) distínct

aitrus tart; (*kartus*) bítter

aitvaras (*žaislas*) kite

ak! ah!, oh!

akacija *bot.* acácia

akadem | **ija** acádemy; **Mokslų ~** Acádemy of Scíences; ~**ikas** academícian; ~**inis** académic

akcent | **as** áccent; ~**uoti** émphasize, stress

akc | **ija** *ekon.* share; ~**ininkas** sháreholder; ~**inis: ~inė bendrovė** jóintstock cómpany

akė | **čios** hárrow *sing*; ~**ti** hárrow

aketė ícehole

akibrokštas ráting; affrónt

akimirk | **a**, ~**snis** ínstant, móment; ◊ **viena ~a** in the twínkling of an eye, in a flash

akiniai glásses, spéctacles

akiplėš | **a** ímpudent féllow/wóman; ~**iškas** ímpudent; chéeky *šnek.*; ~**iškumas** ímpudence; cheek *šnek.*

akiratis horízon

ak | **is** 1) eye; ~**ies obuolys** éyeball; ~**ių gydytojas** óculist; 2) (*tinklo*) mesh; (*mezginio*) stitch; ◊ **iš ~ies** appróximately; **sakyti tiesiai į ~is** say* straight to one's face; **už ~ių** behind smb's back; **eiti, kur ~ys veda** fóllow one's nose; **tamsu, nors į ~į durk** it is pitch dárk; ~**is sudėti** (*užmigti*) get* asléep; ~**is į ~į** face to face

akistata *teis.* confrontátion

akytas pórous, spóngy

akivaizd | **a** présence; ~**us** óbvious, évident

akl|as blind; **~avietė** blind álley; **~ys** blind man*; **~umas** blíndness

aklinai tíght(ly), hermetically

akmen|ingas stóny; **~inis** stone(-); stóny

akm|uo stone; ◊ **~ens ant ~ens nepalikti** raze to the ground

akompan|iatorius accómpanist; **~imentas** accómpaniment; **~uoti** accómpany

akord|as *muz.* chord; **~eonas** accórdion

aksioma áxiom

aksomas vélvet

akstinas *perk.* stímulus, incéntive

akt|as 1) act; 2) *teis.* deed; 3) *(dokumentas)* státement; ◊ **~ų salė** assémbly hall; *(mokykloje)* school hall

akti grow*/becóme blind

aktyv|iai áctively; **~** **dalyvauti** take* an áctive part (in); **~inti** make* more áctive; **~istas, ~ė** áctive mémber; **~umas** actívity; **~us** áctive

aktor|ė áctress; **~ius** áctor

aktualus of présent ínterest; tópical; *(neatidėliotinas)* úrgent

akumuliatorius *fiz.* accúmulator

akustika acóustics

akušerė mídwife*

akvarelė wátercolour

alav|as tin; **~uoti** tin

alban|as, ~ė, ~iškas Albánian

albumas álbum; *(piešiniams)* skétchbook

alegor|ija állegory; **~inis, ~iškas** allegóric(al)

aleliùja allelúia

alergija *med.* állergy

alėja ávenue, path, álley *(parke)*

alga *(darbininkų)* wáges *pl*; *(tarnautojų)* pay, sálary

algebra álgebra

algoritmas *mat., komp.* álgorithm

aliarmas alárm, alért

aliej|inis oil; tapýti **~iniais dažais** paint in oils; **~us** oil

alinė béerhouse; pub *šnek.*

alinti exháust

alio hulló!; helló!

aliuminis alumínium

alyv|a 1) oil; 2) *bot.* ólive; **~os** *bot.* lílac *sing*

alk|anas húngry; **~is** húnger

alkohol|ikas, ~inis alcohólic; **~** **gėrimas** strong drink; spírits *pl*; **~is** *chem.* álcohol

alksnis *bot.* álder

alkti húnger

alkūnė élbow
alpinistas mountainéer
alpti faint (awáy); swoon
alsuoti breathe (héavily)
altas *muz.* 1) álto; 2) (*instrumentas*) vióla
alternatyv|a, ~us altérnative
altorius áltar
aludė *žr.* alinė
alus beer
amalas *bot.* místletoe
amat|as trade, hándicraft; ~ų mokykla vocátional school; ~ininkas artisán, cráftsman*
ambasad|a émbassy; ~orius ambássador
ambicingas ambítious
ambulatorija óutpatient clínic; dispénsary *amer.*
Amerika América
amerikiet|is, ~ė, ~iškas Américan
amfiteatras *teatr.* círcle, amphithéatre
amnest|ija ámnesty; *teis.* free párdon; ~uoti ámnesty
amoralus immoral
amortizacija 1) *ekon.* amortizátion: wear and tear; 2) *tech.* springing
ampulė ámpule
amput|acija *med.* amputátion; ~uoti ámputate
amžin|ai foréver; ~as etérnal,

everlásting; (*nepertraukiamas*) perptual; ◊ ~ą atilsį rest etérnal; ~ybė etérnity; ~inkas contémporary
amž|ius 1) (*šimtmetis*) céntury; 2) (*epocha*) age; viduriniai ~iai the Middle Áges; 3) *šnek.* (*gyvenimas*) life; time; savo ~iuje in one's time
anądien not long agó; the óther day
anaiptol by no means
anąkart that time; then
analiz|ė análysis; ~uoti ánalyse
analog|ija análogy; ~inis, ~iškas análogous (to), analógic(al)
anapus on that side, beyónd
an|as, ~a that, that one; *pl* those
anąsyk *žr.* anąkart
anatomija anátomy
ančiukas dúckling
anekdotas ánecdote, fúnny stóry
aneksija annexátion
anga ópening; órifice
angelas ángel
angina *med.* quínsy, tonsillítis
angl|ai the Énglish; ~ų kalba Énglish; the Énglish lánguage; ~as Énglishman*; ~ė Énglishwoman*

angliakasys (*cóal*) miner
angliarūgštė *chem.* carbónic
ácid
Anglija Éngland
anglis 1) (*kuras*) coal; 2) *chem.*
cárbon
anglišk|ai (in) Énglish; **~as**
Énglish
anyta móther-in-law
anketa form, quéstionnaire
anksčiau 1) (*lyginant*) éar-
lier; 2) (*kažkada*) befóre, fór-
merly
ankstesnis éarlier; fórmer
anksti éarly
ankst|yvas, ~us éarly; **iš ~o**
befórehand
ankštas nárrow; (*apie drabužį,
avalynę*) tight
ankštis pod
anonim|as ánonym; **~inis**
anónymous
anot accórding to
ansamblis   ensémble
[á:n'sá:mbl]
ant on, upón
antai there; óver there; **k a i p
~** as for ínstance
antakis éyebrow
antausis slap in the face, box
on the ear
antena áerial, anténna
antgamtinis supernátural
antgalis tip; point
antibiotikas antibiótic
anticiklonas anticýclone

antikinis antíque; **~ p a s a u -
l i s** antíquity
antkvariatas ántiquárian;
(*senų knygų parduotuvė*) sé-
condhand bóokshop
antinas drake
antipat|ija antípathy; **~iškas**
antipathétic
antireliginis antirelígious
antis duck
antisanitarinis insánitary
antkapis tomb, tómbstone
antklodė blánket
antonimas *lingv.* ántonym
antpetis *kar.* shóulderstrap
antpirštis thímble
antplūdis ínflux, rush
antpuolis attáck, assáult
antra in the scond place; sé-
condly; ◊ **~ v e r t u s** on the
óther hand
antradienis Túesday
antraeilis sécondary
antrąkart a sécond time, for
the sécond time
antraklas|ė sécondform girl;
~is sécondform boy
antrankis hándcuff
antrarūšis sécondrate
antr|as, ~a sécond
antraštė títle, héading
antrinis sécond; (*ne toks svar-
bus*) sécondary
antskrydis (*lėktuvų*) air raid
antsnukis (*šuns*) múzzle
antspaud|as seal; stamp;

~uoti stamp

anūk|as grándson; **~ė** gránd-
daughter

anuliuoti annúl; (*skolą, nuta-
rimą*) cáncel

anuomet at that time; **~inis** of
that time; of those times

apač|ia bóttom; **iš ~ios**
from belów; **į ~ą, ~ion**
down, dównwards; **~ioje**
belów; (*apatiniame aukšte*)
downstáirs

apak|imas loss of sight; **~inti**
blind; (*stipria šviesa*) dázzle;
~ti get* blind; lose* one's
sight

apalp|imas swoon, faint; **~ti**
faint (awáy), swoon

aparatas apparátus; **fo-
tografijos ~** cámera

apaštalas *bažn.* apóstle

apatija ápathy

apatin|is lówer; **~ aukštas**
ground floor; **~iai balti-
niai** únderclothes; **~ės kel-
nės** dráwers, pants; **~ukas**
pétticoat

apaugti be overgrówn; over-
grów*

apauti put on shoes

apčiulpti lick round; lick
(*sómewhat, a little*)

apčiuop|iamas tángible;
pálpable; sénsible; **~omis**
gróping(ly); **~ti** feel*, grope

apčiupinėti feel*

apdail|a, ~inimas fínish-
ing, trimming; **~inti** fínish,
trim (up)

apdairus círcumspect

apdaužyti beat*

apdeg|imas, ~ti *žr.* nudegi-
mas, **~ti**

apdengti cóver

apdėti 1) put* (round); 2)
(*mokesčiais*) tax

apdirbti 1) work (up); treat;
2) (*žemę*) till, cúltivate

apdoroti treat; prócess

apdovano|jimas awárd; (*or-
dinu*) décorating; **~ti** awárd;
(*ordinu*) décorate

apdrausti insúre

apdriskęs rágged

apdulkėti becóme* dústy

apeigos rite *sing*, céremo-
ny *sing*

apeiti 1) go* round; 2) (*įstaty-
mus ir pan.*) eváde; 3) (*sargybą,
ligonius, rinkėjus ir pan.*) make*
up *ar* go* one's round(s)

apel|iacija *teis.* appéal; **~iuo-
ti** appéal (to)

apelsinas órange

apendicitas *med.* appendicí-
tis

apetit|as áppetite; **gero ~o**
bon appétit [bošape'ti] (*pr.*)

apgailest|auti regrét; be sórry;
~avimas regrét; píty (for)

apgailėtinas regréttable

apgalvoti consíder, think*

óver

apgalvotas wellconsídered; déliberate

apgaubti cóver; wrap up

apgaudinéti cheat; swíndle

apgaul|ė fraud, decéit; ~ingas decéptive

apgauti decéive; (*sukčiauti*) swíndle

apgavik|as decéiver, cheat, fraud; ~iškas decéitful, fráudulent; (*niekšiškas*) knávish

apginkluoti arm

apginti defend

apgyvendinti séttle, lodge; (*kraštą*) pópulate

apglėbti žr. apkabinti

apgraibomis 1) (*paviršutiniškai*) superfícially; 2) gróping(ly); ieškoti ~ grope (for); eiti ~ grope one's way

apgraužti gnaw (round)

apgręžti turn

apgul|a siege; ~ti *kar.* besíege

apyaukštis ráther high

apibarstyti žr. apiberti

apibarti give* a scólding (to); scold a little

apibėgti (*aplink*) run* round

apibendrin|imas generalizátion; ~ti géneralize

apiberti strew, bestréw

apybraiža *lit.* sketch, éssay

apibrėž|imas definítion; ~tas

définite; ~ti 1) defíne; detérmine; 2) (*apskritimą*) descríbe

apibūdinti cháracterize; descríbe

apiblukti becóme sómewhat fáded

apie *prl.* 1) abóut; of; 2) (*apytikriai*) abóut; 3) (*aplink*) (a) róund; abóut

apiforminti (*apipavidalinti*) get* up, put* ínto shape

apygarda dístrict; rinkimų ~ eléctoral dístrict

apygeris ráther good; good enóugh

apyilgis ráther long; long enóugh

apykaita: medžiagų ~ *biol.* metábolism

apykaklė cóllar

apylink|ė 1) a small cóuntryside dístrict (*in Lithuania*); 2) ~ės *pl* surroundings, énvirons

apim|ti embráce; (*turėti savyje*) inclúde, compríse; ~tis vólume; (*dydis*) size

apynaujis álmost new

apynys *bot.* hop

apipavidalinti get* up, put* ínto shape

apipilnis álmost full

apipilti (*vandeniu*) pour (óver); (*netyčia*) spill* óver

apipjau|styti, ~ti cut* off

apiplėš|imas (*grobimas*) róbbery; ~ti rob

apiplyšęs rágged

apipulti attáck (*smb*) from all sides

apipurkšti sprínkle; spray

apyrankė brácelet

apysaka stóry, nárrative

apysenis óldish

apyšiltis wármish, lúkewarm

apytaka círcuit; k r a u j o ~ circulátion of the blood

apytikris appróximate

apyvart|a túrnover; l e i s t i į ~ ą put* ínto circulátion

apjuosti gírdle

apkabinti embráce; put* one's arms (round) *šnek.*

apkalbėti slánder

apkaltin|imas accusátion, charge; ~ti accúse (of), charge (with)

apkarpyti 1) (*medžius*) prune, trim; 2) (*plaukus*) cut*, clip: 3) *perk.* cut* down; curtáil

apkas|as trench; ~ti dig* round

apkaupti *ž.ū.* hill, earth up

apkeliauti trável all óver

apkerėti bewítch

apkirpti (*plaukus*) cut*

apklaus|a, ~inėjimas interrógatory; (*mokykloje*) quéstioning; ~(inė)ti intérrogate; (*mokykloje*) quéstion

apklijuoti paste óver; (*apmuš-alais*) páper

apkloti cóver

apkrauti búrden; (*daiktais*) load all óver

apkrė|sti (*liga*) inféct; ~timas inféction

apkūnus stout; córpulent

apkūren|imas héating; ~ti heat

apkur|sti becóme* deaf; ~inti déafen; (*smūgiu*) stun

apkvaišti becóme*/grow* stúpid

aplaidus cáreless, négligent

aplamai génerally, on the whole

aplank|alas, ~as (*raštams*) file

aplanky|mas vísit; ~ti call on; vísit

apleisti 1) (*nesirūpinti*) negléct; 2) (*palikti*) leave*; abándon

aplenkti 1) (*būti greitesniam*) outstríp, outrún* ; 2): ~ k n y g ą put* a páper-cover on a book

aplieti pour (óver); (*sutepti*) spill (on)

aplink round; (*aplinkui*) aróund

aplinka surróundings *pl*; envíronment

aplinkybė 1) círcumstance; 2) *gram.* advérbial módifier

aplinkinis surróunding; ~ k e l i a s róundabout way

aplinkui (a)róund

aplodismentai appláuse *sing*

apmąstymas considerátion, thínking óver

apmaud|as annóyance; **~in- gas, ~us** annóying

apmauti (*drabužį ir pan.*) put* on

apmirti (*apalpti*) faint; **~ iš b a i m ė s** be struck with fear

apmok|amas paid; **~ėjimas** páyment; **~ėti** pay* (for)

apmokestinti tax; rate

apmoky|mas instrúction, tráining; **~ti** teach*; train (in)

apmuš|alas uphólstery; **~ti** 1) (*baldus ir pan.*) uphólster; (*sienas lentomis*) plank; 2) (*apkulti*) beat* (sómewhat, a líttle)

apmuitinti impóse customs

apnuogint|as náked; **~i** bare

apolitiškas indífferent to pólitics

apraminti quíeten/calm a líttle

apranga clothes *pl*, clóthing; (*mundiruotė*) óutfit

apraš|ymas description, **~yti** describe; **~omasis** descríptive

aprengti dress, clothe

aprėpti 1) (*akimis*) take* in (at a glance); 2) *perk.* inclúde,

comprise

aprėžti 1) (*pjauti*) cut* round; 2) (*apriboti*) límit, restríct

apribo|jimas limitátion, restríction; **~ti** límit, restríct

aprimti calm/quíet/séttle down

apriŝti tie (round, up); bind* (up)

aprodyti show* (aróund)

aprūkęs smóky, sóoty

aprūpin|imas (*tiekimas*) supplý, provision; s o c i a l i n i s **~** sócial máintenance; **~ti** supplý (with), províde (with)

apsakymas *lit.* stóry, tale

apsaug|a defénce; (*apsaugoji- mas*) protéction; (*sargyba*) guard; **~oti** protéct (from), presérve (from)

apsčiai plénty of, lots of; mány (*su dkt. dgs.*); much (*su dkt. vns.*)

apsemti overflów; (*potvynio metu*) flood

apsiašaroti begin* to weep/ cry

apsiaust|as cloak; (*neper- šlampamas*) máckintosh, wáterproof; (*paltas*) (óver) coat; **~i** 1) (*apsupti*) surróund; *kar.* encírcle; 2) (*skara*) wrap up; **~is** *kar.* siege

apsiauti put* on one's shoes

apsidairyti look round

apsidengti cóver onesélf; be

cóvered

apsidrausti insúre one's life
ar onesélf

apsidžiaugti be glad/háppy

apsieiti (*be ko*) do withóut

apsigalvoti (*pakeisti savo nusis-
tatymą*) change one's mind

apsigauti be decéived

apsigynimas defénce

apsiginklavimas ármament

apsiginti defénd onesélf; (*apsi-
saugoti*) protéct onesélf

apsigyventi séttle

apsigręžti turn (round)

apsiimti undertáke* to do
(*smth*)

apsijuokti make* a fool of
onesélf

apsikabinti embráce

apsikeisti exchánge

apsikirpti have one's hair
cut

apsikloti cóver onesélf

apsikrėsti (*liga*) catch*

apsilaižyti lick one's lips

apsilei│dėlis slóven; (*apie mot-
erį t.p.*) sláttern; ~**dęs** slóven-
ly, slátternly, ~**sti** become*
cáreless/slóvently

apsime│sti preténd; feign; ~**ti-
mas** preténce

apsinakvoti stay for the
night

apsiniaukęs 1) clóudy; 2) *perk.*
glóomy

apsinuodyti póison onesélf

apsipilti spill* óver onesélf

apsirengti dress (onesélf); (*ap-
siaustu ir pan.*) put* on

apsirgti fall* ill (with)

apsirik│imas mistáke; slip;
~**ti** make* a mistáke, be mis-
táken

apsirūpinti províde onesélf
(with)

apsiskaičiuoti miscálculate

apsiskait│ęs wellréad; ~**ymas**
erudítion

apsisprendimas self-determi-
nátion

apsispręsti (*nutarti*) make* up
one's mind, decíde

apsistoti 1) (*ties*) dwell* (on);
2) (*viešbutyje*) put* up (at),
stay (at)

apsisuk│imas *tech.* revolútion;
~**ti** turn (round)

apsišvietęs éducated, enlíght-
ened

apsitraukti cóver onesélf; get*
cóvered

apsitvarkyti 1) (*kambarį*) do a
room; tídy up; 2) (*drabužius*)
put* (one's clothes) in órder

apsivalgyti overéat* (one-
sélf)

apsižiūrėti look abóut; (*susig-
riebti*) remémber súddenly

apskaič│iavimas calculátion;
~**iuoti** count up

apskaita 1) *žr.* apskaičiavimas;
2) (*registracija*) registrátion

apskristi fly round
apskrit|ai in géneral, on the whole; ~as round; ~imas *mat.* círcle
apskritis district
apsnigti cóver with snow
apspisti surróund
apstatyti (*baldais*) fúrnish
apstoti *žr.* apspisti
apstulb|inti stun, stúpefy; ~ti be stunned
apstus (*gausus*) abúndant
apsukrus resóurceful; quick
apsukti 1) turn; 2) (*apgauti*) take* in, cheat
apsunkinti 1) búrden; 2) *perk.* make* difficult; (*trukdyti*) trouble
apsup|imas encírclement; ~ti surróund; *kar.* encircle
apsvaig|imas gíddiness; dízziness; (*nuo alkoholio*) intoxicátion; ~ti get* drunk; *perk.* get* dízzy
apsvarsty|mas discússion; ~ti discúss, talk óver
apšaudy|mas fire; ~ti fire (at); (*artilerijos ugnimi*) shell
apšil|dyti heat, warm; ~ti warm onesélf; *sport.* warm up
apšmeižti slánder
apšvie|sti 1) light* up, illúminate; 2) (*žmogų*) enlíghten; ~imas 1) (*veiksmas*) illuminátion; 2) (*šviesa*) light

aptarimas discússion
aptarna|uti (*pvz., pirkėjus*) serve; (*pvz., mašiną*) atténd; ~vimas sérvice
aptarti discuss
aptaškyti/aptėkšti splash, sprínkle
aptemdy|mas, ~ti *žr.* užtemdy|mas, ~ti
aptiesti cóver; spread* (on)
aptikti discóver; find* (out)
aptingti grow* lazy
aptraukti cóver
aptvėrimas (*tvora*) fence
aptverti (*tvora ir pan.*) fence in; enclóse
apuokas éagleowl
apvalkalas (*priegalvio*) píllowcase; (*baldų ir pan.*) cóver
apvalus round
apvažiuoti go* round
apverkt|i mourn (óver), deplóre; ~inas deplórable
apversti overtúrn, upsét*
apves|dinti márry; ~ti (*ką aplink*) lead* (*smb* round)
apvilkti dress, clothe
apvilti disappóint
apvynioti wind* round; wrap up
apvirsti overtúrn; tip óver
apvyti (*siūlus ir pan.*) wind* round
apvogti rob
apžel|dinti plant trees and shrubs; ~ti be overgrówn;

overgrów*

apžiūr|a revíew; **~ėjimas** inspéction; examinátion; **~ėti** exámine; view; (*parodą ir pan.*) see*

apžvalga 1) súrvey; 2) (*knygų*) revíew

apžvelgti 1) look óver; survéy; 2) (*spaudoje*) revíew

ar 1) (*klausimuose nevèrčiama*): ~ tu žinaí? do you know?; 2) *jng.* (*netiesiog. klausimuose*) if, whéther; (*arba*) or

arab|as Árab; **~iškas** Arábian

arba *jng.* or; **~...~** éither... or

arbat|a tea; **~ėlė** (*vaišės*) tea; téaparty; **~inė** téaroom(s); **~inukas** téapot

arbatpinigiai tip *sing*

arbūzas wátermelon

archeolog|as archaeólogist; **~ija** archaeólogy

architekt|as árchitect; **~ūra** árchitecture; **~ūrinis** architéctural

archyvas árchives *pl*

ardyti 1) (*siuvinį, mezginį*) unríp, rip ópen; (*namą ir pan.*) pull down; (*mechanizmą*) disjóint, disassémble, take* to píeces, dismántle; 2) (*griauti*) destróy; ~ s v e i k a t ą ruin one's health; 3) (*tvarką, tylą*)

break*, distúrb

arena 1) aréna; (*cirko*) ring; 2) *perk.* scene

arešt|as arrést; **~uoti** arrést

arfa harp

argi *dll.*: ~ tai galétų būti is it póssible?; ~ tu nežinaí don't you know it?

argumentas árgument

ariamas árable

arija ária, air

arimas (*išartas laukas*) ploughed field; tíllage

aristokrat|as áristocrat; **~ija** aristócracy

aritmetik|a aríthmetic; ~ o s uždavinys sum

arkivyskupas *bažn.* archbíshop

arkl|idė stáble; **~ys** horse

arktinis árctic

armėn|as, ~iškas Arménian

armija ármy

armonika *muz.* accórdion, concertína

aromatas aróma, frágrance

arsenalas ársenal

aršus víolent; fierce

arterija ártery

artėti appróach, come* néarer (to)

árti I plough; till

arti II 1) *prv.* néar(by), close; 2) *prl.* near, close to; about; ~ šimto abóut one húndred

artikelis *gram.* árticle

artiler|ija artíllery; ~istas artílleryman*

artim|as near; (apie draugą) íntimate, close; ~umas 1) (apie nuotolį) néarness, proxímity; 2) (apie santykius) íntimacy

artyn néarer

artin|imasis appróach; ~tis appróach; come* néarer (to)

artist|as (aktorius) áctor; (atlikėjas) perfórmer; b a l e - t o ~ bálletdancer; o p e r o s ~ ópera sínger; ~ė (aktorė) áctress

artojas plóughman*

artumas néarness, proxímity

aruodas córnbin

ąsa (indo, skrynios) ear; hán-dle; (adatos) eye

asamblėja assémbly

asfalt|as, ~uoti ásphalt

asilas dónkey, ass

asistentas assistant

asmenavimas gram. conjugá-tion

asmen|ybė persónality; pér-son; ~inis pérsonal; ~iškai pérsonally

asmenuoti cónjugate

asmuo pérson

asortimentas assórtment

ąsotis jug, pítcher

aspirinas áspirin

astma med. ásthma

astronautas ástronaut

astronom|as astrónomer; ~ija astrónomy

aš įv. I

ašar|a tear; l i e t i ~ a s shed* tears; ~otas téarful, wet with tears

ašigalis pole; Šiaurės ~ North Pole

ašis áxis; tech. áxle

ašmenys blade sing; edge sing

aštrėti (apie santykius) becóme* strained

aštr|inti shárpen; ~ s a n -t y k i u s strain the relátions; ~umas shárpness; ~us sharp, acúte; (perk. t. p.) keen

aštunt|as the eighth; ~oji (dalis) eighth; ~okas éighth-class boy

aštuoni eight

aštuon(ia)metis (apie amžių) eight-year-óld; of eight (years)

aštuoniasdešimt éighty; ~tas éightieth

aštuoniolik|a éightéen; ~tas éightéenth

atak|a, ~uoti attáck

ataskait|a accóunt; ~inis: ~ i n i s l a i k o t a r p i s the cúrrent périod

atatupstas móving báck-ward(s)

ataušti get* cool/cold

atbaidyti frighten/scare

awáy

atbėgti come* rúnning

atbraila córnice; (*skrybėlės*) brim

atbuk|inti blunt, dull; **~ti** becóme* dull

atbusti wake* up

atdaras ópen

ateist|as átheist; **~inis** atheístic

ateiti come*

ateitis the fúture

ateivis néwcomer

atėjimas cóming, arríval

atestatas (*pažymėjimas*) certíficate

atgaben|imas delívery; **~ti** delíver

atgaivinti 1) revíve; 2) (*apalpusį*) bring* (*smb*) to his/her sénses

atgal báck(wards)

atgaminti reprodúce; (*atmintyje*) recáll

atgauti get* back; recéive back

atgijimas recóvery; *perk.* revíval

atgimti revíve; retúrn to life

atgyti 1) come* to life; 2) *perk.* revíve

atgyvena survíval

atgyventi 1) (*pasenti*) have had one's days; becóme* óbsolete; 2) (*apie madą ir pan.*) go* out of fáshion, *etc*

atgręžti turn

atidar|ymas ópening; (*iškilmingas*) inaugurátion; **~yti** ópen

atidėjimas pútting off, postpónement; deláy

atidengti take* off, uncóver

atidėti 1) (*į šalį*) put* asíde; 2) (*terminą*) put* off; postpóne

atidrėkti grow*/becóme* damp

atidumas atténtiveness

atiduotI give*; (*grąžinti*) give* back, retúrn

atidus atténtive; (*rūpestingas*) cáreful

atimti 1) take* awáy; (*teises*) depríve (of); 2) *mat.* subtráct

atimtis *mat.* subtráction

atitaisy|mas corréction; **~ti** corréct

atitik|imas confórmity, correspóndence; **~ti** correspónd (to)

atitinkam|ai accórdingly; **~as** correspónding

atitol|inti remóve; **~ti** move off/awáy

atitraukti draw* awáy; (*dėmesį ir pan.*) distráct, divért

atjoti come* on hórseback

atkakl|umas persístence; **~us** persístent; (*užsispyręs*) stúbborn

atkalbėti talk out of (*doing*);

dissuáde

atkąsti bite* off

atkasti dig* up

atkeršyti revénge onesélf (upón)

atkimšt|i uncórk; ~**ukas** córkscrew

atkirpti cut* off

atkirsti cut* off

atkirt|is rebúff; d u o t i ~ į rebúff

atklijuoti unstíck*

atkreipti turn, dírect; ~ k i e n o d é m e s į (į) draw* smb's atténtion (to)

atkr|isti 1) fall* off; k l a u s i m a s ~ i n t a the quéstion no lónger aríses; 2) (vėl susirgti) relápse

atkurti restóre, reconstrúct; recreáte

atlaidus indúlgent, lénient

atlasas geogr. átlas

atlaužti break* off

atleidimas 1) (kaltės) forgíveness, párdon; 2) (iš darbo) dismíssal, dischárge

atleisti 1) (iš darbo) dismíss, dischárge; 2) (dovanoti) forgíve*; excúse

atlet|as áthlete; ~**ika** athlétics; l e n g v o j i ~**ika** track-and-field athlétics

atlydys thaw

atliekamas (nereikalingas) unnécessary; (laisvas) spare

atlygin|imas 1) páy(ment); (alga) sálary; (darbininko) wáges pl; 2) (nuostolių) compensátion; ~**ti** 1) pay*; 2) (nuostolius) cómpensate

atlik|ėjas (artistas) perfórmer; ~**ti** 1) (įvykdyti) cárry out, fulfíl; 2) (vaidmenį ir pan.) perfórm, play; 3) (pasilikti) remáin; 4) (būti nepaimtam) be* left

atmaina 1) (pasikeitimas) change; 2) (veislė) varíety, spécies

atmatos gárbage sing, réfuse sing

atmatuoti méasure off

atmerkti ópen (one's eyes)

atmesti (į šalį) throw* asíde; (teoriją ir pan.) rejéct

atminimas recolléction, remémbrance

atmint|i remémber; ~**inai** by heart; ~**is** mémory

atmosfer|a átmosphere; ~**inis** atmosphéric

atmušti 1) (priešą, ataką) beat* off, repúlse; 2) (kamuolį) retúrn; beat* back; 3) (šviesą ir pan.) refléct

atnaujin|imas renéwal; ~**ti** renéw; (po pertraukos) resúme

atnešti bring*, fetch

atodrėkis thaw

atodūsis deep breath; (išreiški-

ant jausmus) sigh

atogrąž|a trópic; **~inis** trópical

atok|iai (ráther) far (*from*), at some dístance; **~us** (ráther) far, dístant

atom|as átom; **~inis** atómic; **~inė energija** atómic énergy; **~inė bomba** átom bomb

atoslūgis ebb, low tide

atostogauti have one's hóliday; be on leave (of ábsence)

atostogos hóliday *sing*, leave *sing*, vacátion *sing*

atpalaiduoti set* free, reléase; (*virvę ir pan.*) untíe, unfásten

atpasako|jimas retélling, narrátion; (*raštu*) reprodúction; **~ti** retéll*

atpig|inti redúce the price; **~ti** becóme* chéaper, chéapen

atpjauti cut* off; (*pjūklu*) saw off

atplaukti swim* up, come* swímming; (*laivu*) sail up

atplėšti tear* (off, awáy); (*laišką*) ópen

atplyšti come* off, tear* off

atprasti get* out of the hábit (of), grow*/fall* out of a hábit

atrad|ėjas discóverer; **~imas** discóvery

atrakinti unlóck; (*atidary-*

ti) ópen

atrama suppórt, prop

atranka seléction

atrasti 1) find*; 2) (*daryti atradimą*) discóver

atremti 1) prop up; 2) (*puolimą*) repúlse

atrėžti cut* off

atrinkti choose*, seléct, pick out

atrišti untíe, unbínd*, unfásten

atrodyti 1) look; 2) (*rodytis*) seem

atsakymas ánswer, replý; **neigiamas ~** refúsal

atsakingas respónsible

atsakyti 1) ánswer, replý; 2) (*už ką nors*) be respónsible (for), ánswer (for)

atsakomybė responsibílity

atsarg|a 1) (*santaupos*) stock, supplý; resérve (*t.p. kar.*) 2) = atsargumas

atsargiai! look out!, be cáreful!

atsarginis I *bdv.* spare; **~ išėjimas** emérgency éxit; **atsarginis II** *dkt. kar.* resérvist

atsarg|umas cárefulness, cáution; **~us** cáreful, cáutious

atsegti unfásten, undó

atsibosti be tired/sick (of); bore

atsidaryti ópen

atsidav|ęs devóted; **~imas** devótion

atsidėti 1) (*pasiaukoti*) devóte onesélf (to); give* onesélf up (to); 2) (*sau ką į šalį*) put*/ set* aside

atsiduoti žr. atsidėti 1)

atsidurti find* onesélf; get*

atsidusti breathe; sigh

atsieiti cost, come* to

atsigauti 1) (*atsikvošėti*) come* to one's sénses; 2) (*po ligos*) recóver

atsigerti have a drink, drink*

atsigręžti turn

atsigulti lie* (down); (*eiti gulti*) go* to bed

atsiimti take* back

atsikelti get* up, rise*

atsikišęs protrúded, protrúding

atsiklausti ask (about), make* inquíries (about)

atsikratyti get* rid (of)

atsikvėp|imas réspite; **~ti** take* a breath

atsikvošėti žr. atsipeikėti

atsilaikyti hold* out; withstánd*

atsiliep|imas réference; (*nuomonė*) opínion; **~ti** 1) (*apie ką nors*) speak* (of); 2) (*atsakyti*) ánswer

atsilyginti pay* (off); (*už paslaugas ir pan.*) repáy*

atsilik|ęs báckward; **~imas** báckwardness

atsilikti lag behínd; be báckward

atsimin|imas recolléction, reminíscence; **~ti** recolléct, remémber, recáll

atsinešti bring*/take* (with one)

atsipalaiduoti 1) relád; 2) (*apie virvę ir pan.*) get* loose

atsipeikėti come* to onesélf, regáin cónsciousness

atsipraš|ymas apólogy, excúse; **~yti** apólogize; ~ a u ! excúse me!, (I'm) sórry!

atsiradimas (*pradžia*) órigin; (*pasirodymas*) appéarance

atsirasti 1) be found; find* onesélf; 2) (*pasirodyti*) appéar, show* up; 3) (*kilti*) aríse*, spring* up

atsiremti lean* (agáinst)

atsirišti get* untíed/loose, come* undóne

atsisak|ymas refúsal; **~yti** refúse, declíne

atsisėsti sit* down

atsiskaityti séttle accóunts (with); réckon (with); pay* (off)

atsiskirti séparate

atsispindėti be reflécted; refléct

atsispirti 1) resíst; 2) = atsiremti

atsistatydin|imas resignátion;
~**ti** resign
atsistoti stand* up
atsisveikin|imas farewéll;
párting; ~**ti** say* goodbýe (to),
take* one's leave (of)
atsišauk|imas appéal; proc-
lamátion; ~**ti** ánswer
atsišlieti lean* (agáinst)
atsitik|imas evént, íncident;
n e l a i m i n g a s ~ áccident;
~**ti** háppen
atsitiktin|ai by chance, acci-
déntally; ~ s u s i t i k t i háp-
pen to meet; ~**is** accidén-
tal, chance, cásual; ~**umas**
chance
atsitrauk|imas retréat; ~**ti**
1) retréat, withdráw*; 2) *(nuo
knygos ir pan.)* tear* onesélf
away (from)
atsižadė|jimas renuncíation;
~**ti** renóunce
atsižvelgti take* ínto ac-
cóunt
atskaičiuoti, atskaityti count
off/out
atskelti split* off; chop off
atskilti break* off; split* off
atsk|iras séparate; indivídu-
al; ~**yrimas** separátion
atskyris *sport.* ráting
atskirti séparate
atskleisti ópen; *(puslapį ir
pan.)* revéal
atskristi come* flýing; *(lėktu-*

vu) arríve by air
atskubėti come* húrriedly/
húrrying
atspalvis shade; *(spalvos t.p.)*
tint
atsparus resístant; u g n i a i ~
fíreproof
atspaudas print; impréssion
atspėti guess
atspind|ėti refléct; ~**ys** re-
fléction
atstat|ymas restorátion, re-
constrúction; ~**yti** restóre,
reconstrúct
atstoti *(nuo ko)* leave*/let
(smb) alóne
atstov|as represéntative;
~**auti** represént
atstovybė émbassy
atstumas dístance
atstumti push awáy
atsukt|i turn (back); *(pvz.,
čiaupą)* turn on; *(sraigtą)* un-
scréw; ~**uvas** scréwdriver
atšal|imas fall of témpera-
ture; get* cólder; *perk.* grow*/
becóme cold/cool
atšauk|imas, ~ti recáll
atšiaurus rígorous
atšip|inti, ~ti make* *(smth)*
blunt/dull
atšlaitė slope
atšokti 1) jump back/asíde/
awáy; 2) *(atsitrenkus)* re-
bóund, recóil
atvaizd|as pícture, ímage;

~uoti depíct; represént

atvažiuoti arríve, come*

atvejis case

atversti (*pvz. knygą*) ópen

atverti ópen

atvės|inti cool; ~ti get* cool

atvesti, atvežti bring*

atvyk|imas arríval, cóming; ~ti arríve, come*; ◊ s v e i k i ~ ę ! wélcome!

atviras 1) ópen; 2) (*nuošir-dus*) frank

atvirkš|čiai 1) (*atbulai*) the wrong way (round); 2) (*priešin-gai*) on the cóntrary; ~čias revérse

atvirukas póstcard

atvirumas fránkness

atžala sprout, shoot

atžvilg|is respéct; š i u o ~ i u in this respéct

aud|ėjas wéaver; ~eklas, ~inys cloth

auditorija lécturehall, léc-tureroom

audr|a storm; ~ingas stórmy

augal|as plant; ~ija vege-tátion

augalotas tall, of good stá-ture

augimas growth

auginti (*augalus*) grow*, raise; (*vaikus*) bring* up; (*gyvulius*) rear, breed*

augintinis adópted child*, fósterchild*

augmenija vegetátion, vér-dure

augti 1) grow*; 2) (*didėti*) in-créase

auka 1) sácrifice; 2) (*nukentėjęs*) víctim

auklė nurse; ~jimas educá-tion; ~ti éducate; bring* up; ~tinis púpil; ~tojas (*pedago-gas*) téacher, máster

auko|ti give*, sácrifice; ~tis sácrifice onesélf

auksakalys góldsmith

auks|as gold; ~inis gold, gólden

aukščiau I *prv.* hígher

aukščiau II *prl.* abóve; óver

aukščiaus|ias híghest; ~ i e j i v a l d ž i o s o r g a n a i supréme órgans of góvernment

aukštai high (abóve)

aukštas I 1) (*namo*) floor, stórey; p i r m a s ~ ground floor; a n t r a s ~ first floor; 2) (*antlubis*) gárret

áukšt|as II high; (*apie žmogų*) tall; ~ a s i s m o k s l a s hígher educátion; ~ o j i m o k y k l a univérsity, cóllege

aukštyn up, úpwards

aukšt|is height; ~okas ráther high

aukštielninkas on one's back

aukštum|a éminence, height; ~os híghlands

aus|is ear; ◊klausytis ~is pastačius be all ears

auskaras éarring

austi weave*

australietis Austrálian

austras Áustrian

aušinti cool

aušra dawn; dáybreak

áušti I grow* cóol(er)

aušt|i II dawn; ~ant at dawn

auti(s) (ap(si)auti) put* on smb's/one's shoes; (nu(si)auti) take* off smb's/one's shoes

autoavarija car áccident

autobiografija autobiógraphy

autobusas (mótor)bus

automat|as automátic machíne; ~inis, ~iškas automátic, selfácting

automobilis (mótor)car

autonom|ija autónomy; ~inis, ~iškas autónomous

autoportretas selfpórtrait

autoralis mótor rálly

autor|ė áuthoress; ~ius áuthor

autoritet|as authórity; ~ingas authóritative

autotransportas mótor tránsport

avalyn|ė fóotwear; ~ės pramonė shoe índustry

avangardas *kar.* advánceguard; *perk.* vánguard

avansas advánce

avantiūr|a advénture; ~istas advénturer

avarija (*nelaimingas atsitikimas*) áccident; *jūr.* wreck; *av.* crash

avėti wear*

aviacija aviátion; (*oro laivynas*) áircraft

avialinija áirline

aviena mútton

aviet|ė ráspberry; ~inis (*apie spalvą*) crímson

avilys (bée)hive

avinas ram

avininkystė shéepbreeding

avis sheep*

aviža oat

azartas árdour, pássion; házard

azerbaidžanietis Azerbaijánian

azij|ietis, ~inis Ásian, Asiátic

azotas *chem.* nítrogen

ąžuol|as oak tree; ~ynas óakwood; ~inis oaken

B

bad|as húnger; starvátion; (žmonių nelaimė) fámine; ~auti starve, fámish

badyti(s) (ragais) butt

bagaž|as lúggage; bággage amer.; atiduoti (daiktus) į ~ą régister one's lúggage

baidarė canóe

baidyklė scárecrow

baidyti fríghten

baig|iamasis fínal; clósing; ~iamieji egzáminai finals; ~imas (universiteto ir pan.) graduátion; ~ti 1) fínish; end; 2) (mokyklą) gráduate (from); ~tis (come* to an) end; (apie terminą) expíre

bail|ys cóward; ~umas cówardice; ~us cówardly; shy

baim|ė fear; fright; (būkštavimas) apprehénsion; ~intis fear, be afráid

bais|enybė mónster; ~ybė hórror; ~us térrible, hórrible; áwful šnek.

bakalauras báchelor

bakalėja gróceries pl

bakas tank, cístern

baksnoti poke, stick*(ínto)

bakteri|ja bactérium; ~ologija bactériology; ~ologinis bac-teriológical

bala bog, swamp, marsh; (klanas) púddle

baladoti knock

balana splínter, spill

balandis I pígeon; dove; taikos ~ the dove of peace

balandis II (mėnuo) Ápril

balans|as, ~uoti bálance

baldai fúrniture sing

balas (įvertinimas) point

balerina bálletdancer

baletas bállet

balionas ballóon

balius ball; kaukių ~ fáncydress ball

balkonas bálcony

baln|as, ~oti sáddle

bals|as 1) voice; ~u alóud; 2) muz. part; 3) polit. vote; ~ų dauguma by a majórity of votes; atiduoti ~ą (už) vote (for)

balsavimas vóting; (per rinkimus) poll; slaptas ~ bállot; ~ paštu póstal bállot/vote

bals|iai lóud(ly); ~is vówel

balsuot|i vote; ~ojas vóter

baltarusis Byelorússian

baltas 1) white; 2) (švarus) clean

bálti 1) becóme* white; 2) (apie veidą) grow* pale

baltymas 1) (akies, kiaušinio) the white; 2) biol., chem. al-búmen

baltiniai línen *sing*; (*skalbiniai*) wáshing *sing*; a p a t i n i a i ~ únderclothes, únderwear *sing*

baltinti 1) whíten; 2) (*patalpą ir pan.*) whítewash

baltumas whíteness

bambėti grúmble

banalus cómmonplace, trite

bananas *bot.* banána

bánda I (*plėšikų*) band, gang

bandá II (*galvijų*) herd; (*avių, ožkų*) flock

bandelė roll

banderolė (*póstal*) wrápper; (*pašto siuntinys*) prínted mátter

bandymas 1) (*tyrimas, eksperimentas*) test, expériment; 2) (*mėginimas*) attémpt

band|yti 1) expériment; 2) (*tikrinti*) try, test; 3) (*mėginti*) try; attémpt; ~omasis 1) (*pvz., laikas*) tríal; 2) (*pvz., sklypas*) experiméntal

banga wave

banginis whale

banguot|as be wávy; ~i (*apie vandenį*) be chóppy; (*nesmarkiai*) rípple; (*apie jūrą*) be rough

bankas bank; v a l s t y b i n i s ~ State Bank

bankrotas 1) (*asmuo*) bánkrupt; 2) (*bankrutavimas*) bánkruptcy

bankrutuoti go* bánkrupt

baras I (*restoranas*) bar; salóon *amer.*

baras II (*ruožas; ir perk.*) séction

barbar|as barbárian; ~iškas barbárian, bárbarous; ~iškumas bárbarism

barbenti knock (at)

barikada barricáde

barimas scólding; abúse

baritonas báritone

harjeras bárrier

barnis quárrel

barometras barómeter

barstyti pour, strew*

barščiai béetroot soup *sing*

baršk|alas, ~ėti ráttle

bart|i scold; abúse; ~is quárrel

barzd|a beard; ~otas bérarded

basas (*basakojis*) bárefóoted; (*apie kojas*) bare

baseinas básin; (*vandens saugykla*) réservoir; p l a u k y m o ~ swímmingpool

baslys pícket, stake

bastytis wánder, roam, rove

batas shoe; (*su aulais, auliukais*) boot

baterija báttery

batonas long loaf

batraištis shóelace

batsiuvys shóemaker

baubti roar; béllow

bauda fine; pénalty
baudžiamasis 1) (*pvz.*, *būrys*) púnitive; 2) *teis.* pénal, críminal
baudžiauninkas *ist.* serf
baudžiava *ist.* sérfdom
bauginti frighten, scare
bausmė púnishment; pénalty
bausti púnish; (*piniginę bauda*) fine
bazė base, básis
bažnyčia church
be 1) withóut; ~ penkių septynios five minutes to séven; 2) (*išskyrus*) besídes; but, excépt; ~ to besídes
beasmenis *gram.* impérsonal
bebaimis féarless, intrépid
bebras *zool.* béaver
bėda misfórtune; (*vargas*) tróuble
bedarbis unemplóyed
bedugnė précipice
bedžioti poke, stick* (ínto); prod (with)
begalybė (*daugybė*) a great númber
begalinis éndless, intérminable
begėdis shámeless
bėgikas rúnner
bėgimas 1) rún(ning); *sport.* race; 2) (*pabėgimas*) flight
beginklis unármed
bėgioti run* abóut; bústle

bėgis 1) *glžk.* rail; 2) (*eiga*) course
bėglys fúgitive, rúnaway
bėgte at a run, rúnning
bėgti 1) run*; ~ risčia trot; 2) (*sprukti*) run* awáy; flee* (from); 3) (*skubėti*) húrry, fly*; 4) (*slinkti*) slip, pass; 5) (*tekėti*) flow, run*
bei and
bejausmis unféeling, cállous
beje by the way
bejėgis hélpless; pówerless
bekonas (*mėsa*) bácon
belaisvis prísoner, cáptive; karo ~ prísoner of war
beldimas knock; (*tylus*) tap
beletristika fiction
belgas Bélgian
belsti knock (at)
bematant immédiately, présently
bemaž álmost, néarly
bemokslis unéducated
benamis hómeless; (*apie gyvulius*) stray
bendrabutis hóstel
bendradarb|iauti colláborate (with), coóperate (with); ~iavimas collaborátion, cooperátion; ~is cólleague; (*įstaigoje ir pan.*) employée; laikraščio ~ is contríbutor
bendrai (*išvien*) togéther
bendrakeleivis féllow tráveller; compánion

bendras 1) géneral, cómmon; (*apie darbą*) joint; 2): ~ pažįstamas mútual acquáintance

bendratis *gram.* infinitive

bendr|auti assóciate (with); keep* cómpany (with); ~avimas íntercourse

bendrininkas partícipator; (*nusikaltimo*) accómplice

bendr|ovė cómpany; ~umas, ~uomenė commúnity

bent at least; if ónly

benzinas (*automobiliui*) pétrol; gásoline *amer.*

beor|is: ~ė erdvė vácuum

bepigu: ~ jums kalbėti! it's all véry well for you to say!

beprasmiškas méaningless; absúrd

beprotybė mádness; (*kvailybė*) fólly

beprot|is mádman*; ~iškas réckless; mad

beraštis *dkt.* illíterate pérson

beregint immédiately, at once

bergždž|iai in vain, váinly; ~ias 1) (*tuščias*) vain, fútile; 2) (*nevaisingas*) stérile

beribis bóundless

bern|as, ~iokas 1) (*vaikinas*) féllow, lad, chap; 2) (*samdinys*) lábourer, fármhand; ~iukas

(*vaikas*) boy

berods (*manau*) I belíeve

berti 1) strew*; 2) (*spuogais versti*) break* out

beržas birch

besąlyginis uncondítional

besmegenis bráinless; ◊ senis ~ snowman*

besotis insátiable; (*gobšus*) gréedy

bespalvis cólourless

bešališkas impártial

beširdis héartless

bet I *jng.* but

bet II *dll.*: ~ kada át ány time; ~ kaip ányhow; ~ kas ányone; ánything; ~ koks ány; ~ kur ánywhere

betarpiškas immédiate, diréct

beteisis depríved of rights

betgi still, neverthéless

betikslis áimless

betonas cóncrete

bevaisis 1) bárren; 2) *perk.* frúitless, fútile

bevalis wéakwilled

beveik álmost, néarly

bevertis wórthless

bevielis wíreless

beviltiškas hópeless

beždžionė mónkey; (*beuodegė*) ape

biatlonas *sport.* bíathlon

Biblija the Bíble

bibliotek|a líbrary; ~ininkas

librárian

bičiul|is friend; ~ystė fríendship, ámity; ~iškas fríendly, ámicable

bidonas can

bifšteksas (béef)steak

bijo|jimas fear; ~ti be afráid (of); (labai) dread; (būkštauti) fear

bijūnas bot. péony

byl|a 1) (teismo) case; áction; iškelti kam ~ą bring* an áction agáinst smb; 2) (raštinės) file

bild|esys knock; (ratų) rúmble; ~ėti rúmble

biliardas bíliards

biliet|as 1) tícket; 2) (dokumentas) card; partinis ~ párty card; ~ų kasa bóokingoffice; 3) (egzaminų) páper

bylinėtis lítigate

byloti tell*; índicate

binoklis óperaglass(es); (lauko) fíeldglass(es)

bint|as, ~uoti bándage

biografija bíography

biologija bíology

birbti hum; buzz

byrėti fall*; pour

birža (stock) exchánge

birželis June

bit|ė bee; ~ynas béegarden; ~ininkystė béekeeping

biudžetas búdget

biuletenis 1) búlletin; rinkimų ~ bállotpaper; 2) (ligonio lapelis) médical certíficate

biuras búreau, óffice; informacijos ~ inquíry óffice

biurokrat|as búreaucrat; ~ija, ~izmas bureáucracy; red tape

biustas bust

biznis búsiness

bjaurėtis be disgústed

bjaurybė (netikėlis) scóundrel, víllain

bjaurus vile, lóathsome; násty; (negražus) úgly

bjurti (apie orą) grow* bad/ násty

blaiv|ytis clear (up); ~umas sobríety, sóberness

blaivus sóber

blakė bug, bédbug

blakstiena éyelash

blankas form

blankti grow* pale; ~us pale

blaškyti throw*; ~s rush abóut; (lovoje) toss

blauzda shank; calf*

blėsti go*/die out

bliauti bleat; (verkti) blúbber

blikčioti gleam

blykstelėti flash

blynas páncake

blýškus pale; perk. cólourless

blizgė spóon(bait)

blizg|ėjimas, ~esys lústre, brilliance; ~ėti shine*; glítter; ~inti pólish

blogai bád(ly) *; ill* (*ir sudurt. žodžiuose*); ~ jaustis feel* bad*; ~ elgtis beháve ill*; (*su kuo*) illtréat

blog|as bad*; (*piktas*) évil; ~a nuotaika low spírits; ~a sveikata poor health; ~oras bad*/násty wéather

blog|ėti grow* worse; ~ybė, ~is évil; ~ti (*liesėti*) grow* thin

blokada blockáde

blokas I *polit.* bloc

blokas II *tech.* block

bloknotas nótebook

blokšti fling*, hurl

blondin|as fair man*; ~ė blonde

blukti fade

blusa flea

boikot|as, ~uoti bóycott

bokalas glass, góblet

boks|as bóxing; ~ininkas bóxer; ~uoti(s) box

bokštas tówer

bomb|a a bomb; ~ardavimas bombárdment; ~arduoti (*iš lėktuvo*) bomb; (*sviediniais*) bombárd; ~onešis bómber

bosas *muz.* bass

bosnis Bósnian

botagas whip, lash

botai high óvershoes

botan|ika bótany; ~ikos sodas botánical gárdens *pl*; ~ikas bótanist

braidyti wade

braiž|yba dráwing; ~ti draw*; ~tojas dráughtsman*

brakonier|iauti poach*; ~ius póacher

brand|a: ~os atestatas schóolleaving certíficate; ~inti rípen, matúre

branduol|inis núclear; ~ys 1) kérnel (*ir perk.*); 2) *fiz.* núcleus

brandus ripe; matúre

brang|akmenis gem, jéwel; ~enybė jéwel; *perk.* tréasure; ~enybės jéwelry

brangiai déar(ly), expénsively

brang|inti válue; ~ti rise* in price; grow* déarer

brang|umas high prices *pl*; expénsiveness; high cost of líving; ~us dear; (*apie kainą t.p.*) expénsive; ~usis dárling

brasta ford

braškė stráwberry

braškėti crack

braukti 1) (*ranka per*) run* (óver), pass (óver); 2) *žr.* išbraukti

brautis squeeze one's way through

brazdėti rústle; tap

brėkšti (švisti) dawn; break*

bręsti rípen, matúre

brezentas tarpáulin

brėž|inys draught; ~ti draw*

briauna edge

briedis zool. elk

brigad|a brigáde, team; ~ininkas brigádeleader; téamleader

briliantas díamond; brílliant

brinkti swell*, bloat

bristi wade; (tik per upelį) ford

brokas spóilage; (apie dirbinį) wáster

brol|iautis fráternize; ~ia-vaikis néphew; ~ybė bróther-hood, fratérnity; ~ienė bróther's wife*; síster-in-law; ~is bróther; ~iškas bróther-ly, fratérnal

bronchitas bronchítis

bronza bronze

brošiūra bóoklet, pámphlet

bruknė red bílberry,ców-berry

brūkšn|elis hýphen; ~ys 1) (linija) line; 2) gram. dash

brukti 1) (kišti) poke, thrust (ínto, in); 2) (atkakliai siūly-ti) press

brunet|as dark man*; ~ė brunétte

bruož|as 1) (brūkšnys) stroke;

(linija) line; 2) (savybė) féatu-re; trait; ◊ b e n d r a i s ~ a i s róughly

bruzdėti 1) bústle (abóut), húrry abóut; 2) (brazdėti) make* a noise

brūžinti rub; grind* (off), file (off)

buč|inys, ~iuoti(s) kiss

būd|a (šuns) kénnel; ~elė box, booth; cábin

būd|as 1) témper; (charakter-is) cháracter; 2) (kelias) way; mánner; (metodas) méthod; g y v e n i m o ~ mode of life; ◊ t u o ~ u thus; in this way

budelis hángman*; perk. bútcher

budėt|i be on dúty; (prie li-gonio) watch; ~ojas (man*) on dúty

būdingas characterístic; (ti-piškas) týpical

budinti (žadinti) wake*

budintis on dúty

budr|umas vígilance; ~us vígilant, wátchful

būdvardis gram. ádjective

buferis búffer

bufet|as búffet; (tik baldas) cúpboard; (restoranas) re-fréshment room; (įstaigoje) cantéen; ~ininkas bárman*; ~ininkė bármaid

būgn|as drum; ~ininkas drúmmer

buhalter|ija bóokkeeping;
(*patalpa*) cóuntinghouse*; **~is**
bóokkeeper, accóuntant
buit|inis éveryday; **~ i n ė s**
s ą l y g o s condítions of life;
~is éveryday life; mode of
life
buivolas *zool.* búffalo
bukagalvis, bukaprotis núm-
skull, blóckhead, dúllard
bukas 1) (*apie peilį, pieštuką*)
blunt; (*apie formą*) obtúse; 2)
(*apie žmogų*) dull, obtúse
bukietas *žr.* puokštė
būklė condítion; state
būkštauti apprehénd, fear
bulgar|as, ~iškas Bulgárian
bulius bull
buljonas broth, clear soup
bulkutė roll
bulvaras boulevard
['bu:lva:]
bulv|ė potáto; **k e p t o s ~ ė s**
fried potátoes; **~iakasė** *ž. ū.*
potátodigger; **~ienė** potáto-
soup
burbėti (*neaiškiai kalbėti*)
mútter, múmble; (*niurnėti*)
grúmble
burbul|as, ~iuoti búbble
burė sail
būrelis círcle; socíety; (*mokyk-
loje*) (hóbby) group
buriavimas *sport.* sáiling
(sport)
būr|ys 1) detáchement; 2)

(*pulkas*) crowd; (*paukščių*)
flock; (*vilkų, šunų*) pack; **~iuo-
tis** crowd; clúster
burkuoti (*apie balandį*) coo
burlaivis sáilboat, sáiler
burlentė *sport.* súrfboard
burn|a mouth*; **~oti** abúse
burok|as, ~ėlis beet, béet-
root
burt|as 1) lot; **t r a u k t i ~ u s**
draw* lots; 2) (**~ai**) *pl* (*prieta-
ruose*) sórcery *sing*
burti I 1) cast* lots; draw* lots;
2) (*kerėti*) cónjure; práctise
sórcery; 3) (*pranašauti*) tell*
fórtunes
burti II (*telkti*) uníte, rálly
burtinink|as sórcerer, magí-
cian; **~ė** witch, sórceress
buržuaz|ija bourgeoisíe;
~inis bóurgeois
būsena state, condítion
būsimas fúture; **~ i s** **l a i k a s**
gram. the fúture (tense)
būstas lódging, dwélling
busti wake* up, awáke*
būstinė abóde, résidence
but|as flat, apártments *pl*; **~ o**
n u o m a rent
būtasis *gram.* past
būtelis bóttle
būtent námely
buterbrodas *žr.* sumuštinis
būti be; **y r a ...** there is, there
are; **y r a žmonių, k u r i e ...**
there are people who...; **◊ k a s**

y r a ? what is the mátter?

būtybė créature

būtin|ai withóut fail, cértainly; **~as** nécessary, indispénsable; **~a** it is nécessary; **~umas** necéssity

būtis béing, exístence

buvęs fórmer, late, ex

būvis (*būtis*) exístence

buza (*prasta sriuba*) slops *pl*; (*košė*) thin gruel

C

cechas shop

celė cell

cementas cemént

centas cent

centimetras céntimetre

centneris céntner

centraliz|acija centralizátion; **~uoti** céntralize

centr|as céntre; **~inis** céntral; **~inis šildymas** céntral héating

cenzas qualificátion

ceremonija céremony

chalatas 1) (*dėvimas namie*) dréssinggown; 2) (*maudymosi*) báthrobe; 3) (*darbui*) óverall

chaosas cháos

charakteringas characterístic

character|is cháracter; (*žmogaus*) témper; **~istika** characterístic; (*atsiliepimas*) cháracter; **~izuoti** cháracterize

chem|ija chémistry; **~ikas** chémist; **~inis** chémical

chirurg|as súrgeon; **~ija** súrgery; **~inis** súrgical

chlor|as *chem.* chlórine; **~oformas** chlóroform

cholera *med.* chólera

cholesterolis cholesteról

chor|as chórus; chóir; **~istas** mémber of a chórus; chórister

chrestomatija réader, réadingbook

chroniškas chrónic

chronolog|ija chrónology; **~inis** chronológical

chuliganas hóoligan, rúffian

cigar|as cigár; **~etė** cigarétte

ciklas cýcle

ciklonas cýclone

cilindras 1) *mat.,tech.* cýlinder; 2) (*skrybėlė*) tóphat

cini|kas cýnic; **~škas** cýnical

cink|as zinc; **~uoti** zíncify

cyp|imas squeak; peep; **~ti** peep; (*apie peles t.p.*) squeak; (*apie viščiukus t.p.*) cheep

cirkas círcus

cirku|liacija circulátion;

~iuoti círculate
cit! hush!, be sílent!
citadelė cítadel
citata quotátion
citrina lémon
cituoti quote, cite
civil|inis cívil; ~is civílian
civiliz|ácija civilizátion; ~uotas cívilized
colis inch
cukrainė conféctioner's (shop)
cukraligė diabétes
cukrin|ė súgarbasin; ~is súgar(-)
cukrus súgar

Č

čaiž|yti lash, whip; ~us bíting
čekas Czech
čekis cheque
čempion|as chámpion; ~atas chámpionship
čepsėti champ; smack one's lips
čerp|ė tile; ~ių stogas tiled roof
česnakas gárlic
cežėti rústle
čia here; ~ pat right here, quite here

čiabuvis nátive
čiaud|ėti sneeze; ~ulys sneeze, snéezing
čiaupas (vandentiekio) tap; fáucet amer.
čiauškėti chátter
čigon|as, ~iškas Gípsy
čion, ~ai here
čirkšti žr. čirškėti, trykšti
čiršk|ėti 1) (apie paukščius) chirp; twítter; 2) (keptuvėje) frízzle; ~inti frízzle
čiulbėti chirp, twítter, wárble
čiulpti suck
čiuož|ėjas skáter; ~ykla skátingrink; ~ti (pačiūžomis) skate, go* skáting
čiupinėti feel*, touch
čiupti seize; grasp; catch* hold (of)
čiurkš|lė stream, jet; ~ti spout, spurt
čiurlenti múrmur; rípple, bábble
čiužėti rústle
čiužinys máttress

D

dabar now, at présent; ~tinis présent; ~tis the présent
dabita (vyras) dándy

dag|ilis, ~ys *bot.* thístle

dagtis wick

daig|as sprout, shoot; ~ai séedlings

daiktas thing; óbject; ◊ g a l i - m a s ~ it is póssible, póssibly, perháps; s u p r a n t a m a s ~ it is quite nátural; náturally

daiktavardis noun; b e n - d r i n i s [t i k r i n i s] ~ cóm- mon [próper] noun

dailė art

dailidė cárpenter

dailininkas páinter, ártist

dailinti (*gražinti*) beáuti- fy, décorate; (*daryti dailų*) finish, trim

dailyraštis callígraphy

dailus refined, élegant

dain|a song; ~avimas sínging; ~ininkas sínger; ~ius bard; ~uoti sing*

dairytis look round

daktaras dóctor (*ir laipsnis*); physícian

dalba crówbar

dalel|ė, ~ytė 1) fráction; 2) *gram., fiz.* párticle

dalgis scythe

dalia fate, lot

dalyba *mat.* divísion

dalyk|as thing; óbject; d ė s - t o m a s i s ~ súbject; (*reikalas*) mátter; búsiness; ◊ a i š k u s ~ it is clear as day

daliklis *mat.* divísor

dalin|ai pártly; ~is pártial; ~ys *kar.* (small) únit

dal|is part; (*procentinė*) share; t r e č i o j i ~ a third (part); ~imis in parts; iš ~ies pártly; p a s a u l i o ~ys *geogr.* parts of the world; s a k i n i o ~ part of the séntence

dalyt|i divíde; ~ iš (*tam tik- ro skaičiaus*) divíde by (a núm- ber); ~ p u s i a u halve; ~is (*su kuo nors*) share (with)

dalyv|auti take* part (in), partícipate (in); (*būti kur nors*) be présent; ~avimas participátion

dalyvis 1) partícipant; (*žaidi- mo*) pártner; (*suvažiavimo*) mémber; 2) *gram.* párticiple

dalus divísible

dama 1) lády; 2) (*kortų*) queen

dan|as Dane; ~ų Dánish

danga cóver

dangiškas héavenly

dangoraižis skýscraper

dang|styti cóver; ~tis lid, cóver

dangus sky; héaven

dant|is 1) tooth*; ~ų p a s t a tóothpaste; ~ ų s k a u d ė j i - m a s tóothache; ~ ų g y d y - t o j a s déntist; 2) *tech.* (*rato*) tooth*, cog; (*šakių*) prong; ~ytas toothed; ~ratis cóg- wheel

dar 1) (*vis dar*) still; ~ n e not yet; 2) (*daugiau*) some more; (*su aukštesniuoju laipsniu*) still; ~ šilčiau still wármer; ~ kartą once agáin

darb|as 1) work; lábour; i m t i s ~o set* to work; l a u k o ~ai fíeldwork; r a š o m a s i s ~ wrítten work test; (*per egzaminą*) examinátion paper; n a m ų ~ homework; hómetask; ~o žmonės wórking péople; būti be ~o be out of work; 2) (*tarnyba*) job; ◊k a s t a u ~o! what do you care!

darbdavys emplóyer

darbymetis búsy séason/ days *pl*

darbingas 1) ablebódied, áble to work; 2) *žr.* darbštus

darbininkas wórker

darbinis wórking; (*apie gyvulius*) draught(-)

darbotvarkė agénda, órder of the day

darbovietė wórking place

darbšt|umas índustry, díligence; ~us indústrious, díligent

darbuot|is work; ~ojas wórker

dardėti ráttle

dargan|a a bad/ráiny wéather; ~otas bad*, ráiny, foul

dargi éven

daryt|i do*; make*; ~ p r a n e š i m ą make* a repórt; ~ įspūdį make* an impréssion (on); ką m a n ~? what am I to do; ~is 1) (*tapti*) becóme*; 2) (*atsitikti*) háppen

darkyti (*bjauroti*) spoil, mar; (*iškraipyti*) distórt; pervért

darn|umas hármony; ~us harmónious

darž|as kítchengarden; ~elis flówergarden; v a i k ų ~elis kíndergarten; ~inė barn

daržov|ės végetables; ~ių parduotuvė gréengrocery

dat|a, ~uoti date

dauba ravíne

daug much* (*su dkt. vns.*), mány* (*su dkt. dgs.*); plénty of, a lot of; t i e k ~ so much/ mány; ~ g e r i a u much bétter; k u o ~ i a u as much [mány] as póssible; ~elis mány

daugėti incréase

daugiaaukštis mánystoried

daugiadienis mányday *attr*

daugia|nacionalinis, ~tautis multinátional

daugiašalis multiláteral

daugiausia at the most, for the most part

daugyb|a *mat.* multiplicátion; ~os l e n t e l ė multiplicátion táble; ~ė a (great) númber (of); mány

daugiklis *mat.* múltiplier,

fáctor

dauginti múltiply

daugiskaita *gram.* plúral

daugkartinis repéated; múltiple

daugoka a bit too much

daugtaškis *gram.* dots *pl*

dauguma majórity; ~ ž m o n i ų most péople

daužyti 1) (*į gabalus*) break*; 2) (*trankyti*) shake*

daužti strike*

davimas gíving

davinys rátion

daž|ai paint *sing*; (*audiniams*) dye *sing*; a l i e j i n i a i ~ óilcolour *sing*; ~ykla dýeworks

dažyti (*spalvoti*) paint, cólour; (*audinius*) dye; (*medį, stiklą*) stain

dažn|ai óften, fréquently; ~as fréquent; ~ėti becóme* more fréquent; ~iausiai móstly; ~umas fréquency

debes|is cloud; ~uotas clóudy

debiutas 1) début; 2) *šachm.* ópening

dėdė úncle

dedik|acija dedicátion; ~uoti dédicate (to)

defektas deféct

deficit|as, ~inis déficit

degalai fúel *sing*

deginti burn*; (*svilinti*) scorch

deg|ti 1) burn*; n a m a s ~ a the house is on fíre; 2) (*žiebti*) light*

degtinė whísky; brándy

degtukas match

deguonis óxygen

degutas tar

deimantas díamond

deja unfórtunately; alás!

dej|avimas, ~onė móaning; ~uoti moan

dėka thanks to; ówing to

dekada (*10 dienų*) ténday périod

dekanas dean

dėking|as gráteful, thánkful; ~umas grátitude

deklam|acija, ~avimas recitátion, declamátion; ~uoti recíte; ~uotojas recíter

deklaracija declarátion

deklaruoti decláre

dekor|acija set; scénery; ~atyvinis décorative; ~atorius scénepainter

dėko|ti thank; ~ju j u m s thank you

dekretas decrée

dėkui thanks; ~ j u m s thank you; l a b a i ~ mány thanks; thank you véry much

dėl 1) (*priežasčiai žymėti*) becáuse of, through; ~ t o, k a d becáuse; ~ t o that is why; ~ k ó why?; 2) (*tikslui,* *paskirčiai žymėti*) for

delčia wane

dėlė *zool.* leech

deleg|acija delegátion; ~atas délegate

delfinas *zool.* dólphin

dėlioti put*, place, set*

deln|as palm; ploti ~ais clap one's hands

delsti línger; tárry; deláy

demask|avimas unmásking; expósure; ~uoti disclóse, expóse

dėmė spot; stain

dėmesingas attêntive

dėmes|ys attêntion; nótice; kreipti ~į pay* attêntion

dėmėt|as spótty; (*suteptas*) stained, blótted; ~ oji šiltinė týphus, spótted féver

demobiliz|acija demobilizátion; ~uoti demóbilize

demokrat|as démocrat; ~ija demócraty; ~inis, ~iškas democrátic

demonstr|acija demonstrátion; ~uoti démonstrate

dengti 1) cóver; 2) (*čerpėmis*) tile; 3) (*stalą*) lay* the táble

denis deck

depresija depréssion

deputatas députy

derėti I 1) (*lygti*) bárgain; 2) (*lažintis*) bet*; 3) (*tikti*) be fit; (*apie drabužį*) suit, becóme*

derėti II (*augti, duoti vaisių*)

give* a rich hárvest

derėtis 1) (*lygauti*) bárgain; 2) (*vesti derybas*) negótiate

dergti 1) (*teršti*) dírty; 2) (*šmeižti*) run* down

derybos negotiátions

derin|ys combinátion; ~ti 1) coórdinate; 2) *muz.* tune; 3) (*apie spalvas*) match; go* (with)

derling|as fértile; ~umas productívity

derlius hárvest, yield, crop

derva résin; (*skysta*) tar, pitch

desantas (*išlaipinimas*) lánding

desertas dessért

dėsn|ingas nátural, régular; ~is law

dėsty|mas téaching; instrúcting, lécturing; (*medžiagos*) expozítion; ~ti 1) (*mokyti*) teach*; (*aiškinti*) expóund; 2) (*dėlioti*) put*, lay* out; ~tojas téacher, instrúctor, lécturer

dešimt ten; ~ainis décimal; ~ainė trupmena décimal fráction; ~as tenth; ~is ten

dešimtkovė *sport.* décathlon

dešimtmetis I *dkt.* ten years *pl*; decáde: (*metinės*) tenth annivérsary

dešimtmetis II *bdv.* ten-year-óld; of ten (years)

dešin|ė (*pusė*) right side; (*ran-*

ka) right hand; į ~ę to the right; ~ėje on the right; ~ys(is) right

dešr|a, ~elė sáusage

detal|ė détail; ~iai in détail; ~izuoti détail; ~us détailed

dėti lay*; put*; place; ~ k i a u š i n i u s lay* eggs.

detekty|vas, ~inis, detéctive

dėtis 1) (apsimesti) preténd; 2) (vykti) háppen; k a s č i a d e d a s í what is góing on heré

dėvėti wear*

devyni nine

devyniasdešimt nínety; ~as nínetieth

devyniolik|a nínetéen;~tas nínetéenth

devintas ninth

dezertyvas desérter

dezinfekcija disinféction

dezodorantas deódorant

dėžė box

diagnozė diagnósis

diagrama chart, díagram

dialekt|ika dialéctics; ~inis dialéctical

dialogas díalogue

diapazonas range, cómpass

didėjimas íncrease; growth

didelis big; (apie negyvus daiktus t. p.) large; (įžymus) great

didėti incréase; (augti) grow*

didinamasis mágnifying

diding|as grand, sublíme; ~umas sublímity

didin|imas íncrease; ~ti incréase; enlárge; (optiniu stiklu) mágnify

did|is great; ~ysis k u n i - g a i k š t i s the Great Duke

dydis 1) size; 2) mat. quántity

didmiestis cíty

didumas size

didvyr|ė héroine; ~is héro; ~iškas heróic

didžiadvas|is magnánimous, génerous; ~iškumas generósity, magnanímity

didžiai véry, gréatly

didžiavimasis háughtiness, árrogance

didžiulis enórmous; vast; huge

didžiuotis be proud (of)

diegti 1) (sodinti) plant; 2) perk. (skleisti) spread*

dien|a day; ~ą in the dáytime; (popiet) in the afternoon; d a r b o ~ wórking day; š i o k i a ~ wéekday; k e l i n t a š i a n d i e n ~? what date is it today? ◊ š i o m i s ~o m i s (apie praeitį) the óther day; (apie ateitį) one of these days; p e r d u o k i t j a m l a b ų ~ų give him my regárds

dien|ynas díary; ~inis day;

dáily

dienoraštis díary

dienotvarkė žr. darbotvarkė

diet|a díet; laikytis ~os keep* to a díet; ~inis dietétic

Diev|as God; ◊ ačiū ~ui! thank God!

diev|inti wórship; adóre; ~iškas divíne

dygl|ys príckle; thorn; ~iuotas príckly; thórny

dygti spring*, sprout, shoot*

dykaduonis drone, spónger

dyk|ai free of charge; ~as (be darbo) free, ídle

dikcija díction; (tarsena) articulátion

dykinė|jimas ídleness; ~ti ídle, loaf

diktantas dictátion

diktatūra dictátorship

diktorius annóuncer

diktuoti dictáte

dykuma désert

dildė file

dilg|ėlė, ~inti néttle

dingimas disappéarance

dingtelėti occúr; come* ínto smb's mind

dingti disappéar, vánish

diplomas diplóma

diplomat|as díplomat; ~ija diplómacy; ~inis, ~iškas diplomátic

dirbimas (žemės) tíllage, cul-
tivátion

dirbinys árticle

dirbti 1) work; do*, perfórm; (sunkiai) toil, lábour; 2) (žemę) till, cúltivate

dirbtin|ai artifícially; ~is artifícial

dirbtuvė wórkshop

direktyva diréctives pl, instrúctions pl

direktorius diréctor, mánager; (mokyklos) head (máster), príncipal

dirginti írritate

dirig|entas condúctor; ~uoti condúct

dirv|a field; ~onas vírgin soil; ~ožemis soil

diržas belt, gírdle

disciplin|a 1) (mokomasis dalykas) súbject; 2) (drausmė) díscipline; ~uotas dísciplined

disertacija thésis

diskelis komp. diskétte

diskoteka dísco

disku|sija discússion; ~tuoti discúss

dispanseris prophyláctic céntre

diversija divérsion; sábotage

divizija kar. divísion

dobilas clóver

docentas assóciate proféssor

dogm|a dógma; ~atiškas dogmátic

dokumentas dócument

doleris dóllar

domė|jimasis ínterest (in); **~tis** be ínterested (in)

dominti ínterest

dominuoti prevail (óver)

dor|as hónest, móral; **~ybė** mórals *pl*; vírtue

dorov|ė mórals *pl*; **~inis** móral

dosn|umas generósity; **~us** génerous, líberal

dovan|a présent; **~oti** 1) make* a présent (to); 2) (*atleisti*) forgíve*; **~okite!** forgíve me!; I'm sórry!

dozė dose

drabstyti sprínkle, splítter

drabuž|iai clothes; gárments; **~inė** clóakroom

draikyt|i mat; scátter; **~is** spread*

drama dráma; **~tiškas** dramátic; **~turgas** pláywright

drambl|ys élephant; **~io kaulas** ívory

drąs|a cóurage; **~iai** bóldly, brávely; **~inti** encóurage, embólden

draskyti 1) (*plėšyti*) tear*; 2) (*braižyti*) scratch

drąs|umas cóurage, dáring; bóldness; **~uolis** dáredevil; **~us** bold, dáring, courágeous

draudimas 1) (*neleidimas*) prohibítion; 2) (*pvz., nuo ugnies*) insúrance

draudžiam|as forbídden; **~a it is prohíbited;** **~a no admíttance; rūkyti ~a no smóking**

draugas friend; mate, féllow; cómrade; klasės **~** clássmate; mokyklos **~** schóolfriend; kelionės **~** fellowtráveller; compánion

draugauti be friends (with)

drauge togéther

draug|ija cómpany; socíety; **~ystė** fríendship; **~iškas** friendly

drausm|ė díscipline; **~ingas** disciplined

drausti 1) (*neleisti*) forbíd*, prohíbit; 2) (*turtą*) insúre

draustinis resérve; reservátion

drebė|jimas (*žemės*) éarthquake; **~ti** trémble; shake*; **~ti nuo šalčio** shiver with cold; **~ti iš baimės** shúdder, shake* with fear

drebučiai jélly *sing*

drebulė *bot.* asp

drebulys shíver; (*nuo šalčio t.p.*) chill, féver

drėg|mė dámpness; **~nas** damp

drėkin|imas irrigátion; **~ti** írrigate

drėksti scratch

dresiruot|i train; ~ojas tráiner

drevė hóllow

dribsniai flakes

drybsoti lie* lázily/áwkwardly/clúmsily

dribti (kristi) fall*

driektis stretch, exténd

driežas zool. lízard

driksti tear*

drįsti dare; vénture

dryž|is stripe; ~uotas striped

drob|ė, ~inis linen

drov|ėtis (varžytis) feel* shy/embárrassed; (gėdytis) be ashámed; ~us shy, díffident; (ypač apie vyrą) báshful

drož|lės shávings; ~ti cut* out; shave*; (pieštuką) point, shárpen

drugys 1) (liga) féver; 2) (peteliškė) bútterfly

drumst|as túrbid; clóudy; ~i stir up; perk. distúrb

drumzl|ės lees; ~inas túrbid

drungnas lúkewarm, tépid; (vėsokas) cool

drusk|a salt; ~inė sáltcellar

drūtas 1) (storas) thick; 2) (stiprus) strong

du two

dubleris dóuble

dublikatas dúplicate

dubuo dish, bowl, turéen

dūd|a a pipe; (dūdelė) fife; ~ų orchestras brass band

duetas muz. duét

dugnas 1) bóttom; 2) (fonas) báckground

duj|inis gáseous, gas(-); ~okaukė gásmask; ~os gas sing; gamtinės ~os nátural gas sing

dukart twice, dóuble

dukr|a dáughter; ~aitė gránddaughter

dukt|ė dáughter, ~erėčia niece

dūkti 1) (niršti) rage, be frántic; 2) (išdykauti) romp, frólic

dulk|ė speck of dust; ~ės dust sing; ~ių siurblys váccum cléaner; ~ėtas dústy; ~ėti get* dústy; ~inas dústy; ~inti 1) (kelti dulkes) raise dust; 2) (valyti nuo dulkių) beat* the dust out of

dulkti (apie lietų) drízzle

dūmai smoke sing

dumbl|as silt; ~inas sílty

dumti (smarkiai bėgti) rush/tear*/speed alóng

dūmtraukis chímney

dundėti crash; roar; thúnder

duob|ė pit; ~ėtas búmpy

duoklė tríbute

duomenys dáta, facts

duon|a bread; juoda ~ brown bread; ~os par-duotuvė báker's (shop);

užsidirbti ~ą make* one's bread

duoti 1) give*; 2) (*leisti*) let*; allów; 3) (*mušti*) strike*, hit*; ◊ ~ kelią make* way (for); ~ naudą be of use; ~ pradžią give* rise (to)

durininkas pórter, dóorkeeper

durys door *sing*

dūris (*dūrimas*) prick

durklas dágger

durp|ės peat *sing*; ~ynas péatbog

durt|i (*smeigti*) thrust*, stab; (*adata*) prick; ~uvas báyonet

dušas shówer

dūsauti sigh

dusyk twice

dusinti choke, súffocate

duslintuvas *tech.* sílencer; múffler

duslus hóllow; tóneless

dusti choke, súffocate; (*sunkiai kvėpuoti*) pant

dusulys short wind

dūzgéti (*pvz., apie bites*) hum, buzz

dūžtamas bríttle, bréakable

dužti break*, be bróken

dvar|as estáte; mánor; ~ininkas lándowner, lándlord

dvas|ia spírit; soul; ~ininkas priest, clérgyman*; ~ininkija clérgy, príesthood; ~inis, ~iš-

kas spíritual

dvejet|as, ~ukas two

dvej|i two; ~inti dóuble; ~opas of two kinds; dóuble

dvejoti hésitate

dvelk|imas breath, whiff; ~ti 1) (*pūsti*) blow; 2) (*kvepéti*) smell* (of)

dvi two; ~aukštis twóstórey(ed)

dvibalsis *fon.* díphthong

dvideginis *chem.*: a n g l i e s ~ carbónic ácid

dvidešimt twénty; ~as twéntieth

dviese two of us/you/them (togéther)

dvigub|ai twice, dóuble; ~as dóuble, twófold; ~inti dóuble

dvikova dúel

dvylik|a twelve; ~tas twelfth

dvilinkas, dvilypis twófold

dvimétis two-year-óld; of two years

dvyn|ys, ~ukas twin

dviprasmiškas ambíguous

dviratininkas cýclist

dvíratis bike; cycle, *šnek.* bícycle

dvisavaitinis fórtnightly

dvišalis biláteral

dvitaškis *gram.* cólon

dviveid|is dóubledealer; ~iškas dóublefaced

dvivietis twóseater

dvok|imas stink, stench; ~ti
stink*

džiaugsm|as joy; ~ingas jóy-
ful, glad

džiaugtis be glad; rejóice
(at)

džiauti hang* up (for
drýing)

džiazas jázz(band)

džinsai jeans

džiov|a consúmption; ~inin-
kas consúmptive

džiovinti dry

džiūgauti rejóice (at)

džiug|inti gládden, make*
glad; ~us chéerful, jóyous

džiunglės júngle sing

džiūti dry

džiūvės|ėlis , ~is (saldus)
rusk

E, Ė

efekt|as efféct; ~ingas efféc-
tive, stríking; ~yvus efféctive,
efficient

egiptietis, ~iškas Egýptian

egl|ė, ~utė fir(tree); Ka-
lėdų ~utė Crístmas tree;
Naujųjų metų ~utė Néw
Year's tree; ~inis fir

ego|istas égoist; ~istiškas

sélfish; ~izmas égoism, sél-
fishness

egzamin|as examinátion;
exám šnek.; baigiamasis
~ final; stojamasis ~ én-
trance examinátion; ~uoti
exámine

egzempliorius cópy; (pavyz-
dys) spécimen

egzist|avimas exístence;
~uoti exíst

eiga mótion, run; (pvz., įvykių,
ligos) course

eigulys fórester; fórestguard

eikvo|jimas expénditure;
(nereikalingas) waste; ~ti
squánder, waste

eil|ė 1) (vora) row, line;
kar. file; 2) (tvarka) turn; iš
~ės in turn; be ~ės out of
one's turn; 3) (norint ką gau-
ti) queue; line amer.; 4) dgs.
lit. verse sing

eilėraštis póem; (trumpas)
rhyme, rime

eilinis I 1) (sekantis) next
(in turn); 2) (paprastas) ór-
dinary

eilin|is II kar. prívate; dgs.
rank and file

eiliuoti vérsify

eilutė 1) (teksto) line; 2) (ko-
stiumas) cóstume; (vyriška)
suit

einamasis cúrrent

eis|ena 1) walk, gait; 2) (ei-

tynės) procéssion; ~mas tráffic; ~ m o t a i s y k l ė s tráffic regulátions

ei|ti 1) go*; (*pėščiam*) walk; (*apie traukinius, automobilius ir pan.*) run*; (*apie laiką*) go* by; ~ (*savo*) p a r e i g a s atténd to one's dúties; ~ g e r y n impróve; ~ k i t e dešinėn! turn to the right!; 2) (*priartėti*) come*; ~ k š e n! come here!

eitis be gétting on

eitynės procéssion *sing*; march *sing*

eižėti crack; (*apie odą*) chap

ėjikas wálker

ėjimas góing, wálking; *šachm.* move

ekipa *sport.* team

ekipažas 1) (*vežimas*) cáriage; 2) (*įgula*) crew

ekiu ecu

ekolog|ija ecólogy; ~inis ecológical

ekonom|ija ecónomy; ~ika ecónomics; ~inis, ~iškas económic(al)

ekranas screen

ekskavatorius éxcavator

ekskurs|antas excúrsionist; ~ija excúrsion, trip; ~ i j o s v a d o v a s guide

ekspansija *polit.* expánsion

ekspedicija 1) expedítion; 2) (*įstaiga*) dispátch óffice

eksperiment|as expériment; ~inis experimentál; ~uoti expériment

ekspertas éxpert

eksploat|acija exploitátion; ~uoti explóit

ekspon|atas, ~uoti exhíbit

eksport|as éxport; ~uoti expórt

ekspresas expréss

ekspromtu óffhand; extémpore [ri]

ekstremistas extrémist

elast|ingas, ~iškas elástic

elegantiškas élegant

elektr|a electricity; ~ o s š v i e s a eléctric light; ~ o s l e m p u t ė eléctric bulb; ~ifikacija electrificátion; ~ifikuoti eléctrify; ~inė (eléctric) pówerstation; ~inis eléctric(al); ~inti eléctrify

elektromagnetas eléctromágnet

elektronika electrónics

elektrotechnik|a eléctrical enginéering; ~as electrícian; eléctrical enginéer

element|arus eleméntary; ~as élement

elementorius ABC book

elevatorius élevator

elgesys cónduct, behavíour

elget|a béggar; ~auti beg, go* bégging

elgtis condúct onesélf, be

háve; (*su kuo*) treat (*smb*), deal* (with)

elitas elite [eiˈliːt]

elnias deer*; šiaurės ~ réindeer*

emal|is, ~iuoti enámel

emblema émblem

emfazė émphasis

emigr|acija emigrátion; ~antas émigrant; ~uoti émigrate

emoc|ija emótion; ~ingas, ~inis emótional

enciklopedija encyclópaedia

energ|etika energétics; ~ija énergy; ~ingas energétic

eng|iamasis oppréssed; ~imas oppréssion; ~ti oppréss

entuzia|stas enthúsiast; ~stiškas enthusiástic; ~zmas enthúsiasm

epidemija epidémic

epilogas épilogue

epitetas épithet

epizodas épisode

epocha époc

epušė asp

era éra

erd|ė space; ~us spácious, róomy

erelis *zool.* éagle

erezija héresy

ėriena (*ėriukas*) lamb

erkė *zool.* tick

erotika erótica

erozija erósion

eršketas *zool.* stúrgeon

erškėtis *bot.* swéetbríar, églantine

ertmė *anat.* cávity

erudicija erudítion

erzin|imas irritátion; ~ti 1) (*dirginti*) írritate; 2) (*pykinti*) tease, annóy

eržilas stállion

esą *dll.* it seems that, appárently

esamasis: ~ laikas *gram.* the présent tense

esantis béing, existing; aváilable

eskadr|a *jūr.* squádron; ~ilė *av.* (air) squádron

eskimas Éskimo

eskizas sketch

esm|ė éssence; the main point; dalyko ~ the éssence of the mátter; ~inis esséntial

esperanto (*kalba*) Esperánto

estafetė *sport.* 1) reláyrace; 2) (*lazdelė*) báton.

estas Estónian

esteti|ka aesthétics; ~nis aesthétic(al)

ėsti 1) eat*; 2) *vulg.* devóur

estrad|a 1) plátform; 2) (*menas*) varíety art; ~os artistas varíety áctor; ~inis varíety

ešelonas *kar.* échelon; 2) (*traukinys*) train

ešerys *zool.* perch

etapas stage

etatai staff *sing*

eteris éther

etika éthics

etiketas etiquétte

etiketė lábel

etinis éthic

etiudas 1) *lit.*, *men.* stúdy; sketch; 2) *muz.* étude

Europ|a Európe; ~os Sąjunga Európean Únion

europiet|is, ~iškas Európean

evakuacija evacuátion; ~uoti evácuate

evangelija *bažn.* Góspel

evoliucija evolútion

ežeras lake

ežia 1) *(riba)* bóund(ary); 2) *(lysvė)* bed

ežys *zool.* hédgehog

F

fabrik|as fáctory; mill, plant; ~o ženklas trade mark; ~uoti *(klastoti)* fábricate

fabula *lit.* plot

fakelas torch

fakt|as fact; ~inis áctual, real; ~iškai práctically; *(iš esmės)* in fact

fakultatyvas óptional súbject/ course

fakultetas fáculty

falsifik|acija falsificátion; ~uoti fálsify, adúlterate

familiarus famíliar, uncere-mónious

fanatikas fanátic

fanera plýwood; *(vieno sluoks-nio)* venéer

fantast|inis, ~iškas fantástic(al)

fantaz|ija fántasy, fáncy; *(vaizduotė t.p.)* imaginátion; ~uoti 1) dream*; 2) *(pra-manyti)* fib

faršas stúffing; mėsos ~ fárcemeat

fasonas style, fáshion

faš|istas fáscist; ~izmas fáscism

fauna fáuna

favoritas fávourite

fazanas *zool.* phéasant

fazė phase

fechtuoti(s) fence

federa|cija federátion; ~cinis féderal; féderative

fėja fáiry

fejerverkas fíreworks

felčeris dóctor's assístant

feljetonas féuilleton; néwspa-per sátire

feodal|inis feúdal; ~izmas feúdalism

ferm|a a farm; ~eris fármer

festivalis féstival

figūr|a 1) fígure; 2) *šachm.* chéssman*, piece; **~uoti** figure (as), appéar (as)

fiksuoti fix

fiktyvus fictítious

filharmonija Philharmónic Socíety

filialas branch

film|as, ~uoti film

filolog|as philólogist; **~ija** philólogy; **~inis** philológical

filosof|as philósopher; **~ija** philósophy; **~inis, ~iškas** philosóphical; **~uoti** philósophize

filtr|as fílter; stráiner; **~uoti** fílter; strain

finalas finále [fi'naːli]; *sport.* fínal

finans|ai finánces; (*pinigai*) móney *sing*; **~inis** fináncial; **~uoti** finánce

finiš|as, ~uoti *sport.* fínish

firma firm

fizik|a phýsics; **~as** phýsicist

fizinis phýsical; **~ darbas** mánual lábour

fiziolog|as physiólogist; **~ija** physiólogy; **~inis** physiológical

fiziškas phýsical

flanelė flánnel

flegmatikas phlegmátic pérson

fleita *muz.* flute

flygelis wing

flirtuoti flirt (with)

flora flóra

fojė fóyer ['fɔɪeɪ], lóbby

fokusas (*pokštas*) trick; júggle

folkloras fólklore

fonas báckground

fondas fund; (*atsarga*) stock

fonet|ika phonétics; **~inis** phonétic

fontanas fóuntain

forma shape, form

formal|istas fórmalist; **~izmas** fórmalism; **~umas** formálity; **~us** fórmal

formatas (*dydis*) size

formavimas(is) formátion, fórming

formul|ė, ~uotė fórmula; **~uoti** fórmulate

formuoti form; shape; (*suteikti formą*) mould

forsuoti 1) (*greitinti*) speed* up; 2) *kar.* force; **~ upę** force a cróssing

fortas *kar.* fort

fortepijonas *muz.* piáno

fortifikacija *kar.* fortificátion

forumas fórum

fosforas phósphorus

fotelis ármchair

fotoaparatas cámera

fotograf|as photógrapher;

~ija 1) photógraphy; 2) (*nuotrauka*) phóto(graph); 3) (*ateljė*) photógrapher's; **~uoti** (take* a) phótograph; **~uotis** have one's phóto táken, be phótographed

fragmentas frágment

frakas dresscoat; swállow-tails *pl*

frakcija *polit.* fáction

fraz|ė phrase; **~eologija** phraseólogy

frontas front

funkc|ija, ~ionuoti fúnction

futbol|as fóotball; **~ininkas** fóotballplayer, fóotballer

futliaras case

G

gabalas piece; (*mažas*) bit; (*cukraus*) lump; (*muilo*) cake

gaben|imas tránsport, transpórtation, convéyance; **~ti** transpórt, cárry

gab|umas abílity; fáculty; (*talentas*) tálent; **~us** gífted, cléver

gadin|imas spóiling; **~ti** spoil*

gaida *muz.* 1) (*ženklas*) note; 2) (*melodija*) tune

gaidys cock

gail|a: m a n j o ~ I am sórry for him; ~, k a d ... it is a píty (that)...; j a m ~, k a d ... he is sórry that...; k a i p ~! what a píty; **~esys** píty

gailest|ingas pítiful; **~ingumas** compássion; **~is** píty

gailė́ti 1) feel*/be sórry (for), píty; 2) (*šykštė́ti*) grudge; **~s** regrét

gainioti drive*, chase

gairė lándmark

gaisr|as fire; **~ininkas** fireman*; **~ininkų komanda** firebrigade

gaišatis (*gaišimas*) dėláy

gaišinti (*laiką*) waste; (*trukdyti*) detáin, dėláy

gaišt|i 1) (*delsti*) línger, be slow; 2) (*apie gyvulius*) die; **~is** waste of time

gaival|as élement; **~ingas, ~iškas** eleméntal; spontáneous

gaiv|inamas refréshing; **~inti** 1) (*pvz., vėsiu gėrimu*) fréshen, refrésh; 2) enliven, vívify; **~us** (*gaivinantis*) fresh; vívifying

gaižus 1) (*aitrus*) ráncid; 2) (*apie žmogų*) péevish, grúmbling; *šnek.* grúmpy

gajus of great vitálity

gal máybe, perháps

galanterij|a háberdashery; **~os parduotuvė** háberdasher's (shop), fáncygoods store

gal|as end; pirštų ~ais on típtoe; ◊ ~ ų ~e áfter all; ~ ą gauti die; ~as žino! góodness knows!

galąst|i shárpen, grind*; ~uvas whétstone

galbūt žr. gal

galerija gállery

gal|ėti be áble (+to *inf*); aš ~iu I can; ~i būti perháps, máybe

gal|ia, ~ybė power, might

galima one can; (*leidžiama*) one may; jei ~ if (it is) póssible; ar ~ įeití may I come in?; ~s póssible

galim|ybė, ~umas possibílity; (*proga*) chance, opportúnity

galing|as pówerful, míghty; ~umas pówer, might

galinis fínal; end

galiojimas valídity

galioti be válid; (*apie įstatymus, taisykles*) be in force

galūnė 1) *gram.* énding; (*kaitoma*) infléction; 2) *anat.* limb; extrémity

galutinis fínal

galv|a head; vyriausybės ~ head of the góvernment; ◊ išeiti iš ~os go* mad; eik nuo mano ~os leave* me alóne; turėti ~oje take* ínto considerátion

galvažud|ybė múrder; ~ys múrderer

galvijai cáttle; lívestock *sing*

galvo|jimas thínking; ~sena way of thínking; ~sūkis púzzle; ~ti think* (of, abóut)

galvūgalis bédhead

gama *muz.* scale

gamyb|a, ~inis prodúction; ~os procesas prócess of prodúction; avalynės ~ manufácture of shoes

gamykla works; fáctory; mill, plant

gamin|ys manufáctured árticle; próduct; ~ti 1) próduce, make*, manufácture; 2) (*valgį*) prepáre; cook

gamt|a náture; ~os turtai nátural resóurces; ~os mokslas (nátural) science; ~inis nátural

gana enóugh (*po bdv. ir prv.*); ráther, prétty

gandas rúmour

gandras *zool.* stork

gan|ykla pásture; ~yti(s) graze, pásture

garai fumes

garant|ija guarantée, secúrity; ~uoti guarantée

garažas gárage

garban|a curl, lock; ~otas cúrly; ~oti wave; curl

gar|as steam, vápour; ~avimas evaporátion

garb|ė hónour; ~ės žodis! upón my hónour! ~ės troškimas ambítion; plėsti ~ę dishónour; ~ėtroška ambítious man*

garbingas hónourable

garbinti 1) (*šlovinti*) glórify; 2) (*gerbti*) hónour; 3) (*nusilenkti*) wórship

gardas pen; enclósure

gardus delícious, tásty; nice *šnek.*

gardžiai tástefully; ~kvepėti be frágrant; smell sweet

gardžiuotis sávour, relish

gargaliuoti gárgle

garin|is steam (-); ~ti eváporate

garlaivis stéamer

garnyras gárnish

garnys *zool.* héron

gars|as sound; ~enybė celébrity; ~ėti be fámous; ~iai lóud(ly); alóud

garsiakalbis loudspéaker

garsin|is sound(-); ~filmas sóundfilm; tálkie *šnek.*; ~tuvas spéakingtrumpet

garstyč|ia, ~ios mústard

garsus 1) (*skambus*) loud, sonórous; 2) (*žinomas*) wellknówn, fámous

garuoti eváporate, exhále

garvežys (stéam)engine; lócomotive *amer.*

gąsdinti fríghten, scare

gastrolės *pl sing* tour

gastronomas (*parduotuvė*) grócery and provísion shop; (*didelė*) food store

gatavas fínished; (*apie drabužius*) readymáde

gatv|ė street; ~elė býstreet

gaublys *geogr.* globe

gaubtas I *bdv.* cónvex

gaubt|as II (*lempos*) lámpshade; ~i 1) (*dengti*) cóver, put* on; 2) (*lenkti*) bend* óut(wards).

gaudimas drone; hum, buzz

gaudyti catch*

gauja 1) (*žmonių*) band, gang; 2) (*šunų, vilkų*) pack

gaus|ėti incréase; ~ybė, ~umas abúndance, plénty; ~us abúndant, pléntiful

gausti buzz; (*žemu tonu*) drone

gauti recéive, get*

gavėjas recéiver

gavėnia *bažn.* Lent

gėd|a shame, disgráce; man ~ I am ashámed; kam ~ą daryti disgráce smb; ~ingas disgráceful, shámeful; ~inti shame; ~ytis be ashámed (of)

gedul|as móurning; ~ingas fúneral; móurning

gegutė *zool.* cúckoo

gegužė May

geidžiamas desírable

geis|mas lónging (for); (*noras*) desíre; ~ti long, crave (for); desíre

gėlas fresh

gelbėti save, réscue

gelda trough [trɔf]

gėl|ė flówer; kambarinės ~ės índoorplants; ~ėtas flówery

geležinis iron (*ir perk.*)

geležinkel|ininkas ráilwayman*; ~is ráilway; ráilroad *amer.*; ~io stotis ráilway station.

geležis íron

gėlynas flówer gárden; partérre [pɑːˈtɛə]

gelmė depth

gels|ti turn yéllow; ~vas yéllowish

gelt|a, ~ligė jáundice

gelti 1) (*skaudėti*) ache; 2) (*apie vabzdžius*) sting*; (*apie gyvate*) bite*

gelton|as yéllow; ~umas yéllowness; ~uoti show* yéllow

geluonis sting

gelžbetonis ferrocóncrete

gemalas *biol.* émbryo, germ

gemb|ė wóoden hook; ~inė peg, rack

genas *biol.* gene

generalin|is géneral; ~ė repetícija dress rehéarsal

generolas géneral

genėti lop, prune

genialus of génius; great; ~ žmogus génius

genijus génius

genys *zool.* wóodpecker

genocidas génocide

gent|inis tríbal; ~is tribe

geograf|as geógrapher; ~ija geógraphy; ~inis geográphic(al)

geolog|as geólogist; ~ija geólogy; ~inis geológical

geometr|ija geómetry; ~inis geométric(al)

geradarys bénefactor

gerai well*; okáy; ~! véry well!, all right!

ger|as good*; (*malonus*) kind; ◊ ~a valia of one's own free will; viso ~o! goodbýe!; so long!; ~iausiu atveju at best

gerašird|is góodnátured; ~iškumas good náture

gerbėjas admírer, wórshipper

gerb|iamas hónourable, respéctable; (*laiške*) dear; ~imas respéct; ~ti hónour, respéct

gerėti grow* bétter, impróve; (*sveikti*) recóver

gėrė|jimasis admirátion, delíght; ~tis admíre, be delíghted

geriamas drínkable

gėrybė good; wealth

gėrimas drink, béverage

gerinti impróve; ~s fawn (upón), cúrry fávour (with)

gėris good

gerkl|ė throat; j a i s k a u d a ~ ę she has a sore throat

gerok|ai ráther; ~as 1) (*apygeris*) ráther/prétty good; 2) (*nemažas*) considerable

gerovė wellbéing; wélfare

gerti 1) drink*; ~ v a i s t u s take* one's médicine; 2) (*siurbti*) absórb, imbíbe

ger|umas kíndness, góodness; ~umu, ~uoju of one's own free will; (*nesipykstant*) in a fríendly way

gervė *zool.* crane

gervuogė (*uoga*) bláckberry

gesinti put* out, extínguish; (*elektros šviesą*) switch off

gestas gésture

gesti I 1) (*irti*) spoil; (*apie maistą*) go* bad; (*pūti*) rot; (*apie dantis*) decáy; 2) *perk.* becóme corrúpt

gesti II (*blėsti*) go* out

gi *dll:* k a l b ė k ~! aren't you góing to speak!; g r e i č i a u ~! be quick!

gidas guide

gydym|as tréatment; ~ti treat; cure; ~tis undergó* a cure/tréatment; ~tojas phýsician, dóctor

gydomasis cúrative

giedoti sing*, chant; (*apie*

**paukščius*) wárble; (*apie gaidį*) crow*

giedr|as clear, seréne; ~ėti (*apie orą*) clear (up)

giesmė song; hymn

gigant|as giant; ~iškas gigán-tic

gilė (*ąžuolo*) ácorn

gil|ėti, ~inti déepen; ~intis go* deep (ínto)

gylis depth

gylys (*vabzdys*) gádfly

giltinė (sýmbol of) death

gilum|a, ~as depth

gilus deep, profóund

gimdyti give* birth (to); bear*

gim|ęs; born; ~imas birth; ~imimo diena bírthday; ~imo vieta bírthplace

giminait|ė, ~is rélative, relá-tion

gimin|ė 1) fámily, kin; (*giminaitis*) rélative, kínsman*; 2) *gram.* génder; ~ingas kíndred, reláted; ~ingumas, ~ystė relátionship, kíndred; ~iuo-tis be reláted

gimnastika gymnástics

gimnazija sécondary school

gimt|as nátive; ~asis krãš-tas nátive land; ~oji kal-ba móther tongue; ~i 1) be born; 2) *perk.* come*ínto béing, aríse; ~inė nátive land

ginč|as árgument; ~ijamas

quéstionable; dispútable; ~yti dispúte; contést; ~ytis árgue, dispúte; (*bartis*) quarrel

gyn|ėjas 1) protéctor, defénder; 2) *teis.* cóunsel (for the defénce); 3) (*futbole*) back; fúllback; ~yba, ~imas defénce

ginkl|as arm(s), wéapon; ~avimasis ármament; ~uotas armed; ~uotas sukilimas armed rísing; ~uoti(s) arm

gintaras ámber

giñti I drive*

gínti II (*saugoti*) defénd, protéct; 2) (*žodžiais*) speak* in suppórt (of); *teis.* plead for

gips|as gýps(um); (*chirurgijoje, skulptūroje*) pláster (of Páris); ~inis pláster

giraitė grove

gird|ėti hear*; k a s ~ ? what's the news?; ~imas distínct, áudible

gird|ykla wáteringplace, pond; ~yti 1) give* (*smb smth*) to drink; (*gyvulius*) wáter; 2) (*svaigalais*) make* drunk; 3) (*skandinti*) drown

girgžd|ėjimas, ~esys squeak, creak; ~ėti creak, squeak

giria fórest, wood

gyrimasis bóasting

gìrininkas fórester

girtas drunk, típsy

girt|i praise; ~inas práisewor-

thy; ~is boast (of), brag (of)

girtuokl|iauti drink* hard; ~is drúnkard

gysl|a a vein; ~otas sínewy

gitara guitár

gyti 1) (*sveikti*) get* bétter, recóver; 2) (*apie žaizdą*) heal

gyvas 1) líving, alíve; 2) (*judrus*) lívely, brisk, (*žvalus*) ánimated; ◊ s v e i k a s ~! helló!

gyvatė snake; sérpent

gyvatukas *tech.* cóil(pipe)

gyvenam|as(is) 1) dwélling; ~ a s i s plotas flóorspace; ~oji vieta résidence; dómicile; 2) (*apgyventas*) inhábited; (*pvz. kraštas*) pópulated

gyvenimas life*

gyvent|i 1) live; 2) (*turėti buveinę*) reside, dwell*; ~ojas inhábitant, dwéller; ~ojai (*šalies, miesto*) populátion *sing*

gyvenvietė séttlement

gyvyb|ė life*; ~inis, ~iškas vítal

gyvis líving béing

gyvsidabris mércury

gyvulininkystė cáttle bréeding

gyvul|ys ánimal; beast; ~iai cáttle; ~iškas brútal, béstial

gyvūnija fáuna, the ánimal kíngdom

gyvuo|ti be, exíst; k a i p ~ jí how are you (gétting on)? t e g y v u o j a..! long live..!

gižti (*apie pieną, sriubą*) grow* sóurish

glaistyti pútty (with)

glamonė|jimas, ~ti caréss

glamžyti(s) crúmple

glaudės shorts; (*maudymosi*) trunks; slips

glaudus sérried; concíse; (*apie ryšį*) close

glausti 1) (*eiles*) close; 2) (*spausti*) clasp; ~s (*prie ko*) press onesélf (to)

glėbys 1) embráce, arms *pl*; 2) (*ko*) ármful (of)

gleivės *pl* múcus *sing*

glemžti grab, seize

gležnas délicate, flábby

gliaudyti (*riešutus*) crack; (*žirnius*) pod

glitus víscous, slímy, stícky

glob|a guárdianship; ~ėjas guárdian; *teis.* tútor; ~ojimas care; ~oti be guárdian (to); take* care (of)

glostyti stroke

gluosnis *bot.* wíllow

gnaibyti pinch, nip

gniaužti (*spausti*) squeeze

gnybti pinch, nip

gniūžtė (*šiaudų*) wisp; (*žolės*) tuff; (*popieriaus*) pack; s n i e g o ~ snowball

gobšus, godus gréedy

golfas *sport.* golf

gomurys *anat.* pálate

gorila *zool.* gorílla

grabal|inėti, ~ioti grope* (for), feel* abóut (for)

grac|ija grace; ~ingas gráceful

grafik|a dráwing; ~as 1) (*menininkas*) dráwer; 2) (*diagrama*) graph; 3) (*tvarkaraštis*) schédule.

grafinas decánter; caráfe

graf|inis, ~iškas gráphic

grafystė cóunty

graibyti 1) (*čiupinėti*) feel*, touch; 2) (*nuo paviršiaus*) take* off

graik|as, ~iškas Greek

grakštus gráceful

gramas gram(me)

gramat|ika grámmar; ~inis grammátical

gramzdinti submérge; plunge

granata *kar.* grenáde

grandin|ė, ~ėlė chain; ~ės *perk.* chains, fétters

grandiozinis gránd(iose)

grandis 1) link; 2) (*žiedas*) ring; 3) (*grupė*) team, group

grandyti scrape

granitas gránite

grasin|imas threat, ménace; ~ti thréaten

graud|inti move, touch; ~us móving, tóuching; (*liūdnas*) sad, dóleful; ~ žios ašaros bítter tears

graužikas *zool.* ródent

graužti gnaw; níbble; ~s grieve, be distréssed

graužtukas core (*of an apple, etc.*)

grav|iruoti engráve; ~iūra engráving

gr**ąža** change

gražėti grow* préttier

gražiai beaútifully, nícely, well

grãžinti beaútify, adórn

grąžinti retúrn, give* back

gražiuoju in a friendly way

gr**ąžtas** *tech.* bórer, drill

graž|umas, ~uolė béauty; ~us béautiful; hándsome; ~us oras good/fine wéather; ◊ toli ~u far from béing

grėb|lys rake; ~styti, ~ti rake

greičiau sóoner, ráther; ~siai most próbably, véry líkely

greit|ai 1) (*sparčiai*) quíckly, fast; 2) (*netrukus*) soon; ~as quick, fast; ~u laiku befóre long; ~asis traukinys fast train

greit|inti quícken; accélerate; (*vykdymą*) speed* up; ~is speed, rate; ~kelis híghspeed road; ~omis húrriedly, hástily; ~umas quíckness; speed

grės|mė threat, ménace; ~mingas thréatening, ménacing; ~ti thréaten

greta I *prl.* (*ko*) by, near

greta II *prv.* side by side

greta III (*eilė*) file; rank

gret|imas, ~utinis adjácent; contíguous

gretinti compáre (to, with), confrónt (with)

gręžti 1) *tech.* bore; drill; 2) (*baltinius*) wring*; 3) (*sukti*) turn

griaučiai 1) skéleton *sing;* 2) *perk.* fráme(work) *sing*

griaunamas(is) destrúctive

griausmas thúnder

griaust|i thúnder; ~inis thúnder; ~inio trenksmas thúnderclap

griauti 1) (*naikinti*) destróy; 2) (*guldyti*) bring* down; 3) (*žlugdyti*) undermíne

gryb|as múshroom; ~auti pick múshrooms

griebti seize; catch* hold (of), grasp

grietin|ė sóur cream; ~ėlė cream

griežiklis bow

griežlė *zool.* lándrail

griežtas sevére, stern; (*reiklus*) strict

griežti 1) : ~ smuiku play the violín; 2) (*dantimis*) grind*, gnash

griežtis *bot.* swede, Swédish túrnip

grikiai búckweat *sing*

grimas máke-up

grimas|a grimáce; **daryti ~as** make* fáces

grimuoti make* up

grimzti sink*, plunge (ínto)

gryn|as pure; **~asis svoris net** weight; **~ais pinigais in** cash; **~ame ore in** ópen (air)

grindinys pávement

grindys floor *sing*

grynumas púrity

griovimas destrúction, demolítion

griovys ditch

griozdiškas búlky, unwíeldy

gripas *med.* influénza; flu *šnek.*

gristi 1) (*gatvę*) pave; (*akmenimis*) cóbble; 2) (*savo tvirtinimus*) ground, base

griūti (*kristi*) fall* (down); collápse (*ir žlugti*); **~is** fall; (*sniego*) ávalanche

griuv|ėsiai rúins; **~imas** fáll(ing); collápse

grįž|imas retúrn; **~ti** retúrn, go*/come* back

grob|ikas inváder; plúnderer; **~imas** plúnder; róbbery; (*teritorijos*) séizure; **~is** bóoty; plúnder; (*plėšraus žvėries*) prey

grob|styti, **~ti** 1) (*plėšti*) plúnder; 2) (*griebti*) seize

grobuonis (*apie žmogų*) plúnderer; (*apie žvėrį*) beast of prey; (*apie paukštį*) bird of prey; **~iškas** prédatory

grojimas play, pláying

gromuliuoti chew; rúminate

grotelės gráting *sing*

groti play

grotuvas recorder, pláyer

grož|ėjimasis admirátion; **~ėtis** admíre; **~ybė** beáuty

grož|inis: ~inė literatūra fiction, belleslèttres ['bel'letr]; **~is** beáuty

grubti (*nuo šalčio*) becóme* numb

grubus coarse, rough; (*nemandagus*) rude

grūd|ai, **~as** grain, corn; **~inis: ~inės kultūros** céreals

grūdinti témper; *perk.* hárden

grūmoti thréaten, ménace

grumstas clod, lump

grumtis fight*, strúggle

gruodis Decémber

grup|ė, **~uotė**, **~uoti(s)** group

grūst|i 1) (*smulkinti*) pound; 2) (*kišti*) push, cram; **~is** crush

gruzin|as, **~iškas** Geórgian

guba shock

gudr|ybė, ~umas cléverness; cúnning; **~us** 1) (*protingas*) cléver, intélligent; 2) (*suktas*) sly, cúnning

guiti (*varyti*) drive*
gulbė swan
guldyti lay* (down)
gulėti lie*
gulsčias 1) (*gulįs*) lȳing, recúmbent; 2) (*horizontalus*) horizóntal
gulti lie* (down); e i t i ~ go* to bed
guma rúbber; k r a m t o m o j i ~ (chéwing) gum
gumbas 1) (*nuo sumušimo*) bump; 2) (*atauga*) lump
guminis rúbber
gumulas lump; (*dūmų*) puff
gundy|ti tempt; sedúce; ~mas temptátion, sedúcement
guodimas cómfort, consolátion
guolis 1) (*lova*) bed; 2) (*žvėries*) lair; 3) *tech.* béaring
guost|i cómfort, consóle; ~is (*kam kuo*) compláin (to of)
gurguolė *kar.* tránsport; train
gurklys 1) (*paukščio*) crop; 2) (*žmogaus*) dóuble chin
gurkšn|is drink, móuthful; (*mažas*) sip; (*didelis*) gulp; ~oti sip
guvus quick, prompt
gūžčioti, gūžtelėti: p e č i a i s ~ shrug one's shóulders
gūžta nest
gvard|ietis guárdsman*; ~ija Guards *pl*

gvazdik|as *bot.* pink; carnátion; ~ėliai (*prieskonis*) clove *sing*
gvėra gawk, bóoby
gvildenti 1) (*ankštis*) hill, pod; 2) (*nagrinėti*) consíder, examine

H

harmon|ija hármony; ~i n g a s harmónious
hektaras héctare
herbas (coat of) arms *pl*; v a l - s t y b i n i s ~ State Émblem
hermetiškas hermétic
heroinas héroin
heroj|ė héroine; ~inis, ~iš-kas heróic; ~us héro
hibridas, ~inis hȳbrid
hidroelektrin|ė hydroeléc-tric pówer státion; ~is hy-droeléctric
hidrotechnika hydráulic engi-néering
higien|a hȳgiene; ~iškas hygíenic(al)
himnas hymn; v a l s t y b i n i s ~ nátional ánthem
hiperbolė *lit.* hypérbole
hipno|tizuoti hypnótize; ~zė (*būvis*) hypnósis; (*įtaigos jėga*) hypnótism

hipodromas rácecourse
hipotezė hýpothesis
hobis hóbby
homonimas hómonym
honoraras fee
horizont|alė, ~alus horizón-
tal; **~as** horízon
human|istas húmanist; **~iš-**
kas humáne; **~izmas** hú-
manism
humor|as húmour; **~istinis**
húmorous, comic

I, Į, Y

į (*vidun*) in, ínto; (*krypčiai*
žymėti) to, for; d ė t i ~ d ė ž ę
put* in a box; j e i t i ~ n a m ą
go* ínto the house; e i t i ~
m o k y k l ą go* to school;
i š v y k t i ~ V i l n i ų leave*
for Vílnius
įamžinti perpétuate, immór-
talize
įasmeninti persónify
įaugti grow* in
įbauginti intímidate, cow
įbėgti run* (in, ínto), come*
rúnning (in, ínto)
įbesti stick*, thrust* (in, ínto);
(*sunkiai*) drive* (in, ínto)
įbrėžti scratch
įbristi wade, ford (ínto)

įbrukti shóve, push (ínto)
yda vice, deféct
įdaras stúffing, fílling
įdarbinti give* (*smb*) a job
įdaužti make* a hole/dent
ideal|as idéal; **~iai** pérfect-
ly; **~istas** idéalist; **~istinis**
idealístic(al); **~izmas** idéal-
ism; **~us** idéal
įdeg|imas súnburn, tan; **~ti**
get* súnburnt/brown
idėj|a idéa; **~inis** idéa;
ideológical
įdėmus atténtive
ideolog|as idéologist; **~ija**
idéology; **~inis** ideológical
įdėti 1) put* in, insért; (*į voką*)
enclóse; 2) (*įmokėti*) pay* in;
(*kapitalą*) invést
įdiegti implánt; ínculcate
ydingas deféctive; fáulty
idioma ídiom
idiot|as ídiot; **~iškas** idíotic
įdom|umas ínterest; **~us** ín-
teresting
įdrė|ksti, ~skimas scratch
įdribti fall*, túmble (ínto)
įdub|ęs hóllow, súnken;
~imas hóllow, cávity; **~ti**
sink* in
įduoti 1) (*įteikti*) hand in; 2)
(*įskųsti*) repórt (on)
įdūrimas prick
įdurti prick; (*įbesti*) thrust*
(ínto)
įdužti crack slíghtly

įeiti go* ín(to), come* in, énter

įėjimas éntrance, éntry

ieškinys *teis.* áction, suit

ieško|jimas search (for); **~ti** look (for), search; seek*

ieš|mas *glžk.* ráilway point; **~ininkas** *glžk.* swítchman*

iet|is spear; **~ies metimas** *sport.* jávelin thrówing

ieva *bot.* bírdcherry tree

įgalinti enáble

įgalio|jimas (*raštas*) wárrant; pówer of attórney; **~ti** áuthorize, empówer; **~tinis** represéntative; (*atstovas*) áuthorized ágent

įgaubtas concáve

įgauti take*; **~ proto** learn* sense, grow* wise

įgeidis whim, capríce

įgelti sting*; (*apie gyvatę*) bite*

įgėręs típsy, a bit drunk

įgimtas inbórn, innáte

įgyti acquíre, gain

įgyvendin|imas realizátion; **~ti** réalize; (*įvykdyti*) fulfíl, accómplish

įgnybti pinch

ignoruoti ignóre

įgristi péster, bore, bóther

įgriūti come* down; (*įkristi*) túmble ín (to).

įgrūsti push, shove (ínto)

įgudęs skílful; (*prityręs*) ex-périenced

įgūdis hábit; skill

įgula 1) *kar.* gárrison; 2) (*laivo, lėktuvo*) crew

įgusti get* used (to); acquíre a hábit

įjungti *tech.* turn on; start; (*srovę*) switch on

įkainoti fix the price, price

įkaisti became* héated; get* hot

įkaitas 1) (*daiktas*) pledge; 2) (*žmogus*) hóstage

įkaitinti heat

įkalbė|jimas persuásion; **~ti** persuáde; talk (ínto)

įkalin|imas imprísonment; **~ti** impríson

įkalti drive*/hámmer in

įkandimas bite; (*vabzdžio*) sting

įkaršt|is clímax; **pačiame ~yje** in full swing

įkąsti bite*; (*apie vabzdį*) sting*

iki I *prl.* to; till, untíl; **~ čia** up to here; **~ šiol** up to now; **~ galo** to the end.

iki II *jng.* untíl, till

ikimokyklinis preschóol

įkyr|ėti bore, bóther...; **~us** bóthersome, bóring

įkišti put*, shove (ínto)

įkliūti be caught; get* (ínto)

įkopti climb up

ikrai 1) (*žuvyje*) roe *sing*; 2)

(*valgiui*) cáviar(e) [ˈkævɪɑ:] *sing*

įkrèsti (*košės ir pan.*) put*, pour (ínto)

įkristi fall*, sink* (ínto)

įkūnyti embódy, íncárnate

įkurdinti séttle

įkūr|ėjas fóunder; ~imas foundátion

įkurt|i 1) found; 2) (*ugnį*) make* up the fire; ~uvės hóusewarming *sing*

įkvėp|imas inspirátion; ~ti 1) (*oro*) breathe in, inhále; 2) (*pvz., mintį*) inspíre

yla awl

įlanka bay, gulf

įlašinti put*/pour some drops (ínto)

įlaužti break slíghtly; break* (through)

įleisti let* in; (*vaistus*) injéct

įlėkti fly* ín(to)

įlenkti curve/bend* ínwards

ilgai long, (for) a long time

ilgas long

ilgesys yéarning, lónging (for); tėvynės ~ hómesickness

ilgėtis long for; miss

ilginti léngthen, make* lónger

ilg|is length; ~uma *geogr.* lóngitude; ~umas length

įlipti (*pvz., į medį*) climb up; (*į traukinį ir pan.*) get* in/on

įlįsti get* ín(to)

ilsėtis rest

iltis fang

įlūžti becóme* fráctured, crack

įmerkti soak, dip

įmigti fall* déeply aslèep

įminti (*mįslę*) guess

įmokėti pay* in

įmonė undertáking, énterprise

import|as ímport; ~uoti impórt

imt|i 1) take*; 2) (*pradėti*) begin*; 3) (*derlių*) hárvest; 4) (*mokesčius*) lévy; ~inai inclúsive

imtyn|ės *sport.* wréstling *sing*; eiti ~ių wréstle; ~ininkas *sport.* wréstler

imtis take*/set* to; undertáke*

imtuvas recéiver; wíreless (set)

įnašas contribútion

incidentas íncident

ind|ai plates and díshes; fajanso ~ cróckery *sing*; porcelianiniai ~ chína *sing*; virtuvės ~ kítchen uténsils; ~as véssel

índas Índian

indėlis 1) dépósit; 2) *perk.* contribútion

indėn|as, ~iškas Índian

individ|as, ~ualus indivídual

industrializ|acija industri-
alizátion; ~uoti indústrialize
įnešti bring*/cárry in
infekc|ija inféction; ~inis in-
féctious
infliacija *ekon.* inflátion
inform|acija informátion;
~uoti infórm
iniciat|yva inítiative; ~orius
inítiator
įnirš|imas, ~is fúry, rage; ~ti
fly* ínto rage
injekcija injéction
inkaras ánchor
inkilas néstingbox
inkstas kídney
inscenizuoti drámatize,
stage
inspektas hótbed, fórcing-
bed
inspektorius inspéctor
instinkt|as ínstinct; ~yvus
instínctive
institutas ínstitute
instruk|cija instrúctions *pl,* di-
réctions *pl;* ~torius instrúctor;
~tuoti instrúct
instrumentas ínstrument,
tool
intakas tríbutary
inteligent|as intelléctual; ~ija
intelléctuals *pl;* intelligéntsia
intensyvus inténsive
interes|antas vísitor, cáller;
~as ínterest; ~uotis be ín-
terested (in)

interjeras intérior
internacional|inis interná-
tional; ~izmas internátiona-
lism
internatas (*mokykla*) bóard-
ingschool
intervencija intervéntion
interviu ínterview
intymus íntimate
intonacija intonátion
intrig|a intrígue; ~antas in-
tríguer; ~uoti intrígue
invaldidas ínvalid; d a r b o ~
disábled wórker; k a r o ~ dis-
ábled sóldier
inventor|ius 1) (*sąrašas*) invén-
tory; 2) (*turtas*) stock; ~izuoti
invéntory; take* stock
invest|icija *ekon.* invéstment;
~uoti invést
inžinierius enginéer
ypač espécially, particularly
įpainioti entángle, invólve
įpareigo|jimas obligátion; ~ti
oblíge, bind*
ypat|ybė peculiárity; ~ingas
spécial, particular; ◊ n i e k o
~ i n g o nóthing in particu-
lar
įpėdin|ė héiress; ~is heir;
~ystė inhéritance
įpyk|dyti make* ángry; ~ti
get* ángry
įpilti pour in
įpjauti cut slightly; make* an
incision

įplėšti tear* slíghtly

įplyšti becóme* slíghtly torn

įprast|as úsual, órdinary; ~i get* accústomed/used (to)

įprat|imas hábit; ~inti accústom, train

įprotis hábit

įpulti 1) fall*, túmble(ínto); 2) (įbėgti) rush, burst (ínto)

ir and; ~...~ both...and

įranga equípment; installátion

įrank|is ínstrument, tool; ímplement

įraš|as récord; (pvz., paminkle) inscríption; ~yti récord; (į sąrašą ir pan.) énter; inscríbe

įreng|imai, ~imas equípment; ~ti equíp, fit out

irgi álso, too

irimas disintegrátion; decáy

įriš|imas bínding, bóokcover; ~ti (knygą) bind*

irkl|as oar; (trumpas) scull; ~uoti row; ~uotojas rówer, óarsman*

įrody|mas proof, évidence; ~ti prove; démonstrate

iron|ija írony; ~iškas irónical

irti 1) disíntegrate, decáy; 2) (apie siūlę) rip

irti, irtis row

įrūgti get*/becóme*sóur

irzlus irritable, pétulant

įsakas decrée, édict

įsak|ymas órder, commánd; ~inėti give* órders; be in commánd/charge; ~yti órder, commánd

įsekti come* in (after smb), fóllow (smb) in

įsibėgė|jimas rúnning start; ~ti run* up; šokti ~jus take* a rúnning jump

įsibrauti 1) intrúde; inváde; 2) (apie klaidą) slip in

įsidėmėti pay* atténtion (to); (atsiminti) remémber

įsidrąsinti pluck up one's cóurage

įsigalėti (sustiprėti) inténsify, becóme* strónger; (apie papročius ir pan.) take* root

įsigalioti come* ínto force

įsigeisti get* a strong desíre (for)

įsigerti soak in; be soaked (into)

įsigilinti go* deep (ínto); be absórbed in

įsigyti 1) acquíre; obtáin; 2) (pirkti) púrchase

įsigudrinti contríve; mánage

įsikalbėti, įsikalti (į galvą) take* ínto one's head

įsikaršč|iavimas fervour, heat; ~iuoti get* excíted, grow* héated

įsikibti catch* hold of, seize

įsikiš|imas interférence; ~ti interfére; (į kalbą t. p.)

cut* in

įsiklausyti lísten atténtively

įsikurti séttle, estáblish one-sélf

įsilaužti break* in

įsiliepsnoti flare/flame up

įsilinksminti žr. įsismaginti

įsimylė|jęs in love; **~ti** fall* in love (with)

įsiminti mémorize; be retáined in *smb's* mémory

įsipainioti be/get* mixed up (in)

įsipareigo|jimas engáge-ment, obligátion; **~ti** pledge onesélf

įsisamoninti réalize

įsiskolin|ęs in debt; **~imas** debts *pl;* **~ti** run* ínto debt

įsiskverbti pénetrate

įsismaginti cheer/bríghten up

įsisteigti be estáblished, be set up

įsišaknyti take* root

įsitaisyti 1) žr. įsigyti; 2) žr. įsikurti

įsiterpti interfére

įsitikin|ęs sure, cónfident; **~imas** convíction; cónfidence; **~ti** be convínced (of); make* sure (of; that)

įsitraukti (*pamėgti*) becóme* keen (on); take* a great ínterest (in)

įsiūlyti (*ką kam*) foist; palm

off (*smth on smb*)

įsiu|sti fly* ínto rage; get* fúrious; **~tęs** fúrious; **~tin-ti** infúriate, enráge

įsivaizduo|jamas imáginary; **~ti** imágine; fáncy

įsiverž|imas invásion; en-cróachment; **~ti** inváde; en-cróach (upón)

įsivyrauti becóme predómi-nant

įsižeisti take* offénce (at)

įsižiūrėti look inténtly, peer (ínto)

įskait|a 1) (*aukštojoje mokyk-loje*) crédit test; 2) (*įskaitymas*) inclúsion; **~yti** inclúde; **~yti-nai** inclúsive

įskaitomas légible

įskaudinti give* pain (to)

įskausti ache

įskristi fly* ín(to)

įskund|ėjas denúnciator; **~imas** denunciátion

įskųsti denóunce

island|as, ~iškas Icelándic, Íceland

įslinkti slip, creep* (into)

įsmukti (*pralįsti*) slip ín(to)

įsodinti put* (*smb*); (*į laivą*) embárk

ispan|as Spániard; **~iškas** Spánish

įspaud|as stamp, brand; **~uoti** stamp, brand

įspė|jimas 1) wárning; 2) (*mįs-*

lės) ánswer, solútion; ~ti 1) warn; 2) (*mįslę*) guess

įspūd|ingas impréssive, impósing; ~is impréssion

įstaiga institútion, estáblishment

įstatai regulátions, státutes

įstatym|as law; ~ų leidimas legislátion

įstatyti put* ín(to)

įsteigti found; estáblish, set* up

įstengti be áble

įstiklinti glaze

įstoj|amasis éntrance; ~imas éntry

istor|ija 1) hístory; 2) (*pasakojimas*) stóry; ~ikas histórian; ~inis, ~iškas histórical; (*žymus*) históric

įstoti (*į mokyklą*) énter; (*į organizaciją, kolektyvą*) join

įstrigti stick* in

įstriž|ai slántwise; oblíquely; ~as slánting, oblíque

įsukti screw (ínto)

įsūnyti adópt

iš 1) from; (*iš vidaus*) out of; ~ po from únder; 2) (*apie medžiagą*) of; 3) (*žymint priežastį*) for, out of; 4) (*dalijant, dauginant*) by; ◊ ~ esmės in éssence; ~ prigimties by náture; ~ mažens from one's chíldhood

išaiškėti turn out

išaiškin|imas elucidátion, cléaring up; ~ti elúcidate, clear up; expláin (to); (*nustatyti*) ascertáin, find* out

įšaldyti (*ir perk.*) freeze*

išalkti feel*/get* húngry

išankstinis prelíminary; advánce

išardyti 1) (*siūlę*) unríp, rip up; 2) (*sugriauti*) destróy, demólish; 3) take* apárt

išaug|inti (*vaikus*) bring* up; (*gyvulius*) rear; (*augalus*) grow*, raise; ~ti grow*

išauklėt|as wellbréd; ~i bring* up; educate

išauš|ti|ti: ~o it is (dáy)light

išbaidyti scare/fríghten awáy

išbal|ęs pale; ~ti turn pale

išbaltinti whíten; (*patalpą*) whitewash

išband|ymas test, tríal; *perk.* ordéal; ~yti try, test; put* to the test

išbarstyti spill*, scátter

išbarti give* (*smb*) a scolding

išbėgioti scátter

išbėgti run* out (of)

išbėrimas (*kūno*) rash, erúption

išberti 1) (*odą*) break* out; 2) (*pvz., grūdus*) émpty, pour out

išbyrėti, išbirti pour/spill* out

išblaškyti 1) scátter; 2) *perk.*
dispél, díssipate
išblykšti turn pale
išbraukti cross out; (*iš sąrašo*)
strike* off
išbūti stay, remain
išdaiga trick, prank
išdal|ijimas distribútion, dispensátion; ~**yti** distríbute, dispénse
išdaužti knock/break* out
išdava resúlt, óutcome
išdav|ikas tráitor; ~**ikiškas**
tréacherous; ~**imas** 1) tréachery; *polit.* tréason; (*nusikaltélio*) extradítion; 2) (*pvz., prekių*) delívery
išdeg|inti burn* out; (*žymę*)
brand; ~**ti** burn* awáy/out
išdėlioti lay* out
išdėstyti 1) lay* out; 2) (*žinias*)
set* forth
išdid|umas pride; háughtiness, árrogance; ~**us** proud;
háughty, árrogant
išdyk|auti be náughty, romp;
~**ęs** náughty
išdirb|imas, ~is (*produkcija*)
óutput; (*jos kokybė*) make; ~**ti**
work (up)
išdraikyti 1) scátter/strew*
abóut; 2) (*plaukus*) tousle
išdraugauti have been friends
(*for some time*)
išduoti 1) give*, hand; 2)
(*paslaptį ir pan.*) give* awáy,

betráy
išdžiovinti, išdžiūti dry up
išeikvo|jimas embézzlement,
peculátion; ~**ti** spend*, embézzle; ~**tojas** embézzler
išei|ti 1) go* out; leave*; 2)
(*mokslus, mokyklą*) compléte;
3) (*iš spaudos; apie uždavinį;
pasirodyti*) be out; come* out;
appéar; ~ **n a**, **k a d** ... it seems
(that)...
išeitis way out
išeivija emigrátion; émigrants *pl*
išėjimas 1) (*veiksmas*) góing
out; (*traukinio*) depárture; 2)
(*salėje ir pan.*) éxit, way out
išgalvoti invént; (*meluoti*)
make* up
išgars|ėti becóme* fámous
(for); ~**inti** glórify, make*
fámous
išgastis fright, scare
išgaub|as cónvex; protúberant; ~**i** bend*
išgelbėjimas réscue; salvátion
išgenėti lop off; chop off
išgerti drink* (off); (*kavos, arbatos, vaistų*) take*
išgyd|yti cure; ~**omas**
cúrable
išgijimas recóver
išgirsti hear*
išgyvendinti 1) (*iškelti*) evíct;
2) (*trūkumus*) get* rid (of)

išgriebti snatch/get* out

išgrob|styti plúnder; **~ti** steal*

išgrūsti push/force out; drive* out

išildyti warm up

išilg|ai 1) *prv.* léngthways; 2) *prl.* alóng; ◊ s k e r s a i ir ~ far and wide; **~as** léngthwise

išimt|i take* out; ~ iš a p y - v a r t o s withdráw* from use; **~inai** exclúsively; **~inis** exéptional; **~is** excéption

išjudinti move; *perk.* shake* up

išjungti (*vandenį, dujas, šviesą*) turn off; (*elektrą*) switch off; cut* off

išjuokti make* fun (of); rídicule

iškab|a sígnboard; **~inti** hang* out; (*skelbimą*) post up

iškalbing|as éloquent; **~umas** éloquence

iškamša (*gyvulio*) stuffed ánimal; (*paukščio*) stuffed bird

iškankintas worn/tíred out, exháusted

iškarp|a (*laikraščio*) cútting, clípping; **~yti** cut* out

iškas|ena fóssil; **~ti** dig up; (*rūdą, anglį*) extráct, mine

iškeisti exchánge

iškeliauti set* off, leave*

iškelti 1) raise, lift; (*vėliavą*)

hoist; 2) (*iškraustyti*) evíct; 3) (*surengti*) arránge

iškentėti, iškęsti undergó*, bear*; súffer

iškyla 2) pícnic; 2) (*išvyka*) trip

iškilm|ė féstival; **~ės** celebrátions; festívities; **~ingas** sólemn

iškilti 1) rise*; 2) (*į paviršių*) come* to the súrface, emérge

iškirpti cut* out

iškirsti hew out, cut* down

iškišti put* out

iškyšulys *geogr.* cap

išklaus|inėti quéstion; make* inquíries

išklausyti 1) lísten to; (*iki galo*) hear* out; 2) *med.* sound

iškopti climb/come* out

iškovoti (*pergalę*) win*, gain

iškraipy|mas distórtion, misrepresentátion; **~ti** distórt, misrepresént

iškrauti unlóad

iškrikti dispérse, scátter

iškristi fall* out

iškrovimas unlóading

iškvailinti call (*smb*) a fool

iškvėpti breathe out

iškviesti call; send* for

išlaid|os expénses; expénditure *sing*; **~us** extrávagant, wásteful

išlaik|ymas   máintenance;

~yti 1) (*aprūpinti*) maintáin; suppórt; 2) bear* endúre; 3) ~yti egzáminą pass an examinátion; ~ytinis depéndent

išlaipin|imas disembárkation; ~ti disembárk; (*desantą*) land

išlaistyti spill*

išlaisvin|imas, ~ti žr. išvad|avimas, ~uoti

išlakstyti fly* awáy, scátter

išlaužti break* ópen

lšleidimas (*produkcijos*) óutput; (*pinigų*) expénditure

išleisti 1) (*į laisvę*) reléase; (*paukštį*) let* out; 2) (*spausdinį*) públish; íssue; 3) (*pinigus*) spend*

išleistuvės pl séeingoff párty sin, párting feast

išlėkti fly* out; (*apie žmogų*) rush out

išlenkti bend*

išlepintas spoilt

išlydėti see* off

išlydyti (*metalą*) smelt

išlieti (*vandenį*) pour out

išlikti remáin, be left

išlipti climb out; get* out; (*iš laivo*) land

išlošti win*

išmaišyti mix up

išmaitinti maintáin, keep*; províde (for)

išmanyti understánd*

išmatavimas méasuring

išmatos fáeces, éxtrement sing

išmėgin|imas, ~ti žr. išband|ymas, ~yti

išmesti 1) throw* out; 2) (*pvz., stiklinę*) drop, let* fall

išmėtyti throw* abóut, scátter

išminčius sage, wise man*

išmint|ingas wise, réasonable; ~is réason, wísdom

išmiręs extínct

išmirkyti soak, steep

išmirti die out, becóme* extínct

išmokėti pay* off

išmokti learn*; máster

išmušti 1) (*sienas*) páper; 2) (*apie laikrodį*) strike*; 3) (*pvz., priešą*) dislódge

išnagrinėti ánalyse; (*reikalą*) look (ínto)

išnaikinti destróy; anníhilate

išnarinti díslocate

išnarplioti unrável, disentángle

išnaša fóotnote

išnaud|ojimas exploitátion; ~ti 1) use up, make* use of; 2) (*eksploatuoti*) exploít; ~tojas exploíter

įšnekėti žr. įkalbėti

išneš|ioti (*pvz., laiškus*) delíver; ~ti cárry/take* out

išniekinti profáne; (*jausmus*) defíle

išnir|imas dislocátion; **~ti** díslocate

išnuomoti let*, rent, lease

išor|ė extérior; (*žmogaus*) appéarance; **~inis** óutward, extérnal

išpainioti disentángle; (*siūlus*) unrável

išpakuoti unpáck

išparduoti sell* off/out

išpasakoti tell*; recóunt

išpeikti speak* ill; run* down

išpildy|mas fulfílment; **~ti** (*pažadą ir pan.*) fulfíl

išpilti pour out; (*netyčia*) spill*

išpirkti 1) redéem; (*belaisvį*) ránsom; 2) (*kaltę*) éxpiate; 3) (*prekes*) buy* up

išpjau|styti, ~ti cut* out

išplaukti swim* out; (*į paviršių*) come* to the súrface

išplepėti blab, blurt out, give* awáy

išplėsti wíden, enlárge; expánd

išplėšti 1) tear* out; (*iš rankų*) snatch out; 2) (*pvz., turtą*) rob, plúnder

išplėtimas exténsion; expánsion

išplitęs wídespread

išprotėti go* mad

išpuik|ęs háughty, árrogant; **~ti** get* puffed up

išpurvinti make* dírty, dírty, soil

išrad|ėjas invéntor; **~imas** invéntion; **~ingas** invéntive

išraišk|a expréssion; **~ingas, ~us** expréssive

išrasti invént

išrašas éxtract, éxcerpt

išrašyti 1) (*iš knygos*) write* out; 2) (*iš ligoninės*) dischárge

išrauti root out/up; upróot

išreikšti expréss

išrėžti cut* out

išrink|imas (*pvz., delegatų*) eléction; **~ti** 1) seléct, pick out; 2) (*balsavimu*) eléct

išryškinti 1) revéal, bring* to light; 2) *fot.* devélop.

išrūpinti obtáin (áfter much tróuble)

issamus exháustive

issaugo|jimas preservátion; **~ti** keep*, presérve; retáin

issekti 1) (*apie vandenį*) run* dry; 2) (*apie jėgas*) be exháusted

issemti exháust; scoop out

issiblaivyti (*apie orą*) clear up/awáy

issiblašk|ęs ábsentmínded; **~yti** 1) (*issisklaidyti*) dispérse; 2) (*pasilinksminti*) distráct onesélf

išsidažyti (*veidą*) make* up; ~
lūpas put* lípstick on

išsidėstymas (*padėtis*) situá-
tion; disposítion

išsigalvoti make* up; fabri-
cate

išsigąsti be fríghtened
(with)

išsigelbėti save onesélf; es-
cápe

išsigydyti be cured (of),
recóver (from)

išsigim|ęs degénerate; ~imas
degenerátion; ~ti degéner-
ate

išsiginti renóunce; retráct

išsiilgti miss

išsyk at once

išsikelti 1) (*kitur gyventi*)
move; 2) (*į krantą*) land

išsikišti protrúde, jut out

išsikraustyti žr. išsikelti 1)

išsilaikyti 1) (*pvz., pozicijose*)
hold* out, stand*; 2) (*ant kojų*)
keep* one's feet

išsilavin|ęs éducated; ~imas
educátion

išsimaitinti live (on); sub-
síst (on)

išsimiegoti have a good sleep;
sleep* off

išsimokėtinai by instálments

išsimoksl|in|ęs, ~imas žr.
išsilavin|ęs, ~imas

išsipildyti come* true

išsiplėsti wíden; expánd; *perk.*

spread*

išsipurvinti make* onesélf
all múddy

išsipūsti swell*, puff up

išsirinkti choose*

išsiskirstyti go* awáy; (*apie
minią*) break* up

išsiskirti 1) be distínguished
(by); stand* out (for); 2) (*atsi-
sveikinant*) part; 3) (*apie sutuok-
tinius*) divórce, be divórced

išsiskolaidyti dispérse, scát-
ter; (*apie dūmus, rūką*) clear
awáy

išsiskleisti ópen

išsisukinėti dodge, shift

išsisukti 1) (*išsinarinti*) díslo-
cate, put* out; 2) (*iš bėdos*) éx-
tricate onesélf, wríggle out; 3)
(*vengti*) elúde, eváde

išsišakoti rámify; fork (*apie
kelią*)

išsišokėlis úpstart

išsiteisinti jústify onesélf;
(*prieš ką*) set* onesélf right
(with smb)

išsitempti, išsitęsti stretch
(onesélf)

išsitiesti 1) stretch (onesélf),
sprawl; 2) (*išsilyginti*) stráight-
en itsélf

išsivad|avimas liberátion;
~uoti get* free; make* one-
sélf free

išsivaikščioti go* awáy; (*apie
minią*) dispérse

išsivynioti 1) unwráp; 2) (*savaime*) get* unwrápped

išsivysty|mas devélopment; ~ti devélop

išsižadėti renóunce; (*žodžio*) retráct

išsižioti ópen one's mouth

išskaičiuoti cálculate; (*išvardyti*) númerate

išskaityti (*iš užmokesčio*) dedúct

išskėsti move apárt; spread* (wide)

išskirstyti (*tarp*) distríbute

išsk|irti 1) (*atrinkti*) pick out; 2) (*kaip išimtį*) exclúde, excépt; ~yrus excépt, with the excéption (of)

išsklaidyti dispérse; (*baimę, abejonę*) dispél

išskristi fly* out; *av.* start

išskubėti leave* húrriedly

išslinkti, išslysti slip out

išspausti squeeze/press out

išsprukti slip awáy, escápe

išstatyti (*daiktus*) displáy; set* forth; (*parodoje*) expóse, exhíbit

išstoti (*iš organizacijos*) leave*

išstumti 1) push out; 2) *perk.* oust; supplánt

išsukti unscréw

iššaukti call; call out

iššauti fire a shot; fire off

iššifruoti decípher

iššluostyti wipe (up)

iššluoti sweep* (out)

iššokti jump out

iššūkis challenge

iššvaistyti 1) throw* abóut; 2) *perk.* squánder (awáy)

ištaigingas cómfortable

ištaškyti spill*, splash

ištekė|jusi márried; ~ti 1) márry; 2) (*apie skysčius*) flow out, run* out

ištekliai resérves

ištęstas longdráwn, longwínded

ištiesti 1) stretch (out); 2) (*ištiesinti*) stráighten

ištikim|as fáithful, devóted, lóyal; ~ybė, ~umas fáithfulness, lóyalty; (*atsidavimas*) devótion

ištikti strike*, overtáke*

ištinti swell* up/out

ištyrimas investigátion; (*ligonio*) examinátion

ištis|ai complétely, entírely; ~as whole, entíre; ~ą d i e n ą all day; ~inis contínuous; (*apie masę*) sólid, compáct

ištiž|ęs slack, lánguid, slúggish; ~imas lánguor

ištrauka éxtract; pássage

ištraukti draw*/pull out; (*išvilkti*) drag out; (*kamštį ir pan.*) take* out; (*stalčių*) ópen

ištrėmimas éxile; bánishment

ištremti éxile; bánish

ištrinti wipe off; *(tai, kas parašyta)* eráse, rub out

ištro|kšti becóme*/get* thírsty; ~**škęs** thírsty

ištrūkti 1) tear* onesélf awáy; escápe; 2) *(apie sagą)* be torn out

ištušt|ėti becóme* émpty; becóme* desérted; ~**inti** émpty

ištverm|ė endúrance; ~**ingas** hárdy; tough

ištverti bear*, endúre

ištvinti overflów

ištvirk|ęs deprávted; corrúpt; ~**imas** deprávity, corrúption; ~**inti** corrúpt, deprávte; ~**ti** becóme* corrúpted/deprávted

išvad|a conclúsion; (pa) daryti ~ą draw* a conclúsion; prieiti ~ą come* to the conclúsion

išvad|avimas liberátion, delíverance; ~**uojamasis** líberatory, emancipátion; ~**uoti** líberate, reléase; free; ~**uotojas** líberator

išvaikyti drive* awáy; dispérse

išvaizda appéarance, looks *pl*, air

išvakar|ės eve *sing*; ~ **ė s e** on the eve (of)

išvardyti enúmerate; name

išvarg|ęs tired; ~**intas** tíred out, exháusted; ~**inti** tire out, exháust; ~**ti** be tired out, be exháusted

išvaryti drive* awáy, expél

išvaž|iavimas depárture; ~**iuoti** leave*; depárt

išvengti avóid; *(bausmės)* escápe, eváde

išversti 1) pull down, overtúrn; 2) *(pvz., rankovę)* turn (inside) out; *(drabužį)* turn; 3) *(į kitą kalbą)* transláte; *(žodžiu)* intérpret

išvesti lead* out; take* out

išvežti 1) drive*/take* awáy; 2) *(prekes)* expórt.

išvien togéther

išvietė wáterclóset *(sutr.* WC), lávatory

išvyk|a excúrsion; trip; óuting; ~**imas** depárture; ~**ti** depárt (from), leave* for

išvilioti coax, whéedle (out of); *(apgavyste)* swíndle

išvynioti unróll, unwráp

išvirkšč|ias ínside out; ~ i a p u s ė the wrong side

išvirkšt|i injéct; ~**imas** injéction

išvirsti fall* out; *(apie žmogų)* túmble out

išviršinis óutward, extérnal

išvystym|as devélopment; ~ti (*pvz., pramonę*) devélop

išvyti drive* out/awáy

it *dll.* like, as if

įtaig|a suggéstion; ~us suggéstive

įtaisas device

įtak|a ínfluence; d a r y t i ~ą ínfluence, have ínfluence (on); ~ingas influéntial

ital|as, ~iškas Itálian

įtampa 1) *el.* vóltage; 2) *žr.* įtempimas

įtar|imas suspícion; ~(inė)ti suspéct; ~tinas suspícious

įteigti suggést

įteik|imas hánding, delívery (of to); presentátion; ~ti hand (in), delíver; (*iškilmingai*) presént

įteisinti légalize, legítimate

įtekėti flow (ínto), fall* (ínto)

įtemp|imas ténsion; (*jėgų*) strain, éffort; ~tas strained, tense; (*apie darbą*) strénuous; ~ti 1) strain; stretch; 2) (*į vidų*) pull/draw* in

įterp|imas insértion; ~ti insért, put* in; ~tinis *gram.* parenthétic

įtikin|amas convíncing; ~ti convínce, persuáde

įtikti please

įtraukti 1) draw* in; 2) (*į programą*) inclúde; (*į sąrašą*) énter

(on a list), inscríbe

įtrinti rub (in)

įtvirtinti 1) (*žinias*) consólidate; fix; 2) *kar.* fórtify

įvad|as introdúction; ~inis introdúctory

įvaikinti adópt a child*

įvairia|rūšis heterogéneous; ~spalvis párticoloured

įvair|umas varíety, divérsity; ~uoti váry; ~us várious, divérse

įvardis *gram.* prónoun

įvaryti drive* in

įvart|is *sport.* goal; į m u š t i ~į score a goal

įvaž|iavimas (*vieta*) éntry, éntrance; ~iuoti drive* in; (*dviračiu*) ride* in

įveikti overcóme*, surmóunt; (*nugalėti*) gain a víctory

įvelti invólve, entángle

įverti: ~ s i ū l ą į a d a t ą thread a néedle

įvertin|imas estimátion; appreciátion; ~ti éstimate; appréciate

įvesti lead*/bring* in; introdúce

įvežti 1) bring* in; 2) (*prekes*) impórt

įvykd|ymas fulfílment; realizátion; ~yti cárry out, fulfíl; (*įgyvendinti*) réalize; ~omas féasible, prácticable

įvyk|is evént; ~ti háppen,

occúr; (*pvz., apie koncertą*) take* place

izol|iacija isolátion; ~iacinis ínsulating; ~iuoti ísolate

ižambus slánting, oblíque

įžang|a introdúction; ~inis introdúctory; ~inis žodis ópening addréss

ižd|as tréasury; ~ininkas tréasurer

įžeid|imas ínsult; ~žiamas insúlting, abúsive

įžeisti ínsúlt, (*šiurkščiai*) óutrage

įžemin|imas éarth(ing); ~ti earth

įžengti énter

įžym|ybė célebrity; ~us fámous; remárkable; (*tik apie žmogų*) éminent

įžiūrimas vísible, nóticeable

įžūl|umas ímpudence, ínsolence; ~us ímpudent, ínsolent

įžvalgus sagácious; pénetrating, shrewd

įžvelgti percéive

J

jachta yacht

japon|as, ~iškas Japanése

jau alréady; *dažnai neverčia-*

mas: ar tu ~ pietavai? have you had (your) dínner?

jaudin|imasis agitátion, emótion; excítement; ~ti ágitate; excíte; (*kelti nerimą*) wórry, alárm; ~tis be ágitated; be excíted; wórry

jaukas bait

jauk|umas cósiness; ~us cósy

jaun|as young; ~atvė youth; ~ikis brídegroom; ~imas youth, young péople; ~ystė youth; ~oji bride

jaunuol|ė girl; ~is youth; ~iškas yóuthful

jausm|as sense; féeling; ~ingas sénsitive

jausti(s) feel*; kaip jaučiatės? how are you?

jaustukas *gram.* interjéction

jaut|iena beef; ~is ox*

jautr|umas sénsitiveness; ~us sénsitive

javai (*lauke*) corn *sing*; (*grūdai*) grain *sing*; vasariniai ~ spring crops

jėg|a strength, force; *tech., fiz.* pówer; iš visų ~ų with all one's might

jei, jeigu if; ~ ne unléss

ji she; (*apie daiktus*) it

jie they

jis he; (*apie daiktus*) it

jodas íodine

jog that

jok|s no; none; ◊ ~ iu búdu by no means

Jonìnės St. John's Day, Mídsummer's Day

joti ride*

jubiliej|inis júbilee *attr*; ~us annivérsary; júbilee

judamas móbile

jud|ėjimas 1) (*judesys*) mótion; 2) (*sąjūdis*) móvement; 3) (*gatvėje*) tráffic; ~ėti, ~inti move

judrus lívely, áctive

judu, judvi both of you, you two

juk why; *t.p. verčiamas klausimais* is it (not)?, will you (not)? *ir pan.*

jungas yoke

jung|iklis *tech.* switch; ~inys combinátion

jungt|i join, uníte; (*rišti*) connéct; (*derinti*) combíne; ~inis uníted, joint; ~is 1) uníte; 2) *chem.* combíne

jungtis *dkt. gram.* línkverb

jungtukas *gram.* conjúnction

jungtuvės márriage *sing*

juntamas percéptible, tángible

juo: ~... ~ the... the

juodadarbis unskílled wórker

juodaodis bláckskínned; cóloured man*

juod|as black; ~a duona brown bread, rýebread

juod|ėti grow*/turn black; ~inti blácken (*ir perk.*)

juodraštis rough cópy

juodu they both

juod|umas bláckness; ~žemis black earth

juok|as 1) láughter; 2) *dgs.* jokes; ~us krėsti joke; ~ais in jest; ~auti joke; ~darys fool, jéster; ~ingas láughable, ridículous; ~inti make* laugh

juoktis laugh; (*iš ko*) mock (at), make* fun (of)

juosmuo waist, loins *pl*

juosta 1) (wóven) sash; 2) (*kaspinas*) ríbbon; 3) *geogr.* zone

juosti I gírdle, gird*

juŏs|ti II grow* black; ~vas bláckish

jūr|a sea; ~os liga séasickness; ~eivis séaman*

jurginas *bot.* dáhlia

jurid|inis, ~iškas jurídical; légal

jūrin|inkas sáilor, séaman*; ~is sea(-)

juristas láwyer

jūs you; ~iškis your; yours

justi feel*; sense

jūsų your; yours

jutim|as sensátion; ~o organai órgans of sense

juvelyras jéweller

K

kabelis cáble

kab|ėti hang*; ~ykla cóatstand; (*prieškambaryje*) (háll) stand; ~iklis clóthespeg

kabina booth; (*automobilio, lėktuvo*) cábin

kabinetas 1) stúdy; (*gydytojo*) consúltingroom; 3) *polit.* cábinet

kabinėtis 1) (*griebtis*) clutch (at); 2) žr. **kabintis**

kabint|i 1) hang*; suspénd; 2) (*prie ko*) hitch, hook; ~is (*prie ko*) find* fault (with), cávil (at), carp (at)

kabl|elis *gram.* cómma; ~iataškis *gram.* sémicolon; ~ys, ~iukas hook

kaboti hang*

kabutės *gram.* invérted cómmas; quotátionmarks

kačiukas kítten

kad that; ~ ne lest

kada when; ~ nors (*ateityje*) some day; (*klausiamajame ir sąlygos sakiniuose*) éver

kadagys *bot.* júniper

kadaise once (upón a time); fórmerly

kadangi as, since, becáuse

kadrai personnél *sing*, staff *sing*

kai when; ~ kada sómetimes;

kailin|iai fúrcoat *sing*; ~is fur(-)

kailis (*oda*) skin, hide; (*plaukuotas*) fur

kaimas víllage; (*priešpastatant miestui*) cóuntry, cóuntryside

kaimenė herd; (*avių, ožkų*) flock

kalmietis cóuntryman*

kaimyn|as néighbour; ~inis néighbouring; next; ~ystė néighbourhood

kaimiškas cóuntry; rúral

kain|a price, cost; ~uoti cost*

kaip 1) (*klausiant*) how; what; 2) (*palyginimui, būdui žymėti*) like; as; d a u g i a u ~ more than; ~ a n t a i for exámple; ~ n o r s sómehow; ~ t i k just, exáctly

kair|ė (*ranka*) left hand; (*pusė*) léfthand side; ~ėje on the left; į ~ ę to the left

kaisti 1) (*šilti*) get* warm; 2) (*prakaituoti*) sweat; 3) (*iš gėdos*) blush

kaistuvas pan, sáucepan

kaišioti poke, thrust*

kaitalioti(s) álternate, interchánge

kaitint|i heat, warm; ~is

(*saulėje*) bask in the sun
kaitr|a heat; **~us** hot
kajutė *jūr.* cábin
kakava cócoa
kaklaraištis tie, nécktie
kaklas neck
kakta fórehead ['fɔrɪd]
kalakut|as, ~ė túrkey
kalavijas sword
kalb|a 1) lánguage, tongue; užsienio ~ fóreign lánguage; 2) (*pasisakymas*) speech (*ir gram.*); tiesioginė ~ *gram.* diréct speech; ~os dalys *gram.* parts of speech; 3) (*pokalbis*) talk, conversátion
kalbė|jimas speech; **~ti(s)** speak*, talk; **~tojas** spéaker
kalbin|inkas línguist; **~is** linguístic
kalbus tálkative
Kalėdos Chrístmas *sing*
kalėjimas príson, jail
kalendorius cálendar
kalėti be imprisoned
kalin|imas imprísonment; **~ys** prísoner; **~ti** detáin in príson
kaliošai galóshes; rúbbers
kalkė cárbonpaper; trácing-paper
kalkės lime *sing*
kalnagūbris móuntain; (*neaukštas*) hill; **~elis** híllock; **~ietis** mountainéer;

~ynas móuntain chain; **~uotas** móuntainous
káltas I (*įrankis*) chísel
kalt|as II guílty (of); a š ~ it is my fault; **~ė** fault, guilt
kalti 1) (*geležį*) forge; 2) (*vinis*) hámmer (in), drive* in; 3) šnek. (*mechaniškai mokytis*) cram, con
kaltin|amasis (*asmuo*) accúsed; **~imas** charge, accusátion
kaltin|inkas cúlprit; **~ti** accúse (of), charge (with)
kaltumas guíltiness
kalva hill
kalv|ė smíthy, forge; **~is** (bláck)smith
kalvotas hílly
kam 1) *įv.* whom; to what; 2) *prv.* what for
kambar|inis índoor; **~ys** room
kame where; **~ n o r s** sómewhere
kamer|a cell; chámber; bagažo saugojimo ~ *glžk.* clóakroom; **~inis** chámber
kamienas 1) trunk, stem; 2) *gram.* stem
kamin|as chímney; **~krėtys** chímneysweep
kampanija campáign
kamp|as córner; *mat.* ángle; **~elis** córner; nook; **~uotas**

ángular

kamšatis crush

kamšyti 1) (*plyšius*) stop up; plug; 2) *žr.* kimšti

kamštis cork; (*stiklinis*) stópper

kamuolys 1) d ū m ų ~ puff of smoke; d u l k i ų ~ dústcload; 2) (*sviedinys*) ball; 3) (*siūlų*) clew

kamuoti *žr.* kankinti

kanadiet|is, ~iškas Canádian

kanal|as canál; (*jūros*) chánnel; ~izacija séwerage

kanapė hemp

kanceliar|ija óffice; ~inis, ~iškas óffice(-); ~inės p r e k ė s státionary *sing*

kančia súffering; tórment

kandidat|as cándidate; i š k e l t i ~u nóminate; ~ūra cándidature

kandiklis cigarétteholder

kandis moth

kandus 1) stínging; 2) *perk.* bíting

kandžioti bite*; (*apie vabzdžius t. p.*) sting*

kankin|imas tórture, tórment; ~ti tórture, tormént

kankorėžis cone

kanopa hoof

kantr|iai pátiently, with pátience; ~ybė, ~umas pátience; ~us pátient

kap|ai *dgs.* cémetary, gráveyard *sing*; ~as grave

kapeika cópeck

kapinės cémetery *sing*, gráveyard *sing*

kapital|as cápital; ~istas cápitalist; ~istinis cápitalist, capitalístic; ~izmas cápitalism

kapitonas cáptain

kapituliacija capitulátion

kapòtas *aut.* bónnet

kapoti chop; (*malkas*) hew

kapriz|as capríce; whim; ~ytis be caprícious, be náughty

karal|iauti reign; ~ienė queen; ~ystė kíngdom; ~ius king

karas war; a n t r a s i s p a s a u - l i n i s ~ World War Two

karburatorius *tech.* carburétor

karčiai (*arklio*) mane *sing*

kardas sword; sábre

kardinolas *bažn.* cárdinal

kareivinės bárracks

kareivis sóldier

karelas Karélian

kariauti be at war; make* war (on); fight*

karieta coach

karikatūra caricatúre; (*politinė*) cartóon

karingas mártial, wárlike

karininkas ófficer

kar|inis mílitary; ~inė

t a r n y b a mílitary sérvice; ~ys wárior; sóldier; ~iškis sóldier; sérviceman*; ~iuomenė ármy; fórces *pl*

karjera caréer

karjeristas officeséeker, pláce-hunter, clímber

karklas wíllow

karkvabalis cóckchafer

karnavalas cárnival

karnizas córnice

karoliai beads

karpa wart

karpis carp

karpyti cut*; clip

karstas cóffin

karščiavimas féver; féverishness

karščiuot|i be féverish; féver; ~is get* excíted

karštas 1) (*pvz., valgis, diena*) hot; 2) (*pvz., žmogaus troškimas*) árdent, pássionate

karščiai hot séason *sing*

karšt|is 1) (*oras*) heat; 2) (*ligonio*) féver; ~ligė féver; ~ligiškas féverish; ~umas heat; (*perk. t. p.*) árdour

karta generátion

kartais sómetimes

kart|as time; ~ą once; d a r ~ą once more; iš ~o right awáy; d u ~ u s twice

karti hang*; ~s hang* onesélf

kártis I (*virpstas*) perch

kartis II (*gyvulio*) mane

kartkarčiais from time to time

kartojimas repetítion

kartonas cárdboard

kartoti repéat

kartu togéther

kartumas bítter taste

kartūnas cótton (print)

kartus bítter

kartuvės gállows

karūna crown

karuselė mérrygoround

karvė cow

karvelis pígeon; dove

karžygys héro

kas (*apie asmenį*) who; (*apie daiktą*) what; ~ n o r s (*apie asmenį*) sómebody, sómeone; ánybody; (*apie daiktą*) sómething; ánything

kasa I (*plaukų*) plait

kasa II 1) cash desk; cash régister; (*bilietų*) bóoking office; 2) (*įstaigos pinigai*) cash

kasdien, ~inis dáily; ~is, ~iškas órdinary, cómmonplace

kas|ėjas dígger; návvy; ~ykla mine, pit

kaset|ė, ~inis cassétte

kasininkas cashíer

kasyti scratch

kaskart évery time

kasmet évery year; yéarly; ~inis ánnual, yéarly

kasnakt évery night

kąsnis piece, bit

kaspinas ríbbon, bow

kast|i dig*; ~uvas spade

kąsti bite*; (apie vabzdžius t. p.) sting*

kaštonas bot. chéstnut

katalik|as, ~iškas Cathólic

katalogas cátalogue

katastrofa catástrophe, áccident

katė cat

katedra 1) chair; 2) bažn. cathédral

ką tik just (now)

katil|as bóiler; ~inė bóiler-room

katinas tómcat

katorga pénal sérvitude

katras which (of the two)

kaučiukas rúbber, cáoutchouc ['kautθuk]

kaukaz|ietis, ~iškas Caucásian

kauk|ė mask; nuplėšti ~ę unmásk; ~ėtas masked

kaukolė skull

kaukti howl; (apie sireną) hoot

kaul|as bone; ~ėtas bóny; ~iukas (vyšnios ir pan.) stone

kaup|imas (kapitalo) accumuliátion; ~ti 1) ž. ū. earth up; hoe; 2) (kapitalą) accúmulate; ~tukas hoe

kaustyti (arklį) shoe*

kautis fight*

kaušas scoop; dípper, ládle; (žemsemės) búcket

kava cóffee

kavaler|ija cávalry; ~istas cávalryman*

kavalierius cávalier

kavin|ė cafe; ~ukas cóffee-pot

kazachas Kazákh

kazlėkas bútter múshroom

kazokas Cóssack

kažin scárcely, hárdly

kažkada once; fórmerly

kažkaip sómehow

kažkas (apie žmogų) sómebody; (apie daiktą) sóme-thing

kažkoks some

kažkur sómewhere

keblus embárrassing; (sunkus) dífficult

kėdė chair

kedras bot. cédar

keik|smas, ~smažodis curse, swéarword; ~ti scold; abúse; ~tis swear*, curse

keistas strange, odd

keisti(s) change

keistuolis crank, eccéntric

keitimas exchánge; ~is change

kekė clúster; vynuogių ~ bunch of grapes

keleiv|inis pássenger(-); ~is pássenger

kel|etas, **~eri**, **~i** séveral, some, a few

kelialapis pass

keliam|asis: ~ ieji metai léapyear *sing*

kelias 1) road, way; 2) (*kelionė*) jóurney; 3) (*būdas*) way

keliaut|i trável; (*jūra*) vóyage; **~ojas** tráveller

keliese 1) (*klausiant*) how mány; 2) (*keli*) some, a few (togéther)

kėlimas (*į viršų*) ráising, rise

kėlinys *sport.* half, time, períod

kelint|as which; ~ a valandá what is the time

kelion|ė jóurney; (*jūra*) vóyage; (*pramoginė*) trip; ~ės išlaidos trávelling expénses

kelis knee

kelm|as stump, stub; **~uotas** stúbby

keln|aitės pants; (*glaudės*) shorts; **~ės** tróusers; apatinės ~ės dráwers, pants

keltas férry(boat)

kelt|i 1) raise; lift; 2) (*žadinti*) wake*; rouse; 3) (*keltu*) férry; **~is** 1) (*liftu ir pan.*) go* up; 2) (*iš miego*) get* up; 3) (*į kitą vietą*) move

kempinė sponge

kengūra *zool.* kangaróo

kenk|ėjas 1) wrécker; 2) *ž. ū.*

pest; vérmin; **~imas** wrécking, sabotáge

kenksmingas hármful, bad*; (*sveikatai*) unhéalthy

kenkti harm; do harm; ínjure

kent|ėjimas, **~imas** súffering; **~ėti** súffer, endúre

kepalas loaf*

kepėjas báker

kepenys líver *sing*

kepykla bákery

kepsnys roast

kept|i bake; (*keptuvėje*) broil, fry; (*orkaitėje*) roast; **~uvė** frýingpan

kepur|aitė (*moteriška*) hat; **~ė** cap

kerai charms, sórcery *sing*

kerdžius hérdsman*

kerš|yti revénge onesélf (upón for); avénge; **~tas** véngeance, revénge; **~tingas** revéngeful

kert|ė, **~inis** córner

kėsintis attémpt, encróach (on)

kęsti *žr.* kentėti

ketin|imas inténtion; **~ti** inténd, be abóut (+to *inf*)

ketur|i four; visomis **~iomis** on all fours

keturiasdešimt fórty; **~as** fórtieth

keturiese the four of us/you/them/(togéther)

keturiolik|a fóurteen; **~tas**

fóurtéenth

ketus cast íron

ketver|i, ~tas, ~tukas four

ketvirta|dalis a quárter; ~dienis Thúrsday

ketvirt|as fourth; ~finalis *sport.* quarterfínal; ~is quárter; ~oji one fourth

kevalas, kiaukutas shell

kiaul|ė pig, sow; ~iena pork

kiaur|ai through; ~as full of holes, hóley

kiaušas skull

kiaušin|is egg; ~ienė ómelet(te); p l a k t a ~ienė scrámbled eggs *pl*

kiautas shell

kibernetika cybernétics

kibinti tease

kibiras búcket, pail

kibirkš|čiuoti spárkle; ~tis spark

kyboti hang*

kibti 1) cling* (to); 2) *(apie žuvis)* bite*; 3) *(priekabių ieškoti)* cávil (at), carp (at)

kiek 1) *(klausiant)* how much; how mány; 2) *(truputį)* a líttle, sómewhat; 3) as far as; ~ m a n ž i n o m a as far as I know

kiek|ybė quántity; ~is amóunt, númber

kiekvien|as 1) évery, each; ~ą dieną évery day; 2) *(kaip dkt.)* éveryone

kiem|as yard, court; ~sargis

yárdkeeper

kieno whose

kiet|as1) hard; *(mėsa)* tough; *(ne skystas)* sólid; 3) *(miegas)* sound; 3) *(kiaušinis)* hárdboiled; ~umas solídity, hárdness

kietėti hárden, grow*/becóme* hard

kikenti gíggle, chúckle

kílimas I cárpet; *(nedidelis)* rug

kilímas II rise.

kilmė 1) órigin; 2) *(priklausymas savo gimimu)* bírth, descént

kilnia|dvasis, ~širdis magnánimous, génerous

kilnojamas 1) móbile, itínerant; 2) *(apie turtą)* móvable

kilo|gramas kílogram(me); ~metras kílometre

kilpa loop; *(sagai)* búttonhole; *(mezginio)* stitch

kilti 1) rise*; go* up; 2) *(prasidėti)* aríse*, spring* up; 3) *(gauti kilmę)* come* (of), descénd (from)

kimšti stuff; *(pri-, sukimšti)* cram

kin|as I, ~iškas Chinése

kinas II cínema; móvies *pl amer.*; ~o žvaigždė film/ móvie star

kinkyti hárness

kintamas chángeable, váriable

kioskas booth; l a i k r a š č i ų ~ néwsstall, néwsstand

kiparisas *bot.* cýpress

kipšas dévil

kirčiuoti stress, accént

kirgizas Kírghíz

kirm|ėlė, ~inas worm

kirp|ėjas háirdresser; (*vyrų*) bárber; ~ykla háirdressing salóon, háirdresser's; (*vyrų*) bárber's (shop); ~imas 1) (*plaukų*) háircutting; 2) (*avies*) shéaring

kirpt|i cut*, clip; (*avis*) shear*; ~is have one's hair cut

kirsti 1) (*medžius*) fell; 2) (*javus*) reap; cut*; 3) (*gelti*) sting*; 4) (*smogti*) hit*, strike*; 5) (*snapu*) peck; 6) (*kelią*) cross

kirtis 1) (*smūgis*) blow, stroke; 2) *lingv.* stress, áccent

kirvis axe

kisielius (thin) jélly

kisti change

kišenė pócket

kišimasis interférence

kyšinink|as, ~ė bríbetaker; ~auti take* bribes; ~avimas bríbery

kyšis bríbe; d u o t i k a m ~ į bríbe *smb*

kiškis hare

kyšoti (*aukštyn*) stick* up; (*į lauko pusę*) stick* out

kišt|i shove, thrust*; ~is méddle (in, with); poke one's nose

kitados once, once upón a time; fórmerly

kitaip 1) dífferently; 2) (*priešingu atveju*) ótherwise, or else

kitąkart anóther time, some óther time

kit|as 1) óther, anóther; (*kitoniškas*) dífferent; 2) (*ateinantis*) next; ~ą s a v a i t ę next week

kitimas change

kito|ks, ~niškas dífferent, of different kind

kitur élsewhere, sómewhere else

kivirč|as discórd, dissénsion, quárrel; ~ytis quárrel (with), fall* out (with)

klaid|a mistáke; érror; fault; p e r ~ą by mistáke; ~ingas wrong; false; erróneous; ~inti misléad*

klaidžioti roam, wánder

klaikus hórrid, dréadful, térrible, mónstrous

klaj|oklis nómad; ~okliškas nómad, nomádic; ~oti roam, rove, wánder

klampoti wade through/in mud

klanas púddle

klas|ė 1) class; v i s u o m e -

n i n ė ~ sócial class; 2) (*mokykloje*) form; (*mokyklos kambarys*) clássroom; ~inis class(-)

klastingas insídious, cráfty

klastoti forge; (*pinigus*) cóunterfeit

klaupti(s) kneel*

klausa ear, héaring

klausiamas(is) interrógative; (*apie žvilgsnį, toną ir pan.*) inquíring

klausimas quéstion

klausinėti quéstion; (*apie ką*) make* inquíries (abóut)

klaus|yti 1) lísten (to); (*paklusti t. p.*) obéy; 2) (*paskaitų*) atténd; ◊ ~ a u ! (*kalbant telefonu*) hulló!; ~ytis lísten in; ~ytojas héarer, lístener

klaust|i ask; (*teirautis*) inquíre; ~ukas quéstion mark

klavišas key

kleg|esys húbbub, hum; ~ėti hum, make* a noise/húbbub

klestėti prósper, flóurish; thrive*

klėtis gránary

klevas máple

klib|(ė)ti (*apie dantį, vinį*) get* loose; ~inti shake* loose

kliedė|jimas delírium; ~ti be delírious, rave

klientas clíent

klij|ai glue *sing*; ~uoti glue; gum; (*miltelių klijais*) paste

klika clique [kli:k]

klykti scream, yell

klimat|as clímate; ~inis climátic

klimpti stick* (in)

klinika clínic

klysti make* mistákes, be mistáken, be wrong

kliudyti 1) (*liesti*) touch; 2) (*trukdyti*) prevént (from), hínder (from); 3) (*pataikyti*) hit*

kliūtis óbstacle, impédiment

klojimas (*kluonas*) barn

klonis válley

klostė fold, plait

kloti (*lovą*) make* the bed

klubas I club

klubas II (*kieno*) hip

klumpė sábot

klūp|ėti, ~oti kneel*, be on one's knees

klupti stúmble (óver)

klusn|umas obédience; ~us obédient

knarkti snore

kniaukti (*apie katę*) mew; míaow

knibždėti swarm (with)

knyg|a book; ~ynas bóokshop; ~inis bóokish

knist|i núzzle, root; ~is (*ieškoti*) rúmmage

ko 1) what; (*apie asmenį*) who; whom; 2) (*kodėl*) why; 3) (*apie tikslą*) what for

kodas, kodeksas code
kodėl why
koj|a leg; (*péda*) foot*; ~**inė** stócking; (*vyriška*) sock
kokakola CocaCóla
kokybė quálity
kok|s what; ~ **n o r s** ány, some; ~ **b e b ū t ų** whatéver; ~**iu būdu?** how?
kokteilis cócktail
kol, kolei 1) while; 2) (*tol, kol*) till, untíl; ~ **k a s** for the time béing; (*atsisveikinant*) so long
koleg|a cólleague; ~**ija** 1) board; 2) (*mokykla*) cóllege
kolekci|ja colléction; ~**onuoti** colléct
kolektyv|as colléctive (bódy); ~**inis,** ~**us** colléctive
kolona cólumn
kolonij|a cólony; ~**inis** colónial
koloniza|ija colonizátion; ~**torius** cólonizer
komand|a 1) (*įsakymas*) órder; 2) (*būrys*) detáchment; 3) (*laivo*) crew; 4) *sport.* team; ~**avimas** commánd
komandiruot|ė míssion; búsiness trip; ~**i** send* (on a míssion)
komanduoti give* órders; *kar.* commánd
kombain|as hárvester; cómbine; ~**ininkas** cómbine óper-

ator
komedija cómedy
komendant|as 1) commandánt; 2) (*pastato, bendrabučio*) superinténdent; ~**ūra** commandánt's óffice
koment|aras cómment, cómmentary; ~**uoti** cómment
komerc|ija cómmerce; ~**inis** commércial
komersantas búsinessman*; mérchant
kometa cómet
komisija commíssion, commíttee
komiškas cómi
komitetas commíttee
komoda chest of dráwers
kompanija cómpany
kompasas cómpass
kompens|acija compensátion; ~**uoti** cómpensate
kompeten|cija compétence; ~**tingas** cómpetent
kompiuteris compúter
kompleks|as, ~**inis,** ~**iškas** cómplex
komplektas set
komplik|acija complicátion; ~**uoti** cómplicate
komplimentas cómpliment
kompotas stewed fruit
kompozitorius compóser
kompresas *med.* cómpress
kompromisas cómpromise
kompromituoti cómpromise

komunalinis commúnal, munícipal

komunikacija communicátion

komunist|as, **~inis**, **~iškas** cómmunist

komunizmas cómmunism

komutatorius *tech.* switchboard

koncentr|acija concentrátion; **~uoti** cóncentrate

koncertas cóncert

kondensuoti condénse

konditerija conféctionery

konduktorius condúctor; (*tik glžk.*) guard

kone álmost

konferencija cónference

konfiskuoti cónfiscate

konfliktas cónflict

kongresas cóngress

konjakas cógnac

konkretus cóncrete

konkur|encija competítion; **~entas**, **~ė** compétitor; ríval; **~uoti** compéte

konkursas competítion

konservai tinned food *sing*

konservatorija consérvatoire

konservatorius consérvative

konservuoti presérve

konspekt|as súmmary, ábstract; **~uoti** make*/take* notes

konspiracija conspíracy, sé- crecy

konstatuoti state

konstituc|ija constitútion; **~inis** constitútional

konstrukc|ija constrúction; **~torius** desígner, constrúctor

konsul|as cónsul; **~atas** cónsulate

konsult|acija consultátion; spécialist advíce; (*universitete*) tutórial; **~uoti(s)** consúlt

kontaktas cóntact

kontekstas cóntext

kontinent|as cóntinent; **~inis** continéntal

kontora óffice

kontrabanda cóntraband, smúggling

kontrastas cóntrast

kontrol|ė contról; **~ierius** inspéctor; *glžk.*, *teatr.* tícket colléctor; **~iuoti** contról, check

kontrrevoliucija counter revolútion

kontūras óutline

kontūzyti contúse

konvojus éscort; *jūr.* cónvoy

koopera|cija cooperátion; **~tyvas** coóp(erative)

koordinuoti coordinate

kopa dune

kopėčios ládder *sing*

kopij|a, **~uoti** cópy

kop|imas ascént, clímbing

koplyčia chápel

kopti (*aukštyn*) climb

kopūst|ai (*sriuba*) cábbage soup *sing*; ~as cábbage

korėjietis Koréan

korekt|orius próofreader; ~ūra proof

korespoden|cija correspóndence; ~tas correspóndent

koridorius córridor, pássage

korys hóneycomb

kort|a, ~elė card

kosėti cough

kosminis cósmic

kosmo|sas space; cósmos; ~nautas spáceman*; ástronaut, cósmonaut

kostiumas suit; (*moteriškas t. p.*) cóstume

kosulys cough

košė pórridge; (*skysta*) grúel

košmaras nightmare

košti strain, fílter

kot|as hándle; (*kirvio*) helve; ~elis pénholder

kotletas cútlet, chop; ríssole

kova strúggle, fight

kovas 1) (*paukštis*) rook; 2) (*mėnuo*) March

kovingas fíghting; spírited

kovot|i fight*, strúggle; ~ojas fíghter, chámpion

krabždėti rústle; scratch

krachas crash, collápse, fáilure

kraipyti 1) (*galvą*) turn abóut; 2) (*uodegą*) wag; 3) (*faktus*) distórt

krakmol|as, ~yti starch

kramtyti chew

kranas (*keliamasis*) crane

krankti croak, caw

krant|as (*upės, ežero*) bank; (*jūros*) séashore; ~inė embánkment, quay

krapai dill *sing*

krapštyti pick; (*nagais*) claw, scratch

krašt|as 1) (*pakraštys*) edge, bórder; 2) (*šalis*) land; région; ~ovaizdis lándscape

kraštutin|is extréme; ~umas extrémity; extréme

krat|a a search; ~yti 1) (*purtyti*) shake*, jolt; 2) (*daryti kratą*) search

krauj|as blood; ~o praliejimas blóodshed; ~avimas bléeding

kraujuot|as blóody; ~i bleed*

kraustytis (*į naują butą*) move (to)

krauti 1) (*į krūvą*) pile, heap; 2) (*kaupti*) lay* asíde/by; 3) (*akumuliatorių*) charge; 4) (*lizdą*) build* (a nest)

krautuvė shop; store *amer.*

kredit|as crédit; ~uoti crédit; give*/grant crédit

kregždė swállow

kreida chalk

kreipimasis addréss; appéal

kreipt|i diréct; turn; ~is addréss; (*prašant*) applý (to), appéal (to)

kreiv|as cróoked; curved; wry; ~umas cúrvature

kremas cream

kremuoti cremáte

kremzlė cártilage

krepšelis small (shopping) bag

krepš|ininkas básketball pláyer; básketballer ~inis básketball; ~ys bag; básket

krėslas ármchair

kresnas thicksét, stumpy

krėsti 1) shake*; 2) (*kratą daryti*) search

kriauklė (*vandentiekio*) sink

kriaunos hándle *sing*, half *sing*

kriaušė pear; (*medis*) pear tree

krienas *bot.* hórseradish

krikščion|ybė Christiánity; ~is, ~iškas Christian

krikšt|as *bažn.* báptism; ~yti *bažn.* báptize

krioklys wáterfall

krypt|i turn; tend (to); ~is diréction

krypuoti wáddle, tóddle, stágger

krislas mote

kristi 1) fall*; (*greitai*) drop; 2) (*apie gyvulius*) pérish, die

krištol|as, ~inis cútglass, crýstal

kritik|a críticism; ~as crític; ~uoti críticize

kritimas fall

kritiškas critical

krituliai (*atmosferos*) precipitátion *sing*

kriukšėti grunt

krizė crísis

kryžiažodis cróssword (púzzle)

kryž|ius cross; ~kelė cróssroad(s), cróssing

kryžm|ai crósswise; ~inis cross(-); ~inė ugnis cróss fire; ~inti cross

kroatas Cróat, Croátian

krokodilas crócodile

kronika chrónicle

krosas *sport.* crosscóuntry (race)

krosnis stove; *tech.* fúrnace

krov|ėjas, ~ikas lóader; (*uoste*) stévedore; ~imas lóading; ~inys load; (*laivo*) cárgo

krūmas bush, shrub

kūkčioti sob

kukuoti cry, cuckoo

kulkšnis *anat.* ánkle(bone)

kumpl|iaratis cógwheel; ~inis, ~iuotas toothed

kumščiuoti punch, box; strike* (*smb*) with one's fists

kuodas 1) (*paukščio*) crest; 2) (*plaukų*) tuft of hair, tópknot

kruop|elė grain; **~os** groats; m a n ų ~ o s semolína *sing*

kruopštus thórough, cáreful; (*apie žmogų*) páinstaking

krūptelėti give* a start, start

kruša hail

krutėti stir, move

krūtin|ė breast; bósom; ~ ė s l ą s t a chest

krutinti move, stir

krūtis breast

krūva heap, pile

kruvinas blóody

krūvis 1) *el.* charge; 2) load

kubas cube

kubil|as, ~ėlis vat, tub

Kūčios *bažn.* Chrístmas Eve

kūdik|is báby, ínfant; **~ystė** ínfacy; **~iškas** ínfantile

kūdra pond

kūgis (*pvz., šieno*) rick, stack

kūjis hámmer

kukl|umas módesty; **~us** módest

kukurūz|ai maize *sing*; corn *sing amer.*

kulis|ai u ž ~ ų behind the scenes (*ir perk.*)

kulka búllet

kulkosvaid|ininkas machíne-gunner; **~is** machínegun

kulnas heel

kulti 1) thresh; 2) (*mušti*) thrash

kultūr|a cúlture; **~ingas** cúl-

tured; éducated; **~inis** cúltural

kumel|ė mare; **~ys** stállion; **~iukas** foal, colt

kumpis ham, gámmon

kumštis fist

kūn|as bódy; d a n g a u s ~ a i héavenly bódies

kunigas priest

kuo 1) (with/by) what; 2): ~ g e r i a u s i a s the best; **~...** t u o the... the

kuoja roach

kuolas stake, pícket

kuomet when; (*kada nors praeityje*) éver

kuopa *kar.* cómpany

kuosa *zool.* jáckdaw, daw

kupė compártment

kupeta stack, cock

kupinas full

kupra hump

kupranugaris cámel

kuprinė knápsack; (*moksleivio*) sátchel

kupr|ys húmpback; **~otas** húmpbacked

kur where; ~ k a s as much, far; ~ n o r s sómewhere; ánywhere; ~ n e ~ here and there

kurapka *zool.* pártridge

kuras fúel

kurč|ias deaf; **~nebylis** déafamute

kūrenti heat

kūryb|a creátion; (*kūriniai*)

works *pl*; ~inis, ~iškas creá-
tive
kūrikas stóker
kūrinys work
kur|is (*apie negyvuosius daik-
tus*) which; (*apie žmones*) who;
~ į laiką for some time; bet
~ ány
kurmis *zool.* mole
kurortas health resórt
kurs|antas stúdent; ~as 1)
course; 2) (*universitete*) year
kurstyt|i (*karą ir pan.*) incíte,
ínstigate; ~ojas instigator
kurti 1) (*ugnį*) kíndle, make*
up a fire; 2) (*meno kūrinius*)
creáte; (*mokslą, teoriją; steig-
ti*) found
kurt|inti déafen; ~umas dé-
afness
kušetė couch
kutenti tíckle
kuždėti whísper
kvadrat|as, ~inis square
kvail|as fóolish, stúpid, sílly;
~ys fool; blóckhead; ~ystė
fóolery, fólly; (*nesąmonė*)
nónsense; ~umas stupídity;
fóolishness
kvaišalas narcótic, dope
kvalifik|acija qualificátion;
~uotas skilled, quálified
kvap|as 1) smell; 2) (*kvépa-
vimas*) breath; ~us frágrant,
swéetscénted
kvartalas (*miesto*) block,

quárter
kvato|jimas láughter; roar;
~ti laugh (loud); (*smarkiai*)
roar with láughter
kvepalai pérfume *sing*, scent
sing
kvėpavimas bréathing
kvepéti smell*
kvėpuoti breathe; (*sunkiai*)
pant
kvie|sti invíte; ~timas in-
vitátion
kvietys wheat (*t. p. kviečiai*)
kvitas recéipt
kvo|sti quéstion, intérro-
gate; ~ta 1) ínquest; 2) (*nor-
ma*) quota

L

lab|ai véry; (*su veiksmažodžiu*)
véry much; ~ šaltas véry
cold; jam tai ~ patiko
he liked it véry much; ~ iau
more; juo ~ iau all the more;
~ iausiai most (of all)
labanakt(is)! good night!
lab|as good, ~! helló; good
mórning/afternóon/évening;
viso ~ o! (*atsisveikinant*)
goodbýe!; perduokit jam
~ ų dienų give him my best
regárds

laižyti

labdar|a cháritý; **~ingas** cháritable

laboratorija lábóratory

lagaminas trunk; (*nedidelis*) súitcase

laibas thin, slim

laida (*laikraščio*) íssue; (*knygos*) edítion

laidas 1) (*garantija*) guarantée; 2) *tech.* wíre

laidynė (*lygintuvas*) íron

laidininkas *fiz.* condúctor

laidyti (*lyginti*) íron

laidot|i búry; **~uvės** fúneral *sing*; búrial *sing*

laiduoti vouch for; guarantée

laik|as 1) time; metų ~ séason; 2) *gram.* tense; ◊ pats ~ it is high time; po ~o too late

laikymasis (*pvz., įstatymų*) obsérvance

laikin|ai témporarily; **~as** témporary; provísional

laikysena béaring

laikyt|i 1) hold*, keep*; 2) (*kuo*) consíder, think*; 3) (*egzaminus*) take*, go* in (for); **~is** 1) hold* on (to); 2) (*pvz., įstatymų*) obsérve, keep*; ~ is tvarkos keep* órder

laikotarpis période

laikrašt|inis, ~is néwspaper; páper *šnek.*

laikrod|ininkas wátchmaker; **~is** clock; (*kišeninis, rankinis*) watch

laiku in time; in due course

laim|ė 1) háppiness; 2) (*sėkmė*) luck; ~ e i lúckily

laimė|jimas 1) (*pvz., loterijoje*) prize; 2) (*pasiekimas*) achievement; **~ti** win*, gain

laimikis prize, bóoty; (*medžiotojo, žvejo*) bag, catch

laiming|ai háppily; ~ ! good luck!; **~as** háppy; (*sėkmingas*) fórtunate, lúcky

laipioti climb, clámber

lapsniavimas *gram.* degrées of compárison

laipsn|is 1) degrée; 2) (*karinis*) rank; **~iškas** grádual

laipt|ai stairs; stáircase *sing*; **~as** step

laiptinė stáirway, stáircase

laistyt|i wáter; **~uvas** wáteringcan; (*žarna*) hose (pipe)

laisvai fréely; at ease, éasily

laisvalaikis léisure

laisv|as 1) free; 2) (*apie vietą ir pan.*) vácant; 3) (*apie drabužį*) loose; **~ė** fréedom, líberty

laišk|anešys póstman*; **~as** létter

laiv|as ship, véssel; **~elis** boat; **~ynas** fleet; karinis jūrų ~ynas návy; **~ininkystė** navigátion

laižyti lick

lakas 1) várnish, lácquer; 2) (*antspaudams*) séalingwax

lakioti, lakstyti run* abóut

lakštas sheet; leaf*

lakštingala níghtingale

lakti lap

lakūnas flíer, pílot, áviator

lakuot|as várnished; pátentleather *attr*; ~i várnish, lácquer

landžioti creep*/crawl abóut; creep* in/out

lang|as window; ~elis 1) (*orlaidė*) ventilátion pane; 2) (*audinyje*) check; (*popieriuje*) square; ~inė shútter

lankas 1) (*kinkomasis*) sháftbow; 2) (*statinės*) hoop; 3) (*šaunamasis*) bow; 4) (*knygos*) sheet

lank|yti call on; vísit; (*paskaitas ir pan.*) atténd; ~ytojas vísitor; ~omumas atténdance

lankstyti 1) bend*; 2) (*popierių*) fold

lankstus fléxible, súpple

lap|as 1) (*augalo*) leaf*; 2) (*popieriaus ir pan.*) sheet; ~elis (*agitacinis*) léaflet

lapė fox

lapinė (*sode*) árbour

lapkritis Novémber

lapuotis *bot.* (*medis*) decíduous tree

ląstelė *biol.* cell

laš|as drop; ~ėti drip, drop

lašiniai (*kiaulės*) bácon *sing*

lašinti pour, drop by drop

lašnoti drízzle

latv|is Lett; ~iškas Léttish

lauk!, laukan! awáy (with you)!; ~ iš čia! get out!; eik ~ an! go out!

lauk|as field; ~e out of doors, óutside; iš ~o from the óutside

lauk|iamasis wáitingroom; ~imas expectátion; wáiting

laukinis wild; ~ žmogus sávage

laukti wait (for); (*tikėtis*) expéct

laur|as láurel; ~eatas láureate

lauž|as 1) (*ugnis*) (cámp) fire; bónfire; 2) (*metalo*) scrap; ~(y)ti break*; ~tinis: ~ tiniai skliaustai square bráckets; ~tuvas crówbar

lavin|imas(is) devélopment; ~ti(s) devélop

lavonas corpse

lazda stick

lazdynas nut tree

lazeris láser

laž|ybos bet *sing*; ~intis bet

led|ai 1) (*kruša*) hail *sing*; 2) (*valgomieji*) icecréam *sing*; ~as ice; ~ynas glácier; ~inis ícy; ~laužis ícebreaker

leid|ėjas públisher; ~ykla públishing house; ~imas 1)

edítion; 2) (*teisė*) permíssion; ~inys publicátion

leisti 1) (*duoti sutikimą*) let*, allów, permít; 2) (*pvz., knygą*) públish; 3) (*pinigus, laiką*) spend*

leistis 1) start, set* out; 2) (*žemyn*) go* down, descénd; (*apie saulę*) set*

leitenantas lieuténant

legaliz|uoti légalize; ~us légal

lėkštas flat

lėkšt|ė plate; ~elė sáucer

lėkti fly*

lektorius lécturer, réader

lėktuv|as áeroplane; (*air-*) plane; ~nešis áircraft cárrier

lėlė doll

lelija *bot.* líly

lėl|ytė, ~iukė dólly; (*akies*) púpil (of the eye)

lementi múmble

lemiamas decísive

lemp|a lamp; (*radijo*) valve; ~utė (*elektros*) bulb

lemt|ingas fátal; ~is fate; déstiny

lengvaatletis track and field áthlete

lengvabūd|is,   ~iškas líght(mínded), frívolous; (*apie poelgį*) cáreless

lengv|a 1) light; 2) (*nesudėtingas*) éasy; ~ata prívilege, ad-

vántage; ~inti 1) facílitate, make* éasier; 2) (*naštą*) líghten; ~umas líghtness; éasiness

lenk|as Pole; ~iškas Pólish

lenkti(s) bend*, bow; (*iš(si)lenkti*) curve

lenktyn|ės 1) race *sing;* (*arklių*) the ráces; 2) (*varžybos*) competítion *sing;* ~iauti compéte; ~iavimas competítion

lent|a a board; ~elė plate; (*medinė*) small board/plank; ~yna shelf*

lep|inti spoil, pámper; ~us fastídious, squéamish

les|inti feed*; ~ti peck

lėšos means, resóurces

lėtas slow

letena paw

lėtėti, lėtinti slow down

lėtinis *med.* chrónic

liaud|is péople; ~ies daina folk song; ~iškas pópular

liauka *anat.* gland

liaupsinti extól, praise

liautis stop; cease

liberalas líberal

lydeka pike

lydėti accómpany; see* off

lydyti melt

liejykla fóundry

liekana 1) (*sumos*) remáinder, rest; 2) survíval

lieknas slénder, slim

liemen|ė wáistcoat; ~ėlė bra

liemuo 1) trunk, bódy; 2) (*medžio*) trunk

liepa 1) líme (tree), línden; 2) (*mėnuo*) Julỹ

liepsna flame; blaze

lieptas fóotbridge

liepti órder, tell*

lies|as lean, thin; ~ėti grow* thin

lie|sti touch; tai ~čia jį it concérns him

líet|i I pour; (*ašaras, kraują*) shed*; ~is flow; screa

liẽti II (*iš metalo*) found

liet|ingas ráiny, wet; ~paltis ráincoat

lietus rain

Lietuva Lithuánia

lietuv|is, ~iškas Lithuánian

liežuvis tongue

liftas lift; élevator *amer.*

lig, ligi I *prl.* (*žymint nuotolį*) (up/down) to; (*žymint laiką*) to, till, untíl; ~ kol(ei)? up to where?; till what time?; ~ pat Vilniaus as far as Vílnius

lig, ligi II *jng.* till, untíl

lyg (*palyginant*) like, as; (*tartum*) as if

liga íllness; (*tam tikra*) diséase

lygiagret|ė, ~is, ~us párallel

lygiai (*tiksliai*) sharp, exáctly

lygiateis|is équal in rights;

~iškumas equálity (of rights)

lygybė equálity

lyginamasis 1) compárative; 2) *fiz.* specífic

lygin|imas compárison; ~is éven; ~ti 1) (*du dalykus*) compáre; 2) (*laidyne*) íron; 3) (*teises*) équalize

lygiomis: sužaisti ~ draw*; baigtis ~ end in a draw

lygis 1) lével; 2) (*ekonominis, kultūrinis*) stáandard

ligon|inė hóspital; ~is pátient, ínvalid

ligotas síckly, áiling

lygtis *mat.* equátion

liguistas 1) síckly; 2) (*nenormalus*) mórbid

lyg|uma plain; ~us 1) éven, flat; 2) (*dydžiu, reikšme*) équal

likimas fate; déstiny

likti 1) remáin; stay; (*būti paliktam*) be left; 2) (*tapti*) becóme*, get; ◊ lik sveikas! goodbýe!

likutis remáinder, rest

likvid|acija liquidátion; ~uoti líquidate

limonadas lemonáde

limpamas (*apie ligas*) inféctious; cátching *šnek.*

lin|ai, ~as flax

lynas I (*virvė*) rope

lynas II (*žuvis*) tench

lindėti stick*, be/keep* in híding

linguoti rock, swing*

linija line

lininis fláxen; (*apie medžiagą*) línen

liniuo|tė rúler; ~ti line, rule

link towárds

linkė|jimas wish; p e r - d u o k i t e ~ j i m u s give my cómpliments (to); ~ti wish

linkęs inclíned

linkmė diréction

linksėti (*galva*) nod

linksm|as mérry, gay; chéer-ful; ~ybė mérriment, mirth

linksmint|i amúse, entertáin; ~is make* mérry; have a good time

linksnis *gram.* case

linktelėti (*galva*) nod; (*sveiki-nantis*) bow

linkti 1) bend*; 1) (*turėti patraukimą*) be inclíned, have an inclinátion (for)

lynoti drízzle

liokajus 1) fóotman*; 2) *perk.* láckey

lipdy|ba módelling; ~ti 1) (*pvz., iš molio*) módel, scúlpture; 2) *žr.* klijuoti

lipšnus afféctionate, ténder

lipti I climb, clámber; ~ l a i p - t a i s a u k š t y n [ž e m y n] go* upstáirs [downstáirs]

lip|ti II (*pvz., apie klijus*)

stick*; ~us stícky

listi (*į*) get* (into)

lysvė bed

litas lítas

literatūr|a líterature; ~inis líterary

lytėti touch

lyti rain

lytinis séxual

lytis I 1) *biol.* sex; 2) *gram.* form

lytis II (*ledo*) block of ice, ícefloe

litras lítre

lituoklis *tech.* sólderingiron

lituoti sólder

liūd|esys mélancholy; sórrow; ~ėti be sad, grieve

liud|ijimas 1) (*veiksmas*) wít-nessing, évidence; 2) (*dokumentas*) certíficate, lícence; ~ininkas wítness; ~yti bear* wítness, téstify

liūdnas sad, mélancholy, sór-rowful

liuobti feed*, give* food (*to animals*)

liūtas líon

liūtis héavy shówer, dówn-pour

lizdas nest

lobis tréasure

log|ika lógic; ~iškas lógical

lojimas bárk(ing)

lokys *zool.* bear

lop|as, ~inys, ~yti patch

lopš|elis: vaikų ~elis créche [kreis], núrsery; ~inė lúllaby; ~ys crádle

loš|ėjas, ~ikas pláyer; (*azartiniame lošime*) gámbler; ~imas pláy(ing); game; ~ti (*žaisti*) play

loterija lóttery

loti bark

lotyniškas Látin

lova bed; (*be patalo*) bédstead

lovys trough [trɔf]

lozungas slógan

ložė *teatr.* box

lubos céiling *sing*

luitas lump; (*žemės, molio*) clod

lukštas husk; kiaušinio ~ éggshell

luo|šas lame; ~ys crípple

lūpa lip

lupena péeling

lupti 1) (*medžio ievę*) bark; (*bulves, vaisius*) peel; (*kailį, odą*) skin; 2) (*mušti*) beat*, flog

lūšna hut; shack

lūž|imas 1) bréaking; 2) *fiz.* refráction; 3) (*kaulo*) frácture; ~is 1) break; 2) (*griežtas pasikeitimas*) túrning point; súdden change; ~ti break*

M

mačas *sport.* match

mad|a fáshion; ~ingas fáshionable

magistralė híghway

magnet|as mágnet; ~inis magnétic(al)

magnetofonas táperecorder

main|ai, ~as exhánge; ~yti(s) chánge; exchánge

maist|as food, ~ingas nóurishing

maišas bag; (*didelis*) sack

maišatis confúsion, mess

maišyti 1) stir; (*daryti mišinį*) mix; 2) (*trukdyti*) hinder

maišt|as revólt; ríot; ~auti revólt; ~ingas rebéllious; ~ininkas rébel

maitin|imas féeding; nóurishment; ~ti feed* nóurish; ~tis feed* (on)

maivytis mince; put* on airs; (*daryti grimasas*) grimáce, make*/pull fáces

majonezas mayonnáise

majoras májor

makaronai macaróni

makaulė *šnek.* nóddle, pate

makleris 1) bróker; 2) (*sukčius*) swíndler

maksimal|iai at most; ~us máximum

makštis (*akiniams ir pan.*)

case; (*kardo*) sheath*

mald|a *bažn.* práyer; **~auti** beg, implóre, entréat; **~avimas** entréaty

maliarija *med.* malária

malk|inė wóodshed; **~os** fírewood *sing*

malonė fávour; (*gailestingumas*) mércy

malon|umas pléasure; **~us** pléasant, kind, pléasing

malšinti 1) (*sukilimą*) suppréss, put* down; 2) (*skausmą*) soothe; (*pyktį*) calm; 3) (*troškulį*) slake; (*alkį*) sátisfy

malti grind*, mill

malūnas mill; **~ininkas** míller; **~sparnis** *av.* hélicopter

mama múmmy; ma *šnek.*

man me, to me, for me

manas(is) my; mine

mandag|umas políteness, cóurtesy; **~us** políte

mandarinas tángerine

mane, manęs me

manevr|as, ~uoti manoeúvre

manier|a mánner, **~ingas** afffécted, preténtious

manifest|acija demonstrátion; **~as** manifésto

many|mas opínion; **~ti** 1) (*galvoti*) think*; 2) (*ketinti*) inténd, plan

manipuliuoti manípulate, hándle

maniškis my; mine

mankšt|a gymnástics *pl*; éxercises *pl*; **~inti** exercise, train

mano my; mine

mant|a belóngings *pl*; (*turtas*) próperty, fórtune; su visa ~ a with bag and bággage

maras plague

maratonas márathon

marg|as mótley, váriegated; **~inti** móttle, spéckle

marinuoti 1) píckle; 2) *šnek.* (*atidėlioti*) shelve

marios sea *sing*

marlė gauze

marmuras márble

maršalas márshal

marš|as, ~iruoti march

marškiniai (*vyriški*) shirt *sing*; (*moteriški*) chemíse *sing*; naktiniai ~ (*vyriški*) níghtshirt *sing*; (*moteriški*) níghtdress *sing*; apatiniai ~ vest *sing*; úndershirt *sing amer.*

maršrutas route, itínerary

marti (*sūnaus pati*) dáughter-in-law

masalas bait; lure

masažas mássage ['mæsa:ʒ]

mas|ė mass; **~ės** (*liaudis*) the másses; **~ės** žmonių crowds of péople; **~inis, ~iškas** mass(-)

masyvus mássive

maskaradas fáncy(dress) ball

maskatuoti 1) dángle; 2) (*apie drabužius*) hang* lóose(ly)

maskuoti mask, disguíse; *kar.* cámouflage

mast|**as**, ~**elis** scale

mąstymas thínking, thought; ~**ti** think*, refléct

mašalas *zool.* midge

mašin|**a** 1) machíne; éngine; 2) *šnek.* (*automobilis*) car; ~**ėlė** (*rašomoji*) týpewriter

mašininkė týpist

mašinistas (*garvežio*) éngine-driver

mat|**as I** méasure; i m t i ~**ą** take* smb's méasure

matas II *šachm.* (chéck) mate

matematik|**a** mathemátics, maths; ~**as** mathemátician

materialinis matérial

material|**istinis** materialístic; ~**izmas** matérialism

materija *filos.* mátter

matymas sight, vísion

matinis (*neblizgantis*) mat; dull

matyt (*įterp. žodis*) évidently, óbviously

matyti see*

matomas vísible

matracas máttress

matuoti méasure

maudy|**mas(is)** báthing; ~**ti(s)** bathe; e i t i ~**tis** go* for a swim

mauti 1) put*/get* on; 2) *šnek.* (*bėgti*) rush, dash

mazgas knot

mazgot|**ė** rag; ~**i** wash; (*indus*) wash up

máž|**a** líttle*, few; ~**ai** líttle*, not much*; not enóugh

mažakraujystė anáemia

mažametis júvenile

mažas small, líttle*

maždaug appróximately

mažėti decréase, dimínish; be reduced; (*apie skausmą*) abáte

mažiau less; ~**sia** the least

mažinti decréase, dimínish, léssen; (*pvz., kainą, greitį*) redúce

maž|**ytis**, ~**iukas** tíny, wee

mažmožis trífle

mažokas prétty small, sóme-what small/líttle

mažuma minórity

mažutis *žr.* mažytis

mechan|**ika** mechánics; ~**ikas** enginéer, mechánic; ~**inis**, ~**iškas** mechánical

mechaniz|**acija** mechanizá-tion; ~**mas** méchanism; ~**mai** machínery *sing*; ~**uoti** méchanize

medalis médal

medicin|**a** médicine; ~**os se-s u o** (*hóspital*) nurse; ~**inis**, ~**iškas** médical

med|**iena** wood; ~**inis**

wóoden

med|is 1) tree; 2) (*medžiaga*) wood; ~žio anglis chárcoal

medus hóney

medviln|ė, ~inis cótton

medžiag|a 1) matérial; stuff; 2) *filos.* mátter; ~inis matérial; fábric

medžio|klė húnting; ~ti hunt; ~tojas húnter

mėgautis take* pléasure/ delíght (in); enjóy

mėgdžio|jimas imitátion; ~ti ímitate

mėgėj|as 1) (*ne profesionalas*) ámateur; 2) (*aistringas*) lóver; fan; ~iškas amatéurish

mėgin|imas trýing, attémpt, endéavour; ~ti try, attémpt, endéavour

mėg|stamas fávourite; ~ti like, be fond (of)

megzt|i 1) (*mazgą*) knot; 2) (*mezginį*) knit* ; ~inis, ~ukas swéater; júmper

meilė love

meilik|auti flátter; ~autojas flátterer; ~avimas fláttery

meilintis 1) make* up (to), fóndle; 2) (*apie šunį*) fawn (upón)

meilus afféctionate, sweet; lóvely; kind

meistr|as 1) (*gamykloje*) fóreman*; 2) (*žinovas*) máster, éxpert; sporto ~ máster of sport(s); ~iškas másterful, másterly; ~iškumas skill, mástery

melag|ingas lýing; false; ~is líar; ~ystė lie

melas lie

mėlyn|as blue; ~ė 1) (*kūno*) bruise; 2) (*uoga*) bílberry

melodija mélody, tune

melsti entréat (for), implóre (for), pray (for)

melsvas blúish

meluoti lie, tell* lies

melž|ėja mílkmaid; ~ti milk

menas art

mėnesiena 1) móonlight; 2) (*naktis*) móonlit night

mėnesinis mónthly

men|ininkas ártist; ~inis, ~iškas artístic

meniu ménu

menk|as small; slight; (*prastas*) poor; (*silpnas*) weak; (*gležnas*) féeble; ~inti belíttle; depréciate

menkė *zool.* cod

menkniekis trífle

mėnulis moon

mėnuo month

meras máyor

merg|aitė, ~ina girl; ~ytė líttle girl

mes we

mės|a flesh; (*valgis*) meat; ~ininkas bútcher

mesti 1) throw*, hurl, cast*; 2) (*nustoti*) give* up, leave* off

mešker|ė físhingrod; **~ioti** fish

mėšlas manúre, dung

mėšlung|is cramp, convúlsion; **~iškas** convúlsive

mėta *bot.* mint

met|ai year *sing*; p r a e i t a i s **~ a i s** last year; m o k s l o **~** school year *sing*; N a u j i e j i **~** (*šventė*) New Year's Day

metal|as métal; **~inis** metállic; **~urgija** métallurgy

met|as time; **~** k e l t i s it is time to get up; š i u o **~** u at présent; v i e n u **~** u simultáneously, at the same time

meti|kas thrower; **~mas** thrówing, throw

metin|ės annivérsary *sing*; **~is** ánnual

mėtyt|i 1) throw*, cast*, fling; 2) (*pinigus*) squánder, waste; **~is** throw* at each óther

metmenys (*projektas*) sketch *sing*, draft *sing*

metodas méthod, way

metras métre

metrika: g i m i m o **~** birth certíficate

metro, metropolitenas the únderground; súbway *amer.*; (*Rusijoje t. p.*) métro; (*Londone t.p.*) tube

mezg|imas, ~inys knítting

miaukti mew, miáow

miegalius *šnek.* sléepyhead

miegamasis bédroom

mieg|as sleep; n o r i u **~o** I want to sleep; **~oti** sleep*; e i t i **~ o t i** go* to bed

mieguistas sléepy

miel|ai with pléasure, wíllingly; **~as** 1) (*malonus*) nice, sweet; 2) (*brangus*) dear; ◊ s u **~ u** n o r u with (the gréatest) pléasure, wíllingly

mielės yeast *sing*

miesčioniškas phílistine, nárrowmínded

miest|as town; cíty; **~ietis** tównsman*; **~** i e č i a i tównspeople; **~inis, ~iškas** tówn(-), úrban

mietas stake, pícket

miež|iai bárley *sing*; **~is** (*ant akies*) sty

migdyti lull to sleep

migdolas *bot.* álmond

migl|a mist, fog; **~otas** 1) místy, fóggy; 2) *perk.* (*neaiškus*) vague, házy

mygt|i (*mygtuką*) push; **~ukas** *el.* bútton

mikčioti stámmer

miklus 1) (*lankstus*) fléxible; líssom, lithe; 2) (*vikrus*) adróit, déxterous

mikrofonas mícrophone; mike *šnek.*

miksėti stútter, stámmer

mykti low, moo
mylėti love, be fond (of)
mylia mile
milijardas mílliard; bíllion *amer.*
milijonas míllion; **~ierius** millionáire
mylim|as dear; belóved; *(mėgiamas)* fávourite; **~asis, ~oji** swéetheart, belóved
milimetras mílimetre
milinė greatcóat, óvercoat
militar|istas mílitarist; **~izmas** mílitarism
milt|ai flóur *sing;* **~eliai** pówder *sing*
myluoti fóndle, caréss
milžin|as gíant; **~iškas** gigántic, treméndous; colóssal, enórmous
mina I *kar.* mine
mina II *(veido ištraiška)* cóuntenance, expréssion
mindyti, mindžioti *žr.* minti
minėjimas *(šventės)* celebrátion
mineral|as, ~inis míneral
minėti 1) méntion; 2) *(pvz., sukaktį)* célebrate
minia crowd
minim|alus, ~umas mínimum
ministerija mínistry; board; depártment *amer.*
ministras mínister; sécretary; **~ p i r m i n i n k a s** Prime

Mínister, Prémier
minkyti knead
minkštas 1) soft; 2) *perk.* mild, géntle
minkšt|ėti, ~inti sóften
minti *(pvz., žolę)* tread*, trámple (on)
mintinai by heart
mintis thought; idéa
minusas 1) mínus; 2) *perk.* deféct, dráwback
minutė mínute
miręs dead
mirg|ėjimas, ~esys shímmer, glímmer, twínkling; **~ėti** *(pvz., apie žvaigždes)* twinkle, shímmer, glímmer; *(marguoti, virpėti)* flícker
mirkčioti, mirksėti 1) *(apie šviesą)* twínkle; 2) *(akimis)* blink, wink
mirk|yti, ~ti soak
mirt|i die; **~inas** mórtal; déadly; **~ingas** mórtal; **~ingumas** mortálity; **~is** death
misija míssion
mįslė ríddle; púzzle
misti feed* (on), live (on)
mišinys míxture; médley
mišios *bažn.* mass *sing*
mišk|as fórest, wood; **~o medžiaga** tímber; lúmber *amer.;* **~ingas** wóoded, wóody
mišrainė sálad
mišrus mixed

mityba nóurishment, nutrítion

mitingas méeting

mitologija mythólogy

mitrus quick, prompt; (*vikrus*) ágile

mobiliz|acija mobilizátion; **~uoti** móbilize

močiutė 1) (*senelė*) gránny; 2) (*mama*)

modelis módel, páttern

modernus módern, uptodáte

mojuoti wave

mokė|lmas I (*pvz., mokesčių*) páyment

mokė|jimas II skill; knówledge

mokestis tax; n a r i o ~ mémbership dues *pl*

mokėti I (*duoti pinigus*) pay*

mokėti II know*; (*sugebėti*) can, be áble

mokykla school; v i d u r i n ė ~ sécondary school; v a k a r i n ė ~ évening school

mokyklinis school(-)

mokym|as téaching, **~asis** léarning; stúdies *pl*

mokin|ys 1) schóolboy; **~ė** schóolgirl; 2) púpil; (*pasekėjas*) disciple

moky|tas léarned; **~ti** teach*, instrúct; **~tis** learn*, stúdy

mokytojas téacher

mokomasis intrúctional; tráining

moksl|as 1) scíence; (*žinios*) knówledge; 2) (*išsimokslinimas*) educátion; 3) *žr.* mokymasis

moksleiv|is, ~ė schóolboy (girl), púpil

moksl|ininkas scíentist; schólar; **~inis, ~iškas** scientífic

molas pier, bréakwater

moldav|as, ~iškas Moldávian

molis clay

moliūgas *bot.* púmpkin

momentas móment, ínstant

monarchija mónarchy

moneta coin

mongolas Móngol; **~iškas** Mongólian

monopol|ija, ~is monópoly

monotoniškas monótonous

montažas assémbling, móunting

mont|eris *el.* eletrícian; **~uoti** assémble, móunt

moral|ė mórals *pl*; **~inis, ~us** móral

morka cárrot

mosikuoti *žr.* mosuoti

mostas gésture

mosuoti wave; swing*; (*uodega*) wag

moter|is woman*; **~ims** wómen's, ládies'; **~iškas** fémale; féminine, wómanly

moti wave

motin|a móther; bičiu ~ queen; ~ystė mótherhood; ~iškas matérnal; mótherly

motyvas 1) (priežastis) mótive; 2) muz. tune

motocikl|as mótorcycle; ~ininkas mótorcyclist

motor|as mótor; éngine; ~laivis mótor boat

mova muff

mudu, mudvi both of us

mugė fair

muil|as soap; ~inas sóapy; ~inė sóapbox; ~inti soap, láther

muit|as dúty, cústoms pl; ~inė cústomhouse; ~inis cústom(s)

mulkinti fool, dupe

mūrin|inkas brícklayer; ~is stone attr; brick

murmėti múrmur; mútter, múmble

musė fly

mūsišk|iai our (own) péople; ~is our (own)...; ours

mūsų our; ours

mušimas béating

mūšis báttle

mušt|i 1) beat*; thrash; 2) (apie laikrodį) strike*; ~ynės scúffle sing; ~is scúffle; fight*

mūvėti (pirštines, žiedą) wear*

muziejus muséum

muzik|a músic; ~alus músical; ~antas, ~as musícian

N

na now!; well!

nacija nátion

nacional|inis nátional; ~izacija, ~izavimas nationalizátion; ~izmas nátionalism; ~izuoti nátionalize

naft|a oil; ~otiekis pípeline

nag|as nail; (žvéries) claw; ~ingas skílful

nagrinė|jimas análysis; ~ti 1) exámine; look (ínto); 2) gram. (sakinio dalimis) ánalyse

naikin|imas destúction; ~ti destróy; ~tuvas av. fighter

naivus naíve

nakčia by night

naktinis night(-); níghtly

nakt|is night; vélai ~į late at night; labos ~ies! good night!

nakvynė lódging for the night

nakvoti pass*/spend* the night

nam|as house*; home; poilsio ~ai hóliday/rest céntre/home sing

nam|ie at home; ~inis doméstic; ~o home

naras (*žmogus*) díver

nardyti dive; plunge

narys mémber

narko|manas (drug) áddict;
~**tikas** narcótic; drug

narplioti tángle; (*at~, iš~*)
untángle

nars|umas cóurage; ~**us**
brave, courágeous

naršyti ránsack, rúmmage

narvas cage

nasrai jaws

našlait|is, ~**ė** órphan

našl|ė wídow; ~**ys** wídower

našta búrden

naš|umas productívity;
~**us** prodúctive; (*apie žemę*)
fértile

natūralus nátural

naud|a use; bénefit; ~**ingas**
úseful; (*sveikatai*) héalthy

naudo|ti use, make* use (of);
~**tis** make* use (of); (*teisę*) en-
jóy; ~**tis proga** take* an
opportúnity

naujagimis néwborn (báby)

nauj|ai in a new way; (*kitaip*)
néwly, anéw; ~**as** new; (*dabar-
tinis*) módern; **kas ~a?** what
is the news?; ◊ **iš ~o** anéw,
agáin

naujiena 1) news; 2) (*kas nors
nauja*) nóvelty

naujov|ė innovátion; ~**iškas**
néwfáshioned, módern

ne not; no; ~ **koks** bad,
poor

nė not; ~ **joks** none

neabejotinas undóubted, in-
dúbitable

neaiškus vague, obscúre

neakivaizdinis: ~**mokymas**
tuítion by correspóndence

nealkoholinis nonalcohólic,
álcoholfree

neapgalvotas rash; thóught-
less

neapibrėžtas indéfinite

neapykanta hátred

neapkęsti hate

ne(ap)mokamas free (of char-
ge)

neapmokestinamas tax fréc,
taxexémpt

neaprėpiamas bóundless, im-
ménse

neapsakomas unspéakable,
untóld

neapsaugotas unprotécted

neapsiavęs shóeless; báre-
fóoted

neapsimok|ėti: ~**a** it is not
worth (while)

neapsirengęs undréssed

neapsisprendęs undecíded

neapsižiūrėjim|as óversight;
per ~a by an óversight

neatidėliotinas úrgent

neatidus inatténtive

neatmenamas immemórial

neatsakingas irrespónsible

neatsargus cáreless; imprú-
dent

neatsilikti keep* up (with)

neatsispirti surrénder

neatskiriamas inséparable

nebaigtas unfínished, incom-
pléte

nebe no more/lónger

nebent (*jei bent*) unléss, if ónly;
(*išskyrus gal*) excépt perháps

nebėr(a) there is/are no...

nebėra there is/are no more

nebylys dumb man*

neblogas not bad, quite
good

nebrangus   inexpénsive,
cheap

nebūti be ábsent (from)

nebuvimas ábsence

nedarbas unemplóyment

nedarbingas disábled; ín-
valid

nedaug (a) líttle, few, some; ~
l a i k o líttle time; ~ ž m o n i ų
few péople

nedegamas fíreproof

nedeklaruota undecláred

nedelsiant withóut deláy; im-
médiately

nederl | ingas infértile; bárren;
~ius bad hárvest, poor crop

nedoras immóral

nedrąsus shy, tímid

nedrausmingas   undísci-
plined

negailestingas pítiless, mérci-
less, rúthless

negalėti not be able, be un-
áble; cannot (*present tense*),
could not (*past tense*)

negalia 1) disabílity; 2) (*nega-
lavimas*) indisposítion

negalim | a 1) it is impóssible;
2) (*draudžiama*) it is not
allówed; ~as impóssible

negarb | ė dishónour, disgráce:
~ingas dishónourable

neginčijamas unquéstionable,
indispútable

negirdėtas unhéard-of, un-
précedented

negyvai to death

negyvas dead; lífeless

negyvenamas uninhábited; un-
inhábitable

negras Négro; black

negražus not nice, not beáuti-
ful, not goodlóoking, unat-
tráctive

negrynas impúre

negu than

nei: ~...~ néither...nor

neig | iamas négative; ~imas
deníal; ~ti denÿ

neilgai not long

neįmanomas impóssible

neišauklėtas íllbréad

neišgydomas incúrable

neišlaikymas (*egzamino*) fái-
lure

neišmanymas ígnorance

neišmatuojamas imméasurable

neišsemiamas inexháustible

neišspr|endžiamas insóluble, solútionproof; **~ęstas** unsólved

neištikimas unfáithful

neišvengiamas inévitable

neįtiki|mas incrédible; (*nepaprastas*) inconcéivable; **~namas** unconvíncing

neįvykdomas unréalizable

nejaú, nejaugí réally?

nejudamas immóvable, immóbile

nejuokais in éarnest, sériously

nekaip (*prastai*) póorly

nekalt|as ínnocent; **~umas** ínnocence

nekantr|auti be impátient; wait impátiently (for); **~us** impátient

nekenskmingas hármless

nekęsti hate

nekilnojamas(is) immóvable

neklausy|mas disobédience; **~ti** disobéy

nekoks poor, bad

nekultūringas uncúltured

nelabai not too (much); not much

nelaim|ė misfórtune; disáster, calámity; **~ingas** unháppy, unfórtunate; **~ingas atsitikimas** áccident

nelaisv|ė captívity; **paimti į ~ ę** take* (*smb*) prisoner

nelankymas *mok.* nonatténdance

nelauktas unexpécted

neleisti 1) (*uždrausti*) forbíd*, not allów; 2) (*trukdyti*) prevént

neleistinas inadmíssible

nelegalus illégal

neliečiam|ybė, ~umas inviolabílity; **asmens ~umas** personal immúnlty

nelygybė inequálity

nelyginis odd

nelygus 1) unéqual; 2) (*apie paviršių*) unéven

nelinkęs disinclíned, undispósed

nemalon|ė disfávour, disgráce; **~umas** annóyance; tróuble; **~us** unpléasant, disagréeable

nemandagus rude, impolíte

nemat|ytas unséen; *perk.* unprécedented; **~omas** invísible

nemaža (*su dkt.*) not a líttle (*prieš vns.*); not a few (*prieš dgs.*); (*su vksm.*) a great deal

nemėgti dislíke

nemiga(s) sléeplessness; *med.* insómnia

nemirting|as immórtal; (*apie garbę ir pan.*) undýing; **~umas** immortálity

nemokam|ai, ~as free of charge

nemokšišk|as ígnorant; ~**umas** ígnorance

nenaudingas úseless, unprófitable

nendrė *bot.* reed

nenormalus 1) abnórmal, irrégular; 2) *šnek.* mad, crázy

nenoromis unwíllingly; relúctantly

nenugalimas 1) invíncible, uncónquerable; 2) (*labai stiprus*) irrésistible

nenuilstamas untíring, indefátigable

nenukrypstamas stéady, stéadfast

nenumatytas unforeséen

nenuorama fídget, rólling stone

nenuoširdus insincére

nenustygti be réstless; fídget (aróund)

nenutrūkstamas unbróken, uninterrúpted; contínuous

neobjektyvus unfáir, biás(s)ed

nepadorus indécent, impróper

nepageidaujamas undesírable, unwished

nepagydomas incúrable

nepagrįstas gróundless

nepaisant in spite of; notwithstánding

nepaisyti negléct, disregárd

nepajudinamas unshákable; stéadfast

nepakankamas insufficient

nepakeičiamas irrepláceable; indispénsable

nepakeliui out of the way

nepakenčiamas unbéarable; intólerable

nepaklusnus disobédient; (*apie vaiką*) náughty

nepalankus unfávourable; illdispósed (towárds)

nepaliaujamas incéssant, uncéasing

nepalyginamas incómparable

nepanašus unlíke

nepaprastas unúsual, uncómmon; extraórdinary

neparankus unhándy, inconvénient

nepartinis *bdv.* nonpárty

nepasirašytas unsígned

nepasiruošęs unprepáred, not réady

nepasisek|imas fáilure; ~**ti** fail

nepasitikė|jimas, ~**ti** distrúst, mistrúst

nepastebimas unnóticeable, impercéptible

nepastovus (*apie žmogų*) incónstant; (*apie orą ir pan.*) chángeable

nepataik|ymas, ~**yti** miss

nepataisomas irremédiable; (*apie žmogų*) incórrigible

nepatenkinamas unsatisfáctory

nepatikimas unrelíable; insecúre

nepatikti dislike

nepatyręs inexpérienced

nepatog|umas inconvénience; ~us uncómfortable; inconvénient

nepavydėtinas unénviable

nepavyk|ęs unsuccéssful; ~ti fail

nepavojingas safe

nepažįstamas unknówn; (*svetimas*) strange

nepelningas unprófitable; ~ytas undesérved

nepermaldaujamas inéxorable

nepersistengti go* éasy, take* it éasy

neperskiriamas inséparable

neperšlampamas wáterproof

nepilnametis I *bdv.* underáge

nepilnametis II *dkt.* mínor

neprašytas unásked

nepribrendęs unrípe

neprieinamas inaccéssible

nepriekaištingas irrepróachable

nepriimtinas unaccéptable

nepriklausom|as indepén-

dent (of); ~ybė, ~umas indepéndence

neprinokęs, neprisirpęs unrípe

neprižiūrimas neglécted, uncáred-for

neprotingas unréasonable, unwíse

nėra there is no, there are no; ◊ ~ už ką (dėkoti)! don't méntion it!, that's all right

neram|umai distúrbace *sing*; ~umas ánxіcty, unéasіnеѕѕ; ~us 1) unéasy, réstless; 2) (*susirūpinęs*) ánxious

nerašytas unwrítten

nerašting|as illíterate; ~umas illíteracy

nerealus unréal

neregys blind man*

nereikalingas unnécessary, néedless

neribotas unlímited

nerimauti wórry; be ánxious

nėriniai lace *sing*

neryžting|as irrésolute, indecísive; ~umas indecísion, irresolútion

nerti 1) (*į vandenį*) dive, plunge; 2) (*kilpą, virvę*) noose

nerūpestingas cáreless; háppygolucky

nerv|as nerve; ~ingas nérvous; ~inti annóy; make* (*smb*) nérvous; ~intis be nérvous

nes for, as, becáuse
nesámon|ė nónsense; **~ingas** uncónscious
nesant in the ábsence (of)
nesantaika disagréement
nesaugus unsáfe, insecúre
nesavanaudiškas disínterested
nesąžiningas unconsciént; dishónest
nesėkm|ė fáilure; **~ingas** unsuccéssful
neseniai récently; látely
nesikalbėti be not on spéaking terms
nesiliaujamas incéssant
nesirūp|inimas, ~ti negléct
nesisekti fail, be unsuccéssful
neskanus tásteless, unáppetizing
nesportiškas unspórtsmanlike
nesuderinamas incompátible
nesudėtingas símple, not cómplicated
nesugriaunamas indestrúctible
nesusijaudinęs unexcíted
nesusipratimas misunderstánding
nesusivaldy|mas unrestráint; lack of selfcontról; **~ti** lose* one's témper/selfcontról
nesuskaičiuojamas incálculable; (*gausus*) innúmerable
nesutaikomas irréconcilable
nesutarimas disagréement; díscord
nesveikas 1) (*apie klimatą ir pan.*) unhéalthy; 2) (*apie žmogų*) ill*, sick
nešališkas impártial, unbías(s)ed
nėščia prégnant
neškas pórter
neš|ioti 1) cárry; 2) (*dėvėti*) wear*; **~ti** cárry
neštuvai strétcher *sing*
nešvankus obscéne, impróper, indécent
nešvarus uncléan, dírty; impúre
net(gi) *dll.* éven
netaisyklingas irrégular
neteisėtas illégal
neteis|ybė 1) injústice; 2) (*netiesa*) fálsehood; **~ingas, ~us** unjúst; incorréct
netek|imas loss; **~ti** lose*
netyčia uninténtionally
netiesa untrúth, fálsehood
netiesioginis indiréct
netikęs unfít; good-for-nóthing
netikėtas unexpécted
netikras 1) untrúe; false; (*apie dokumentus*) forged; 2) (*kuo*) uncértain (of)
netikslus ináccurate

netinkamas unfit; unsúitable

netoli I *prv.* not far

netoli II *prl.* near, close to

netolimas near, not far off; (*trumpas*) short

netrukus soon (áfter)

netùrė|jimas lack; **~ti** lack; **~ damas** for lack/want (of)

neturtìng|as poor; **~umas** póverty

netvark|a disórder; **~ingas** disórderly; untídy

neutral|ìtetas neutrálity, **~us** neútral

neužimtas unóccupied; disengáged

neužmirštamas unforgéttable

neužtekti not be enóugh, not suffíce

nevaisingas stérile; *perk.* frúitless

nevalg|ius on an émpty stómach; **~omas** inédible, unéatable

nevartojamas not in use

nevaržomas free and éasy

nevedęs unmárried, síngle

neveik|ìmas, ~lumas ináction; **~lus** ináctive

neveltui 1) (*ne be pagrindo*) not withóut réason; 2) (*ne be tìkslo*) not in vain

nevert|as unwórthy

nevykęs unsuccéssful; bad*

nevikrus clúmsy, slow

neviltis dispáir

nežymus 1) (*nesvarbus*) insigníficant; 2) (*nedidelis*) small, slight

nežinojimas ígnorance

nežinomas unknówn

nežmoniškas inhúman

niekada néver

niekaip in no way; by no means

niek|ai nónsense *sing*, rúbbish *sing*; **~as** nóthing; nóbody; one, ◊ **~am tìkęs** good-fornóthing; véry bad

niekieno nóbody's, no one's

niekin|gas despicable, contémptible; **~ti** scorn, despíse

niek|is nóthing; **~ is!** (*nesvarbu*) néver mind!; **~niekis** trífle

niekš|as víllain, scóundrel; **~iškas** vile, base

niekur nówhere

niežėti itch

nykimas disappéarance

nykštys thumb

nykti 1) (*dingti*) disappéar; vánish; 2) (*silpnėti*) grow* féeble/síckly

niokoti dévastate

niūniuoti hum

niurnėti grúmble; growl

nok|inti, ~ti rípen

nor as wish, desire; **s a v o ~u** of one's own will; **~ėti** want; (*geisti*) wish, desíre; **~imas**

desírable

norm|a norm; rate; **~alus** nórmal

norom(is) wíllingly

nors I *jng.* (al)thóugh

nors II *prv.* (*bent*) at least

norveg|as, ~iškas Norwégian

nosinė hándkerchief

nosis nose

nota *polit.* note

notaras nótary

nualinti exháust

nualp|imas, ~ti faint, swoon

nubaidyti fríghten/scare awáy/off

nublukęs fáded

nudeg|imas 1) burn; 2) (*nuo saulės*) súnburn, tan; **~inti** burn*, scorch; **~ti** 1) be burnt; 2) (*saulėje*) get* súnburnt/brown

nudengti uncóver

nudribti túmble, fall* down

nudumti *šnek.* spéed*/whirl awáy

nudurti (*gyvulį*) kill; (*žmogų*) stab to death

nudvėsti die; croak *šnek.*

nudžiugti be delíghted/glad

nueiti go* (to, awáy)

nugalėt|i overcóme*; (*nukariauti*) cónquer; **~ojas** cónqueror; *víctor; sport.* winner

nugar|a, ~ėlė back; **~kaulis**

báckbone

nugirsti overhéar*

nugriauti take*/pull down

nuimti 1) take* off; 2) (*derlių*) gáther in

nujau|sti forbóde, have a féeling/preséntiment; **~timas** preséntiment

nukabinti unháng*; unhóok

nukar|iauti cónquer; **~iavimas** cónquest

nukąsti bite* off

nukelti 1) (*į kitą vietą*) move (sómewhere else); 2) (*vėlesniam laikui*) put* off, postpóne; 3) (*nuimti*) take* off/down

nukentėti (*nuo*) súffer (from); (*už*) súffer (for)

nuklysti stray; (*nuo kelio*) go* astráy, lose* one's way

nukonkuruoti outríval

nukreipti diréct; (*į šalį*) divért; avért

nukryp|imas digréssion; *polit.* deviátion; **~ti** divérge (from), déviate (from); (*nuo temos*) digréss (from)

nukristi fall* (down); fall* off

nulašėti tríckle down

nulauž(y)ti break* off

nuleisti 1) (*žemyn*) let* down, lówer; **~ galvą** hang* one's head; **~ akis** cast* down one's eyes; 2) (*laivą į van-*

denį) launch

nulemti (*iš anksto*) predetérmine

nulinis zéro *attr*

nulipti come* down; (*nuo arklio, dviračio*) dismóunt

nulis nought; zéro

nuliū|dęs sad, sórrowful; ~**dinti** grieve, sádden; ~**sti** grieve, be sad

nulūžti break off; (*su garsu*) snap off

numalšin|imas (*sukilimo ir pan.*) suppréssion; ~**ti** 1) (*troškulį*) slake; (*alkį*) sátisfy; (*skausmą*) assúage; 2) (*užgniaužti*) suppréss

numanyti understánd*; implý; (*žinoti*) know*

numatyti foresée*

numeris 1) númber; 2) (*pvz., batų*) size; 3) (*pvz., viešbutyje*) room; 4) (*programos*) ítem; 5) (*laikraščio*) númber, íssue

numesti throw* off; (*žemyn*) throw* down

numigti take*/have* a nap/sleep

numylėtinis swéetheart, dárling; pet

numinti tread* on

numiręs dead

nuneš|ioti (*drabužį*) wear* out; ~**ti** take* (awáy), cárry (awáy)

nunioko|jimas devastátion;

~**ti** dévastate, lay* waste

nuo from, off; of

nuobod|ulys, ~**umas** wéariness; tédium; ~**us** dull, bóring, tédious

nuobodžiauti be bored

nuodai póison *sing*

nuod|ingas póisonous; (*pvz., apie gyvatę*) vénomous; ~**yti** póison

nuodugnus thórough

nuogas náked, nude; bare

nuojauta féeling; (*bloga*) forebóding

nuolaida 1) (*kainos*) díscount; 2) concéssion

nuolankus submíssive; meek; (*nusižeminęs*) húmble

nuolat cónstantly; ~**inis** cónstant, contínual; (*nekintamas*) pérmanent

nuolauža frágment

nuom|a 1) lease; 2) (*mokestis*) rent; ~**ininkas** léaseholder, ténant; ~**ojimas** létting; hire

nuomonė opínion

nuomoti rent; (*duoti į nuomą*) let*

nuopelnas mérit, desért

nuorašas cópy

nuorūka cigarétte end/butt; fágend

nuosaikus móderate; témperate

nuosaka *gram.* mood; l i e p i am o j i ~ impérative mood

nuosav|as own; **~ybė** próperty

nuosėdos sédiment *sing*

nuoseklus consístent

nuospauda corn

nuosprendis séntence; decrée

nuostabus wónderful; astónishing; surprísing

nuostatai regulátions; státute *sing*

nuostol|ingas dámaging, detriméntal; **~is** loss; (*žala*) dámage

nuošaliai alóof, apárt

nuošird|umas sincérity; **~us** sincére, ópenhéarted, córdial

nuotaika mood

nuotaka bride

nuotakus inclíned

nuotyk|ingas advénturous; **~is** advénture

nuotolis dístance

nuotrauka phóto(graph)

nuotrupa 1) (*duonos*) crumb; 2) (*pašnekesio ir pan.*) frágment

nuovargis tíredness, wéariness

nuovoka understánding

nuožiūr|a discrétion; s a v o **~a** at one's discrétion

nuožmus fierce, ferócious

nuožulnus slóping

nupjauti cut* off

nuplauti wash off; (*nunešti*) wash awáy

nuplėšti tear* off

nuplik|ęs bald; **~ti** go*/turn bald

nuplyšęs rágged; shábby

nupurtyti shake* off; (*vaisius*) shake* down

nupūsti blow* awáy/off

nuraminti quíet; soothe

nurašyti cópy (from); crib (from)

nuraškyti pluck/pick (off)

nurengti undréss

nurimti becóme* quíet

nurody|mas indicátion; **~ti** índicate; point out

nusegti žr. atsegti

nusen|ęs aged; **~ti** becóme* old

nusiaubti dévastate, rávage

nusiauti take* off one's shoes

nusigąsti be/get* fríghtened (with)

nusiginkl|avimas disármament; **~uoti** disárm

nusigyven|imas impóverishment; **~ti** becóme* impóverished

nusigręžti turn awáy (from)

nusikal|sti commít a crime, be gúilty; **~ėlis** críminal; **~timas** crime

nusikirpti cut* one's hair; have

one's hair cut

nusikratyti shake* off; (*atsikratyti*) get* rid (of)

nusikvatoti burst* out láughing

nusilei|dimas (*nuo aukštumos*) descént; ~sti 1) descénd, come* down; (*apie saulę*) set*; 2) (*paklusti*) yield, submít (to)

nusilupti come* off; peel off

nusilpti becóme* weak

nusimaudyti take* a bath; (*ežere ir pan.*) take* a swim

nusimauti take*/pull off

nusimin|ęs glóomy; dispírited; ~imas dejéction; ~ti lose* heart

nusipeln|ęs desérved; (*įžymus*) distínguished; ~yti desérve, mérit

nusipirkti buy* (for onesélf)

nusiramin|imas cálming; quíeting; ~ti calm/quíet down

nusirengti undréss

nusirišti untíe, undó

nusistat|ymas áttitude; ~yti (*apsispręsti*) séttle (on); (*nutarti*) make* up one's mind

nusistebė|jimas astónishment, surprise; ~ti be astónished, be surprised

nusisukti turn awáy (from)

nusišauti shoot* onesélf; blow* out one's brains

nusišluostyti wipe onesélf; dry onesélf

nusiteikęs dispósed; g e r a i ~ in a good mood; b l o g a i ~ out of spírits

nusitverti catch* hold (of); catch* (at)

nusiųsti send* off/awáy; (*ko*) send* (for)

nusiv|ylimas disappóintment; ~ilti be disappóinted (in)

nusižemin|imas humiliátion; ~ti húmble onesélf

nusižengti be at fault; offénd

nusižud|ymas súicide; ~yti commít súicide

nuskausminimas anaesthetizátion

nuskristi fly* awáy

nuskur|dimas impóverishment; ~sti becóme* impóverished

nusnausti take*/have a nap/ doze

nuspausti press (down); tread (on)

nuspręsti decíde, make* up one's mind

nustatyt|as définite; fixed; ~i define, detérmine; (*laiką, kainą*) fix, set*

nustebimas surprise, astónishment

nustebti be astónished, be surprised

nustoti 1) (*ko*) lose*; 2) (*liautis*) stop, cease

nustumti push awáy/asíde

nušauti shoot* (down)

nušluostyti wipe off

nušokti jump down/off

nušvilpti (*artistą ir pan.*) hiss

nutar|imas decísion; resolútion; ~ti decíde

nuteisti séntence, condémn

nutiesti (*kelią ir pan.*) build*; ~ elektros laidus install eléctrical equípment

nutilti (*apie žmogų*) fall* sílent; (*apie garsus*) stop

nutol|ęs distant, far off, remóte; ~ti move awáy/off

nutrauk|imas rúpture; (*sustabdymas*) cessátion; ~ti 1) (*pvz., virvę*) break*; 2) (*nutempti*) pull off; 3) (*nustoti*) stop, cease

nutrinti 1) (*kas parašyta*) rub/ wipe off/out; 2) (*koją ir pan.*) rub sore

nutrūkti 1) (*apie sagą ir pan.*) come* off; 2) break* (off/ awáy); 3) (*liautis*) cease

nutūpti 1) (*apie lėktuvą*) land; 2) žr. tūpti.

nutverti catch*; seize

nuvarg|ęs tired, wéary; ~inti tíre, fatigue; ~ti get* tíred

nuversti throw* down; *perk.* overthrów

nuvertinti depréciate

nuvesti lead*/take* awáy

nuvežti drive*/take* awáy

nuvykti go* (to)

nuvirsti fall* down

nuvyti drive* awáy/off

nužydėti fade; fínish blóssoming

nužud|ymas múrder; assassinátion; ~ti kill; múrder; (*klastingai*) assássinate

O

o *jng.* and; (*bet*) but

obelis ápple tree

objektas óbject

obligacija bond

obliuoti, oblius plane

obuolys ápple

od|a 1) skin; 2) (*medžiaga*) léather; ~inis léather

oficialus offícial

oksidas *chem.* óxide

okup|acija occupátion; ~antas inváder; ~uoti óccupy

ola cave

oland|as Dútchman*; ~iškas Dutch

olimpiada *sport.* the Olýmpic Games *pl*

opa úlcer, sore

oper|a ópera; ~os teatras óperahouse*

operacija operátion

operetė músical cómedy

operuoti óperate (on)

oportunistas tímeserver, óp- portunist

opozicija oppositíon

optika óptics

opus délicate; (svarbus) sore

oranžinis órange

oras 1) (dujos) air; 2) (oro sto- vis) wéather

orbita órbit

ordin|as órder; ~inkas ór- derbearer

organas órgan

organiz|acija organizátion; ~atorius órganizer; ~mas órganism; ~uoti órganize

original|as, ~us original

orinis air(-)

orkaitė óven

orkestras órchestra; (dūdų) (brass)band

ošti rústle

ovacija ovátion

ozonas chem. ózone

ož|ys, ~ka goat

P

paaiškėti turn out

paauglys téenager; júvenile

paaukštin|imas 1) rise; 2) (pa-

reigų) promótion; ~ti 1) rise; 2) (pareigas) promóte

pabaig|a end; conclúsion; ~imas terminátion, complé- tion; ~ti žr. baigti

pabaisa mónster

pabalti (išblykšti) turn pale

pabarti give* a scólding, scold a líttle

pabauda fine, pénalty

pabėg|ėlis fúgitive; refugee; ~imas flight; escápe

pabėgis glžk. sléeper

pabėgti run* awáy; escápe

pablog|ėjimas change for the worse; ~ėti becóme* worse, detériorate; ~inti make* worse

pabraukti underlíne

pabrėžti 1) underlíne; 2) perk. émphasize, lay* stress (on)

pabūklas kar. piece of ór- dance, gun

pabusti wake* up

pabūti stay for a while

pacientas pátient

pačiupti catch*, seize

pačiūž|ininkas skáter; ~os skates

padanga tyre; tire amer.

padaras créature

padargas ínstrument; ímple- ment

padarinys cónsequence

padas sole

padaug|ėjimas, ~inimas íncrease

padavė|ja wáitress; **~jas** wáiter

padažas sauce; (*mėsos*) grávy

padeg|ėjas incéndiary; **~imas** árson; **~ti** set* fire (to), set* on fire

padėjėjas assístant, help

padėka grátitude; thanks *pl*

padėklas tray

padėti 1) (*pvz., knygą*) put*, lay*; 2) help, assíst

padėtis 1) posítion; situátion; 2) (*būvis*) state; (*visuomenėje*) státus, stánding

padėvėtas shábby, threádbare

padirb|ėti do some work; **~tas** 1) done; (*pagamintas*) made; 2) (*suklastotas*) false; forged

padorus décent, próper

padrąsinimas encóuragement

padūkęs fúrious; mad

paduoti 1) give*; 2) (*į stalą*) serve; 3) (*įteikti*) hand in

paeiliui one áfter anóther; by turns

paeiti 1) (*paėjėti*) walk/go* a líttle; 2) (*galėti eiti*) be áble to walk/go

pagal 1) alóng; 2) (*sutinkamai su*) accórding to; by; ~ įsakymą by órder

pagalb|a help, assístance; pirmoji/greitoji ~ first aid; **~inis** auxíliary

pagaliau I *prv.* at last, fínally

pagaliau II *dll.* áfter all

pagalys stick

pagalvė píllow

pagarb|a hónour, respéct; estéem; **~us** respéctful

pagauti catch*

pagedęs spoilt

pageid|aujamas desírable; **~auti, ~avimas** wish, desíre

pagelbėti help, assíst

pagerbti hónour, do hómage (to)

peger|ėjimas, ~inimas impróvement; **~ėti, ~inti** impróve

pagyrim|as praise; su ~u with hónours

pagirti praise; **~nas** práiseworthy

pagyrūnas bóaster, bràggart

pagyvenęs élderly

pagyv|ėti becóme* ánimated; **~inti** enlíven, bríghten up

pagrind|as foundátion, base; básis; **~inis** fundaméntal, príncipal

pagrįst|as (well)gróunded; **~i** ground, base

pagrobti seize; (*žmones*) kídnap

paguldyti lay*; ~ į patalą put* to bed

pagunda temptátion

paguoda cómfort, consolátion

pailgas óblong

pailsti get* tired

paimti take*

pain|iava mess, comfúsion, múddle; tángle; ~ioti confúse; tángle; ~us confúsing, íntricate, cómplicated

pajamos recéipts; íncome *sing*; ~ ir išlaidos íncome and expénditure *sing*

pajėg|os: ginkluotosios ~os armed fórces; ~ti be áble; ~umas capácity; pówer; ~us áble; pówerful

pajungti subjéct; subdúe

pajuok|a móckery; ~ti mock (at)

pajūris séaside; séashore

pajus *ekon.* share

pajusti *žr.* justi

pakab|a tab, hánger; ~as peg

pakait|alas, ~as súbstitute; ~omis by turns

paka|kti suffíce; be enóugh; ~nka! that will do!; enóugh!

pakalbėti have a talk (with abóut)

pakalnė slope; (*kalno šlaitas*) híllside

pakankamas sufficient

pakasti (*iš apačios*) under-

míne

pakaušis back of the head

pakavimas pácking

pakei|čiamas remóvable; repláceable; álterable; ~sti change; álter; (*kuo*) repláce (by); ~timas change; alterátion

pakel|ė róadside; ~eivis fellowtráveller; ~iui on the way

pakelti 1) raise; pick up; 2) (*iš miego*) wake*; 3) (*pakęsti*) bear*, endúre

pakenčiamas tólerable; fáirly good

pakenkti 1) harm, ínjure; (*pagadinti*) dámage; 2) *med.* affect

pakentėti (*turėti kantrybės*) be pátient

paketas párcel; pácket

pakibti hang*, dángle

pakyla dáis, plátform

pakil|imas 1) rise; 2) (*aukštuma*) éminence; 3) (*dvasios*) animátion; ~ti rise*

pakišti (*po*) put*/tuck únder

paklausa demánd

paklausyti *žr.* paklusti

pakly|dęs stray; ~sti lose* one's way

pakliūti 1) be caught; (*į*) get* into; 2) (*palaikyti*) hit*

paklodė sheet

paklusnus obédient; sub-

míssive
paklùsti obéy; submít
pakopà 1) step; 2) (*stadija*) stage
pakrantė (*upės*) ríverside; (*jūros*) coast
pakraštỹs 1) bórder, óutskirts *pl*; 2) (*knygos*) márgin
pakrỹp|ęs tílted, slánted; ~ti turn
pàktas pact; n e p u o l i m o ~ nonaggréssion pact
pakuot|ė pácking; ~i pack
pakvaišti go* crazy/mad
pakvietìmas invitátion
pakvìpti begín* to smell (of)
palaĩdas loose
palaidinùkė blouse
palaikýti *žr.* paremti
palaim|à bliss; ~ìnti bless
palaipsniuĩ grádually
palángė wíndowsill
palánkus 1) benévolent, well-dispósed; 2) (*tinkamas*) fávourable
palãpinė tent
palatà ward
paleĩ by, near; (*pagal*) alóng
palei|dìmas 1) (*išlaisvinimas*) reléase; 2) dismíssal; ~sti 1) let* go; 2) (*duoti laisvę*) set* free; 3) (*pvz., mašiną*) set* in mótion
palengv|à, ~ėlè slów(ly)
palengvìn|imas relíef; ~ti (*skausmą*) relíeve; (*darbą*) facílitate

paliaubos ármistice *sing*, truce *sing*
palydõvas (*žemės*) sátellite
paliẽsti 1) touch; 2) (*paveikti*) afféct
palíeti 1) spill*; 2) (*palaistyti*) wáter
palýgin|amas cómparable; ~imas compárison; ~ti 1) compáre; 2) (*įterpt. žodis*) comparátively
palìk|imas inhéritance; légacy; ~ti 1) leave*; abándon; 2) (*turtą*) bequéath; leave*
paliñkti 1) bend* down, lean*; 2) (*į ką*) incline (to)
paliov|a: b e ~ o s uncéasingly
pálmė *bot.* pálm (tree)
pal̃tas (óver)coat
palūkanos ínterest *sing*
pamainà (*fabrike ir pan.*) shift
pamaldos *bažn.* (church) sérvice *sing*
pãmatas base, foundátion
pamažù líttle by líttle
pamėg|imas líking (for); fóndness; ~ti grow* fond of, come* to love
pamérkti I give* a wink (at)
pamérkti II soak, steep
pamèsti lose*
pamìlti *žr.* pamėgti
paminėti méntion; t a m

įvykiui ~ in commemorá-
tion (of the evént)
paminklas mónument
pamiršti forgét*
pamiš|ėlis mádman*; ~ęs
mad, crázy; *med.* insáne;
~imas mádness, craze; in-
sánity; ~ti go* mad/crázy
pamok|a lésson; m o k y t i s
~ a s do one's léssons; ~yti
(*nubausti*) give* a good lés-
son; ~omas instrúctive
pamokslas *bažn.* sérmon (*ir
perk.*)
pamotė stépmother
pamušalas líning
panaikin|imas abolítion;
~ti abólish; (*pvz., įstatymą*)
annúl
panardinti immérse (in),
plunge (in, into); (*trumpam*)
dip
panaš|iai like; i r ~ and so on;
~umas líkeness; resémblance;
~us resémbling; (*į ką*) like,
símilar (to); ◊ n i e k o ~ a u s
nóthing of the kind
panelė young lády; (*kreipian-
tis*) miss
panieka contémpt, scorn
paniekin|amas contémptu-
ous; ~ti scorn, disdáin
panika pánic
paniur|ęs glóomy, súllen;
~omis súllenly; ~ti gloom;
frown

papėdė (*kalno ir pan.*) foot
papeikimas réprimand
paperkamas bríbable, cor-
rúptible
papild|ymas súpplement;
addítion; ~inys *gram.* ób-
ject; ~yti súpplement (with);
fill up (with); ~omai in addí-
tion; éxtra; ~omas addítion-
al, suppleméntary
papirk|imas bríbery; graft;
~ti bribe, graft
papirosas cigarétte
papjauti kill, sláughter
paplit|ęs wídespread; ~imas
spréading; diffúsion
paplūdimys beach
paprast|ai úsually, génerally;
~as úsual, órdinary, cómmon;
(*nesudėtingas*) símple; ~umas
simplícity
papratimas hábit
paprotys cústom
papūga *zool.* párrot
papulti get* (ínto)
papuoš|alas adórnment; ór-
nament; ~imas decorátion;
~ti adórn, décorate
para twénty four hours
paradas paráde; (*kar. t.p.*)
review
paraidžiui líterally; s k a i t y t i /
r a š y t i ~ spell*
paraiška claim (for), applicá-
tion (for); órder (for)
parakas (gún)powder

paruošimas

paralyž|iuoti páralyse; **~ius** parálysis

parama suppórt

parankus hándy

parapija *bažn.* párish

parašas sígnature

parašiut|as párachute; **~ininkas** párachute júmper; párachutist

paraštė márgin

parau|ęs red; (*iš gėdos*) blúshing; **~sti** turn red; (*susigėdęs*) blush

parbėgti retúrn rúnning

parblokšti strike* down

pardav|ėjas séller; (*parduotuvėje*) shópassistant; sálesman*; **~ėja** sáleswoman*; **~imas** sale, sélling

parduoti sell*; **~uvė** shop; store *amer.*

pareig|a dúty; **~ingas** dútiful

pareikalavim|as demánd; ◊ **i k i ~o** post réstante [pəust'resta:nt]; *amer.* géneral delívery

parei|kšti decláre; **~škimas** 1) (*prašymas*) applicátion; 2) declarátion, státement

pareiti retúrn, come* back/home

paremti suppórt; back up

pereng|iamasis preparátory; **~imas** preparátion; **~ti** prepáre; **~tinis** prelíminary

pargriūti fall* down

parink|imas seléction; choice; **~ti** seléct; choose

parkas park

parkristi fall* down; túmble

parlamentas párliament

parnešti bring* back/home

paroda exhibítion, show

parod|ymas shów(ing); (*liudytojo*) évidence, téstimony; **~yti** show*; (*išstatyti*) displáy; (*teisme*) give* évidence

parpulti fall* (down); (*užkliuvus*) trip, fall* óver

parsiduoti 1) sell* one's own; 2) (*kam*) sell* onesélf (to)

parskristi (*lėktuvu*) arríve home by aír

parš|as pig; **~iukas** súckingpig

parteris *teatr.* the pit; (*pirmosios eilės*) the stalls *pl*

partija 1) *polit.* párty; 2) (*būrys*) párty; detáchment; 3) (*prekių*) batch; 4) (*žaidime*) game; 5) *muz.* part

partinis I *bdv.* párty

partinis II *kaip dkt.* mémber of the párty

partizan|as, **~inis** partisán, guerílla

partneris pártner; compánion

partrenkti knock down

parūkyti have a smoke

paruoš|imas preparátion;

~tas prepáred, réady; ~ti
prepáre

parvažiuoti (*namo*) come*/
get* home

parvesti, parvežti bring*
home/back

pas 1) (*prie*) by; (*kartu*) with;
~ m u s with us; (*krašte*) in
our cóuntry; 2) (*žymint kryp-
tį*) to

pasaga (*hórse*)shoe

pasak|a (*fáiry*)tale, stóry;
~ėčia fáble

pasakinéti prompt

pasakiškas fábulous; fantás-
tic; incrédible

pasako|jimas narrátion; stóry;
~ti tell*; narráte

pasas pássport

pasaulėžiūra world óutlook

pasaul|inis world(-); univér-
sal; ~is world

pasekėjas fóllower

pasekmė cónsequence

pasėliai crops

pasenęs 1) (*apie žmogų*) aged,
old; 2) (out)dáted; old-fásh-
ioned; archáic

pasiauko|jimas selfsácrifice;
~ti sácrifice onesélf

pasibaisėjimas térror, hór-
ror

pasibjaurėjimas avérsion,
disgúst

pasidalyti divíde up

pasidaryti 1) (*tapti*) becóme*,

get*; 2) (*atsitikti*) háppen; 3)
(*sau*) make*/do for onesélf

pasidavimas surrénder

pasididžiavimas pride

pasiduoti surrénder (to);
yield (to)

pasiek|imas achíevement; ~ti
1) reach; 2) *perk.* achíeve

pasielg|imas áct(ion); ~ti act;
(*su kuo*) treat (smb)

pasien|ietis fróntierguard;
~is fróntier

pasigailė|jimas mércy; píty;
~ti take* píty (on); spare; ~ti-
nas pítiful; míserable

pasigardž|iavimas, ~iuoti ré-
lish, sávour

pasigėrėjimas admirátion

pasig|ėręs drunk; drunken
attr.; tight, fúddled *šnek.*; ~erti
get* drunk/tight

pasigesti miss

pasigirsti be heard

pasiilgti miss; long (for), yearn
(for)

pasiimti (*su savimi*) take* with
onesélf

pasijudinti budge, move

pasikalbė|jimas talk, con-
versátion; ~ti (have a) talk

pasikei|sti change; ~timas
change; alternátion

pasikėsin|imas attémpt; ~ti
attémpt; encróach (upón)

pasikliauti relý (upón)

pasikloti (*patalą*) make* one's

bed

pasikviesti invíte to one's house

pasileidęs díssolute, prófligate; fast *šnek.*

pasilenkti stoop; bow

pasilikti stay, remáin

pasilinksminimas entertáinment; amúsement; (*vakarėlis*) (évening) party

pasimaty|mas appóintment; date *šnek.*; ◊ i k i ~ m o! see you!, so long!; ~ti see* each óther

pasimesti be lost

pasinaudoti aváil onesélf (of), take* advántage (of)

pasipiktin|ęs indígnant; ~imas indignátion; ~ti be/ becóme* indígnant (*at smth, with smb*)

pasipuošti adórn onesélf; (*puošniai apsirengti*) dress up, smárten (onesélf) up

pasiraš|ymas subscríption; sígning; ~yti subscríbe; (*padėti parašą*) sign

pasirei|kšti show* itsélf; becóme* appárent; ~škimas manifestátion

pasireng|ęs réady, prepáred; ~ti prepáre (for), get* réady (for)

pasirink|imas choice; ~ti choose* (for onesélf)

pasiryž|ęs detérmined, résolute; ~imas resolútion; ~ti detérmine, resólve

pasirody|mas appéarance; ~ti appéar, show* onesélf

pasiruoš|ęs prepáred, réady; ~imas preparátion; ~ti *žr.* pasirengti

pasirūpinti 1) (*kuo*) take* care (of), look (áfter), see* (to); 2) (*daryti ko atsargas*) lay* in (a stock of)

pasisakym|as speech; útterance; ~ti speak* out; have one's say; (*už, prieš*) decláre (for, agáinst)

pasisavin|imas appropriátion; ~ti apprópriate

pasisek|imas succéss; good luck; ~ti 1) be a succéss; 2) succéed; j a m ~ ė he succéeded (in), he mánaged (to)

pasisuk|imas túrn(ing); ~ti turn

pasisveikin|imas gréeting; ~ti greet

pasišalinti go* away

pasišiauš|ęs dishévelled, brístling; ~ti brístle up, stand* on end

pasišv|entimas devótion; ~ęsti devóte onesélf (to)

pasitaikyti 1) háppen; 2) (*būti aptinkamam*) be found

pasitaisyti 1) corréct onesélf; 2) (*sveikti*) get* well, recóver

pasitarimas cónference

pasiteisinimas excúse
pasitenkin|imas satisfáction;
~ti be sátisfied (with); contént
onesélf (with)
pasityčiojimas móckery
pasitik|ėjimas cónfidence;
trust; ~ėti trust, relý (upón);
~intis (savimi) cónfident
pasitraukti go* awáy; (į šalį)
step asíde
pasiturintis well-to-dó, well-
óff
pasiūla ekon. supplý;
ir paklausa supplý and
demánd
pasiūly|mas óffer, propósal;
suggestion; (susirinkime) mó-
tion; ~ti 1) óffer; 2) (svarsty-
mui) suggést, propóse
pasiunt|inybė émbassy; ~inys
1) méssenger; 2) (valstybės at-
stovas) énvoy, mínister
pasiut|ęs mad, rábid; ~imas
1) (liga) rábies; hydrophóbia;
2) (įtūžimas) frénzy; ~iškas
fúrious
pasivaikščio|jimas walk; ~ti
take* a walk; eiti ~ti go*
for a walk
pasivaišinti treat onesélf
(to)
pasivažinėti run*, drive*; (dvi-
račiu) ride*
pasižadė|jimas, ~ti prómise,
pledge
pasižymėti 1) (išsiskirti) dis-

tínguish onesélf; 2) (užsirašyti)
put* down; take* notes
paskait|a lécture; lankyti
~as atténd léctures; skai-
tyti ~as lécture; ~ininkas
lécturer
paskatin|imas indúcement;
~ti (ką daryti) indúce, impél
paskelb|imas declarátion;
publicátion; ~ti decl
declare;
(pranešti) annóunce; (spau-
doje) públish
paskendęs 1) drowned; 2) perk.
sunk, wrapped in, absórbed
paskiau (po to) then; (kiek
véliau) (a little) láter
paskyrimas appóintment,
nominátion
paskirt|i appóint; nóminate;
(kūrinį) dédicate (to); ~is
púrpose
paskol|a a loan; ~inti lend*
paskui I áfter(wards); (véliau)
láter on
páskui II prv. behínd
páskui III prl. áfter; eiti ~
ką fóllow smb
paskutinis last; (naujausias)
látest
paslapč|ia, ~iom(is) sécretly
paslapt|ingas mystérious; ~is
mýstery; sécret; išlaikyti ~į
keep* a sécret
paslaug|a sérvice; ~us
oblíging

pataikyti

paslysti slip

pasmerk|imas condemnátion, doom; **~ti** condémn, doom

pasmirsti (begín* to) stink*

pasninkas *bažn.* fast

paspartinti quícken; speed up

paspringti choke (with, on)

pasta paste; d a n t ų ~ tóoth-paste

pastab|a remárk, observátion; *(teksto paaiškinimas)* cómment, note; **~us** obsérvant

pastanga éffort

pastarasis látter

pástat|as búilding; *(puošnus)* édifice; **~ymas** 1) building; constrúction; 2) *teatr.* stáging; **~yti** 1) build*; constrúct; 2) *teatr.* stage

pasteb|éti nótice; remárk, obsérve; **~imas** nóticeable, percéptible

pastogė 1) gárret; 2) *perk.* *(prieglobstis)* home, shélter; b e ~ s hómeless

pastoliai scáffolding *sing*

pastov|umas cónstancy; stabílity; **~us** cónstant; stáble, stéady

pastraipa páragraph

pastumdėlis (general) dógsbody

pasveik|imas recóvery; **~ti** recóver, get* well

pašalinimas remóval

pašalinis I *bdv.* strange; óutside

pašalinis II *dkt.* stránger; óutsider

pašalinti remóve; elíminate; *(iš darbo)* dismíss; *(iš mokyklos)* expél

pašalpa bénefit; grant; relíef

pašaras fódder

pašauk|imas vocátion; cálling; **~ti** call; *(į kariuomenę)* call up

pašėlęs fúrious, wild, mad

pašiepti mock, jeer (at)

pašildyti warm up

pašnabždom(is) in a whísper

pašnek|esys talk, conversátion, chat; **~ovas** interlócutor

pašokti *(aukštyn)* jump up

pašt|as 1) post; *(korespondencija)* mail; o r o ~ air mail; ~ d ė ž u t ė létterbox; 2) *(įstaiga)* póstoffice; **~ininkas** póstman*

pašvaistė glow; ◊ š i a u r ė s ~ nórthern lights *pl*; Auróra Boreális *knyg.*

pašventinti *bažn.* cónsecrate, sánctify

pat: t a s ~, t o k s ~ the same; t u o j a u ~ right now

pataikauti 1) tóady; 2) *(nuolaidžiauti)* indúlge

pataikyti hit*

patal|as bed; **~ynė** bédding

patalpos prémises

patams|iais, ~yje in the dark; **~is** dárkness, dark

patapšnoti (*per petį*) pat, clap (on)

patar|iamasis consúltative, delíberative; **~imas** advíce

patarlė próverb

patarn|auti do a sérvice; **~avimas** sérvice; (good) turn

patart|i advíse; **~ina** it is advísable

patefonas grámophone

pateikti presént; prodúce

pateisin|imas justificátion; excúse; **~ti** jústify

patekti get* (into); (*atsidurti*) find* onesélf

patelė fémale

patenkin|amas satisfáctory; **~imas** satisfáction; **~tas** contént (with), pleased (with); **~ti** sátisfy

patentas pátent (for, of)

patėvis stépfather

patiekalas dish

paties|alas cárpet; (*nedidelis*) rug; **~ti** spread*

patikėti trust; entrúst

patikimas relíable; trústy

patikrin|imas verificátion; (*žinių, sveikatos*) examinátion; (*kontrolė*) contról; **~ti** vérify; check; exámine

patikslinti spécify; make*

more precíse

pati|kti please; **j a m ~ n k a** he likes

patylomis sílently, nóiselessly; stéalthily

patinas male

patinimas swélling

patyrimas expérience

patirti expérience; súffer

patog|umas convénience; cómfort; **~us** cómfortable; (*tinkamas*) convénient

patranka gun, cánnon

patrauk|lus attráctive, wínning; **~ti** draw*; (*dėmesį t. p.*) attráct

patriot|as pátriot; **~inis, ~iškas** patriótic; **~izmas** pátriotism

patrulis patról

pats 1) *sing* mysélf; *pl* oursélves; 2) *sing* yoursélf; *pl* yoursélves; 3) *sing* himsélf, hersélf itsélf; *pl* themsélves; (*kaip tik*) the véry

patvar|umas stéadfastness, stéadiness; **~us** stéadfast, stéady

patvirtin|imas confirmátion; corroborátion; **~ti** confírm; corróborate; (*sutartį, paktą*) rátify; **~ti k o g a v i m ą** acknówledge the recéipt of smth

paukštininkystė póultry ráising

paukšt|is bird; **namíniai ~čiai** póultry

paunksnis shade

paupys ríverside

pauzė pause, ínterval, stop

pavadinimas 1) name; 2) (*knygos*) títle

pavaduot|i act for; **~ojas** ácting; vice, députy

pavaldus subórdinate (to)

pavara *tech.* gear; drive

pavardė (súr)name

pavarg|ęs tired; **~imas** tíredness; **~ti** get* tired (with)

pavarto|jimas use; applicátion; **~ti** applý; use

pavasar|inis spring(-); **~is** spring

pavedimas commíssion

paveikslas pícture; páinting

paveikti ínfluence

pavėlav|ęs late;   **~imas** cóming late

paveldė|jimas inhéritance; **~ti** inhérit; **~tojas** heir; **~toja** héiress

paveldimas inhéritable; heréditary

pavėluot|as beláted; overdúe; **~i** be late

pavėnė árbour; súmmerhouse*

paverg|imas enslávement; **~ti** ensláve

paversti turn (ínto)

pavėsis shade

pavesti charge (with), commíssion (with)

pavėžinti, pavežti give* a lift

pavidalas shape

pavyd|as 1) énvy; 2) jéalousy; **~ėti** 1) énvy; 2) (*pavyduliauti*) be jéalous (of); **~us** 1) énvious; 2) (*pavydulingas*) jéalous

pavienis síngle, sólitary; indivídual

pavyk|ti turn out well; **jam ~o** he succéeded (in)

pavilioti entíce awáy, allúre

pavirsti turn (ínto)

paviršius súrface

paviršutiniškas superfícial

pavyti catch* up, overtáke*

pavyzdin|gas esémplary, módel; **~is** módel *attr*, stándard *attr*

pavyz|dys exámple, ínstance; (*modelis*) módel; páttern, sámple, spécimen; **~ džiui** for exámple

pavoj|ingas dángerous; **~us** dánger

pažad|as, ~ėti prómise

pažang|a prógress; **~us** progréssive; advánced

pažei|dimas ínfríngement, transgréssion; violátion; **~sti** break*; infrínge (upón), transgréss

pažemin|imas (*moralinis*) humiliátion; **~ti** 1) lówer; 2) (*kie-*

no pareigas) demóte; 3) (*mora-liškai*) humíliate, abáse

pažengti (*moksle*) make* prógress (in); (*pirmyn*) advánce

pažiba (*garsenybė*) celébrity

pažym|a, ~ėjimas certíficate; ~ėti 1) mark; 2) (*paliudyti*) cértify; attést; ~ėtinas nóteworthy; ~ys 1) mark; 2) (*žymė*) sign

pažint|i know*; (*atpažinti*) récognize; ~is acquáintance

pažįstamas I *bdv.* famíliar

pažįstamas II *dkt.* acquáintance

pažiūr|a a view; ~ėti look (at), take* a look (at); (*į žodyną, užrašus*) look up; consúlt

pažodinis word for word; líteral

pečiai shóulders

pėda foot*

pedagog|as pédagogue; téacher; ~ika pedagógics; ~inis, ~iškas pedagógic(al)

pedalas pédal; (*tech. t.p.*) tréadle

pėdas sheaf*

pėds|akas trace, track; (*kojos*) fóotprint; ~ekys (*šuo*) blóodhound

peikti blame; cénsure

peil|is knife*; ~iukas pénknife*

peizažas lándscape

pelė mouse*

pelėda *zool.* owl

pelėkautai móusetrap

pelen|ai áshes; ~inė áshtray

pelėsiai mould *sing*

pelyti grow* móuldy/músty

pelkė bog, swamp, marsh

peln|as prófit; ~ingas prófitable; ~ytas mérited; ~yti desérve; mérit

pempė *zool.* pé(e)wit

penėti feed*; (*tukinti*) fátten

penket|as, ~ukas five

penki five; ~ šimtai five húndred

penkiasdešimt fífty; ~as fíftieth

penkiese the five of us/you/them (togéther)

penkiolik|a fíftéen; ~tas fíftéenth

penkta|dalis the fifth part; one fifth; ~dienis Fríday

penktas fifth

pens|ija pénsion; ~ininkas, ~ė pénsioner

pentinas spur

pepsikola Pepsi(cóla)

per I 1) through; acróss; óver; 2) (*žymint laiką*) in; dúring; 3) (*dėl*) becáuse of

per II *dll.* (*virš saiko*) too

peraugti 1) overgrów*; outgrów* 2) *perk.* (*į*) devélop (into)

perbėgti run* acróss, cross

perbraižyti draw* agáin/ anéw

perbraukti 1) cross (through); (*išbraukti*) cross out; 2) (*ranka*) run*/pass (óver)

perdaug too, too much/ mány

perdavimas 1) transmíssion; tránsfer; 2) (*įteikimas*) hánding óver

perdė|jimas exaggerátion; ~ti exággerate

perdirbti remáke; do/work óver; (*kūrinį*) adápt

perduoti 1) pass, give*; (*įteikti*) hand; 2) (*pranešti*) tell*; 3) (*turtą, teisę*) transmít

perdurti pierce; (*ginklu*) run* through

pereinamas transítional

pereiti 1) cross, get* across; go* óver; 2) (*prie*) pass on (to)

perėja 1) pass; 2) (*gatvės*) cróssing

perėjimas cróssing; pássage; *perk.* transítion

pergal|ė víctory; ~ingas victórious

pergalvoti change one's mind

pergirti overpráise

pergyventi 1) expérience, go* through; 2) (*gyventi ilgiau*) outlíve, survíve

pergroti play agáin/anéw; re-

pláy

pergrupuoti regróup

periferija 1) periphery; 2) (*provincija*) the próvinces *pl*, the óutlying dístricts

perimti 1) (*patirtį ir pan.*) adópt, take*; (*pareigas*) take* óver; 2) (*per daug imti*) take* too much; 3) (*laišką, žinias*) intercépt; 4) (*apie šaltį, drebulį*) go* right through, pierce

period|as períod; ~inis periódic(al)

perkai|sti, ~tinti overhéat

perkaręs fámished

perkas|as canál; ~ti 1) (*iš naujo*) dig* óver agáin; 2) (*skersai*) dig* across/through

perkąsti 1) bite* through; (*riešutą*) crack; 2) *šnek.* (*užkąsti*) take* a bite; 3) *perk.* (*suprasti*) see through

perkelti 1) (*į kitą vietą*) transfér; move; 2) (*per*) take* across

perkišti pass/force through

perkrauti (*per daug*) overlóad; (*darbu*) overwórk

perkūn|as thúnder; ~ija thúnderstorm; ~iškas (*garsus*) thúnderous; ~sargis líghtningconductor

perlaida remíttance; pašto ~ póstal órder

perlas pearl

perleisti 1) (*atiduoti*) let*

(*smb*) have; 2) (*per ką*) let*/ pass through

perlėkti fly* óver; fly*

permain|a change; **~ingas** chángeable

permatomas transpárent

permesti throw* óver; (*kariuomenę*) transfér

permirkti get* wet/soaked

permokėti overpáy* (to); pay* (*smb*) too much (for)

pernai last year

pernakt all night (long)

pernešti cárry (óver); transpórt

pernykštis last year's

perpil|dyti overfíll (with); (*apie patalpą*) overcrówd; **~ti** pour (from...ínto...)

perpjauti (*pusiau*) cut* (in two); (*pjūklu*) saw in two

perplaukti swim* accróss

perprodukcija *ekon.* overprodúction

perpus in two, half-and-hálf; **~ mažiau** half as much

perpuvęs overrótten

perraš|ymas rewríting; cópying; **~yti** rewríte; (*mašinėle*) retýpe

perrėkti outshóut, outcrý

perrinkti 1) reeléct; 2) (*bulves ir pan.*) sort (out)

perrišti 1) (*ryšulį*) tie up; 2) (*žaizdą*) bándage, dress

persiauti change one's shoes

persėdimas change

persekio|jimas 1) persecútion; 2) (*vijimasis*) pursúit; **~ti** 1) pérsecute; 2) (*vytis*) pursúe; chase

persėsti change one's seat; **~ į kitą traukinį** change trains

persidirbti overwórk (onesélf)

persigalvoti change one's mind

persigerti 1) drink* too much; get* drunk; 2) let* wáter through

persikas peach

persikėlimas migrátion; remóval, move

persikelti migráte; remóve, move

persilaužimas túrning-point; (*ligos*) crísis

persimesti 1) throw (óver); 2) (*žodžiais, žvilgsniais*) exchánge; 3) (*apie ugnį, epidemiją*) spread*; 4) (*pas priešus*) desért

persirašyti 1) rewríte (for onesélf); 2) (*nusirašyti*) cópy (for onesélf)

persirengti 1) change (one's clothes); 2) (*maskuojantis*) disguíse onesélf (as)

persistengti overdó*

persišald|ymas cold, chill; **~yti** catch* cold

persitvarkyti restrúcture; refórm

persiṣti send*; (*pinigus*) remít

persivalgyti overéat*, overféed*

perskambinti ring*/call up agáin; redíal

perskirti séparate, part

perskristi fly* óver; fly*

persodinti 1) (*į kitą vietą*) make* (*smb*) change his/her seat; 2) (*augalus*) transplánt

personalas staff, personnél

perspausdinti reprínt; (*mašinėle*) retýpe

perspektyva 1) perspéctive; 2) (*ko laukiama*) próspect; óutlook

perspėti warn

persvara superiórity; *balsų p.* majority of votes

persvarstyti (*nutarimą*) reconsíder

peršal|imas cold, chill; ~ti catch* cold

peršokti jump óver/acróss

peršviesti *med.* Xráy

perteikti rénder; convéy

perteklius abúndance; súrplus

pertrauk|a ínterval; break; ~ti break* (off); interrúpt

pertvara partítion

pertvark|a restrúcturing; ~ymas reorganizátion; ~yti

refórm, reórganize; reconstrúct

pertverti partítion off

perukas wig

pervargti be overtíred; overwórk onesélf

pervaž|a *glžk.* cróssing; ~iuoti 1) cross; 2) (*suvažinéti*) run* óver; 3) (*į kitą vietą*) move

pervedimas (*pinigų*) remíttance

pervers|mas revolútion; ~ti turn óver

perverti pierce; run* through

pervertinti overéstimate, overráte

pervesti 1) take* acróss; 2) (*pinigus ir pan.*) remít

pervež|imas transportátion; ~ti transpórt

peržengti 1) step óver, overstép; 2) *žr.* pažeisti

peržiūr|a (*filmo, spektaklio*) revíew; ~éti look óver (agáin); revíse; revíew

peržvelgti glance/run* óver/through

pésč|iasis pedéstrian; ~iomis on foot

pėstininkai *kar.* ínfantry *sing*

pešt|i pull; ~is scúffle; fight*

peteliškė bútterfly

pet|ys shóulder; ~nešos bráce *sing*

pian|inas piáno; **~istas** píanist

piemuo shépherd

pien|as milk; **~inė** dáiry (*įmonė, parduotuvė*); **~ininkystė** dáirying; **~inis**, **~iškas** milk(-), mílky

pieš|imas, **~inys** dráwing; **~ti** draw*; 2) (*vaizduoti*) depíct; **~tukas** péncil

pietauti have dínner; dine

piet|inis south, sóuthern; **~ryčiai** southéast *sing*

piet|ūs 1) dínner *sing*; 2) south *sing*; **~vakariai** southwést *sing*

pieva méadow

pig|iai cheáp(ly); **~ti** fall* in price, cheápen; **~umas** low príces *pl*; **~us** cheap

piktas 1) (*supykęs*) ángry; 2) (*pikto būdo*) cross, wícked

pykti be ángry/cross (with)

piktintis be indígnant (at)

pyktis ánger, málice

piktnaudžiauti abúse

piktžaizdė úlcer

piktžolė weed

piliakalnis mound

piliet|ybė cítizenship; **~inis** cívil; **~is** cítizen

pylimas embánkment; bank

pilis cástle

piliulė pill

pilkas grey

pilnametis of age, ádult

pilnas 1) full; 2) (*apie žmogų*) stout

pilnatis full moon

pilnutinai in full, fúlly

pilot|as, **~uoti** pílot

pilt|i pour; **~uvėlis** fúnnel

pilvas stómach

pynė plait [plæt]

pinig|ai móney *sing*; **~inė** purse; **~inis** móney(-)

pinklės 1) (*spąstai*) snare *sing*; 2) *perk.* intrigues

pint|i weave*, (*kasas*) braid; **~inė** básket

pionierius pionéer

pyp|čioti, **~inti** peep

pipiras pépper

pypkė pipe

pyrag|aitis cake; pástry; **~as** pie; (*saldus*) cake

pirkėjas buýer; (*nuolatinis*) cústomer

pirkia cóttage, hut

pirkinys púrchase

pirklys déaler; (*stambus*) mérchant

pirkti buy*

pirm(a) *prl.* befóre; **~ visko** first of all

pirma *prv.* 1) (*žymint laiką*) first; 2) (*išskaičiuojant*) fírstly

pirma|ienis Mónday; **pirmą kart** for the first time; **~klasis** first fórmer; **~kursis** first-year stúdent; **~laikis** prémature; ~**rūšis** fírstráte

pirmas(is) first; (*iš paminėtų*) fórmer

pirmenyb|ė prió#rity; advántage; ~**ės** *sport.* chámpionship *sing*

pirm|esnis prévious; ~**iausia** first of all

pirmykštis prímitive

pirmyn fórward

pirmininkas cháirman*; président; s u s i r i n k i m o ~ cháirman* of a méeting

pirmumas 1) precédence; prió#rity; 2) (*pirmenybė*) préference

pirmtakas prédecessor

pirmutinis first

pirščiukas (*siuvamasis*) thímble

piršlys mátchmaker

pirštas fínger; (*kojos*) toe

pirštinė glove

pirtis bath; (*pastatas*) báthhouse

pjauti 1) cut*; 2) (*pjūklu*) saw*; 3) (*šieną*) mow*; 4) (*javus*) reap; 5) (*žudyti*) kill; sláughter

pjesė play

pjovimas 1) cútting; 2) (*javų*) réaping; 3) (*šieno*) mówing; 4) (*medžių, lentų*) sáwing; 5) (*gyvulių*) sláughter

pjūklas saw

pjūtis hárvest

pjuvenos sáwdust *sing*

pjūvis séction

plačiai wíde(ly)

plakatas plácard; póster

plak|imas (*širdies*) beat, palpitátion; ~**ti** (*apie širdį*) pálpitate; beat*

plaktukas hámmer

planas plan; (*miesto*) map

planeta plánet

plan|ingas systemátic, planned; ~**inis** planned; ~**uoti** plan

plasnoti flap, flútter

plastmas|ė, ~**inis** plástic

plaštaka hand

platėti wíden

platforma 1) (*vagonas*) truck; 2) *polit.* plátform

platina plátinum

platinti 1) wíden; 2) (*skleisti*) spread*

plat|uma *geogr.* látitude; ~**umas** width, breadth; ~**us** wide; broad

plauč|iai lungs; ~ i ų u ž d e g i m a s pneumónia

plaukai hair *sing*

plaukikas swímmer

plaukiojimas 1) swímming; 2) (*laivu*) navigátion; vóyage

plaukti 1) swim*; (*apie daiktą*) float; 2) (*laivu*) návigate, sail; (*valtimi*) boat

plaukuotas háiry, haired

plauti wash, rinse; ~ g e r k-

lę gárgle
pleiskanos dándruff *sing*, scurf *sing*
pleištas wedge
plenarinis plénary
plentas macádam (road), híghway
plenumas plénum
plep|éti chátter; ~ys chátterer, chátterbox; ~us gárrulous
plėsti wíden; *perk.* exténd; ~s spread*; wíden
plėšik|as róbber; plúnderer; ~auti rob; plúnder; ~avimas róbbery
plėš|imas plúnder; róbbery; ~yti tear*
plėšrus: ~ paukštis bird of prey; ~ žvėris beast of prey
plėšti 1) tear*; 2) (*grobti*) rob; plúnder
plėtimas(is) bróadening, exténsion
plėtoti devélop; expánd
plėvė mémbrane; film
plevėsuoti fly*, flútter
pliaukš|éti smack; crack; ~ti (*liežuviu*) talk rúbbish/nónsense; drível
pliažas beach
plien|as, ~inis steel
plik|as 1) (*be plaukų*) bald; 2) (*nuogas*) náked, bare; ~ti go*/grow* bald

plisti spread*
plyšys crack; chink; split
plyšti 1) (*dėvėtis*) tear*; 2) (*skilti*) split*; burst*
plyt|a a brick; ~elė (*šokolado*) bar; ~inė bríckyard
pliusas *mat.* plus (*ir perk.*)
pliuškintis splash/flop abóut
pliuškis, -ė fíghtly créature
plojimai appláuse *sing*; cláp(ing) *sing*
plokščias flat
plokštelė 1) plate, 2) (*gramofono*) ~ récord; disc
plomb|a 1) seal; 2) (*dantų*) stópping; ~uoti (*dantis*) stop, filli
plon|as thin; (*apie audinius*) fine; (*laibas*) slim, slénder; ~umas thínness
plotas área
ploti (*delnais*) appláud, clap
plotis width, breadth
plūduriuoti float
plūgas plough
plukd|ymas flóating; ~yti (*medžius*) float
plunksn|a 1) (*paukščio*) féather; 2) (*rašymui*) pen; ~akotis pén(holder); ~inukas (*badmintono*) shúttlecock
pluoštas 1) (*plaukų*) tuft; 2) (*linų*) fíbre; 3) *perk.* a quántity (of)
plūstamas abúsive
plūsti 1) (*lietis*) flow; rush; 2)

(*keikti*) abúse; (*barti*) scold
pluta crust
po 1) (*žymint vietą*) in; on; (*apačioj*) únder; 2) (*žymint laiką*) áfter; (*ateityje*) in; 3) (*dalinant*): ~ du [tris] two [three] each
pobūdis cháracter
pobūvis party, sócial
podukra stépdaughter
poelgis act, deed
poema póem
poet|as póet; ~ė póetess; ~inis, ~iškas poétic(al)
poezija póetry
pogrindis 1) (*rūsys*) céllar; 2) *polit.* únderground (actívity)
poils|iauti rest; ~is rest; reláxation; ~io diena rést-day
pojūtis sensátion
pokalbis conversátion, talk
pokarinis póstwar
pokylis feast, bánquet
pokšt|as trick; prank; joke; krėsti ~us play tricks
poleminis controvérsial, polémical
poliarinis árctic, pólar
polic|ija políce; ~ininkas políceman*
poliklinika óutpatient, clínic
polinkis bent (for), turn (for)
polis (*tilto*) pile
polit|ika pólitics *pl*; (*kursas*)

pólicy; ~ikas politícian; ~inis, ~iškas polítical; ~kalinys polítical prísoner
polius pole
pomėgis (*ko*) líking (for)
pomidoras tomáto
pomirtinis pósthumous
pompa (*siurblys*) pump
pon|as (*kreipiantis*) sir; (*prie pavardės*) Mr.; ~ia (*kreipiantis*) my (dear) lády; (*prie pavardės*) Mrs.; ~iškai like a lord/géntleman*
popier|inis, ~ius páper
popiet in the afternóon
popiežius Pope
populiar|inti pópularize; ~us pópular
pora pair; cóuple
porcelianas chína, pórcelain
porcija pórtion; (*valgio*) hélping
poreikis need
porinis éven (*apie skaičių*)
poryt the day áfter tomórrow
pornografi|ja pornógraphy; ~nis pornográphic
portfelis bag; bríefcase
portretas pórtrait
portugal|as, ~iškas Portuguése
poruoti(s) cóuple, pair
posakis expréssion; phrase
posėdis sítting; méeting
posėdžiauti sit*

poslinkis change for the bétter; impróvement

posūkis 1) túrn(ing); (*upės*) bend; 2) *perk.* túrning-point

posūnis stépson

pošk|éti, ~inti crack, pop

poteriai *bažn.* prayers

potraukis inclinátion (for), bent (for)

potvarkis decrée; (*įstatymas*) órder

potvynis flood; inundátion

povandeninis súbmarine

poveikis ínfluence (on)

poza pose; pósture, áttitude

pozicija posítion

požeminis únderground

požymis sign; féature

požiūris stándpoint; point of view

prabang|a lúxury; **~us** luxúrious

prabég|omis in pássing, pássingly; **~ti** run* by

prabilti (begín* to) spéak*; útter

prabūti stay, remáin

pradar|as slíghtly ópen; **~yti** ópen slightly

pradedantysis begínner

pradeg|inti, ~ti burn* through

pradėti begín*, start

pradininkas inítiator

pradinis inítial; (*apie mokslą, mokyklą*) eleméntary

pradmuo órigin, rúdiment

pradurti pierce

pradž|ia begínning; **iš ~ios** at first; **~iai** to begin with

pradžiūti get* (sómewhat) dry

praeitas *žr.* **praėjęs**

praei|ti 1) pass, go* by; 2) (*baigtis*) be óver; 3) (*įvykti*) go* off; **~tis** the past; **~vis** passerbý

praėj|ęs past; (*paskutinis*) last; **~imas** pássage; pass

pragaras hell

pragert|as drúnken; **~i** drink* awáy; spend* (squánder on drink)

pragyven|imas líving; **~ti** make* a líving

prailginti prolóng; exténd

prakait|as sweat, perspirátion; **~uoti** sweat, perspíre

prakeik|imas curse; **~tas** dámned, cursed; **~ti** curse, damn

prakišti 1) push/fórce through; 2) *šnek.* (*pralaimėti*) lose*

prakt|ika práctice; **~inis, ~iškas** práctical

pralaimė|jimas loss, deféat; **~ti** lose*

pralauž|imas bréach(ing), break; **~ti** break* (through)

praleidinéti *mok.* play trúant

praleisti 1) (*leisti praeiti*) let*

(*smb*) pass; 2) (*raidę, žodį*) omít, leave* out; 3) (*susirinkimą ir pan.*) miss; 4) (*terminą*) excéed the time límit; 5) (*laiką*) spend*

pralėkti 1) (*praskristi*) fly* (by, past, through); 2) (*apie laiką*) go*/fly* by

pralenkti 1) outstríp; (*bėgant*) outrún*; 2) (*būti pranašesniam*) surpáss

pralieti spill*; (*kraują, ašaras*) shed*

pralobti get*/becóme*/grow* rich

pralošti lose*

pramigti oversléep* (onesélf)

pramoga amúsement; pástime

pramon|ė índustry; ~**inis** indústrial; ~**inės prekės** manufáctured goods

pramušti beat*, break* (through); pierce

pranašauti foretéll*, predíct

pranašumas advántage; superióríty

prancūz|as Frénchman*; ~**iš-kas** French

praneš|ėjas spéaker; annóuncer; ~**imas** repórt, information; nótice; ~**ti** repórt, let* (*smb*) know (of), commúnicate (to); infórm; nótify

pranokti surpáss, excél

praplėsti exténd; wíden

praplėšti rip/tear* ópen

prapliupti gush (out); break* (into)

prap|ulti 1) (*dingti*) disappéar; 2) (*pasimesti*) be lost; ~**uolęs** 1) (*dingęs*) míssing; 2) (*pražuvęs*) lost, rúined

praraja précipice; abýss

prarasti lose*

praryti swállow; devóur

prasidėti begín*, start

prasilauž|imas bréaking-through; ~**ti** bréak* through

prasimaitnti live (on), subsíst (on)

prasimany|mas invéntion; fib; ~**ti** invént; fib

prasiskverbti pénetrate; make*/force one's way (through)

prasitarti let*/blurt it out

prasižengti transgréss

prasižioti ópen one's mouth

praskinti ~ **kelią** *perk.* pave the way

praslinkti pass; elápse

prasmė sense; méaning

prastas 1) (*paprastas*) símple, cómmon, plain; 2) (*blogas*) bad*, poor

praš|ymas requést; ~**yti** ask; ◊ **labai** ~**au**, ~**om(e)** please

pratarmė préface

pratęs|imas exténsion, pro-

longátion; ~ti prolóng; ~ti
bilietą exténd a ticket

pratybos prácticals, práctical
work *sing*

pratimas éxercise

pratint|i train; ~is accústom
oneself (to)

pratrinti rub through; rub
sore

pratrūkti break*; burst*

praturt|ėti get* rich; be en-
ríched; ~inti enrích

praus|yklė wáslıstånd;
~imas(is) wáshing; ~ti wash;
~tis wash (oneself)

pravalgyti spénd* on food

pravardė nickname

pravartus úseful; fit (for)

pravaž|iavimas pássage;
~iuoti pass (by, past); go*
(by, past)

pravérsti come* in úseful, be
of use

pravesti (*padėti praeiti*) take*,
lead*, condúct

pravėža rut

praviras slíghtly ópen; jar

pražanga *sport.* foul

pražydėti come*/burst* ínto
bloom/blóssom

pražilti turn grey

pražudyti rúin

pražūt|i pérish; be lost; ~in-
gas rúinous; disástrous; ~is
rúin

prek|ė goods *pl*; wares *pl*;

~iauti deal (in); (*su*) trade
(with); ~iautojas déaler

prekyb|a trade, cómmerce;
~ininkas tráder; mérchant;
~inis commércial, trade

prekinis goods *attr*, coomódi-
ty *attr*; ~ traukinys goods
train

preky|stalis cóunter; ~vietė
márket

premij|a prémium; prize;
~uoti awárd a prize, give* a
prémium

premjera first night

prenumer|ata subscríption;
~atorius subscríber; ~uoti
subscríbe (to)

pres|as, ~uoti press

prestižas prestíge

pretend|entas preténder;
cláimant; ~uoti claim; lay*
claim (to)

pretenzija claim; (*nepagrįsta*)
preténsion

prezervatyvas cóndom,
sheath*

prezidentas président

prezidiumas presídium

priartėti *žr.* artėti

pribėgti run* up (to), cóme*
rúnning up (to)

priblokšti (*smūgiu, žinia*)
stun

pribrendęs ripe, matúre

pridėjimas addítion

pridengti cóver; screen

prideramas próper; becóming

pridėt|i add; **~inis** addítional

prie 1) (*arti*) at, by, near; 2) (*žymint kryptį*) to; 3) (*su*) with

prieangis porch

priebalsis cónsonant

prieblanda twílight

priedanga cóver; (*perk. t.p.*) cloak, screen

priedas 1) addítion; 2) (*žurnalo, knygos*) súpplement

prieglauda 1) asýlum; 2) *perk.* shélter

prieglobstis shélter, réfuge

prieinamas accéssible

prieiti 1) come* up (to), appróach; 2) (*pasiekti*) reach

priėjimas appróach, accéss

priekaba tráiler

priekabė cávil

priekaišt|as,~auti repróach

priek|inis, ~is front; **į ~į** (*pirmyn*) fórward

prielinksnis *gram.* preposítion

priemaiša admíxture

priemiest|inis subúrban; **~is** súburb

priėmimas 1) (*pvz., svečių*) recéption; 2) (*į mokyklą ir pan.*) admíttance

priemon|ė 1) (*pvz., susisiekimo*) means; 2) méasure; **griežtos ~ės** drástic mé-asures

prieplauka lánding stage, pier; (*krovinių*) wharf*

priepuolis fit, attáck

priesaga *gram.* súffix

priesaika oath*

priesak|as précept; (*rinkėjų*) mándate

priespauda oppréssion

prieš 1) (*žymint vietą*) befóre, in front of; (*priešais*) ópposite; 2) (*žymint laiką*) befóre; (*praeityje t. p.*) agó; **~ pietus** befóre dínner; **~ dvejus metus** two years agó; 3) (*žymint priešingumą*) agáinst

prieša̧k|inis front, fore(-); **~ys** front, fórepart; **~yje** in front (of); at the head (of)

priešas énemy

priešdėlis *gram.* préfix

priešing|ai 1) the óther way (round); (*kam*) cóntrary (to); 2) (*įterpt. žodis*) on the cóntrary; **~as** 1) (*esantis prieš kitą*) ópposite; 2) cóntrary; **~ybė, ~umas** cóntrast, opposítion

priešin|imasis resístance; **~inkas** oppónent; (*priešas*) énemy; **~tis** resíst; oppóse

priešiškas hóstile

prieškambaris hall

prieškarinis préwar

priešlaikinis prematúre, untímely

priešpaskutinis last but one

priešpiečiai lunch *sing*

priešrinkiminis preeléction *attr*

prieštar|auti contradíct; (*pasisakyti prieš*) objéct (to); ~avimas contradíction; objéction; ~ingas contradíctory, discrépant

prietaisas appáratus; devíce

prietaras superstítion; préjudice

prietema dusk

prievart|a compúlsion; ~auti (*moterį*) rape, rávish; ~inis fórcible, forced

prieveiksmis *gram.* ádverb

prievolė sérvice; dúty

priežastis cause, réason

priežiūra supervísion; care

priežodis próverb, sáying

prigimt|as ínborn; ~is náture

priglausti 1) clasp (to), press (to); 2) (*priglobti*) shélter

priimamasis recéptionroom

priimti 1) take*; 2) (*svečius*) recéive; 3) (*įtraukti, neatmesti*) admít, accépt; 4) (*patvirtinti*) pass; ~nas accéptable

prijaukinti tame

prijungti 1) add, adjóin; 2) (*teritoriją*) annéx; 3) *el.* connéct

prijuostė ápron

prigerti 1) (*nuskęsti*) drown; 2) (*atsigerti*) drink* one's fill;

(*pasigerti*) get* drunk

prigrūsti (*ko*) stuff (with); (*į*) cram (into)

prikaistuvis sáucepan, pan

prikaišioti (*kam ką*) repróach (with)

prikalbinti persuáde

prikalti nail (to)

prikibti 1) (*prilipti prie*) stick* (to), cling* (to); 2) (*apie ligą*) catch* a diséase; 3) *žr.* kibti

priklausyti 1) (*kam*) belóng to; 2) (*nuo ko*) depénd on

priklausom|as depéndant (on); subórdinate (to); ~ybė, ~umas depéndence

prikrauti load; (*bataréją ir pan.*) charge

prilaistyti spill*

prileisti 1) (*prie ko*) admít (to); 2) (*ko*) let* in; fill (with)

primaišyti add, admix

primatuoti try on

primesti (*kam ką*) thrust* (*smth* on); press (*smth* on)

primiegoti have slept enóugh

primygtin|ai úrgently; ~is úrgent, préssing

priminti remínd (of)

primokėti pay* in addítion

primokyti prompt, egg on, put* up (to)

primušti beat* up, give* a béating/thráshing

princip|as príncíple; iš ~o

on príncïple; ~ingas, ~inis of príncïple

prinok|ęs ripe; ~ti rípen

pripažin|imas acknówledgment; ~ti acknówledge, récognize

pripil|dyti fill, pour; ~ti fill

priprasti get* accústomed/ used (to)

pripūsti blow*/puff up, infláte

pririnkti gáther, colléct

pririšti tie (to); fásten (to)

prisėlinti steal* up (to)

prisibėgoti have run abóut too much

prisiderinti adápt/adjúst onesélf; confórm (to)

prisidėti (*prisijungti*) join

prisiek|dinti swear* (*smb*) in; ~ti swear* (to)

prisigerti 1) (*prisisunkti*) be/becóme* sáturated/ ímpregnated (with); 2) žr. prigerti

prisiglausti 1) (*meiliai*) snúggle/cúddle up (to); 2) (*rasti prieglaudą*) find* shélter

prisiimti (*ką*) take* (*smth*) upón onesélf, assúme (*smth*)

prisijungti join (in)

pasijuokti have had a good laugh

prisilakstyti have had enóugh of rúnning abóut

prisilie|sti, ~timas touch

prisiminti žr. atsiminti

prisipažin|imas conféssion; ~ti conféss, own

prisirinkti 1) (*sau*) gáther/ colléct (for onesélf); 2) (*apie žmones*) gather, crowd

prisiriš|ęs *perk.* attáched; ~imas attáchment; ~ti attách; get* attáched

prisisėdėti sit* long enóugh

prisiskaityti have read much/ enóugh

prisitaikymas adaptátion, accomodátion

prisitaikyti (*prie*) adápt/adjúst onesélf (to)

prisiūti sew* (on)

priskir|ti (*savybes ir pan.*) ascríbe (to), attríbute (to); 2) (*prie*) réckon (amóng), númber (amóng); 3) (*organizacijai*) attách (to)

prislėgt|as depréssed; ~a n u o t a i k a depréssion

prispausti 1) press (to); 2) (*išnaudojant*) oppréss

prispjaudyti spit* all óver

pristaty|mas (*prekių ir pan.*) delívery, supplýing; ~ti 1) delíver; (*aprūpinti*) supplý (with); 2) (*supažindinti*) introdúce (to), presént (*smb*)

pristigti not have enóugh, lack

prisukti (*sraigtą*) screw on (to); (*laikrodį*) wind* up

pritaik|ymas 1) applicátion; 2) use; **~yti** 1) (*priderinti*) fit; adápt (to); accómodate (to); 2) (*panaudoti*) applý, use

pritar|imas appróval; **~ti** 1) appróve (of); 2) (*akompanuoti*) accómpany

priteisti adjúdge (to)

pritildyti sílence/hush a líttle

prityr|ęs expérienced; **~imas** expérience

pritraukti draw* (clóser), attráct

pritrenkti stun, shock

pritrūkti *žr.* pristigti

pritūpti squat

pritvirtinti fásten (to), attách (to)

prival|ėti must (+*inf*) (*esamaj. laike*); have (+to *inf*); **~omas** oblígatory; compúlsory

privat|inis, ~us prívate; **~izuoti** prívatize

privažiuoti (*prie*) drive* up (to)

priverčiamas(is) forced, compúlsory

priversti make*, compél, force

privesti bring* (to); lead* (to)

privežti bring* (to)

privilegija prívilege

prizas príze

prižadėti prómise

prižiūrėt|i look áfter; (*stebėti*) súpervise; **~ojas** óverseer

pro through; (*šalia*) by; **~ langą** through the wíndow

problem|a próblem; **~inis, ~iškas** problemátic(al)

procentas per cent; percéntage

procesas prócess; (*teis. t. p.*) tríal

produkcija prodúction; óutput

produkt|as próduct; **~yvus** prodúctive

profes|ija proféssion, occupátion; **~inis** proféssional; **~inė sąjunga** tráde únion

profesional|as, ~us proféssional

profesorius proféssor

proga occásion, chance; opportúnity

prognoz|ė prognósis; fórecast; **~uoti** fórecast

programa prógram(me)

progres|as prógress; **~yvus** progréssive

projekt|as próject; (*dokumento*) draft; **~uoti** projéct, desígn

prokuroras públic prósecutor

propag|anda propagánda; **~uoti** propagándize

proporc|ija propórtion, rátion; **~ingas** propórtional

prosenel|ė great-grándmother; **~iai** áncestors, fórefathers; **~is** great-grándfather

prospektas (*gatvė*) ávenue

prostitutė próstitute

prošvaistė gleam

protarpis ínterval

prot|as mind; intélligence; íntellect; ◊ e i t i i š ~ o to go mad; **~auti** réason

protest|as prótest; **~uoti** protést (agáinst)

protėvis áncestor

protingas cléver, intélligent; réasonable

protinis méntal, intelléctual

protokolas mínutes *pl*

protrūkis óutburst, fit

provok|acija provocátion; **~uoti** provóke

proza prose

prožektorius séarchlight, projéctor

pseudonimas pséudonym

psichas *šnek.* psýcko ['saikəu]

psich|inis, ~iškas psýchic(al), méntal

psichologija psychólogy

publika públic; (*žiūrovai*) áudience

pučiamasis: ~ i n s t r u m e n t a s wind ínstrument

pūdymas *ž.ū.* fállow

pudr|a, ~uoti pówder

pūga snówstorm

puik|auti put* on airs; **~iai** spléndidly, fine; **~ybė** pride; **~us** 1) spléndid, magníficent; (*nuostabus*) wónderful; 2) (*išdidus*) proud

pūk|as down; **~uotas** dówny, flúffy

pūl|iai pus *sing*; mátter *sing*; **~iuoti** súppurate; féster

pulk|as flock; *kar.* régiment; **~ininkas** cólonel

puls|as pulse; **~uoti** pulsáte

pultas desk, stand

pulti 1) (*priešą*) attáck, assáult; 2) (*prie ko*) fall* upón; 3) (*žemyn*) fall*

pumpuoti pump

pumpuras *bot.* bud

punktas 1) point; 2) (*organizacinis centras*) státion; 3) (*paragrafas*) ítem

punktualus púnctual

puod|as pot; (*prikaistuvis*) sáucepan; **~ukas** cup

puokštė bunch of flówers, bóuquet ['bu:kei]

puol|ėjas 1) attácker; 2) *sport.* fórward; **~imas** 1) attáck, assáult; 2) (*kritimas*) fall

puoš|nus smart; **~ti(s)** 1) adórn, órnament; 2) (*rengti(s)*) dress up

puota feast, bánquet

pup|a bean; **~elės** háricot beans

pureni lóosen; (*kauptuku*)

hoe

purkšt|i sprínkle; spit; **~uvas** spráy(er), sprínkler

purtyti shake*

purv|as dirt; **~inas** dírty; **~ynas**, **~ynė** mud

pusantro one and a half; **~ šimto** húndred and fífty

pusbalsiu in an úndertone, in a low voice

pusbrolis cóusin

pus|ė half; **~antros** half past one; 2) (*šalis*) side; **iš mano ~ės** for my part; **iš kitos ~ės** on the óther hand

pusėtinas médiocre, míddling

pusfinalis *sport.* semifínal

pusiasalis península

pusiau in two, in half

pusiaujas *geogr.* equátor

pusiausvyra equilíbrium, bálance

puskojinė sock

puslapis page

pūslė 1) (*ant odos*) blíster; 2) (*burbulas*) búbble; 3) (*plaukiojamoji*) áirbladder

puslitris half lítre

pusmetis half a year

pusnis snówdrift

puspadis sole

pusryč|iai bréakfast *sing*; **~iauti** (have) bréakfast

pusrutulis hémisphere

pusseserė cóusin

pūsti blow*

pustrečio two and a half

pusvalandis half an hóur

pusvelčiui for a (mere) trífle; for a song *šnek.*

puš|ynas pínewood, pínefórest; **~is** pine (tree)

puta foam; (*verdant*) scum

pūti rot; decáy

putot|as fóamy; **~i** foam

puvėsiai rot *sing*, rótten stuff *sing*

puvimas rótting; decáy

R

racional|izacija rationalizátion; **~izatorius** rationalízer; **~us** rátional

radiacija radiátion

radiatorius *tech.* rádiator

radioaktyvus *fiz.*, *chem.* radioáctive

radij|as rádio, wíreless; **~o mazgas** bróadcasting céntre; **~o stotis** wíreless státion; **klausyti(s) ~o** lísten in, lísten to rádio

radinys find

radistas wíreless óperator

rafinuotas refíned

ragana witch

ragas horn

ragauti taste
raginti incíte, urge; (skatinti) encóurage
raguočiai cáttle
raida devélopment, evolútion
raidė létter; d i d ž i o j i ~ cápital létter
raikyti slice, cut* into slíces
raistas marsh, bog, swamps
raišas lame, límping
raiškus 1) expréssive; 2) (aiškus) distínct
raištis band, bándage
rait|as on hórseback; ~elis ríder, hórseman*
raityt|i roll; (plaukus) curl; ~is coil; (vingiuoti) wind*
rajon|as, ~inis district
raket|a, ~inis rócket; l e i s t i ~ ą let* off a rócket
raketė sport. rácket
rakinti lock
rakštis splínter
raktas key
ramentas crutch
ram|iai cálmly, péacefully, quíetly; ~ybė calm, peace; tranquílity
raminti calm; (guosti) cómfort
ramstis (ir perk.) prop, suppórt
ramunė bot. cámomile
ramus quíet, calm; tránquil
randas scar

rangytis (apie gyvates ir pan.) coil, wríggle
ranka hand; (nuo plaštakos iki peties) arm
rankdarbis néedlework
rank|ena hándle; ~inė, ~inukas hándbag; ~inis hand(-); ~ogalis cuff; ~ovė sleeve
rankpinigiai éarnest (money) sing
rankraštis mánuscript
rankšluostis tówel
raportas repórt
rasa dew
ras|ė race; ~inis race attr; ~istas rácialist, rácist
rastas log; (sienojas) tímber
rasti find*; (atskleisti) discóver
rašal|as ink; ~inė ínkstand
raš|yba spélling; ~iklis pen; ~ymas wríting; ~inys wrítten work; compositíon; ~ysena hándwriting
rašyt|i write*; ~ojas wríter
raškyti pick
rašomasis I bdv. wríting; wrítten; ~ s t a l a s wrítingtable; desk
rašomasis II dkt. wrítten work; test páper
rašt|as 1) wríting; 2) (kanceliarijos ir pan.) létter; páper; 3) (~ a i) works; wrítings; 4) (audinio) páttern; ~elis note
raštinė óffice

rašting|as líterate; ~umas líteracy

rat|ai cart *sing*; ~as wheel; 2) (*lankas*) círcle; 3) *sport.* lap; round

ratifikacija ratificátion

ratlankis rim; tíre

raudon|as red; ~uoti 1) rédden; 2) *perk.* (*gėdytis*) blush

raudoti sob

raugėti belch, retch

rauginti make* sóur; (*daržoves*) píckle

raukytis frown

rauk|šlė wrínkle; (*drabužio*) crease; ~ti wrínkle; ~ti kaktą knit* one's brow

raumuo 1) múscle; 2) (*mėsa*) lean meat

raupai smállpox *sing*

rausti (*apie veidą*) blush

rausvas réddish, rúddy

rauti pull (up/out); tear* up

ravėti weed

razina ráisin

reaguoti 1) reáct (upón); 2) *perk.* respónd (to)

reakc|ija respónse; reáction; ~ingas, ~inis reáctionary

reaktyvinis reáctive; ~ lėktuvas jet (áircraft)

real|ybė reálity; ~izmas réalism; ~izuoti réalize; ~us 1) real; 2) (*įvykdomas*) prácticable

recenz|ija, ~uoti revíew

receptas récipe; *med.* prescríption

redaguoti édit

redak|cija 1) editórial staff; (*patalpa*) editórial óffice; 2) (*apdorotas tekstas*) wórding, ~cinis editórial; ~torius éditor

referatas 1) súmmary, ábstract; 2) (*pranešimas*) páper, éssay

reform|a, ~uoti refórm

reg|ėjimas éyesight; ~ėti see*; ~imasis vísual; ~inys sight, spéctacle; view

registr|atūra régistry; ~uoti régister, recórd

reglamentas (*susirinkimo ir pan.*) tímelimit

regul|iarus régular; ~iuoti régulate

reikal|as 1) affáir; búsiness; 2) (*tikslas, interesas*) cause; kuriam ~uí for what púrpose; 3) (*dalykas*) mátter; koks ~ ? what is the mátter?; 4) (*reikalingumas*) need, necéssity

reikal|auti demánd, insíst (on); ~avimas demánd; requést; ~ingas nécessary

reik|ėti need, requíre; ~ia it is nécessary; man ~ia I must (+*inf*), I have (+to *inf*); jam ~ia šimto litų he needs a húndred litas; ◊ kaip ~iant well, próperly

reiklus exácting; (*griežtas*) strict

reikmenys accéssories; r a š y - m o ~ wríting materials

reikšm|ė 1) méaning, sense; 2) (*svarba*) impórtance; ~ingas signíficant; (*svarbus*) impórtant

reikšti 1) mean*; sígnify; 2) (*žodžiais*) expréss

reisas trip, run

reišk|imas expréssion; ~inys phenómenon (*pl* –na)

reitingas ráting

rėkauti shout; (*labai garsiai*) bawl, yell

reklam|a advértisement; publícity; ~uoti ádvertise

rekomend|acija recommendátion; ~uoti recomménd

rekord|as, ~inis récord; p a s i e k t i ~ą set* up a récord

rėkti cry, shout; (*spiegiamai*) scream, yell

reliatyvus rélative

relig|ija relígion; ~ingas, ~inis relígious

rėmai frame *sing*

rėmėjas suppórter; spónsor

remont|as repáir(s); ~uoti repáir

remt|i suppórt; back; ~is lean (up)ón; (*kuo nors*) refér (to)

rėmuo héartburn

rengti(s) 1) (*vilktis*) dress; 2)

prepáre

renkamas(is) eléctive

rentabilus *ekon.* prófitable

rentgenas Xray

repečk|oti clámber; ~omis on all fours

repertuaras *teatr.* répertoire

repeticija rehéarsal

replės tongs; píncers; p l o k š - č i o s i o s ~ pliers

rėplioti crawl, creep*

report|ažas repórting; ~eris repórter

represija représsion

reputacija reputátion

respublik|a repúblic; ~inis repúblican

restoranas réstaurant

resursai resóurces

ret|ai séldom; ~as 1) rare; 2) (*netankus*) thin; ~enybė rárity

retkarčiais now and then, occásionally

reumatizmas rhéumatism

revanšas 1) revénge; 2) *sport.* retúrn match/game

reviz|ija inspéction; ~uoti inspéct

revoliuc|ija revolútion; ~ingas, ~inis, ~ionierius revolútionary

revolveris revólver

rezervas resérve

rezoliucija resolútion

rezultatas resúlt, óutcome

rėžiantis (*akį*) loud, flashy

režimas regìme

režisierius (artístic) diréctor; stáge-manager; ~uoti stage; diréct

rėžti 1) cut*; (*prarėžti*) slit*; 2) (*smogti*) strike*

riaumoti roar, béllow

riaušės distúrbances, ríots

riba límit; (*siena*) bóundary

ribot|as 1) límited; 2) (*apie žmogų*) nárrow(mínded); ~i límit (to), restríct (in); ~is bórder (upòn)

ridenti roll

ridik|as, ~ėlis rádish

riebalai fat *sing*; grease *sing*

riebus 1) fat; 2) (*apie valgį*) rich

riedėti roll

riek|ė, ~ti slice

riestainis bàgel, ríngshaped roll

riesti(s) bend*; turn up

riešas wrist

riešut|as nut; ~auti gáther/ pick nuts

rietis squábble, wrángle

rikiuot|ė *kar.* formátion; órder; ~i line up, form

ryklys *zool.* shark

riksmas cry; (*spiegiantis*) scream

rykštė rod; (*beržinė*) the birch

rimas rhyme

rimt|ai sériously, éarnestly, in éarnest; ~as sérious, éarnest; ~is calm, peace

rink|a márket; ~os ekonomika márket ecónomy

rinkėjas 1) (*rinkimuose*) eléctor; 2) colléctor

rinkim|ai eléction *sing*; ~as colléction; ~inis eléctoral, eléction

rinkinys colléction; pilnas raštų ~ compléte works

rinkt|i 1) gáther; colléct; 2) (*ieškoti tinkamo*) choose*; seléct; 3) (*balsuojant*) eléct; ~inė *sport.* (*šalies*) nátional team; ~inis seléct(ed), choice; ~is 1) choose, seléct; 2) (*kur*) gáther; assémble

riščia *prv.* at a trot

ryšelis (*pvz., raktų*) bunch

ryš|iai 1) (*susisiekimas*) communicátion *sing*; 2) (*pažintys*) connéctions; ~ys 1) tie, bond; 2) (*sąryšis*) connéction; relátion; ~ium: ~ium su tuo in this connéction

ryš|umas distínctness; bríghtness; ~us distínct (*šviesus*) bright

rišti 1) bind*; tie (up); 2) (*sieti*) connéct

ryšulys pácket, búndle

ryt|ai the east *sing*; ~as mórning; ~ą in the mórning; ~diena tomórrow

153   **rungtynės**

ritė spool; reel

riteris knight

ryti 1) swállow; 2) *perk.*
devóur

rytietiškas Oriéntal

rytinis 1) éast(ern); 2) *(ryto)*
mórning *attr*

ritin|ys, ~ti roll

ritm|as rhythm; ~ingas,
~inis rhýthmic(al)

rytoj tomórrow

ritulys: l e d o ~ *sport.* hóck-
ey

rizik|a risk; ~ingas rísky;
~uoti risk

ryžiai rice *sing*

ryžt|as resolútion; ~ingas ré-
solute, decíded; ~is make* up
one's mind, decíde

rod|yklė 1) *(laikrodžio)* hand;
(kompaso) néedle; 2) *(strėlė)*
árrow; ~iklis índex

rodyt|i show* (to); índicate;
point (at, to); ~is seem

rodos *(įterpt. žodis)* it seems

rogės sledge *sing*; sleigh *sing*

rojalis (grand) piáno

rojus páradise

rolė žr. vaidmuo

romanas nóvel

romus géntle, meek

ropė túrnip

rop|lys *zool.* réptile; ~oti
creep*; crawl

rož|ė rose; ~inis rósy; *(švie-
siai)* pink

rūbai clothes

rubinas rúby

rūbin|ė clóakroom; ~inkas
clóakroom atténdant

rublis róuble

rūda ore

rudas brown; *(apie plaukus)*
red

rudeninis áutumn *attr*

rūd|ys rust *sing*; ~yti rust

rud|uo áutumn; fall *amer.*;
~ enį in áutumn

rugiagėlė *bot.* córnflower

rug|iai, ~inis rye

rugiapjūtė hárvest(time)

rug|pjūtis Áugust; ~sėjis
Septémber

rūgšt|ynė *bot.* sórrel; ~in-
gumas acídity; ~is 1) *(rūgš-
tumas)* sóurness; 2) *chem.* ácid;
~okas sóurish; ~us 1) sóur;
2) chem. ácid

rūgusis: ~ p i e n a s cúrdled
milk; kéfir

rūkas mist; fog

rūk|antysis smóker; ~ymas
smóking; ~ytas smoked; ~yti
smoke

rūkti smoke

rūmai 1) pálace *sing*; 2) *(įstai-
ga)* chámber *sing*

rumun|as, ~iškas Rumá-
nian

rungtyn|ės cóntest *sing*; com-
petítion *sing*; ~iauti compéte
(with in)

rungtis I conténd; compéte
rungtís II *sport.* evént
runkel|is beet; cukriniai ~iai súgar beet *sing*
ruoš|a (*namų*) hóusekeeping; ~imas(is) preparátion; ~ti (*paruošti*) prepáre; (*surengti*) arránge; ~tis 1) prepáre (for); get* réady (for); 2) (*eiti namų ruošą*) keep* hóuses tidy up, do (the rooms)
ruožas stripe; strip
rūpestingas cáreful; thóughtful
rūp|estis care; (*susirūpinimas*) anxiety; be ~esčių cárefree; ~ėti be ánxious (at)
rūpin|imasis care (of, for); ~tis look áfter, take* care (of); (*nerimauti*) tróuble (abóut)
ruporas spéakingtrumpet
rupus coarse, rough
rupužė *zool.* toad
rus|as, ~iškas Rússian; ~ų kalba Rússian
rusenti smóulder
rūsys céllar
rūst|ybė wrath; ~us wráthful
rūšis 1) sort, kind; (*kokybė*) quálity, grade; 2) *bot.* spécies; 3) *gram.* voice
rūšiuoti sort, assórt
rūškanas glóomy
rūta *bot.* rue
rutul|inis: ~ guolis *tech.*

bállbearing; ~ys 1) ball; 2) *sport.* shot

S

sag|a bútton; ~ė brooch; ~tis clasp, búckle
saik|as méasure; su ~u móderately; ~ingas móderate
saistyti 1) bind*, oblíge; 2) (*sieti*) be tied (to)
saitas tie; (*šuniui*) leash, lead
sajūdis móvement
sąjung|a únion; (*valstybių*) alliance; ~ininkas álly; ~inis állied
sakai résin *sing*
sakalas fálcon
sakinys séntence; pagrindinis ~ príncipal clause; prijungiamasis ~ cómplex séntence
sak|yti say*; tell*; (*kalbą ir pan.*) speak*; ~ytinis, ~omasis óral
sakramentas *bažn.* sácrament
sala ísland
sald|ainis sweet; cándy *amer.*; ~inti swéeten; ~umas swéetness; ~umynai sweet stuff *sing*;

sweets; ~us sweet
salė hall
sąlyg|a condítion; ~inis conditional; ~oti 1) condítion; 2) (*būti priežastimi*) cause
salotos 1) (*valgis*) sálad *sing*; 2) (*augalas*) léttuce *sing*
salvė vólley
saman|a, ~oti moss
sąmata éstimate
sambrūzdis fuss; adó
sambūvis coexístence
samd|ymas híre; ~ti híre; ~omas(is) híred
sąmyšis confúsion
sąmoj|ingas wítty; ~is wit
samoksl|as plot, conspíracy; ~ininkas conspírator
sąmon|ė cónsciousness; ~ingas cónscious; (*apgalvotas*) déliberate
samprot|auti réason; ~avimas réasoning
samtis ládle, scoop
sąnarys joint
sanatorija sanatórium
sandalai sándals; (*pliažiniai*) flípflops
sandara strúcture
sandarus hermétic, tight
sandėlis store; (*patalpa*) stóreroom
sand|ėris deal; bárgain, ~oris deal, transáction
sangrąžinis *gram.* refléxive
sanitar|as hóspital atténdant;

~ė nurse; ~inis sánitary
sankaba *tech.* clutch
sankaupa accumulátion
sankcijos sánctions
sankryža cróssroads *pl*, cróssing
santaika cóncord; hármony
santarvė accórd; cóncord
santaupos sávings
santechnikas plúmber
santyk|iauti 1) córrelate (with); 2) keep*/have íntercourse (with); ~iavimas correlátion; ~inis rélative; ~is relátion; íntercourse
santrauka súmmary
santrumpa abbreviátion
santuoka márriage
santūrus restráined, resérved
santvarka sýstem
sapn|as dream; ~uoti(s) dream* (abóut, that)
sąrašas list
sarg|as wátchman*; ~yba guard, watch; ~ybinis séntry; séntinel
sąryšis connéction; relátionship
sąsiauris *geogr.* strait
sąsiuvinis éxercise book; (*užrašams*) nótebook
sąskait|a accóunt; (*už prekes*) bill, invoice; ~ininkas accóuntant
sąskambis *muz.* accórd
sąskrydis rálly

sąšauka línkup

sąšlavos swéepings

satyra satíre

sau for/to onesélf

saug|ojimas kéeping; *perk*. protéction; ~oti keep*; (*ginti*) protéct

saug|umas sáfety; secúrity; ~us safe

sauja (*kiekis*) hándful

saulė sun

saulė|grąža *bot*. súnflower; ~lydis súnset; ~tas súnny; ~tekis súnrise

sausainis bíscuit, crácker; (*saldus*) rusk

saus|as dry; ~inti dry; (*laukus*) drain

sausis Jánuary

saus|ra drought; ~uma (dry) land

savaime by himsélf/hersélf/ itsélf; ◊ ~ aíšku of course

savaip in one's own way

savait|ė week; dvi ~ės fórtnight; ~galis weekénd; ~inis wéekly

savalaikis tímely; ópportune

savanaudiškas sélfish; mércenary

savanor|is voluntéer; ~iškas vóluntary

savarankišk|as indepéndent; ~umas indepéndence

sąvartynas dump

sąvaržėlė páper clip, (páper)

fastener

savas one's own

save himsélf, hersélf, onesélf

sąveika interáction

savęs 1) *sing* mysélf; *pl* oursélves; 2) *sing* yoursélf; *pl* yoursélves; 3) *sing* himsélf, hersélf, itsélf, *pl* themsélves

savybė quálity; (*daiktų*) próperty

savieiga drift

savigyna selfdefénce

savijauta: kokia tavo ~? how do you feel?

savyje in himsélf/hersélf/ itsélf

savikaina cost price

savikritika selfcríticism

savimeilė selflóve

savimi with/of, *etc*., himsélf, hersélf, itsélf

savin|ininkas ówner; ~tis apprópriate

savišalp|a mútual aid; ~os kasa mútual insúrance fund

savitarpinis mútual

savitvarda selfcontról

saviveikla ámateur actívities/ perfórmances *pl*

savižudybė súicide

savo 1) *sing* my; *pl* our; 2) *sing* *pl* your; 3) *sing* his, her, its; *pl* their

sąvoka idéa; *filos*. concéption

savotiškas pecúliar

sąžin|ė cónscience; ~ės graužimas remórse; ~ingas hónest, consciéntious; ~ingumas hónesty, consciéntiousness

scena 1) stage; 2) (veiksmo dalis; įvykis) scene

schema scheme

seansas (kino) show

sėd|ėjimas sítting; ~ėti sit*; ~ynė seat

segė fástener; (kabliukas) hook

segt|i do (up); (sagomis t. p.) bútton; (segtuku) pin; ~ukas pin; fástener

seifas safe, stróngbox

seikėti méasure

seilė spíttle; salíva

sėj|a sówing; ~amoji séeder

sekantis fóllowing, next

sekcija séction

sekėjas fóllower

sėkla seed

seklys detéctive

sekl|uma, ~us shállow

sekmadienis Súnday

sėkm|ė succéss; luck; ~ingas succéssful

sekretorius sécretary

seks|as sex; ~ualinis séxual

sek|ti 1) fóllow; 2) (stebėti) watch; ~tis be lúcky; go* on well; (pasisekti) succéed (in); kaip ~asi? how are you

gétting on?

sekundė sécond

sėlinti steal*, slink*

sėmen|inis: ~inis aliejus línseed oil; ~ys línseed sing

semti(s) draw*; (samčiu) scoop (up)

sen|ai old; ~amadis, ~amadiškas óld-fáshioned

senas 1) old; 2) (senovinis) áncient

sen|atvė old age; ~elė grándmother; ~elis grándfather; ~iai long agó; for a long time; ~iau fórmerly, befóre; ~iena antíquity; ~is old man*; ◊ ~ is besmegenis snówman*

senyvas élderly; óld(ish)

senov|ė ólden times pl; antíquity; ~inis, ~iškas áncient, antíque

sensacija sensátion

senti grow* old

sen|umas old age; óldness; ~utė (little) old wóman*; ~utis (little) old man*

septyn|eri, ~etas, ~i séven

septyniasdešimt séventy; ~as séventieth

septyniolik|a séventéen; ~tas séventéenth

septynmetis séven years

septintas séventh

seras sir

serbas Serb, Sérbian

serbentas cúrrant

serg|amumas síckness rate; morbídity; ~antis ill, sick

serialas sérial

serija séries

servetėlė nápkin

servizas sérvice, set

sesija séssion

sėslus séttled

sėsti sit* down

sesuo síster; m e d i c i n o s ~ trained nurse

sėti sow*

sezon|as séason; ~inis séasonal

sfera sphere

siaub|as térror, hórror; ~ingas térrible, hórrible

siaur|as nárrow; (apie drabužį) tight; ~ėti, ~inti nárrow

siau|sti, ~tėti 1) rage, storm; 2) (išdykauti) romp

sidabr|as, ~inis sílver

siek|imas aspirátion (for); ~ti 1) reach; 2) try to get; (veržtis į ką) strive* (for); áspire (to)

siela soul, spírit

sielis raft

sielotis grieve, tormént onesélf

sielvartas grief; woe

sien|a 1) wall; 2) (riba) bórder; (valstybės) fróntier; ~inis wall(-); ~inis l a i k r o d i s clock; ~ l a i k r a š t i s wall néwspaper

siera chem. súlphur

sieti link, connéct; blind*

signal|as, ~izuoti sígnal

sija beam

sijonas skirt

sijoti sift, bolt

sykis žr. kartas

silkė hérring

silos|as, ~uoti ž.ū. sílo; sílage

silpnas weak; (apie garsą, šviesą) faint; (ligotas) délicate, féeble

silpn|ėti wéaken, grow* wéak(er); ~ybė 1) (trūkumas) weak point; (būdo) fóible; 2) (palinkimas į ką) wéakness (for); ~inti wéaken; ~umas wéakness

silpti žr. silpnėti

simbol|is sýmbol; ~inis, ~iškas symbólic(al)

simfon|ija sýmphony; ~inis symphónic

simpat|ija 1) líking, sýmpathy; 2) šnek. loved one; ~iškas nice, táking, attráctive

sinoptikas wéather fórecaster

sirg|alius sport. fan; ~ti be ill (with); ~uliuoti be unwéll

sirpti rípen

sistem|a sýstem; ~ingas systemátic

situacija situátion

siūbuoti swing*, sway

siūlas thread
siūlyti óffer; (*apsvarstymui*) suggést; propóse
siunt|a dispátch; batch; ~ėjas sénder; ~imas sénding; dispátch; ~inys párcel
siurb|lys pump; ~ti suck (in)
siurprizas surpríse
siusti 1) (*apie žmogų*) rage, be fúrious; 2) (*apie gyvulį*) go* mad
siųsti send*; dispátch; ~ paštu post, mail; ~uvas *rad.* transmítter
siūti sew*
siuv|amasis séwing; ~ėja dréssmaker; ~ėjas táilor; ~imas séwing; néedlework; ~inėti embróider
siužetas *lit.* súbject; (*romano*) plot
syvai juice *sing*
skaičiuoti count
skaičius númber
skaidrus límpid; clear
skaidula fíbre
skaistus 1) bright, fresh; 2) (*doras*) chaste
skaitykla réadingroom
skaitiklis (*elektros, dujų*) méter
skait|ymas réading; ~iniai *mok.* réader *sing*; ~yti 1) read*; ~yti paskaitas lécture; give* léctures; 2) (*skaičiuoti*) count; ~ytis (*su*) réckon with; consíder; ~ytojas réader
skaitmuo fígure
skaitvardis *gram.* numerál
skalauti rinse; (*gerklę*) gárgle
skalb|ėja láundress; ~ykla láundry; ~iniai wáshing *sing*, láundry *sing*; ~ti wash
skalė scale
skaldyti split*; (*malkas*) chop
skalyti yelp
skamb|ėti sound; ring*; (*žvangėti*) jíngle; ~inti ring*; (*telefonu*) ring* up; ~inti pianinu play the piáno; ~us rínging, sonórous; ~utis bell
skandalas scándal, (*triukšmas*) row
skandint|i drown; (*laivą ir pan.*) sink*; ~is drown onesélf
skan|ėstas dáinty, delícacy; ~us delícious, tásty
skara shawl
skarda tin
skard|ėti resóund (with), ring* with; ~us (*garsus*) sonórous, resóunding
skardinė can, tin
skarelė kérchief
skarmalas rag
skatin|imas stimulátion; ~ti indúce, prompt

skaud|amas sore, bad; ~ėti ache, hurt*; ~ a it is páinful; jam ~ a galvą he has a héadache; ~us sore; (*perk. t.p.*) térrible; ~žiai páinfully, sórely; bádly

skausm|as pain; ache; galvos ~ héadache; ~ingas páinful

skelb|imas annóuncemént; (*iškabintas*) nótice; ~ti annóunce; (*reklamuoti*) ádvertise

skeletas skéleton

skelti cleave*; split*

skendėti be submérged; *perk.* be steeped (in)

skepeta kérchief

skept|ikas scéptic; ~iškas scéptical

skerd|ykla sláughterhouse; ~imas, ~ynės sláughter

skėrys *zool.* lócust

skers|ai acróss; ~ ir išilgai far and wide; ~gatvis býstreet; lane; ~inis *bdv.* cross, transvérsal

skersti sláughter, kill

skersvėjis draught

skęsti sink*

skėtis unbrélla; (*nuo saulės*) parasól

skeveldra splínter, frágment

skiauterė comb; crest

skiautė scrap, rag, shred

skydas shield

skiedinys 1) (*statyboje*) mórtar; 2) *chem.* solútion

skiedra chip

skiemuo sýllable

skiep|as, ~ijimas *bot.* graft; *med.* inoculátion; (*nuo gripo, raupų*) vaccinátion; ~yti 1) *bot.* graft; *med.* inóculate; (*nuo gripo, raupų*) váccinate; 2) *perk.* implánt (in), engráft (in)

skiesti dilúte

skylė hole

skil|imas split; disintegrátion; ~ti cleave*; split*

skilvis stómach

skinti pick, pluck

skyryb|a *gram.* punctuátion; ~os divórce *sing*

skyrium séparately

skyrius 1) depártment; séction; 2) (*knygos*) chápter

skirst|ymas distribútion; ~yti distribúte; (*lėšas ir pan.*) állocate; ~ytis dispérse; break* up

skirt|i 1) séparate; (*dalyti*) divíde; 2) (*daryti skirtumą*) distínguish; 3) (*į tarnybą*) appóint; 4) (*duoti*) allót; grant; ~ didelę reikšmę attách great impórtance (to); ~ingas 1) different; 2) (*įvairus*) divérse, várious; ~is 1) díffer (from); 2) (*atsisveikinti*) part (with); ~umas dífference

skyst|as líquid; (*vandeningas*)

wátery; ~is líquid; flúid

sklaidyt|i dispérse; dispél; ~is dispérse; (apie dūmus, rūką) clear awáy

sklandyt|i av. glíde; ~uvas glíder

sklandus smooth; (apie kalbą) flúent

sklei|dimas spréad(ing); ~sti spread*; (mokslą, pažiūras t. p.) disséminate

sklerozė med. sclerósis

skliaust|as, ~elis brácket

skliautas arch. vault

sklypas plot

sklisti spread*

skol|a debt; ~ingas ówing; būti ~ingam owe; ~ininkas débtor

skolint|i lend*; ~is bórrow

skon|ingas tásteful; ~is taste

skorbutas med. scúrvy

skraidyti fly* (abóut)

skrandis stómach

skriauda offénce

skriausti harm; wrong

skrybėlė hat

skridimas flight

skridinys 1) (skritulys) disk; 2) tech. púlley

skriestuvas cómpasses pl

skrieti círcle; (suktis) revólve

skrynia chest, cóffer

skristi fly*

skritulys círcle

skro|dimas med. postmórtem; ~sti disséct; med. make* a postmórtem (examinátion)

skruostas cheek

skruzd|ė, ~ėlė ant; ~(ė)lynas ánthill

skub|ėjimas haste; ~ėti 1) be in a húrry; make* haste; 2) (apie laikrodį) be fast; ~inti(s) žr. skubėti; ~us 1) (neatidėliotinas) úrgent; 2) (greitas) hásty

skudaras rag

skulpt|orius scúlptor; ~ūra scúlpture

skundas compláint

skurd|as póverty; ~us poor; (menkas) scánty

skursti live in póverty, be poor

skust|i 1) shave*; 2) (lupti žievę) peel; ~is shave*; ~uvas rázor

skųst|i make* a compláint; ~is (kam kuo) compláin (to of)

skvarbus pénetrating, píercing

skverbtis pénetrate; (skinti kelią) make* one's way

skvernas skirt, lap

slankioti 1) (dykinėti) loaf; 2) tech. (slidinėti) slide

slap|čia, ~čiomis sécretly, in sécret; ~yvardis pseúdonym;

~styti(s) hide*, concéal;
~ta on the sly; ~tas sécret;
~tažodis pássword, paróle
slaug|ė nurse; ~a, ~ymas
núrsing, care; ~yti nurse,
tend
slėgimas préssure
slėgt|i 1) press; 2) *perk*. op-
préss; ~uvas press
slėnis válley
slenks|čiai (*upės*) rápids; ~tis
thréshold
slėpiningas mystérious
slėpt|i hide*; concéal; ~is
hide* (onesélf); ~uvė shél-
ter
slid|ės ski(s); ~inėti 1) slide*;
2) (*slidėmis*) ski; ~ininkas
skíer; ~us slíppery
sliekas éarthworm
slinkti 1) move; (*sėlinti*) sneak,
slink*; 2) (*apie laiką*) pass;
slip; 3) (*apie plaukus*) fall*/
come* out
slysti slide*; slip
slyva plum; (*medis*) plum
tree
slog|a a cold; ~uoti have a
cold
slopinti 1) (*garsą*) múffle; 2)
perk. suppréss
slovakas Slóvak
slovėnas Slóvene
slūgti subsíde
sluoksnis láyer; strátum
smagus (*malonus*) pléasant;

(*linksmas*) chéerful, jólly
smaigalys point, spike
smail|inti shárpen; ~us sharp,
póinted
smakras chin
smalkės fumes
smals|umas curiósity; ~us
cúrious, inquísitive
smark|iai héavily, hard; ~ėti
becóme* strónger, inténsify
smarkus strong; víolent; (*apie
lietų, audrą, smūgį*) héavy
smarvė stink, stench
smaugti strángle, stífle
smegenys brain *sing*; d a n t ų
~ gum *sing*
smeigti stick* (ínto)
smeigtukas dráwing pin
smėl|ėtas, ~ingas sándy;
~is sand
smerk|imas bláming, cénsure;
~ti blame, cénsure
smilkinys *anat*. témple
smilkti smóulder
smirdėti stink* (of)
smogti strike*; deal* a blow
smūgis 1) blow, stroke; 2)
perk. shock
smuik|as violín; ~ininkas
víolinist
smuk|dyti lead*/bring* (*smb*)
to declíne; ~imas declíne;
~ti 1) (*kristi*) fall*/slip down;
sink*; 2) (*menkėti*) declíne
smulkinti make* small/fine
smulkmen|a détail; (*maž-*

možis) trífle; ~iškas pétty; (*detalus*) détailed

smulk|us small, fine; (*nežymus*) pétty; détailed; ~usis cukrus gránulated súgar

smurtas víolence

snaigė snówflake

snapas beak; bill

snausti doze

sniegas snow

sniegena *zool.* búllfinch

snigti snow

snukis múzzle; snout

socialdemokratas sócial démocrat

socialinis sócial

socialist|as, ~inis sócialist

socializmas sócialism

sočiai to satíety; substántially

soda *chem.* sóda

sod|as gárden; ~ininkas gárdener; ~ininkystė gárdening

sodinti 1) seat; ~į kalėjimą put* ínto príson; 2) (*augalus*) plant

sodžius víllage

sofa sófa

solidar|umas solidárity; ~us sólidary

solistas sóloist

sora *bot.* míllet

sostas throne

sostinė cápital

sot|is, ~umas satíety; iki ~ies to one's heart's contént; ~us sátiated

spalis Octóber

spalv|a cólour; ~otas cóloured; cólour *attr*; ~oti paint; cólour

spanguolė cránberry

spardyti(s) kick

sparn|as wing; (*kar. t. p.*) flank; ~uotas wínged

spartus spéedy, quick

spąstai trap *sing*, snare *sing*

spaud|a 1) press; 2) (*spausdinimas*) print; išeiti iš ~os come* out, be públished

spaudimas préssure

spausdinti print; (*mašinėle*) type

spausti 1) press, squeeze; 2) (*apie batą*) pinch

spaustuvė príntinghouse*

special|ybė speciálity; ~istas spécialist, éxpert; ~us spécial

spėjimas guess; conjécture

spektaklis perfórmance

spekul|iacija profitéering, speculátion; ~iantas spéculator, profitéer; ~iuoti spéculate (in)

spėliojimas supposítion, guésswork

spenys nípple

spėti 1) guess; conjécture; 2) (*suskubti*) have time; be in time spiečius swarm

spieg|iamas shrill; ~imas, ~ti squeal, screech

spygl|ys néedle; ~iuotas coníferous

spyna lock

spindė|jimas shine, rádiance; ~ti shine*; beam

spindul|ys ray; beam; ~iuoti rádiate

spinta cúpboard; d r a b u ž i ų ~ wárdrobe; k n y g ų ~ bóok case

spirg|ėti, ~inti fry; frízzle

spirit|as álcohol, spírit(s); ~inis alcohólic

spirti (koja) kick

spyruoklė spring

spjau(dy)ti spit*

sport|as sport(s); ~ininkas spórtsman*; ~ininkė spórting; ~iškas spórtsman-like; ~uoti go* in for sports

spraga 1) breach, gap (ir perk.); 2) (trūkumas) gap, flaw

sprandas nape

spren|dimas 1) decísion; (teismo) júdgement; 2) (užadavinio) solútion; ~džiamasis decisive

spręsti 1) judge; 2) (uždavinį, klausimą) solve

sprogdinti blow* up

sprog|imas explósion; perk. burst; ~menys explósives; ~ti 1) burst*; explóde; 2) (apie au-

galus) ópen

sprukti make* off

spuogas pímple, spot, blotch

spūstis crush

sraigė zool. snail

sraigt|as, ~inis screw; ~ i n i a i l a i p t a i wínding stáir-case sing

sraunus rápid, swift

srautas stream, tórrent

srit|inis régional; ~is 1) région, district; próvince (ir perk.); 2) (veikimo) sphere

sriuba soup

srovė cúrrent, stream; (tekėjimas) flow

stabd|ys 1) brake; 2) perk. híndrance; ~yti 1) stop; (stabdžiais) brake; 2) perk. hámper, hínder

stabil|umas stabílity; ~us stáble

stačias úpright; stándup

stačiokiškas rude

stačiom(is) stánding; upright

stadija stage

stadionas stádium

staig|a súddenly; ~mena surprise; ~us súdden

staklės machíne(tool) sing; (audimo) loom sing; (tekinimo) lathe sing

stal|as táble; p a d e n g t i ~ ą lay* the táble; ~čius drawer

stalius jóiner

staltiesė táblecloth

stambus 1) large; big; 2) (*storas*) stout

standart|as, ~inis stándard

standus stiff

statyb|a building, constrúction; **~ininkas** builder; **~inis** building *attr*

statykla: l a i v ų ~ dóckyard

statinė bárrel

statyt|i 1) (*dėti*) put*; set*, place; 2) (*pastatą*) build*, constrúct; 3) (*spektaklį*) stage, prodúce; **~ojas** builder

statula státue

status steep; ~ i s k a m p a s right ángle

staug|imas, ~ti howl

stažas length of sérvice

stebė|jimas observátion; watch; **~ti**1) obsérve; 2) (*sekti*) watch; **~tis** wónder, be surprísed; **~tojas** obsérver

stebinti astónish, surpríse

stebukl|as míracle; wónder; **~ingas** miráculous, márvelous

steigti found; estáblish

stenė|jimas, ~ti moan, groan

stengtis try; endéavour

stenograma shórthand récord

stepė steppe

sterblė lap

sterling|as stérling; s v a r a s ~ ų pound stérling

stich|ija the élements *pl*; *perk.* élement; **~inis, ~iškas** eleméntal; spontáneous

stiebas 1) *bot.* stem; 2) (*laivo*) mast

styg|a string; **~inis** stringed

stigti lack, not have enóugh

stiklainis (glass) jar

stikl|as, ~inė, ~inis glass

stil|istinis stylístic; **~ius** style

stimulas stímulus, incéntive

stipendija schólarship, grant

stipinas spoke

stipr|ėti stréngthen, becóme* strónger; **~ybė** strength; **~inti** 1) stréngthen; 2) *kar.* fórtify

stipr|umas strength; fírmness; **~us** strong; (*tvirtas*) firm; (*galingas*) pówerful; (*apie norą, jausmą*) inténse

stirna *zool.* roe

stirti becóme* stiff; grow* numb

stogas roof

stojamasis éntrance(-); ~ m o k e s t i s éntrance fee

stok|a lack (of), shortage (of); **~oti** lack; be short (of)

stomatolog|as stomatólogist; **~inis** stomatológical

stor|as 1) thick; 2) (*apie žmogų*) fat, córpulent; stout; **~ėti** grow* fat; **~ybė, ~umas** 1) thíckness 2) (*žmogaus*) córpulence, stóutness

stotelė stop

stoti 1) stand*; 2) (pvz., į organizaciją) join, énter; ~ į partiją join the párty; 3) (sustoti) stop

stotis I státion (ir glžk.)

stotis II stand* up; (keltis) get up, rise*

stov|ėti 1) stand*; 2) (būti kur) be sítuated; 3) (nejudėti) stop; laikrodis ~i the watch has stopped

stovykl|a camp; ~auti camp out

stovi|mas, ~intis stánding; stágnant; ~iuoti stand* about/ aróund

straipsnis árticle

strategija strátegy

straublys zool. trunk

strazdas zool. thrush

streik|as strike; ~ininkas stríker; ~uoti strike*, go* on strike

strėlė árrow

strėnos loins

stresas stress

strypas club; cúdgel

striptizas stríptease

striuk|as short; ~ė jácket

strop|umas díligence; ~us díligent

struktūra strúcture

stuburas spine, báckbone

studentas stúdent

studij|a stúdio; ~os stúdies; ~uoti stúdy

stulbinti stun, stártle

stulpas post, pole, píllar

stumdyt|i push; ~is jóstle

stumti push; shove

stverti snatch, grab

su with; and; ~ draugais with friends; ~ malonumu with pléasure; brolis ~ seserimi išėjo bróther and síster went awáy; ~ laiku in time; ~ sąlyga on condítion

suaktyvėti becóme* more áctive

suardyti (pvz., planą) frustráte, blast; dar žr. ardyti

suartinti bring* togéther

suaug|ęs ádult; grównúp; ~ti grow* togéther; (subręsti) grow* up

subėgti come* rúnning; gáther

subyrėti go* to píeces

subrend|ęs matúre; ripe; ~imas ripeness; matúrity

subtilus súbtle

subtropikai subtrópical zone sing

sudary|mas formátion; composítion; ~ti 1) form, make*; 2) (būti autoriumi) compóse; 3) (planą ir pan.) draw* up; (sutartį) conclúde, contráct

sudeg|inti, ~ti burn* (down/

out)

sudėjimas (*kūno*) constitútion, build

suderėti make*/conclúde a bárgain, agrée (upón)

sudėti 1) put* togéther; (*sulenkti*) fold (up); 2) *mat.* add (up), sum up; 3) (*sukurti*) make* (up)

sudėtin|gas cómplicated; **~is** cómpound, cómposite

sudėtis 1) *mat.* addítion; 2) (*struktūra*) composítion; strúcture

sudėvėti wear* out

sudie!, sudiev! goodbýe!

sudirbti *šnek.* 1) (*sutepti*) sóil, dírty; 2) discrédit; (*sukritikuoti*) pull to píeces, run* down

sūdyt|as, ~i salt

sudominti excíte curiósity (of), ínterest (in)

sudrėk|ęs slíghtly wet, damp; **~ti** becóme* moist/damp

sudrožti (*suduoti*) stríke*

suduoti stríke*, hit*; (*kumščiu*) punch

sudurti put* togéther; ◊ **~** gálą su gálu make* both ends meet

sudurt|i join; put* togéther; **~inis** cómpound

suduž|imas wreck; **~ti** break*; (*apie laivą*) be wrecked

sudžiūti dry up; get*/becóme* dry

sueiga gáthering, rálly

su|eiti 1) (*susirinkti*) gáther; 2) jam **~ėjo** dešimt metų he is ten (years of age)

suėmimas arrést

suėsti eat* up

sufler|is prómpter; **~uoti** prompt

sugalvoti concéive, think* of

sugau|dyti, ~ti catch*

sugebė|jimas abílity, capabílity; **~ti** be áble

sugedęs spoiled, gone bad; (*apie produktus*) rótten

sugerti absórb; imbíbe

sugyvent|i (*sutarti*) get* on (with); **~inis** cohábitant

sugniaužti (*kumštį*) clench

suieškoti find*

suimti (*areštuoti*) arrést

suinteresuotas concérned (with)

suir|ti (*į dalis*) disíntegrate, fall* to píeces; (*žlugti*) go* to rúin; **~utė** rúin; disórder

sujaudinti move; excíte

sujaukti múddle/mix up

sujungimas jóining; combinátion

sukabinti (*vagonus*) cóuple; (*grandinę*) link

sukaitęs swéaty, swéating

sukak|ti: jai **~o** dvídešimt metų she has turned twénty; greit jai **~s** penkiolika metų she will soon be fiftéen; ~tis, ~tuvės annivérsary

sukalbamas compliant, tráctable

sukalti knock up/togéther

sukandžioti bite* bádly (all óver)

sukaustyti chain, fétter

sukč|iauti swíndle, cheat; ~ius swíndler

sukelti 1) raise; 2) (*būti priežastimi*) rouse, cause, stir

sukil|ėlis rébel, insúrgent; ~imas rísing, rebéllion, insurréction; ~ti rise*, revólt, rebél

sukimasis revolútion, rotátion

sukiršinti set* agáinst

suklastojimas fórgery

suklestėjimas prospérity, héyday

suklijuoti paste/glue togéther

suklysti make* a mistáke, mistáke*

suknelė dress, gown

sukombinuoti *šnek.* wángle

sukrėsti shake* (up); (*perk. t.p.*) shock

sukryžiuoti cross

suktas sly, ártful

sukt|i 1) (*siūlus*) twist; 2) (*kreipti*) turn; 3) (*vynioti*) roll; ~ l i z d ą build* a nest; 4) (*apgaudinėti*) cheat; ~is 1) turn;

twist; 2) (*apie ašį*) revólve; ~umas scréwdriver

sukūrimas creátion

sūkurys whírlpool; éddy; o r o ~ whírlwind

sukurti 1) : ~ u g n į make* up the fire; ~ l a u ž ą make* up a fire; 2) (*ką nors naujo*) creáte

sula sap

sulaikyti 1) (*suturėti*) hold* (back); (*užlaikyti*) deláy, detáin, 2) (*sustabdyti*) stop; withhold*

sulamdyti crúmple

sulaukti wait (till); (*išgyventi iki*) live (till).

sulauž|ymas (*pažado ir pan.*) breach; ~yti break*; infrínge

sulėkti fly* togéther; come* flýing

suliepsnoti (*ir perk.*) flare up

sulig up to; the size of; ~ ta d i e n a since that day

sulinkęs bent; (*pakumpęs*) stooped

sulysti becóme thin/lean/ gaunt

sult|ingas júicy; rich; ~inys broth; ~ys juice *sing*

suluošinti cripple

suma sum

sumaišyti mix up; (*supainioti*) confúse

sumaištis confúsion

suman|ymas desígn; plan; (*mintis*) idéa; ~**yti** plan; desígn; ~**us** intélligent; cléver; (*nagingas*) skílful

sumaž|ėjimas décrease; ~**ini-mas** diminútion; (*kainų, etatų*) redúction

sume|sti (*į krūvą*) pile, heap; ◊ ~ **k a l t ę** shift the blame (on)

sumetimas réason, considerátion

sumiš|imas confúsion; ~**ti** becóme* confúsed

sumušt|i 1) hurt*; beat* up; 1) (*nugalėti*) deféat; 3) (*sudaužyti*) break*; ~**inis** sándwich ['sænwɪdʒ]

sunaikin|imas destrúction; ~**ti** destróy; (*priešą*) anníhilate, wipe out

sūnėnas néphew

sunerimęs unéasy, réstless; ánxious

sunešioti (*drabužius*) wear* out

suniekinti *šnek.* 1) (*subarti*) give* a scólding/drésing down; 2) (*atkalbėti*) tell* (*smb*) out of

sunykti (*nusilpti*) lánguish, pine awáy; (*nusmukti*) fall* into decáy

sunka juice

sunkenybė (*našta*) búrden

sunk|ėti grow* héavy; (*apie ligą*) becóme* worse; ~**iai** héavily; with dífficulty; ~**inti** búrden; cómplicate; ággravate

sunk|umas dífficulty; (*svoris*) weight; (*sunkus svoris*) héaviness; ~**us** 1) (*daug sveriąs*) héavy; 2) (*daug pastangų reikalaująs*) hard, dífficult; 3) (*rimtas*) sérious, grave; 4) (*slegiąs*) páinful

sunkvežimis lórry; truck *amer.*

sūnus son

suodžiai soot *sing*

suolas bench

suom|is Finn; ~**iškas** Fínnish

supakuoti pack (up)

supažindinti introdúce (to); acquáint (with)

supelėjęs móuldy, músty

supyk|dyti make* ángry, ánger; ~**ęs** ángry; ~**ti** get* ángry (with)

sūpynės swing *sing*

supjau|styti, ~**ti** cut* to píeces; cut* up

suplaukti (*apie žmones*) gáther

suplauti (*indus*) wash up

suplėšyti tear* up

suplyšęs rágged

suprakaitavęs in a swéat, swéaty

suprantam|as intélligible;

clear; s a v a i m e ~a it goes withóut sáying

supra|sti understánd*; ~ntu!, ~tau! I see!

suprastinti símplify

supratimas understánding; nótion, idéa

supti 1) (*pvz., skara*) wrap; 2) (*miestą ir pan.*) surróund; 3) (*sūpuoti*) rock, swing*

sūpuoklės swing *sing*

supurvinti make* dírty, soil

supuvęs rótten

suraš|ymas (*gyventojų*) cénsus; ~yti write*/put*/take* down; (*sudaryti sąrašą*) draw* a list; (*pvz., aktą, protokolą*) draw* up

surengti arránge, órganize

surikti cry out, útter a scream

surinkti (*mašiną ir pan.*) assémble; *dar žr.* rinkti

sūris cheese

surūdijęs rústy

surūgti turn sóur

sūrus salt *attr*; sálty

susegti bútton up, fásten

susekti track; (*surasti*) find*, detéct

susésti take* seats, sit* down

susibarti have a quárrel (with)

susidaryti form

susidėti 1) (*apie aplinkybes*)

aríse; (*susidaryti iš*) consíst (of)

susidėvėti wear* out

susidomė|jimas ínterest; ~ti becóme* ínterested (in)

susidoroti (*pajėgti atlikti*) mánage, cope (with)

susidraugauti make* friends

susidūrimas collísion; clash

susidurti 1) (*susitrenkti*) collíde (with); clash (with); 2) (*užtikti*) come* acróss

suslerzin|ęs írritated, annóyed; ~imas irritátion

susigėdęs ashámed

susiginčyti (*dėl*) (begín* to) árgue/quárrel (abóut)

susigriebti *šnek.* remémber súddenly

susijaudin|ęs excíted; ~imas excítement

susijung|imas jóining; júnction; ~ti uníte; conjóin; (*susilieti*) merge

susikaupti cóncentrate

susikirsti 1) cross; 2) (*per egzaminą*) fail

susikomplikuoti becóme*/ get* cómplicated

susikryžiuoti cross

susilaik|ymas absténtion; ~ti abstáin (from)

susilie|jimas mérging; ~ti merge, blend

susilpn|ėti becóme* wéak(er); slácken; ~inti wéaken; (*su-*

mažinti įtempimą) reláx

susimąst|ęs thóughful, pénsive; ~yti fall* to thínking, becóme* thóughtful

susimušti have a fight; come* to blows

susinervinti get*/becóme* nérvous

susipainioti 1) becóme* confúsed; 2) (*apie siūlus*) get* lángled

susipažin|ęs acquáinted; ~imas acquáintance; ~ti make* the acquáintance (of smb)

susipykti (*su*) fall* out with; split* with šnek.

susiraukti wrínkle (up); (*rūsčiai*) scowl

susirašinė|jimas correspóndence; ~ti correspónd (with)

susirémimas skírmish

susirg|imas diséase; ~ti fall* ill (with)

susirink|imas méeting; ~ti gather, méet*

susirūpin|ęs ánxious; ~imas anxíety; ~ti becóme* ánxious (abóut)

susisiek|imas communicátion; ~ti 1) (*susižinoti*) get* in touch (with), commúnicate (with); 2) (*ribotis*) bórder (upón)

susiskaldyti split* up, be split up

susiskambinti (*telefonu*) get* in touch by phone; get* through šnek.

susitaik|ymas reconciliátion; ~yti 1) (*po ginčo*) make* it up (with); 2) (*su padėtimi*) put* up (with); réconcile onesélf (to)

susitar|imas agréement; understánding; ~ti (*dėl*) arránge (abóut), agrée (abóut, on)

susitelkti uníte, rálly (round)

susitik|imas méeting; ~ti meet*; (*atsitiktinai*) come* acróss

susitraukti shrink*

susituokti (*su*) márry (*smb*); get* márried (to)

susiūti sew* togéther

susivaldymas restráint

susivėlęs dishévelled, mátted

susivien|ijimas unificátion; (*sąjunga*) únion; ~yti uníte (with)

susižinoti žr. susisiekti 1)

susižvalgyti exchánge glánces

suskaičiuoti count (up)

suspausti squeeze (togéther); (*ranka*) grip

sustabdyti stop

sustatyti set* (up); (*sutvarkyti*) arránge; (*kartu*) put* togéther

susting|ęs numb, tórpid;

~imas 1) torpídity; 2) *perk*. stagnátion; ~ti 1) *(kietėti)* hárden; 2) *(nuo šalčio)* be/get* numb/stiff, be frózen up; 3) *perk*. stágnate

sustiprin|imas intensificátion; reinfórcement; ~ti stréngthen, reinfórce; inténsify

susto|jimas stop; ~ti stop, come* to a stop

susukti, susupti wrap up

sušal|ęs frózen; ~ti freeze*

sušaud|ymas execútion, kílling (by shóoting); ~yti shoot dead; shoot* down

sušauk|imas cálling; convocátion; ~ti call; convóke

sušukavimas 1) háirdressing; 2) žr. šukuosena

sušukti excláim

sutalpinti find* room (for); make* *(smth)* go in

sutap|imas coíncidence; ~ti coincíde (with); *(atitikti)* tálly

sutar|imas agréement; accórdance; ~ti agrée (with); arránge (with); ~tinis convéntional

sutartis agréement; *teis*. cóntract; *polit*. tréaty

sutelkti 1) *(suburti)* rálly; cóncentrate; 2) *(darbininkus ir pan.)* take* on

sutemos twílight *sing*

sutepti soil; strain

sutik|imas 1) *(priėmimas)* recéption; 2) *(pritarimas)* consént; *(sutarimas)* accórd; ~ti 1) *(ką)* meet*; *(priimti)* recéive; 2) *(su)* agrée *(to smth, with smb)*

sutinkamai in accórdance (with)

sutrauk|yti tear*; *(pančius)* burst*; ~ti 1) contráct; *(suveržti)* tíghten; 2) *(pvz., kariuomenę)* draw* up; gáther

sutrenkimas *med*. concússion

sutrik|dyti 1) *(ramybę, tylą)* break*, distúrb; 2) *(darbą)* deránge; ~ti be/get* distúrbed/ deránged; break* down

sutruškin|imas smash, crush, rout; ~ti smash

sutrumpinimas shórtening; *(žodžio)* abbreviátion; *(knygos ir pan.)* abrídgement

sutvark|ymas pútting in órder; *(reikalų)* arrángement; ~yti put* in órder; *(reikalus ir pan.)* arránge

sutvėrimas *(padaras)* créature

sutvirtin|imas stréngthening; reinfórcement; *(valdžios, padėties)* consolidátion; ~ti stréngthen, make* strónger; reinfórce; consólidate

suvaldyti contról; suppréss

suvalgyti eat* up

suvargęs tíred out, worn óut

suvarto|jimas consúmption; ~ti consúme, use up

suvaž|iavimas cóngress; ~inéti run* óver; ~iuoti arríve; come* togéther

suvedžioti sedúce

suvelti (plaukus) tóusle, rúmple

suvenyras sóuvenir

suveren|itetas sóvereignty; ~us sóvereign

suversti 1) (į krūvą) heap up; dump; 2) (atsakomybę ir pan.) shift

suvest|i bring* togéther; ~inė súmmary

suvienyti uníte; únify

suvirinti tech. weld

suvokti percéive; grasp

sužadinti aróuse, awáken

sužeist|as wóunded; ~i hurt*; wound

sužydėti blóssom out, burst* ínto blóssom; (apie gėlę) come* ínto bloom

sužiedėjęs stale

sužinoti learn*; (išsiaiškinti) find* out

sužlug|imas fáilure; ~ti fail

sužvejoti catch* fish, fish up

svaičio|jimas delírium; ~ti (kliedėti) be delírious, rave

svaigti get* intóxicated; (nuo) be dízzy (with)

svainis bróther-in-law

svajo|nė dream; ~ti dream* (of)

svarus wéighty

svarb|iausias main, chief; ~umas impórtance; ~us impórtant; (reikšmingas) signíficant

svarstyklės scales, bálance sing

svarstymas discússion

svarstis weight

svarstyti consíder; discúss

sveč|ias guest, vísitor; e i t i į ~ i u s pay* a vísit; ~iuotis be on a vísit (to)

sveik|as 1) héalthy; sound; (naudingas) whólesome; j i s ~ he is well; 2) (neliestas) intáct, safe; ~ protas cómmon sense; ◊ ~ i! helló!; l i k ~! goodbýe!; ~ i s u l a u k ę Naujųjų metų! a háppy New Year!

sveikat|a health; ~os a p - s a u g a care of públic health; į jūsų ~ą! your health!

sveikin|imas gréeting; congratulátion; ~ti greet; wélcome; (kokia nors proga) congrátulate (smb on); ~tis greet; hail

sveikti get* bétter

sverdėti stágger, reel

svert|as lével; ~i weigh

svetimas 1) (priklausantis kitiems) sómebody élse's; 2) (ne

savųjų tarpo) strange, fóreign;
3) (*tolimas savo pažiūromis ir
pan.*) álien (to)
svetimšalis fóreigner
sviedinys 1) ball; 2) *kar.*
shell
sviestas bútter
sviesti fling*, sling*, hurl
svyravimas 1) fluctuátion; 2)
(*abejojimas*) hesitátion
svirnas gránary
svirplys *zool.* crícket
svirtis sweep (of a well)
svyruoti 1) (*linguoti*) sway,
swing*; 2) (*abejoti*) hésitate,
wáver; 3) (*pvz., apie kainas*)
flúctuate
svogūnas ónion
svoris weight

Š

šablonas 1) páttern; (*for-
ma*) mould; 2) *perk.* cóm-
monplace
šachas *šachm.* check
šachmat|ai chess *sing*; ~inin-
kas chéssplayer
šacht|a mine, pit; ~ininkas
míner
šaipytis mock (at), scoff (at),
jeer (at)
šaka branch; (*upės, kelio t.p.*)

fork
šakės fork *sing*; pítchfork
sing
šaknelė róotlet; (*kvito*)
cóunterfoil
šakniavaisis root
šakn|is root; iš r a u t i su ~
i m i s tear* up by the roots;
(*perk. t.p.*) upróot, root out;
~ytis take* root
šakot|as bránchy; ~is branch
(*awáy/out*); (*apie kelią, upę t.
p.*) fork
šakutė 1) (*medžio*) twig; 2)
(*valgomoji*) fork
šalčiai frée zing/cold wéather
šaldiklis frée zer
šaldyt|i freeze*; (*vėsinti*) chill;
~uvas fridge; refrígerator
šalia near, by
šaligatvis pávement; síde-
walk *amer.*
šalikas scarf*
šalin awáy, off; down with; e i k
~ ! go awáy!; be off!; ~ r a n -
k a s ! hands off!
šalininkas suppórter, ad-
hérent; partisán
šalinti remóve
šal|is 1) side; į ~ i asíde; p r o
~ į past by; 2) (*ginče*) párty; 3)
(*kraštas*) cóuntry, land
šališkas pártial, bías(s)ed
šalmas hélmet
šalna frost
šaltakraujišk|as cool, com-

pósed; **~umas** cóolness, equanímity, compósure

šalt|as cold; (*vėsus*) cool; **~a** it is cold; **~i** freeze*

šaltinis 1) spring; 2) *perk.* source

šaltis frost; cold

šaltkalvis lócksmith

šaltumas cóldness; (*šaltas protas*) cóolness

šalutinis side(-); **~ sakinys** *gram.* subórdinate clause

šampanas champágne [ʃæmˈpein]

šansas chance

šantaž|as, ~uoti bláckmail

šarka *zool.* mágpie

šarm|as lye; *chem.* álkali; **~ingas, ~inis** álkaline

šarv|ai,~as ármour;**~uotas** ármoured; **~uotis** ármoured car

šaržas cartóon, cáricature

šaškės draughts; chéckers *amer.*

šaud|yti shoot* (at), fire (at); **~menys** ammunítion *sing*

šaukiamasis (*apie sakinį ir pan.*) exclámatory

šauk|imas call; (*į karinę tarnybą*) cállup; **~smas** call, shout, exclamátion

šaukštas spoon

šaukt|i cry, shout; (*kviesti*) call; (*į karinę tarnybą*) call up; (*į teismą*) súmmon; **~ukas** ex-

clamátion mark

šaulys shot; *kar.* rífleman*

šaunamasis: ~ ginklas fírearms *pl*

šaun|uolis fine pérson/féllow; ..., well done!; **~us** váliant; gállant

šaut|i shoot* (at), fire (at); **~uvas** rífle, gun

šedevras másterpiece

šef|as chief; **~avimas** pátronage; **~uoti** pátronize, be pátron (of)

šeim|a fámily; **~yninis** fámily(-)

šeiminink|as máster; boss; (*savininkas*) ówner, propríetor; (*nuomininko atžvilgiu*) lándlord; (*svečių atžvilgiu*) host; **~auti** keep* house, mánage a hóusehold; **~ė** místress, ówner; lándlady; hóstess (*plg.* šeimininkas); **namų ~ė** hóusewife*

šeimyniškas fámily(-)

šelpti aid

šelti rage, rave

šen here

šepet|ėlis (*dantų*) tóothbrush; **~ys** brush

šerys brístle

šerkšnas hóarfrost

šert|i 1) (*gyvulius*) feed*; 2) (*kirsti*) strike*; (*botagu*) whip; **~is** 1) (*blukti*) fade; 2) (*apie gyvulius*) shed* one's hair

šešėlis shádow; (*pavėsis*) shade

šeš|eri, ~i six

šešiasdešimt síxty; **~as** síxtieth

šešiolik|a síxtéen; **~tas** síxtéenth

šeškas *zool.* pólecat, férret

šeštadienis Sáturday

šeštas sixth

šiaip 1) so; in this way; **~ s a u** só-so; **~ t a i p** sómehow; 2) (*be to*) else; óther; (*apskritai*) in géneral

šįnakt toníght, this night

šiandien todáy; **~inis** todáy's

šiapus on this side (of)

šiaud|as, ~inis straw

šiaur|ė north; **~ės r y t a i** northéast *sing*; **~ės v a k a r a i** northwést *sing*; **~inis** nórth(ern)

šiaušt|i rúffle, dishével; **~is** brístle (up)

šiek tiek a líttle; sómewhat

šiemet this year

šien|apjovė mówer; **~apjūtė** háymaking; **~as** hay

šiferis slate

šifras cípher

šįkart this time

šikšnosparnis *zool.* bat

šykšt|uolis míser, níggard; **~us** stíngy

šild|ymas wárming; (*kūre-*

nimas) héating; **~yti** warm; heat; **~ytis** warm onesélf

šilk|as, ~inis silk

šilt|as warm; **~i get*** warm

šiltinė *med.* týphus

šilum|a 1) (*energija*) heat; 2) (*šiltas būvis; ir perk.*) wármth; **~inis** thérmal; heat

šimt|as húndred; **~asis** húndredth; **~inė** a húndred; **~metis** céntury

šiokiadienis I *dkt.* wéekday

šiokiadienis II *bdv.* (*kasdieninis*) éveryday

šyps|ena, ~otis smile

širdingas héarty, córdial

širdis heart

šįryt this mórning

šíršė *zool.* hórnet

šis this; *pl* these; **ligi šios d i e n o s** up till now; **ligi šios vietos** up till here; **šiuo būdu** in the fóllowing way

šit aip so, like this; as fóllows; **~as** *žr.* šis

šitoks such, like this

šiukšl|ės swéepings; **~ių d ė ž ė** dústbin; **~inti** lítter

šiuolaikinis contémporary, módern

šiurkšt|umas róughness, cóarseness; **~us** rough, coarse (*ir perk.*); (*nemandagus*) rude

šiurp|as shúdder, shíver; **~us**

hórrible

šìvakar this évening

šlaitas slope

šlamė|jimas, ~ti rústle

šlamštas rúbbish, trash

šlap|ias wet; ~inti wet; ~imas úrine; ~intis úrinate, make* wáter; ~ti get* wet

šlaunis thigh; hip

šleikšt|ulys sickness, náusea; ~us sickening, náuseating

šlepetė slipper

šliaužti creep*, crawl

šlifuoti pólish

šlykštus detéstable; disgústing

šliuzas lock, sluice

šlov|ė glóry; ~ingas glórious; ~inti glórify

šlub|as lame; ~is lame man*; ~uoti limp

šluostyti wipe; ~ d u l k e s dust

šluot|a broom; ~i sweep*

šmaikštus (sąmojingas) witty

šmeiž|ikiškas slánderous; ~tas slánder, cálumny; (spaudoje) libel; ~ti slánder

šmėkla ghost, spéctre

šnabžd|ėjimas,~ėti whísper; ~omis in a whísper

šnarėti rústle

šnek|a talk; chat; ~amasis collóquial; ~ėti(s) talk, speak*; ~us tálkative

šnervės nóstril sing

šniokšti (apie jūrą, audrą) roar

šnip|as spy; ~inėjimas éspionage; ~inėti spy (on)

šnypšti (apie gyvatę, žąsį) hiss

šnirpšti blow* one's nose

šoferis cháuffeur, driver

šok|iai, ~is dance

šokoladas chócolate

šokti 1) spring*; jump, leap*; 2) (šokį) dance

šon|as side; ~u sideways; ~inis side, láteral

šonkaulis rib

šovinys cártridge

šovinizmas cháuvinism

špargalka šnek. crib

špyga fig

šratas (smáll) shot

šriftas print, type

štabas staff, héadquarters pl

štai here; ~ i r aš here I am; ~ k u r this is where; ~ k a i p like this; in the fóllowing way; (nustebus) you don't say!

štampas tech. stamp (ir perk.)

šturmanas av., jūr. návigator

šturm|as assáult, storm; ~uoti storm, assáult (ir perk.)

šukė frágment; shíver

šūkis cátchword, slógan

šukos comb sing

šukuo|sena (vyriška) háircut;

(*moteriška*) coiffúre, háirdo; ~ti do/comb hair; ~tis do one's hair; (*kirpykloje*) have one's hair done

šulas píllar

šulinys well

šun|ybė dírty/mean trick; ~iškas dog's, dog *attr*, dóglike

šuniukas pup, púppy

šuo dog

šuol|iais at a gállop; ~is jump, leap; ~is į aukštį *sport.* high jump; ~is į tolį *sport.* broad jump

šurmulys *šnek.* din, rácket

šūv|is is shot; paleisti ~į fire a shot

švaistyti 1) (*pinigus ir pan.*) squánder, waste; 2) (*blaškyti*) scátter, throw* abóut

švar|a cléanliness; néatness; ~inti clean

švarkas jácket, coat

švarus 1) clean; (*tvarkingas*) neat, tídy; 2) (*be priemaišų*) pure (*ir perk.*) ; clear

šved|as Swede; ~iškas Swédish

šveicar|as, ~iškas Swiss

šveicorius pórter, dóorman*

šveisti scóur; scrub

šveln|inti sóften; ~umas sóftness, ténderness; ~us 1) soft, géntle; 2) (*meilus*) ténder, délicate

šventadienis hóliday

švent|as sácred; hóly; ~ė hóliday, feast; ~inti *bažn.* órdain (ínto), cónsecrate (ínto); ~ovė témple

švepliuoti lisp

švęsti célebrate

švies|a light; ~ti 1) shine*; 2) (*mokyti*) enlíghten; ~ulys lúminary

šviesoforas tráfficlights *pl*

švies|umas bríghtness, cléarness; ~us light, bright

švietimas enlíghtenment; educátion

šviežias fresh

švilp|imas, ~ynė, ~ukas whístle; ~ti whístle; (*apie kulką, vėją t. p.*) sing

švin|as lead; ~inis lead, léaden

švinkti go* bad

švirkšt|as *med.* sýringe; ~i injéct

švystelėti flash

švisti (*aušti*) dawn; švintant at dawn

švytėti shine*; glow

švitr|as, ~inis émery

švytuoklė péndulum

švyturys líghthouse*, béacon

švokšti (*uždusus*) snort

T

tabakas tobácco

tabletė táblet

taburetė stool

tačiau howéver; but

tada then

tadžikas Tadžík

tai that; this; it; ◊ ~ yra that is; ~... ~... now... now...; kaip ~ galimá how can yóu

taigi thus, so

taik|a peace; ~os sutartis peace tréaty; ~darys péacemaker

taikingas péaceful; péace-loving

taikinys tárget

taikinti (*susiginčijusius*) réconcile (with)

taikyti 1) aim (at); 2) (*pabūklą*) point; 3) (*kam*) applý; emplóy, use; 4) (*priderinti*) fit (to), adápt (to)

taikl|umas márksmanship; ~us welláimed; (*perk. t. p.*) póinted; ~us šaulys good* shot

taikomasis applíed

taik|us péaceful; péaceable; ~iu būdu péacefully

taip 1) yes; 2) so; thus, like this; ◊ ~ pat álso; too; (*neigiamuose sakiniuose*) éither; ir ~ toliau and so on/forth

taisykl|ė rule; ~ės pl regulátions; ~ingas régular

tais|ymas ménding, repáiring; (*klaidos*) corréction; ~yti (*gedimus, trūkumus*) mend, repáir; (*klaidą*) corréct

taikstytis (*prie*) réconcile onesélf (to); (*su*) put* up (with)

tak|as, ~elis path*; track

taksi táxi

taktas I *muz.* time

takt|as II tact; ~ika táctics; ~inis táctical; ~iškas táctful

talent|as tálent, gift; ~ingas gífted, tálented

talonas cóupon; check

talp|a capácity; ~us capácious; spácious

tam to that; ~ kad ... so that...; in órder (+inf; that)

tampyti stretch; pull (at)

tampr|umas elastícity; resíliency; ~us elástic, resílient

tams|a dark, dárkness; ~ėti grow* dark; ~inti dárken

tamsta you

tamsus dark (*ir perk.*); dúsky

tankas tank

tank|mė thícket; ~umas thíckness; (*gyventojų*) dénsity; ~us 1) dénse, thick; 2) (*dažnas*) fréquent

tapat|ybė idéntity; ~ingas idéntical; ~inti idéntify

tap|yba páinting; ~yti paint;

~ytojas páinter

tapšnoti tap, pat

tapti becóme*, get*, grow*

tarakonas *zool.* cóckroach

tard|ymas *teis.* ínquest; investigátion; ~yti hold* an ínquest; ~ytojas inquírer, invéstigator

tariamai as if, as though

tariamas imáginary

taryb|a cóuncil; Ministrų ~a Cóuncil of Mínisters

tarimas pronunciátion

tarinys *gram.* prédicate

tark|a gráter; ~uoti grate

tarm|ė, ~inis, ~iškas díalect

tarn|as sérvant; ~auti serve; ~autojas employée

tarnyb|a sérvice; work; job; ~inis official

tarp (*tarp 2-jų*) betwéen; (*tarp daug*) amóng; ◊ ~ kita ko by the way

tarp|as ínterval, space; ◊ tuo ~u méanwhile; tuo ~u, kai... while...

tarpeklis (*kalnų*) gorge, ravíne; cányon

tarpin|inkas intermédiary; ~inkauti médiate, go* (betwéen); ~is intermédiate

tarp|miestinis interúrban; ~tautinis internátional

tarpusavis mútual, recíprocal

taršk|ėti, ~inti clátter, ráttle

tarti 1) pronóunce; 2) (*pasakyti*) útter

tartis I consúlt, confér

tartis II pronunciátion

tartum as if; like

tas, ta that; ~ pats/pati the same

tąsyti pull, drag

taškas 1) point; (*virš raidės; dėmelė*) dot; 2) *gram.* full stop

taškyti splash; (*apie purvą*) spátter

tau you; tai ~ it's for you; kas ~ yrá what's the mátter with yoú

taukai fat *sing*, grease *sing*

taukšti chátter, pátter, táttle

taup|yti save; ~omasis sáving; ~umas thríft; ~us thrífty, económical

taurė 1) cup, góblet; 2) *med.* cúppingglass

tausoti 1) (*save*) take* care (of); 2) (*jausmus*) consíder

taušk|ėti knock; clátter; ~inti tap, knock

taut|a péople; nátion; ~ybė nationálity; ~ietis compátriot, cóuntryman*; ~inis, ~iškas nátional

tavas, tavo your; yours

tave, tavęs, tavimi you; pas tave atėjo draugai some

friends have come to see you;
mes tavęs neprašėme we
didn't ask you; aš su tavim
you and me

teatras théatre

techn|ika engineéring; tech-
níque; **~ikas** technícian;
~inis, ~iškas téchnical

tegu(l) let (+*inf*); ~ jis eina
let him go

teigiamas affírmative; pósi-
tive

teig|imas, ~ti *žr.* tvirtin|i-
mas, ~ti

teikti 1) give*, rénder; 2) : ~
kam reikšmę attách impór-
tance to smth

teirautis ask (abóut); make*
inquíries (abóut)

teisė right; (*mokslas*) law

teisėjas 1) judge; 2) *sport.*
referée

teisėt|ai ríghtfully, láwfully;
~as légal; legítimate

teisiamasis the accúsed

teisybė truth

teising|as just; fair; (*apie
sprendimą*) corréct, right;
~umas jústice

teisin|inkas láwyer; **~tis** jústi-
fy onesélf, make* excúses

teismas court (of law/jústice);
(*procesas*) tríal

teisti try

teisus right

tekėti 1) (*apie skystį*) flow; 2)

(*apie saulę*) rise*; 3) (*eiti už
vyro*) márry

tekinas rúnning, at a run

tekintojas túrner

tekstas text; (*muzikai*) words
pl

tekstilė téxtile

tek|ti 1) (*atitekti*) fall* (to,
on); 2) : man [jam] ~o...
I [he] had...

telefon|as, ~inis (téle)
phone; **~ininkas** télephone
óperator

telegrafas télegraph

telegrama télegram; wíre

telekomas *sutr.* télecome

televiz|ija telev́ision; *sutr.* TV;
~orius telev́ision set; TV set

telkšoti lie* stágnant

telk|ti cóncentrate, gáther;
~is uníte, rálly

tema súbject; tópic

temdyti dárken; (*perk. t. p.*)
obscúre

tempas speed, pace; témpo

temperatūra témperature

tempti 1) stretch; 2) (*vilkti*)
drag; (*traukti*) pull

temti get* dark

ten, tenai there

tenisas ténnis

tenkinti sátisfy; meet*

teor|etikas théorist; **~ija**
théory; **~inis, ~iškas** theo-
rétical

tepalas óintment; (*mašinų*) oil;

(*batų*) blácking

teplioti (*tepti*) smear

tept|i 1) (*tepalu*) oil, lúbricate; 2) (*dėti sluoksnį*) spread*; **~ukas** brush

tėra there is/are ónly

terapi|ja *med.* therapéutics; **~nis** therapeútic(al)

teritor|ija térritory; **~inis** territórial

terlioti soil, dírty

terminas term

termometras thermómeter

terorist|as térrorist; **~inis** terrorístic; térrorist *attr*

terš|alas pollútant; **~ti** 1) make* dírty; pollúte; 2) (*vardą*) soil

tesėti (*žodį, pažadą*) keep*

tęsinys continuátion; séquel

testamentas will

testas test

tęs|ti contínue; go* on; **~tis** 1) (*tįsoti*) stretch; 2) (*trukti*) last

tešla dough

teta aunt

tėtis dad, dáddy

tėv|ai párents; **~as** fáther

tėvyn|ė nátive land, mótherland; **~ės meilė** love for one's nátive land

tėvišk|as fátherly, patérnal; **~ė** nátive place; home

tyč|ia, ~iomis 1) on púrpose; 2) (*juokais*) for fun

tyčio|jimasis móckery; **~tis** mock (at)

tiesiai straight, right

tiek so much; so mány; **~ (pat) kiek ...** as much/mány as...

tiek|imas supplý(ing); **~ti** supplý (with), províde (with)

ties by; (*virš*) óver

ties|a a truth; **tai ~a** it is true; ◊ **iš ~ų** indéed

tiesiog straight; **~inis** diréct

ties|ti (*kelių ir pan.*) build*, **~tis** (*tęstis*) stretch

tiesus 1) straight; 2) *perk.* straightfórward

tigr|as *zool.* tíger; **~ė** tígress

tik ónly, mérely; **ką ~** just (now); **vos ~, kai** as soon as; **kad/jei ~** if ónly

tikė|jimas belíef; faith (*ir bažn.*); **~ti** belíeve; **~tis** hope

tikyba relígion, faith

tikinti try to convínce/ persuáde (of)

tikintysis belíever

tykoti lie* in wait/ámbush; lurk

tikr|ai súre(ly), for cértain; **~as** 1) (*ne dirbtinis*) real; 1) (*nepramanytas*) true; **iš ~o, iš ~ųjų** réally; **esu ~as** I'm sure; **tam ~as** cértain; (*specialus*) spécial; **~iausiai** most líkely, próbably

tikrin|imas chéckup, verificátion; ~ti vérify, check
tikrovė reálity
tikrumas cónfidence (in); cértitude (in)
tikslas púrpose, aim, óbject
tikslingas expédient
tiksl|umas áccuracy; precísion; ~us exáct, precíse
tiktai ónly
tikti (būti kam tinkamam) be fit (for); do (for); fit
tykus quíet; still
tyla quíet, sílence
tylė|jimas sílence; ~ti be sílent
tylomis sílently
tilpti 1) (apie žmones) find* room; 2) (apie daiktus) go* in
tiltas bridge
tilti calm; (apie triukšmą) cease; (apie vėją, audrą) abáte
tylus 1) quíet; still; (apie balsą) low; 2) (apie žmogų) táciturn, sílent
tymai med. méasles
tingė|jimas láziness; ~ti be lázy
tingin|iauti be ídle; ~ys ídler, slúggard; lázybones šnek.
tingus lázy
tinkamas 1) (geras) good* (for), fit (for); 2) (reikiamas) próper, right, corréct

tinkas pláster
tinkl|as, ~elis net
tinklinis sport. vólleyball
tinkuot|i pláster; ~ojas plásterer
tinti (tvinkti) swell*
tip|as type; ~inis módel, stándard; ~iškas týpical
tyras pure; clear
tiražas 1) (knygos) edítion; (periodinio leidinio) circulátion; 2) (paskolos) dráwing
tyrimas, tyrinė|jimas investigátion; reséarch; ~ti žr. tirti
tirp|alas chem. solútion; ~dyti 1) melt; 2) (skystyje) dissólve; ~ti 1) melt; 2) (apie sniegą, ledą) thaw; 3) (skystyje) dissólve
tiršt|as thick, dense; ~ėti, ~inti thícken
tirti invéstigate, reséarch; (ligonį) exámine; (šalį ir pan.) explóre
tyrumas púrity
tįsti stretch
titnagas flint
titulas títle
tyvuliuoti stretch, lie*
tižti be/becóme* sódden/sóggy
to žr. tas
tobul|as pérfect; ~ybė, ~inimas(is) perféction; ~inti perféct, impróve

todėl thérefore

toks such; ~ p a t the same

tol, tolei untíl, till

tol|esnis fúrther; ~i far* (from); far off; in the dístance; iš ~i from far awáy; from afár

toliaregis fársíghted

toliau fúrther; ~siai, ~sias farthest, fúrthest

tol|imas far*, dístant, remóte; ~yn fárther; ~ti move awáy (from)

tolum|a(s) dístance; ž v e l g t i ~ o n look ínto the dístance

tomas vólume

tona ton

tonas tone

tortas cake

tostas toast

totorius Tátar

tradicija tradítion

trag|edija trágedy; ~iškas trágic(al)

traiškyti crush, squash

traktor|ininkas tráctordriver; ~ius tráctor

traktuoti treat

tramdyt|i tame; ~ojas támer

tramvajus tram; (*vagonas*) stréetcar

transl|iacija, ~iuoti bróadcast; (*apie televiziją*) télecast

transportas tránsport

trapus 1) (*lūžus*) bríttle; 2)

(*gležnas*) frágile, frail

trasa route, track

trąša fértilizer; manúre

trašk|ėjimas cráckling, cráck(le); ~ėti cráck(le)

trauka 1) *fiz.* attráction; 2) tráction

traukinys train

trauk|ti 1) pull, draw*; drag; 2) (*į sąrašą*) énter (in the list); ~tis 1) pull back; *kar.* retréat; 2) (*trumpėti*) shrink*

trečdalis one third

trečiadienis Wédnesday

trečias third

trej|etas, ~i three

trejop|ai in three ways; ~as of three kinds/sorts

trėkšti swat; crush

tremt|i, ~inys, ~is éxile

treniruot|ė tráining; ~i train

trenk|smas crash; ~ti hit*; crash (*apie griaustinį t. p.*), strike*

trepsėti stamp (one's feet)

trestas *ekon.* trust

treškėti cráckle; crack

tręšti fértilize; (*mėšlu*) manúre

tribūna tríbune, plátform; (*žiūrovams*) stand

tribugas thréefold, tríple

trikampis I tríangle

trikampis II *bdv.* thréecórnered; triángular

trikotažas 1) (*audinys*) knítted fábric; 2) (*dirtiniai*) knítwear

trykšti spout; spurt (out)

trylik|a thírtéen; **~tas** thírtéenth

trimestras term

trimētis 1) thréeyear *attr*, of three years; 2) (*apie amžių*) threeyearóld

trimitas trúmpet; búgle

trynys yolk

trin|ti 1) rub; 2) (*smulkinti*) grate; **~tukas** rúbber; éraser

trypti (*žolę*) trámple; (*kojomis*) stamp

trys three

trisdešimt thírty; **~as** thírtieth

trise the three of (us/you/ them)

tris|kart, ~syk three times, thrice

triukas trick

triukšm|adarys bráwler; rówdy; **~as** noise; úproar; **~auti** make* a noise; **~ingas** nóisy

triumfas tríumph

triūs|as, ~ti lábour, toil

triušis rábbit

triuškin|amas sháttering; crúshing; **~ti** crush, smash

trob|a cóttage, fármhouse*; **~esys** búilding

trofėjus tróphy

trokšti 1) (*norėti gerti*) feel* thírsty; 2) (*dusti*) súffocate; 3) (*geisti*) desíre; thirst (for, áfter)

troleibusas trólley(bus)

trošk|imas desíre, lónging; **~ulys** thirst

trūkčioti twitch

trukd|ymas híndrance; **~yti** hínder, hámper, distúrb

trūkstamas míssing, lácking

truk|ti last; n e i l g a i ~ u s befóre long; (*kiek vėliau*) a líttle láter

trūk|ti 1) (*stigti*) lack; 2) (*perplyšti*) break*

trūkumas 1) (*stoka*) lack (of), shórtage (of); 2) (*yda*) shórtcoming; deféct

trumparegis shórtsíghted

trump|as short; brief; **~inti** shórten; (*žodį*) abbréviate

trupė cómpany, troupe

trup|ėti crúmble; **~inys** crumb; **~inti** crúmble

trupmena *mat.* fráction

truput|is a líttle; some; (just) a bit *šnek.*; p o ~ į (*pamažu*) líttle by líttle

tu you

tualetas tóilet

tuberkuliozė *med.* tuberculósis

tučtuojau immédiately, at once

tuks|enti, ~ėti knock (*ne-*

smarkiai) tap

tūkstantis thóusand

tukti grow* fat, put* on flesh/weight

tulpė *bot.* túlip

tulžis bile

tunelis túnnel

tuo that; ~ m e t u at that time; ~ p a č i u l a i k u at the same time

tuoj(au) présently; immédiately, at once; ~ ! in a mínute!

tuokart, tuomet at that time, then

tuopa *bot.* póplar

tupėti 1) (*apie paukščius*) sit*, be perched; 2) (*apie žmogų*) squat

tūpti (*apie paukščius*) perch, alíght

turas round

turbina *tech.* túrbine

turbūt próbably, véry líkely

turėklai ráil(ing) *sing;* (*laiptų*) bánisters

turėti 1) have; (*valdyti*) posséss; 2) (*susidėti; laikyti*) have, hold*; 3) (*privalėti*) must (*esamaj. laike*); have (+*inf*)

turėtis 1) hold on (to); 2) (*nepasiduoti*) hold* out

turgus márket

turinys conténts *pl*

tūris vólume

turi|stas tóurist; ~zmas tóurism

turk|as Turk; ~iškas Túrkish

turkmėnas Túrkmen

turnyras tóurnament

turtas 1) ríches *pl,* wealth; 2) (*nuosavybė*) próperty

turting|as rich; wéalthy; ~umas ríchnes

tušč|ias 1) émpty; 2) (*bergždžias*) vain, fútile; ~ i a k a l b a ídle talk; 3) (*apie šovinį*) blank

tušinukas bállpoint (pen)

tušt|ėti émpty, becóme* émpty; ~ybė, ~umas 1) émptiness; 2) (*niekybė*) vánity

tuzinas dózen

tvankus stúffy; (*kaitrus*) súltry

tvardytis restráin/contról/check onesélf

tvark|a órder; ~araštis tímetable; schédule

tvarking|as tídy, neat; ~umas néatness, tídiness

tvarkyti put* in órder

tvarst|is bándage; ~yti (*žaizdas*) bándage, dress

tvartas cáttleshed

tvenkinys pond

tverti *žr.* aptverti; griebti

tvykstelėti flash

tvink|čioti, ~sėti pulsate, throb

tvinkti (*apie votį*) gáther (a head)

tvinti swell*; flood
tvirkinti corrúpt, depráve
tvirt|as strong; firm; (*pastovus*) stáble; ~ **a valia** strong will; ~ **a taika** lásting peace; ~ **os kainos** stáble príces; ~**ėti** get*/grow* strónger
tvirtin|imas státement; affirmátion; ~**ti** 1) (*teigti*) affírm, maintáin; 2) (*sankcionuoti*) appróve; confírm; ~**ti parašą** wítness a sígnature
tvirt|ovė 1) *kar.* fórtress; 2) *perk.* strónghold; ~**umas** strength; fírmness; solídity
tvora fence

U, Ū

ugdyti bring* up; cúltivate; (*kadrus*) train
ūgis height
ugniages|ys fíreman*; ~**ių komanda** fire brigáde
ugnikalnis volcáno
ugningas fíery
ugnis fire
ūkana mist; fog
ūkinink|as fármer; ~**auti** farm, be a fármer
ūkis 1) ecónomy; **šalies** ~ nátional ecónomy; **žemės** ~ ágriculture; **namų** ~ hóuse-

keeping; 2) *ž. ū.* farm
ukrainietis Ukráinian
ūm|iai súddenly; immédiately; ~**us** (*apie žmogų*) quíck-témpered
uniforma úniform
universal|inis, ~us univérsal
universitetas univérsity
uodas gnat, mosquíto
uodega tail
uog|a bérry; ~**ienė** jam
uola rock; cliff
uol|umas zeal; díligence; ~**us** zéalous; díligent
uosis *bot.* ash (tree)
uoslė sense of smell
uostas port, hárbour
uost|i smell*, scent; ~**yti** smell*
uošv|ė móther-in-law; ~**is** fáther-in-law
upė ríver, stream
uraganas húrricane
urgzti growl, snarl
urm|as crowd; ~**u** in a crowd/ bódy
urna 1) urn; 2) (*rinkimų*) bállotbox
urvas cave, cávern
ūsas moustáche; (*gyvulio*) whísker
usnis *bot.* thístle
utėlė louse*
uzbekas Úzbek
už 1) (*žymint vietą*) behínd,

beyónd; (*išorėje*) out of; (*apie atstumą*) at; ~ **stalo** at táble; ~ **kampo** round the córner; 2) (*kieno vardu, naudai; nurodant kainą*) for; 3) (*negu*) than; 4) (*žymint laiką*) in; 5) (*už rankos ir pan.*) by (the hand, *etc*)

užantis bósom ['buzəm]

užaugęs grownúp

užbaigti compléte, fínish (up); (*kalbą ir pan.*) conclúde (with)

užbėgti 1) žr. užeiti 1); 2) (*pvz., ant kalno*) run* up; ~ **įvykiams už akių** forestáll evénts

užberti (*duobę*) fill up (with); (*iš viršaus*) cóver (with)

užburti bewítch; charm

uždanga cúrtain; (*dūmų ir pan.*) screen

uždaras closed

uždarb|iauti earn; ~**is** éarnings *pl*

uždaryti shut*, close

uždavinys próblem; (*tikslas*) task

uždegimas *med.* inflammátion

uždegti (*šviesą*) light* (up)

uždengti cóver (up)

uždėti put*/lay* (*smth*) on

uždirbti earn

užduoti (*kam ką*) set* (*smb, smth*); ~ **klausimą** ask a

quéstion, put* a quéstion (to)

užeiti 1) (*pas ką*) call (on), drop in (at smb's place; on smb); 2) (*apie laiką*) come*; begín*; 3) (*ką*) come* acróss

ūžesys noise

užgaid|a whim; capríce; ~**us** caprícious; whímsical

užgaišti (*kur nors*) stay too long; línger

užgaulus insúlting, abúsive

užgauti hurt*, (*įžeisti t. p.*) insúlt, offénd

Užgavėnės *bažn.* Shróvetide *sing*

užgavimas hurt; ínsult

užgy|dyti, ~ti heal

užgožti 1) grow* óver; choke; 2) (*apie garsus*) déaden; drown

užgriūti 1) (*ant*) túmble (óver), fall* (óver, on); 2) *šnek.* descénd (on)

užgrobti seize, cápture; (*teritoriją*) óccupy

užgroti begín* to play

užguitas dówntrodden

ūžimas noise; sound

užimti óccupy, take* (up)

užjausti sýmpathize (with)

užkaisti I put* (*smth*) on (to boil)

užkaisti II žr. kaisti

užkalbinti speak* (to); addréss

užkalti (*vinimis*) nail up/down; (*lentomis*) board up

užkampis nook, seclúded córner

užkandinė snack bar

užkandis snack

užkankinti tórture to death

užkar|iauti cónquer; ~iavimas cónquest

užkasti búry; (*duobę*) fill up

užkąsti have a snack; ~ žuvies have a bit of fish

užkietėjęs 1) (*apie melagį, rūkalį*) hárdened, invéterate; 2) (*apie vidurius*) cónstipated

užkim|ęs hoarse; ~imas hóarseness; ~ti becóme* hoarse

užki(m)šti stop up (with); plug up; (*kamščiu*) cork (up)

užkirsti (*kelią*) stop; block up

užklijuoti paste on; (*voką, langą*) seal up

užkliūti catch* (on); (*įstrigti*) stick*

užkloti cóver (with); spread* óver (with)

užklupti catch*; surpríse

užkrauti 1) pile/heap up; 2) (*pvz., darbą*) load, búrden (with)

užkrečiamas inféctious, contágious; cátching *šnek.*

užkrė|sti (*liga*) inféct; ~timas

inféction

užkulisis (the place) behínd the scenes

užkulnis heel

užkurti set* fíre (to); (*krosnį*) make* the fíre (in a stove)

užleisti 1) (*langą*) cúrtain a window; 2) (*nesirūpinti*) negléct

užlenkti (*aukštyn*) turn up; (*žemyn*) turn down

užlieti (*užtvindyti*) flood, overflów

užmauti put* on

užmegzti: ~ mazgą tie a knot; ~ ryšius énter ínto relátions (with)

užmerkti (*akis*) close

užmiegotas sléepy

užmiest|is cóuntry; ~yje out of town

užmigti fall* asléep

užminti (*koja*) tread* (on)

užmiršti forgét*

užmojis scope, range

užmok|estis pay; (*darbininkų*) wáges *pl*; ~ėti pay*

užmušti kill

užniek in vain

užnugaris rear

užpakal|inis back; hínder; ~inės kojos hind legs; ~is 1) back; 2) búttocks *pl*; backside *šnek.* ~yje behínd

užpernai the year befóre last

užpyk|dyti ánger, make* ángry; ~ti get* ángry (with)

užpil|dyti fill in; ~ti pour (óver, on); (netyčia) spill* (on)

užpulti attáck, assáult

užpuolimas attáck, assáult

užpūsti (žiburį) blow* out

užrait|yti, ~oti (rankovę) roll up

užrakinti lock (up/in)

užrakt|as lock; p o ~u únder lock and key

užraš|ai notes; ~ų k n y g e l ė nótebook; ~as inscríption; ~yti 1) write*/put*/take* down; 2) (ant ko) inscríbe

užsak|ymas, ~yti órder

užsegti do* up; (sagomis t. p.) bútton up

užsibūti (svečiuose ir pan.) stay too long; (užtrukti) línger

užsičiaup|ti compréss one's lips; ~ k! shut up!

užsidaręs (savyje) resérved

užsideg|imas perk. árdour, enthúsiasm; ~ti 1) light* (up); 2) take* fíre; 3) (pvz., noru) burn* (with), concéive

užsiėm|ęs búsy; ~imas occupátion, búsiness

užsien|ietis fóreigner; ~inis fóreign; ~is fóreign cóuntries pl; ~io politika fóreign pólicy; ~io p r e k yb a fóreign trade; į ~į, ~ yje abróad

užsigalvojęs thóughtful

užsigauti be hurt; (į ką) hit* (on), strike* (against)

užsigrūdin|imas hárdening; ~ti be hárdened, grow* hard

užsimiegoti oversléep* (onesélf)

užsiim|inėti, ~ti be óccupied (with), be engáged (in)

užsinorėti feel* like (dóing smth); feel* a wish

užsikalbėti talk too long

užsikirsti 1) (įstrigti) stick*; 2) (kalbant) fálter; (turint defektą) stútter

užsiminti 1) (paminėti) méntion; 2) (duoti suprasti) hint (at)

užsimušti lose* one's life; be killed

užsirašyti put* onesélf, ar one's name, down; enróll* 2) žr. užrašyti 1)

užsiregistruoti get* régistered, régister one's name

užsispyr|ęs óbstinate, stúbborn; ~imas óbstinacy, stúbbornness

užsispirti be óbstinate; jib

užsisvajojęs dréamy

užsitarnauti desérve, win*

užsiteršti 1) becóme* dírty; 2) (apie vamzdžius ir pan.) be/becóme* clogged; (užsikišti) becóme* obstrúcted

užsitęs|ęs prolónged, pro-trácted; língering; **~ti** last; (*nuobodžiai*) drag on

užsiūti sew* up

užsivilkti put* on

užskleisti (*knygą*) close

užsnigti snow on, cóver with snow

užspringti choke (óver, on)

užstatas depósit; pledge; (*piniginis*) secúrity

užstatyti (*užstatą*) pawn

užstoti (*ką*) intercéde (for), stand* up (for)

užsukti 1) (*pvz., čiaupą*) turn off; (*sraigtą, veržlę*) screw up; 2) (*laikrodį*) wind* up; 3) *žr.* užeiti 1)

užšal|dymas, ~imas fréezing; **~ti** freeze* (up)

užšokti jump (on)

užtais|as (*šovinio*) charge; **~yti** (*šautuvą*) load, charge

užtarnautas welldesérved, well-éarned

užtarti *žr.* užstoti

užtat (*todėl*) for that; thérefore; (*bet*) but

užtėkšti splash (on); (*purvo*) spátter (on)

užtekt|i *ir* *žr.* pakakti; **~inai** suffíciently, enóugh

užtem|dymas bláckout; **~imas** eclípse

užtepti 1) (*dažais*) paint óver/out; 2) (*sviestu*) spread* (on)

užterštas pollúted; (*nešvarus*) dírty, foul

ūžti (*apie jūrą, vėją*) roar; múrmur

užties|alas spread, cloth; **~ti** spread*

užtikrinti (*garantuoti*) secúre, ensúre

užtikti 1) (*rasti*) come* acróss, find*; 2) *žr.* užklupti

užtirpti grow*/becóme* numb; go* to sleep *šnek.*

užtrauktukas zip, zípper

užtrenkti (*duris*) slam

užtrypti tread*/trámple down/out, trámple underfóot

užtro|kšti choke, súffocate; **~škinti** súffocate

užtrukti 1) (*sugaišti*) be deláyed, línger; 2) (*nusitęsti*) last

užtvanka dam; dike

užtvara 1) fence, féncing; 2) (*kliūtis*) bárrier, obstrúction

užtverti (*tvora*) enclóse

užtvin|dyti flood, overflów; **~ti** be flóoded/drowned (in)

užuojauta sýmpathy

užuolaida cúrtain; (*kambariui užtamsinti*) blind

užuomarša forgétful pérson, forgétter

užuomazga (*kūrinio*) plot

užuomina hint

užuot instéad of

užvakar the day befóre yésterday

užvaldyti seize; take* posséssion (of)

užvalgyti have a bite/snack

užvalkalas píllowcase

užvažiuoti 1) (*apsilankyti*) call in, call on the way (on smb, at a place); 2) (*ant nejudamo daikto*) drive* (ínto), ride* (ínto)

užversti fill up (with); (*netvarkingai ant ko*) heap up (on); ~ knygą close a book

užvirinti boil (up)

užvirti begín* to boil

užvis (*labiausiai*) most of all

užžel|dinti plant with shrubs/búshes, *etc*; ~ti be overgrówn (with)

užžiebti light* up

V

va (*ten*) there; (*čia*) here

vabalas béetle

vabzdys ínsect

vadas 1) léader; 2) *kar.* commánder; vyriausiasis ~ Commander-in-Chíef

vadelės reins

vadyb|a mánagement; ~ininkas mánager

vadinas (*įterp. žodis*) so, then,

well then

vadin|ti 1) (*vardu*) call; 2) (*kviesti*) invíte; ~tis be called, be named

vadovas I chief, head; léader

vadovas II (*knyga*) guíd (book); (*žinynas*) réference book

vadov|aujamasis léading; ~auti lead*, guide;~avimas léadership, guídance

vadovėlis téxtbook; hándbook

vaga 1) (*ariant*) fúrrow; 2) (*upės*) bed

vag|is thief*; ~ystė theft

vagonas glžk. (*keleivinis*) cárriage; (*tramvajaus, t. p. amer. glžk.*) car

vaidai quárrel(s), díscord *sing*

vaidin|imas play, perfórmance; ~ti play, act, perfórm

vaidmuo role, part

vaiduoklis ghost; spook *šnek.*

vaikaitis grándchild*

vaik|as 1) child*; 2) (*berniukas*) boy; ◊ ~ų namai chíldren's home *sing*; ~elis tíny báby, tot

vaik|inas féllow, lad, chap; ~ystė chíldhood; ~iškas chíldish

vaikščio|jimas wálking; (*pramoga*) walk; stroll; ~ti walk;

stroll; (*eiti*) go*

vaikštynės óutdoor fete *sing*

vainik|as 1) wreath*; 2) (*karaliaus*) crown; ~**uoti** 1) wreathe; 2) crown

vair|as (*automobilio*) wheel; 1) (*laivo*) rúdder; 2) *perk.* helm; ~**uoti** (*pvz., automobilį*) drive*; steer; ~**uotojas** (*automobilio*) dríver

vaisingas frúitful

vais|ius fruit; ~**medis** fruit tree; ~ m e d ž i ų s o d a s órchard

vaist|as médicine, rémedy (*ir perk.*); ~**ažolė** herb; ~**inė** chémist's (shop); drúgstore *amer.*; ~**ininkas** chémist; drúggist

vaiš|ės feast *sing*, entertáinment *sing*; ~**ingas** hospítable; ~**inti** treat (to)

vaitoti moan, groan

vaivorykštė ráinbow

vaizd|ajuostė vídeotape; ~**as** (*reginys*) view; sight; ~**avimas** representátion; ~**inis** vísual; ~ i n ė s p r i e m o n ė s vísual aids

vaizduo|jamasis ~ m e n a s ímitative/fine arts *pl*; ~**tė** imaginátion; ~**ti** depíct; represént; ~**tis** imágine; fáncy

vaizdus picturésque; gráphic

vakar yésterday; ~ ~ e last night; ~**ai** west *sing*; ~**ų**

west, wéstern; ~**as** évening; mokyklos ~**as** schóol-party

vakarien|ė súpper; ~**iauti** have súpper

vakarietiškas wéstern

vakarinis 1) évening *attr*; 2) (*pvz., vėjas*) wést(ern)

vakarykštis yésterday's

valand|a 1) (*paros dalis*) hóur; 2) (*žymint laiką*) o'clóck; d v y l i k t ą ~**ą** at twelve o'clóck; k e l i n t a ~? what is the time?

valdyba board; administrátion

valdymas 1) contról; mánagement; (*šalies*) góvernment; 2) (*turėjimas nuosavybėje*) posséssion

valdingas impérious; másterful

valdininkas official

valdiškas state *attr*; official

valdyt|i 1) contról; góvern; 2) (*kaip nuosavybę*) own; posséss; ~**is** (*tvardytis*) contról onesélf; ~**ojas** 1) mánager; 2) *žr.* savininkas

valdovas rúler, lord

valdžia pówer; authórity; (*viešpatavimas*) rule

valg|iaraštis ménu; ~**ydinti** feed*; give* to eat

valgykla díningroom; (*mokyklos, gamyklos*) cantéen

valgis (*valgomas dalykas*) food; (*patiekalas*) dish

valg|yti eat*; **~omas** édible, éatable; **~omasis** (*kambarys*) díningroom

val|ia will; **~ingas** stróng; wílled; **~ingumas** wíllpower

valio! hurráh!

valyt|i 1) clean; (*šepečiu*) brush; 2) (*derlių*) hárvest; gáther in; **~oja** chárwoman*; **~ojas** cléaner; **~uvas** cléaner; **s t i k l o ~ u v a s** wíper

valiuta cúrrency

valkata tramp, vágrant

valkiot|i drag (abóut); **~is** loaf; hang* abóut

valstyb|ė, ~inis state

valstietija péasantry

valstiet|is, ~iškas péasant

valstija state

valtis boat

vamzdis pipe; (*vamzdelis*) tube

vanagas, ~iškas hawk(-)

vandenilis *chem.* hýdrogen

vanden|ynas ócean; **~ingas** (*pvz., apie upę*) deep; abóunding in wáter; (*pavandenijęs*) wátery; **~inis** wáter(-)

vandentiekis wáter supplý

vanduo wáter

vangus slúggish; (*tingus*) lázy

vapsva *zool.* wasp

vard|adienis námeday; **~an** in the name (of); for the sake (of)

vard|as name; **kieno ~ u** on behálf (of); **garbės ~** hónorary títle; **~inės** námeday *sing*, celebrátion *sing*

vardininkas *gram.* nóminative (case)

vardyti name

varg|as 1) (*skurdas*) hárdship; mísery; 2) (*bėda*) tróuble; **~dienis** poor créature; **~inantis** wéarisome, tiresome; **~ingas** poor; **~inti** wéary, tíre

vargonai órgan *sing*

varg|šas poor man*; (*pasigailėtinas*) poor féllow; **~ š a i** (*kuopine prasme*) the poor; **~ti** (*vargą kęsti*) live in póverty

vargu: ~ a r hárdly

variklis mótor; éngine

var|inis, ~is cópper

varyti 1) drive*; 2) (*pvz., propagandą*) cárry on

varlė *zool.* frog

varn|a crow; **~as** *zool.* ráven

varnėnas *zool.* stárling

varpa ear

varp|as, ~elis bell

varstyti 1) (*batus*) lace up; 1) (*duris, langus*) shut* and ópen repéatedly

varškė curds *pl*

vart|ai gate *sing*; **~ininkas** *sport.* góalkeeper.

vartyti 1) turn óver; 2) (*pvz., popierius*) look óver

vartojamas génerally used; cómmon

varto|jimas 1) use, úsage; 2) consúmption; **~sena** úsage; **~tas** used; sécondhand; **~ti** use; **~tojas** consúmer; úser

varv|ėti drip, dríbble, drop; **~inti** drip, let* tríckle

varžybos cóntest *sing*, competítion *sing*

varžytynės áuction *sing*

varžytis 1) (*drovėtis*) feel* shy; 2) (*rungtyniauti*) compéte (with in)

varžovas 1) rível; 2) *sport.* competítor

varž|tas 1) *tech.* bolt; 2) *perk.*: **~ai** grip *sing*

vasar|a, ~inis súmmer; **~ą** in súmmer

vasaris Fébruary

vasarnamis súmmerhouse, cóttage

vasarojus spring crops *pl*

vasaro|ti spend* the súmmer; **~tojas** hóliday máker

vaškas wax

vata (*žaizdoms tverti ir pan.*) cótton wool; (*neapdorota*) wádding

vaza vase

vazonas flówerpot

važi|avimas, ~nėjimas drive, dríving; **~nėtis** (*vežimu, auto-* mobiliu ir pan.) go* for a drive; (*dviračiu*) cýcle, bícycle; **~uoti** go*; (*kuo nors*) go* by...; (*automobiliu t. p.*) ride*; (*keliauti*) trável

vedėjas mánager; (*viršininkas*) head

ved|ęs márried; **~ybos** márriage *sing*

vėd|inti air; véntilate; **~uoklė** fan

vedžioti lead*; show*; guide

veid|as face; **~o bruožai** féatures

veidmain|iauti play the hýpocrite; **~iavimas** hýpocrisy; **~ys** hýpocrite; **~iškas** hypocrítical

veidrod|ėlis hándglass; **~is** lóokingglass; mírror

veik|alas work; **~ėjas** 1) wórker; **valstybės ~ėjas** státesman*; 2) *teatr., lit.* cháracter

veikl|a actívities *pl*; work; **~us** áctive, energétic

veiksmas áction, deed; *teatr.* act

veiksmažodis *gram.* verb

veiksmingas efféctive; effícient

veiksnys *gram.* súbject

veikti act; (*daryti*) do; (*dirbti*) work

veisim|as (*gyvulių*) bréeding; (*augalų*) cultivátion; **~asis** *biol.* reprodúction

veis|lė race, breed; **~ti** breed*; (*augalus*) cúltivate; **~tis** breed*, própagate

veja (*pievelė*) lawn, gráss(plot)

vė|jas wind; **~uotas** wíndy

vėl agáin

vėlai late

vėlėna turf

velenas *tech.* shaft

vėliau láter (on); **~sia** at the látest

vėlesnis láter; súbsequent

vėliav|a bánner; flag; **~ininkas** stándardbearer

Velykos *bažn.* Éaster *sing*

Vėlinės *bažn.* All Souls' Day

vėlyvas late

veln|ias dévil, deuce; **~iškas** 1) dévilish; 2) *šnek.* héllish, damned

veltiniai (*batai*) felt boots

veltui 1) in vain; 2) (*nemokamai*) for nóthing; free (of charge)

vėl|uoti be late; be óverdue; (*apie laikrodį*) be slow; **~us** late

vemti vómit; puke *šnek.*

vengr|as, ~iškas Hungárian

vengti avóid; shun; eváde

ventiliatorius véntilator; fan

veranda veránda(h)

verbuoti recrúit

verg|as slave; **~ija, ~ovė** slávery

vėrinys string of pearls, beads, *etc*

verksm|as wéeping; **~ingas** lámentable

verk|snys wéeper, crýbaby; **~šlenti** whímper, whine; **~ti** weep*, cry

verp|alas yarn; **~ti** spin*

verpetas whírlpool

versl|as trade; búsiness; **~ininkas** búsinessman*

versmė spring; *perk.* source

verst|i 1) turn down; 2) (*kuo*) turn (ínto); 3) (*į kitą kalbą*) transláte; (*žodžiu*) intérpret; 4) (*spirti*) make*, force; **~is** (*kuo*) earn one's líving (by)

verš|iena veal; **~is, ~iukas** calf*

vert|as desérving, wórthy (of); **būti ~am** desérve, mérit; be wórth; **~ė** válue

verteiva búsinessman*; smart déaler

vertėjas translátor; (*žodžiu*) intérpreter

vertėti be worth

verti 1) : **~ siūlą į adatą** thread a néedle; 2) (*pvz., karolius*) string*; 3) (*duris, langą*) (*atidaryti*) ópen; (*uždaryti*) shut*

vertyb|ė válue; **~inis** váluable, of válue

vertikal|inis, ~us vértical

vertimas (*į kitą kalbą*) translátion; (*žodžiu*) interpretátion

verting|as váluable; **~umas** válue

vertinti válue; appréciate

veržimasis (*į*) aspirátion (for)

veržlus vígorous; héadlong

verž|ti tíghten; **~is** 1) strain (áfter); 2) (*brautis*) force one's way through

vėsokas cóolish, chílly

vesti 1) lead*; condúct; **~ derybas** negótiate (with); 2) (*imti žmoną*) márry

vėsti (*aušti*) get* cóld(er), cool

vestibiulis lóbby

vestuv|ės wédding *sing*; **~inis** wédding(-)

vėsus cool; chílly

vešlus (*apie augalus*) luxúriant

veteranas véteran

veterinaras véterinary súrgeon; vet *šnek.*

veto véto

vėtra storm

vėžė rut; track

vež|ėjas cárrier; dríver; **~ikas** cábman*; **~imas** (*ratai*) cart; **vaikų ~imėlis** pram; **~ioti** cárry; take*for a drive

vėžys 1) *zool.* cráyfish; 2) *med.* cáncer

vėžlys *zool.* tórtoise

vežti cárry, convéy; take*

vidinis insíde, ínner

viduj(e) insíde; (with)ín

vidu(r)dienis noon; mídday

vidur|iai *anat.* éntrails, intéstines; **~ių šiltinė** týphoid (féver)

vidur|inis, ~ys míddle

vidurkis 1) míddle; 2) (*skaičius*) áverage, mean

vidu(r)naktis mídnight

vid|us intérior; **~uje** insíde; (with)ín; **į ~ų** insíde; in

viela wire

vien ónly; mérely; **~ tik** sólely

vienaukštis ónestoreyed

vien(a)|laikis simultáneous; **~pusiškas** ónesíded; *perk.* bíased; **~rūšis** homogénous, úniform

vien|as one; (*priešpastatant vieną grupę antrai*) some; (*be kitų*) alóne; 2) (*kažkoks*) some; a (cértain); **~ kitas** some; **~u laiku** simultáneously; at the same time; **~u du** in prívate

vienaskaita *gram.* síngular

vienašalis ónesíded

vienatvė sólitude

vienbals|iai unánimously; **~is, ~iškas** unánimous

vienetas 1) (*dydis*) únit; 2) (*skaitmuo*) one

viengungis síngle (man*),

báchelor

vien|ybė únity; **~ingas** united

vienintelis ónly

vieniŠas 1) lónely, alóne; 2) (*be šeimos*) síngle

vienyti(s) uníte

vienkiemis fárm(stead)

vien|metis: mudu su juo ~mečiai we are of the same age

vienod|as the same; (*be įvairumo*) monótonous; (*vienokios rūšies*) úniform; **~umas** monótony; uniformity

vientisas sólid, compáct

vienuma sólitude, lóneliness

vienuolik|a eléven; **~tas** eléventh

vienuol|ynas ábbey; **~is** monk

vienur in one place; **~ kitur** here and there

viesulas whírlwind

viešas públic

viešbutis hotél

viešėti be on a vísit

vieškelis high road

viešnia guest

viešpat|auti 1) (*turėti valdžią*) rule (óver); (*vyrauti*) preváil; 2) (*būti įsigalėjusiam*) reign; **~avimas** suprémacy; dominátion; **~s** *bažn.* God, the Lord

viet|a 1) place; (*kuo nors*

išskiriama) spot; (*sodui įveisti, statybai ir pan.*) site; (*vietovė*) locálity; gyvenamoji ~ résidence; 2) (*pvz., teatre*) seat; 3) (*tuščia erdvė*) room; 4) (*tarnyba*) job, post; ◊ jūsų ~oje in your place; ne ~oje out of place

vietinis lócal; **~ gyventojas** inhábitant

vietoj (*ko*) instéad of

vieto|vaizdis view, lándscape; **~vė** locálity

vieversys *zool.* (skÿ)lark

vijimasis pursúit, chase

vijoklinis clémbing; **~ augalas** clémber

vykd|ymas (*pvz., darbo, įsakymo*) execútion; (*pvz., noro*) fulfílment; **~yti** cárry out, fulfíl, éxecute; **~ytojas** exécutor

vykęs succéssful; (*apie palyginimą ir pan.*) apt

vikr|umas nímbleness; agílity; **~us** nímble, ágile; quick

vikšr|as, ~inis cáterpillar

vykti 1) (*eiti*) go*; make* (for); be bound (for); 2) (*eiti veiksmui*) be góing on, go* on; take* place

vykusiai succéssfully; well

viliotí (al)lúre; entíce

vilkas wolf*

vilkėti wear*

vilkikas 1) (*laivas*) (túg)boat;

2) (*traktorius*) truck tráctor

vilkinti deláy

vilk|ti (*traukti*) drag, pull; (*sunkų daiktą*) lug, tug; **~tis** 1) (*apsirengti*) dress (onesélf); 2) (*pamažu eiti*) drag (onesélf) alóng

viln|a wool; **~onis** wóollen

viltis hope

vynas wine

ving|is bend, curve; **~iuotas** winding; **~iuoti** wind*

vynioti wrap up

vinis nail

vynuog|ės grapes; **~ynas** víneyard

violetinis víolet

vyr|as man*; 2) (*sutuoktinis*) húsband; **~ esi!** (*pagiriant*) well done!; **~auti** preváil, predóminate

virbalas 1) knítting néedle; 2) *tech.* pívot; 3) (*akėčių*) tooth*

virėj|as, ~a cook

vyresnysis 1) (*pagal metus*) élder; 2) (*pareigomis*) sénior

vyriausias(is) 1) head; chief; 2) (*amžiumi*) óldest, éldest

vyriausyb|ė, ~inis góvernment

vyryklė cooker; range *amer.*; dujinė **~** gáscooker

virinti boil

vyrišk|as 1) másculine; (*vyriškosios lyties*) male;

(*vyrams*) man's, men's; 2) *perk.* mánly; **~is** man*, male;

virpė|jimas 1) trémbling; quivering; (*balso*) quáver; trémor; 2) *fiz.* oscillátion, vibrátion; **~ti** (*drebėti*) trémble; shake*

virpstas pole; post

virsti 1) (*griūti*) fall*; 2) (*kuo*) turn (ínto)

virš óver; abóve; (*viršijant*) beyónd; **~aus** in addítion

viršelis cóver; (*dangtelis*) lid

viršijimas (*plano ir pan.*) overfulfílment

viršininkas head, chief; supérior

viršyti (*greitį ir pan.*) excéed

virškin|imas digéstion; **~ti** digést

virš|uj, ~um abóve; (*ko*) óver; (*viršutiniame aukšte*) upstáirs

virš|ūnė (*kalno*) súmmit; (*medžio*) top; į **~ ų, ~un** up, úpward; (*laiptais*) upstáirs; 2) *žr.* viršelis; **~utinis** úpper

viršvalandžiai óvertime *sing*

virti boil; (*gaminti*) cook

virtuvė kítchen

virus|as *med.* vírus; **~inis** vírose, víral

virvė rope; (*plonesnė*) cord; (*plona*) string

vis álways; **~ dėl to** still, nevertheléss; ~ t i e k , ~ v i e n (it is) all the same

visad|a, ~os álways

visai quite, entírely, útterly; ~ n e t a s nóthing of the kind; ~ n e not at all

vis(a)pusíškas thórough, all-róund

vis|as all; whole; ~ a m l a i k u i for éver, for good; ~ i e m s ž i n o m a s wellknówn; ~ ų p i r m a first of all; ~ ų d i d ž i a u s i a s the greátest; ◊ d ė l ~ a k o (just) in case

visata the úniverse

visgi still, neverthéless

visišk|ai žr. visai; ~as full; ábsolute

viskas éverything; all

vyskupas bíshop

visoks all kinds of

vysti wíther, fade

vyst|ymas(is) devélopment; ~yti 1) devélop; 2) (vaiką) swáddle; ~ytis devélop

visuma the whole

visuomen|ė socíety; ~ininkas sócial/públic wórker; ~inis, ~iškas públic, sócial; ~ i n i s d a r b a s sócial work

visuomet álways

visuotinis géneral, univérsal; ~ p r i v a l o m a s m o k s l a s géneral compúlsory educátion

visur éverywhere

viščiukas chícken

vyšnia 1) chérry; 2) (medis) chérry tree

višt|a a hen; (kaip maistas) chícken; ~iena chícken

vitaminas vítamin

vytelė switch, thin twig

vyt|i 1) (ginti) drive*, chase; 2) (pvz., virvę) twist; ~is pursúe, chase

vitrina (shóp)wíndow; (įstiklinta dėžė) shówcase

vvturys zool. (skÿ)lark

viza vísa ['vi:zə]

vizitas vísit; call

vizginti (uodegą) wag

vog|čia, ~čiomis by stealth, fúrtively; ~ti steal*; (apie smulkias vagystes) pílfer

vokas 1) (akies) éyelid; 2) (laiškui) énvelope

voki|etis, ~škas Gérman

vonia bath*; (kambarys) báthroom

vor|as spíder; ~atinklis cóbweb, spíder's web

vos hárdly; ~ t i k as soon as

votis boil, ábscess

voverė squírrel

vulgar|iškas, ~us vúlgar

vulkanas volcáno

Z

zenitas zénith (ir perk.)
zylė zool. títmouse*
zirz(ė)ti 1) (apie vabzdžius)
hum; buzz; drone; 2) (verkš-
lenti) whímper, snível
zon|a zone; ~inis zónal,
zone attr
zonduoti probe (ir perk.)
zoologij|a zoólogy; ~os so-
d a s Zoo, Zoológical gár-
dens pl
zuikis zool. hare
zvimbti žr. zirz(ė)ti

Ž

žabalas blind
žab|as (long) dry branch; ~ai
brúshwood sing
žaboti curb (ir perk.)
žadėti prómise
žadin ti wake*; awáke*; ~tu-
vas alármclock
žagsėti híccup
žaib|as, ~iškas líghtning;
~uoti flash
žaid|ėjas pláyer; ~imas play;
game
žaisl|as toy, pláything; ~inis
toy attr

žaismingas pláyful
žaisti play
žaizda wound
žala harm; dámage
žalias 1) green; 2) (apie mėsą)
raw
žaliava raw matérial
žalingas hármful,   bad*;
(sveikatai t. p.) unhéalthy
žaliuoti grow*/turn green
žaloti ínjure, hurt*; (luošinti)
crípple; maim, lame
žalsvas gréenish
žaltys zool. grass snake
žalum|a vérdure; ~ynai
(daržovės) greens
žalvaris brass
žand|as, ~ikaulis jaw
žanras génre ['ʒɔnrə]
žara glow
žargonas járgon, slang
žarijos live coals
žarn|a 1) anat. gut, intéstine;
2) (vandeniui lieti) hose; ~ynas
intestines pl, bówels pl
žarsteklis póker, rak
žąs|is   goose*;   ~iukas
gósling
žąslai bit sing
žav|esys charm; fascinátion;
~ėti charm; fáscinate; ~ėtis
admíre, delíght; ~ingas,
chárming, fáscinating; delíght-
ful; ~umas žr. žavesys
žegnot|i bažn. cross; ~is bažn.
cross onesélf

želdinti grow*; (*krūmais, medžiais*) plant trees and bushes/shrubs; ~ mišką affórest

želmenys shoots

želti grow*; sprout

žem|ai low; belów; ~as 1) low; ~o ūgio short; 2) (*niekšiškas*) base, mean

žemdirb|ys fármer; ~ystė ágriculture

žem|ė 1) earth; ~ės rutulys the globe; 2) (*sausuma, kraštas*) land; ~ės sklypas plot of land; 3) (*paviršiaus sluoksnis*) soil

žemėlapis map

žemiau lówer; (*ko*) belów; ~sias the lówest; lówermost

žemyn dówn(wards); (*laiptais*) downstáirs

žemynas máinland, cóntinent

žeminti (*niekinti*) húmble, humíliate

žemiškas éarthly

žemkasys návvy

žemuma *geogr.* lówland

žemuogė *bot.* (wild) stráwberry

žemutinis lówer

žemvaldys lándowner

žengti step; stride*

ženkl|as sign; mark; pašto ~ stamp; ~inti mark (with); ~iukas badge

žentas sóninlaw

žėrėti spárkle; glítter

žetonas tóken, métal disc; (*lošimo*) chip

žiaur|umas crúelty; ~us crúel

žibalas (*páraffin*) oil; kérosene

žibčioti flash

žibėti shine*, spárkle

žibint|as lántern; ~uvėlis fláshlight

žibuoklė *bot.* víolet

žiburys light

žyd|as Jew; ~ė Jéwess

žydėti flówer, blóssom

židinys hearth; fíreplace

žydiškas Jéwish

žydras skybĺue

žiebti (*šviesą*) light*

žiedas I *bot.* blóssom

žiedas II ring

žiem|a, ~inis wínter

žiem|kenčiai (*javai*) wínter crops; ~oti spend* the wínter

žievė (*medžių*) bark; (*vaisių*) peel

žiežirba spark

žygdarbis éxploit, feat; deed

žyg|is 1) march; pėsčiųjų ~ wálking tour, hike; (*prieš*) campáign (agáinst); 2) (*priemonė*) méasure, arrángement; imtis ~ių take* méasures

žygiuoti march

žil|as grey; ~ti turn grey

žilvitis *bot.* ósier; wíllow

žym|ė mark; sign; ~ėti mark (with)

žymiai márkedly, consíderably, gréatly

žymus 1) consíderable; 2) (*puikus*) remárkable, distínguished; (*apie žmogų*) éminent; 3) (*matomas*) nóticeable

žind|yti súckle, nurse; ~uolis *zool.* mámmal

žingsn|is step; stride; ~iuoti pace; (*dideliais ~iais*) stride*

žin|ia news; (*pranešimas*) informátion; ~ios (*mokėjimas*) knówledge *sing*

žin|iaraštis régister; ~yba depártment

žinojimas knówledge

žinom|a cértainly, to be sure; (*be abejo*) of course; ~as wellknówn

žinoti know*

žinovas éxpert

žinutė méssage; mémo

žiogas *zool.* grásshopper

žiop|lys gawk; ~soti gape (at, abóut)

žiotys mouth* *sing*

žiov|auti, ~ulys yawn

žirgas horse

žirklės scíssors

žirnis pea

žįsti suck

žiupsn|elis, ~is pinch

žiūrėti look; (*ko*) look áfter

žiuri júry; júdges *pl*

žiūrinėti exámine, look (at)

žiurkė *zool.* rat

žiūronai a pair of glásses; (*kariniai*) fíeldglasses

žiūrovas spectátor, ónlooker

žliumbti *šnek.* whímper

žlug|dyti rúin; (*planą*) frustráte; (*darbą*) disórganize; ~imas rúin; dównfall; fáilure; ~ti fail, fall* through; be rúined

žmog|iškas húman; ~us man*; pérson

žmogžud|ys múrderer; ~ystė múrder

žmona wife*

žmon|ės péople; ~ija humánity; mankind; ~iškas humáne

žn|aibyti, ~ybti pinch, tweak

žnyplės píncers, níppers, tongs

žodynas 1) díctionary; 2) (*žodžių atsarga*) vocábulary

žod|is 1) word; 2) (*kalba susirinkime*) speech; prašýti ~žio ask for the floor

žol|ė grass; ~ininkas hérbalist; ~inis grass *attr*, grássy

žud|ynės sláughter *sing*, mássacre *sing*; ~yti kill; múrder

žurnal|as 1) magazíne; jóurnal; 2) (*knyga įrašams*) régister; **~istas** jóurnalist, préssman*; **~istika** jóurnalism

žūtbūt at ány price, at all costs

žūti 1) (*pvz., mūšyje*) be killed, pérish; 2) (*dingti*) be lost

žuvaut|i fish; **~ojas** físher, físherman*

žuvėdra tern

žuvimas 1) rúin; death; 2) (*dingimas*) loss

žuv|is fish; **~ies taukai** códliver oil *sing*

žvaigžd|ė star, **~ėtas** stárry; **~ynas** constellátion

žvair|as squint; **~om(is)** askánce, asquint; **~uoti** look askánce

žvak|ė cándle; **~idė** cándlestick

žvalg|as *kar.* scout; **~yba** *polit.* sécret/ntélligence sérvice; *kar.* recónnaissance; **~ymas** 1) *kar.* (*vietovės*) recónnaissance; 2) *geol.* prospécting; **~yti** 1) *kar.* reconnóitre; 2) *geol.* prospéct (for); **~ytis** (*aplinkui*) look round

žval|umas chéerfulness; **~us** chéerful; brisk

žvangėti tínkle; jíngle

žvarbus sharp, bíting

žvej|yba físhery; **~ys** físherman*; **~oti** fish; (*meškere*)

ángle

žvelgti look (at), cast* a glance (at, on)

žvengti neigh

žvėrynas menágerie; zoo

žvėr|is beast; **~iškas** brútal; **~iškumas** brutálity; atrócity

žviegti squeal

žvilgčioti glance (on, at); cast* looks (on)

žvilg|snis look; (*įsmeigtas*) gaze; (*greitas*) glance; **~telėti have a look (at), cast* a glance (at)**

žvynai scales

žvyr|as grável; **~uotas** grávelled

žvirblis *zool.* spárrow

žvitrus brisk, smart

ANGLŲ KALBOS ABĖCĖLĖ

A a [əɪ]	J j [dʒeɪ]	S s [es]
B b [bi:]	K k [keɪ]	T t [ti:]
C c [si:]	L l [el]	U u [ju:]
D d [di:]	M m [em]	V v [vi:]
E e [i:]	N n [en]	W w
F f [ef]	O o [əu]	[ˈdʌblju:]
G g [dʒi:]	P p [pi:]	X x [eks]
H h [eɪtʃ]	Q q [kju:]	Y y [waɪ]
I i [aɪ]	R r [ɑ:]	Z z [zed]

A

a, an [ə, ən] *nežymimasis artikelis;* 1) vienas: a (c u p o f) t e a , p l e a s e prašom vieną (puodelį) kavos; 2) kiekvieną: t w i c e a d a y dukart per dieną; 3) už kiekvieną: 5 0 p a l i t r e 50 pensų už litrą

abandon [ə'bændən] *v* 1) palikti, pamesti (*šeimą, laivą*); 2) nustoti (*ką daryti*)

abashed [ə'bæʃt] *a* sugėdintas

abate [ə'beɪt] *v* 1) sumažėti; sumažinti; 2) nuleisti (*kainą*)

abbey ['æbi] *n* abatija, vienuolynas

abbreviate [ə'briːviˈeit] *v* sutraukti, sutrumpinti; ~ion [ə'briːviˈeiʃn] *n* sutrumpinimas; santrumpa

ABC ['eibiˈsiː] *n* 1) abėcėlė; 2) pagrindai; t h e ABC b o o k elementorius

abduct [əb'dʌkt] *v* pagrobti

abet [ə'bet] *v* kurstyti, raginti

abhor [əb'hɔː(r)] *v* bjaurėtis

ability [ə'biləti] *n* (su)gebėjimas

abject [əb'dʒekt] *a* 1) apgailėtinas; 2) nusižeminęs

ablaze [ə'bleiz] *a* degantis, liepsnojantis

able ['eibl] *a* galintis; gabus; b e

~ galėti; ~d *a* įgalus

aboard [ə' bɔːd] *prep:* ~ a s h i p (a t r a i n) laive, į laivą (traukinyje, į traukinį)

abolish [ə'bɔliʃ] *v* panaikinti

A-bomb ['eibɔm] *n* atominė bomba

abound [ə'baund] *v* būti pertekus/gausu

about [ə'baut] 1) *prep* apie, po; 2) *adv* maždaug; aplink; apie

above [ə'bʌv] *prep* ant, virš

abrade [ə'breid] *v* nutrinti (*odą*)

abreast [ə'brest] *adv* greta, šalia

abridge [ə'bridʒ] *v* trumpinti, (su)traukti

abroad [ə'brɔːd] *adv* užsienyje, į užsienį

abrupt [əb'rʌpt] *a* 1) staigus, ūmus; 2) atžarus; ~ly *adv* staigiai

abscess ['æbses] *med.* abscesas, pūlinys

absence ['æbsəns] *n* nebuvimas

absent ['æbsənt] *a* nesantis; b e ~ nedalyvauti; ~mind-ed ['æbsənt'maindid] *a* išsiblaškęs

absolute ['æbsəluːt] *a* visiškas; absoliutus; ~ly *adv* visiškai

absolve [əb'zɔlv] *v* atleisti (*nuo bausmės ir pan.*); ištesinti

absorb [əb'zɔːb] *v* sugerti

abstain [əb'steɪn] v susilaikyti

abstract ['æbstrækt] 1) a abstraktus; 2) n santrauka; reziumė

abstruse [əb'stru:s] a absurdiškas; kvailas

abundant [ə'bʌndənt] a gausus, apstus

abus|e [ə'bju:z] v (iš)plūsti, koneveikti; ~ive plūstamas, užgaulus

academic ['ækə'demɪk] a akademiškas, akademinis; ~ian [ə'kædə'mɪʃn] n akademikas

academy [ə'kædəmɪ] n akademija

accelerate [ək'seləreɪt] v (pa)greitinti

accent ['æksənt] n 1) akcentas; 2) kirtis

accept [ək'sept] v priimti; ~able, ~ed priimtinas

accident ['æksɪdənt] n atsitikimas; avarija; by ~ atsitiktinai; ~al ['æksɪ'dentl] a atsitiktinis

accommodate [ə'kɒmədeɪt] v (laikinai) apgyvendinti

accommodation [ə'kɒmə'deɪʃn] n (laikinas) apgyvendinimas

accompany [ə'kʌmpənɪ] v 1) muz. lydėti

accordance [ə'kɔ:dəns] n: in ~ with pagal, sutinkamai su

according [ə'kɔ:dɪŋ] (to) prep

pagal; ~ly adv atitinkamai

accordion [ə'kɔ:dɪən] n akordeonas

account [ə'kaunt] n 1) ataskaita; 2) sąskaita (banke); v: to ~ for paaiškinti (ką kuo); ◊ to take smth into ~ atsižvelgti (į ką); ~able [ə'kauntəbl] a 1) atsakingas; 2) atskaitingas

accountant [ə'kauntənt] n buhalteris

accumulate [ə'kju:mjuleɪt] v kaupti(s), (su)kaupti

accura|cy ['ækjurəsɪ] n tikslumas; ~te ['ækjurət] a tikslus

accuse [ə'kju:z] v kaltinti

accustomed [ə'kʌstəmd] a įpratęs

ache [eɪk] n skausmas; v skaudėti

achieve [ə'tʃi:v] v pasiekti; ~ment n pasiekimas, laimėjimas

acid ['æsɪd] n rūgštis

acknowledge [ək'nɒlɪdʒ] v 1) pripažinti; 2) patvirtinti (ką gavus); ~ment n 1) pripažinimas; 2) patvirtinimas

acorn ['ækɔ:n] n (ąžuolo) gilė

acoustic [ə'ku:stɪk] a garso, akustinis

acquaint [ə'kweɪnt] v: be ~ed with būti pažįstamam; get ~ed susipažinti

acquaintance [ə'kweɪntəns] *n*
1) pažįstamas; 2) pažintis

acquire [ə'kwaɪə] *v* į(si)gyti

acre ['eɪkə(r)] *n* akras

acrobat ['ækrəbæt] *n* akrobatas

across [ə'krɔs] *prep* per: a
bridge ~ the river til-
tas per upę; ~ the river ki-
toje upės pusėje; *adv* skersai:
three meters across trys
metrai skersai

act [ækt] *n* veiksmas, aktas;
poelgis; *v* veikti; elgtis

acting ['æktɪŋ] *n* vaidyba; *a* 1)
veikiantis; 2) (*laikinai*) einan-
tis pareigas

action ['ækʃn] *n* 1) veiksmas ;
2) *polit.* akcija

activ|**e** ['æktɪv] *a* aktyvus; ~**ity**
n 1) aktyvumas; 2) *pl* veikla

actor ['æktə] *n* aktorius

actress ['æktrɪs] *n* aktorė

actual ['æktʃuəl] *a* faktiškas;
~**ly** *adv* faktiškai; iš tiesų

A. D. ['eɪ'di:] (*lot.* Anno Domi-
ni) *sutr.* po Kristaus gimimo

ad [æd] *n sutr.* skelbimas (*iš
advertisement*)

adapt [ə'dæpt] *v* pritaikyti (*to*);
adaptuoti

add [æd] *v* pridėti; ~ up sudė-
ti; ~**ition** [ə'dɪʃn] *n* sudėtis; ◊ in
~ ition to be to; dar

adder ['ædə] *n* 1) gyvatė; 2)
amer. žaltys

address [ə'dres] *n* adresas;
v adresuoti; kreiptis; ~**ee**
['ædre'si:] *n* adresatas

adequate ['ædɪkwət] *a* tinka-
mas, adekvatus

adherent [əd'hɪərənt] *n* šalinin-
kas, sekėjas

adjective ['ædʒɪktɪv] *n* bū-
dvardis

administer [əd'mɪnɪstə] *v*
valdyti; tvarkyti (*reikalus*); 2)
vykdyti (*teisingumą*)

administration [əd'mɪnɪ'streɪʃn]
n administracija

admiral ['ædmərəl] *n* admi-
rolas

admiration ['ædmə'reɪʃn] *n*
žavėjimasis

admire [əd'maɪə] *v* žavėtis,
grožėtis

admission [əd'mɪʃn] *n* 1) įleidi-
mas; įėjimas; 2) *pl* priėmimas,
stojimas (*į mokyklą ir pan.*)

admit [əd'mɪt] *v* leisti, priimti;
~**tance** *n* leidimas įeiti

adolescent ['ædə'lesnt] *n* pa-
auglys

adopt [ə'dɔpt] *v* 1) įvaikinti; 2)
paskolinti (*žodį*); priimti

adorable [ə'dɔ:rəbl] *a* žavus

adore [ə'dɔ:] *v* garbinti

adorn [ə'dɔ:n] *v* (pa)puošti;
pagražinti

adult ['ædʌlt] *n, a* suaugęs

advance [əd'va:ns] *n* pažanga;
v eiti į priekį; daryti pažangą;

~d *a* pažangus

advantage [əd'va:ntɪdʒ] *n* pranašumas; to take ~ of smth pasinaudoti kuo

adventure [əd'ventʃə] *n* nuotykis; ~ story nuotykių romanas

adventurous [əd'ventʃərəs] *a* nuotykingas

adverb ['ædvə:b] *n* prieveiksmis

advertise ['ædvətaɪz] *v* 1) skelbti; 2) reklamuoti, ~ment [əd'və:tɪsmənt] *n* 1) skelbimas; 2) reklama

advice [əd'vaɪs] *n* patarimas (*t.p.* a piece of ~)

advis|e [əd'vaɪz] *v* patarti; ~er *n* patarėjas, konsultantas

aerial ['ɛərɪəl] *n* antena

aerobics [ɛə'rəubɪks] *n* aerobika

aerodrome ['ɛərədrəum] *n* aerouostas

aeroplane ['ɛərəpleɪn] *n* lėktuvas

affair [ə'fɛə] *n* reikalas, dalykas

affect [ə'fekt] *v* paveikti, (su)jaudinti

affection [ə'fekʃn] *n* meilė; ~ate [ə'fekʃənət] *a* meilus; yours affectionately (*laiško pabaigoje*) Jus mylintis

afford [ə'fɔ:d] *v* leisti sau, (iš)-galėti

afloat [ə'fləut] *a* plaukiantis, plūduriuojantis

afraid [ə'freɪd] *a* išgąsdintas; be ~ (of) bijoti

Africa ['æfrɪkə] *n* Afrika; ~n *n* afrikietis; *a* Afrikos, afrikiečių

after ['a:ftə] *prep* 1) po; 2) pagal, po to, kai; ◊ ~ all vėliau, pagaliau

afternoon ['a:ftə'nu:n] *n* popietė; good ~! Labą dieną!

afterwards ['a:ftəwədz] *adv* po to; vėliau

again [ə'gen] *adv* vėl; once ~ dar kartą

against [ə'genst] *prep* prieš

age [eɪdʒ] *n* amžius; for ~s labai seniai, "šimtas metų"

aged [eɪdʒd] *a* sulaukęs (*kokio*) amžiaus: I met her son ~ 10 sutikau jos dešimtmetį sūnų

agency ['eɪdʒənsɪ] *n* agentūra; travel ~ kelionių biuras

agent ['eɪdʒənt] *n* 1) agentas; 2) veiksnys

agitate ['ædʒɪteɪt] *v* 1) agituoti; 2) jaudinti; 3) (su)plakti

aggressive [ə'gresɪv] *a* agresyvus

ago [ə'gəu] *adv* prieš (tai); long ~ seniai

agony ['ægənɪ] *n* agonija

agree [ə'gri:] *v* sutikti, sutarti;

~able *a* malonus; **~ment** n 1) sutartis; 2) sutikimas

agricultural [ˈægrɪˈkʌltʃərəl] *a* žemės ūkio

agriculture [ˈægrɪkʌltʃə] *n* žemės ūkis

aground [əˈgraund] *adv* ant seklumos

ahead [əˈhed] *adv* priešakyje; pirmyn

aid [eɪd] *n* pagalba; *v p*adėti; f i r s t ~ pirmoji pagalba

aim [eɪm] *n* tikslas; *v* taikyti (į); **~less** betikslis

air [ɛə(r)] *n* oras; b y ~ lėktuvu; *v* vėdinti

air-conditioner [ˈɛəkənˈdɪʃnə] *n* oro kondicionierius

aircraft [ˈɛəkrɑːft] *n* lėktuvai; aviacija; **~carrier** *n* lėktuvnešis

airfield [ˈɛəfiːld] *n* aerodromas

airforce [ˈɛəfɔːs] *n* karinės oro pajėgos

air-hostess [ˈɛəhəustɪs] *n* stiuardesė

airlin|e [ˈɛəlaɪn] *n* oro linija; **~er** reisinis lėktuvas

airmail [ˈɛəmeɪl] *n* oro paštas

airman [ˈɛəmən] *n* (*pl* airmen) lakūnas

airplane [ˈɛəpleɪn] *n amer.* lėktuvas

airport [ˈɛəpɔːt] *n* oro uostas

airways [ˈɛəweɪz] *n pl* oro linijos

aisle [aɪl] *n* tarpas tarp suolų eilių

ajar [əˈdʒɑː] *a* praviras

alarm [əˈlɑːm] *n* aliarmas; *v* skelbti aliarmą; **~-clock** [-klɔk] *n* žadintuvas; **~ed** *a* išsigandęs, sunerimęs

alas [əˈlæs] *int* deja!

Albanian [ælˈeɪnɪə] *n* Albanija; **~n** *a* albanietis, -ė

album [ˈælbəm] *n* albumas

alcohol [ˈælkəhɔl] *n* alkoholis

ale [eɪl] *n* (*šviesus*) alus

alert [əˈləːt] *a* budrus

algebra [ˈældʒɪbrə] *n* algebra

alibi [ˈælɪbaɪ] *n* alibi

alien [ˈeɪlɪən] *n* svetimšalis

alight [əˈlaɪt] *a* degantis; šviečiantis; *v* nulipti, išlipti

alike [əˈlaɪk] *a* panašus; *adv* taip pat, panašiai

alive [əˈlaɪv] *a* gyvas

all [ɔːl] *pron* visas, visi; ~ a l o n g visą laiką; ◊ a b o v e ~ svarbiausia

allergy [ˈælədʒɪ] *n* alergija

alley [ˈælɪ] *n* siaura gatvelė; alėja (*parke*)

alliance [əˈlaɪəns] *n* sąjunga

allied [ˈælaɪd] *a* artimas, susijęs (*to*)

alligator [ˈælɪgeɪtə(r)] *n* aligatorius

allot [ə'lɔt] *v* skirti, duoti

allow [ə'lau] *v* leisti; sutikti

allowance [ə'lauəns] *n* pašalpa, pinigai išlaikymui

all-right ['ɔ:l'raɪt] *a* geras; *adv* gerai, puikiai

all-round ['ɔ:lraund] *a* visapusiškas; universalus

ally ['ælaɪ] *n* sąjunginin-kas; *v* [ə'laɪ] jungtis; sudaryti sąjungą

almost ['ɔ:lməust] *adv* be-veik

alone [ə'ləun] *a* vienas, vie-nišas; l e a v e ~ ['li:v ə'ləun] palikti ramybėje; *adv* 1) tik; 2) vienam

along [ə'lɔŋ] *prep* išilgai; *adv* kartu; c o m e ~ eime drauge; ◊ a l l ~ visą laiką; ~ s i d e *prep* greta, šalia

aloof [ə'lu:f] *a* esantis toliau/ nuošaliau

aloud [ə'laud] *adv* garsiai; balsiai

alphabet ['ælfəbet] *n* abė-cėlė

already [ɔ:l'redɪ] *adv* jau

also ['ɔ:lsəu] *adv* taip pat; irgi

altar ['ɔ:ltə(r)] *n* 1) altorius; 2) *perk.* aukuras

alter ['ɔ:ltə] *v* keisti(s); ~ation *n* pokytis

alternate [ɔ:l'tə:nət] *a* be-sikeičiantis (*paeiliui*), kinta-

mas

alternative [ɔ:l'tə:nətɪv] *a* alter-natyvus; *n* alternatyva

although [ɔ:l'ðəu] *conj* nors

altogether ['ɔ:ltə'geðə] *adv* iš viso; visai

always ['ɔ:lwəz] *adv* visada

am [æm, əm] esu; *vksmž.* be *esamojo laiko vnsk. 1 asmuo*

a.m. ['eɪ'em] *sutr.* priešpiet

amalgamat|ed [ə'mælgəmeɪtid] *a* jungtinis; ~ion [ə'mælgə'meɪjn] *n* su(si)-jungimas

amateur ['æmətə] *n* mėgėjas, neprofesionalas

amass [ə'mæs] *v* rinkti, kaup-ti

amaz|e [ə'meɪz] *v* (nu)stebinti; ~ing *a* stebinantis

ambassador [æm'bæsədə] *n* ambasadorius

amber ['æmbə] *n* gintaras

ambiguous [æm'bɪgjuəs] *a* dviprasmiškas

ambition [æm'bɪʃn] *n* (*garbės ir pan.*) troškimas; siekimas

ambulance ['æmbjuləns] *n* greitosios pagalbos automo-bilis

ambush ['æmbuʃ] *n* pasala

America [ə'merɪkə] *n* Ameri-ka; ~n [-n] *n* amerikietis, -ė; *a* Amerikos; amerikiečių

among [ə'mʌŋ], **amongst** [ə'mʌŋst] *prep* tarp (*dauge-*

lio)

amount [ə'maunt] *n* kiekis; suma

ample ['æmpl] *a* 1) erdvus; 2) gausus

amplifier ['æmplɪfaɪə] *n* stiprintuvas (*garso*)

amuse [ə'mju:z] *v* linksminti; ~ing *a* linksmas; ~ment *n* pasilinksminimas

an [ən] *n* nežymimasis artikelis; žr. A

anaesthetic ['ænɪs'θetɪk] *n* nuskausminantis vaistas, anestetikas

analys|e ['ænəlaɪz] *v* analizuoti, nagrinėti; ~is [ə'nælɪsɪs] *n* (*pl* ~yses[-əsi:z]) analizė

analogy [ə'nælədʒɪ] *n* analogija

ancestor ['ænsəstə] *n* protėvis, senolis

anchor ['æŋkə(r)] *n* inkaras

ancient ['eɪnʃənt] *a* senovinis

and [ənd] *cj* ir; o; ~ so on ir taip toliau

angel ['eɪndʒəl] *n* angelas

anger ['æŋgə] *n* pyktis

angle I ['æŋgl] *n* kampas

angle II ['æŋgl] *v* meškerioti

angry ['æŋgrɪ] *a* piktas, supykęs; be ~ pykti; get ~ supykti

animal ['ænɪml] *n* 1) gyvulys; 2) gyvas padaras; gyvūnas

ankle ['æŋkl] *n* kulkšnis

anniversary [ænɪ'və:sərɪ] *n* metinės, jubiliejus

announce [ə'nauns] *v* paskelbti; ~r diktorius

annoy [ə'nɔɪ] *v* (su)pykinti, suerzinti

annual ['ænjuəl] *a* metinis

another [ə'nʌðə] *a* kitas; dar (*vienas*)

answer ['a:nsə] *v* atsakyti; *n* atsakymas

ant [ænt] *n* skruzdėlė

antarctic [æn'ta:ktɪk] *a* Pietų ašigalio, antarktinis

antilope ['æntɪləup] *n* antilopė

anthem ['ænθəm] *n* himnas

anticipate [æn'tɪsɪpeɪt] *v* tikėtis, laukti

antique [æn'ti:k] *a* senovinis; *n* (*vertinga*) seniena

anxiety [æŋ'zaɪətɪ] *n* susirūpinimas, nerimas

anxious ['æŋkʃəs] *a* susirūpinęs (*for, about*)

any ['enɪ] *pron* kas nors; koks nors; bet kuris; Have you ~ bread? – No, I have not any bread. Ar turi duonos? – Ne, neturiu duonos.

anybody ['enɪbɒdɪ] *pron* (*apie asmenį*) kas nors, bet kas

anyhow ['enɪhau] *adv* šiaip ar taip; vis tiek

anyone ['enɪwʌn] *pron* (*apie asmenį*) kas nors, bet kas

anything ['enɪθɪŋ] *pron (apie daiktą)* kas nors; bet kas

anyway ['enɪweɪ] *adv* žr. **anyhow**

anywhere ['enɪwɛə] *adv* kur nors; bet kur

apart [ə'pɑ:t] *adv* atskirai; pavieniui; s e t ~ išskirti *(from)*; atskirti

apartment [ə'pɑ:tmənt] *n (ypač amer.)* butas

ape [eɪp] *n* beždžionė

apolog|ize [ə'pɒlədʒaɪz] *v* atsiprašyti; ~y *n* atsiprašymas

apostrophe [ə'pɒstrəfɪ] *n* apostrofas

apparent [ə'pærənt] *a* aiškus, matomas; ~ly aiškiai; matyt

appeal [ə'pi:l] *n* kreipimasis; *v* kreiptis

appear [ə'pɪə] *v* pasirodyti, rodytis; ~ance [-rəns] *n* pasirodymas; išvaizda

appendicitis [ə'pendɪ'saɪtɪs] *n med.* apendicitas

appetite ['æpɪtaɪt] *n* apetitas

appetiz|er ['æpɪtaɪzə(r)] *n* šaltas užkandis *(apetitui sužadinti)*; ~ing sukeliantis apetitą, skanus

applaud [ə'plɔ:d] *v* ploti *(delnais)*

applause [ə'plɔ:z] *n sg* plojimai

apple ['æpl] *n* obuolys

appliance [ə'plaɪəns] *n* prie-

taisas

applicant ['æplɪkənt] *n* prašytojas, pretendentas

application ['æplɪ'keɪʃn] *n* 1) (pri)taikymas; 2) prašymas

apply [ə'plaɪ] *v* 1)(pri)taikyti; 2) kreiptis su prašymu, prašyti

appoint [ə'pɔɪnt] *v* (pa)skirti (kuo); ~ment *n* 1) paskyrimas *(į tarnybą)*; 2) pasimatymas

appreciate [ə'pri:ʃɪeɪt] *v* 1) vertinti; suprasti *(vertę)*; 2) skirti

appreciation [ə'pri:ʃɪ'eɪʃn] *n* įvertinimas, pripažinimas

apprentice [ə'prentɪs] *n* amatininko mokinys

approach [ə'prəutʃ] *v* artėti, prisiartinti; *n* 1) artėjimas; 2) požiūris, būdas

appropriate [ə'prəuprɪət] *a* tinkamas; *v* [-eɪt] savintis

approval [ə'pru:vl] *n* pritarimas

approve [ə'pru:v] *v* 1) pritarti; 2) patvirtinti

approximate [ə'prɒksɪmət] *a* apytikris

apricot ['eɪprɪkɒt] *n* abrikosas

April ['eɪprəl] *n* balandis

apron ['eɪprən] *n* 1) prijuostė; 2) avanscena

apt [æpt] *a* 1) linkęs; 2) gabus; 3) tinkamas, vykęs; ~itude

['æptɪtjuːd], ~ness 1) polin-
kis; 2) gabumas

Arab ['ærəb] *n* arabas; ~ic
[ə'ræbɪk] *a* arabų, arabiškas

arable ['ærəbl] *a* ariamas; *n*
arimas

arc [aːk] *n* 1) arka, skliautas;
2) *geom.* lankas

arch [aːtʃ] *n* arka; lankas

archaic [aː'keɪk] *a* pasenęs;
archaiškas

archbishop ['aːtʃ'bɪʃəp] *n* ar-
chivyskupas

archeology ['aːkɪˈɔlədʒɪ] *n* ar-
cheologija

architect ['aːkɪtekt] *n* archi-
tektas

architecture ['aːkɪtektʃə] *n* ar-
chitektūra

Arctic ['aːktɪk] *n* Arktika

ardent ['aːdənt] *a* aistringas,
karštas

are [aː] esame, esate, yra
(*vksmž.* **be** *esamojo laiko
dgsk.*)

area ['ɛərɪə] *n* plotas; rajonas

aren't [aːnt] = **are not**

Argentina [aːdʒənti:nə] *n*
Argentina; ~ian *n* argen-
tinietis

argue ['aːgjuː] *v* ginčytis

argument ['aːgjumənt] *n* 1)
argumentas; 2) ginčas

arise [ə'raɪz] *v* **arose** [ə'rəuz];
arisen [ə'rɪzn]) kilti, išplauk-
ti

aristocracy ['ærɪˈstɔkrəsɪ] *n*
aristokratija

aristocrat ['ærɪstəkræt] *n* aris-
tokratas

arithmetic [ə'rɪθmətɪk] *n* arit-
metika

arm [aːm] *n* 1) ranka (*nuo
plaštakos iki peties*); 2) ginklai;
v ginkluotis; ~-chair [-tʃɛə] *n*
fotelis; ~ed *a* ginkluotas

Armenia [aːmi:nɪə] *a* Armėni-
ja; ~n armėnų, armėniškas;
n 1) armėnas, -ė, 2) armėnų
kalba

armful ['aːmful] *n* glėbys (of
- *ko*)

armistice ['aːmɪstɪs] *n* pa-
liaubos

armpit ['aːmpɪt] *n* pažastis

armour ['aːmə(r)] *n* šarvai

army ['aːmɪ] *n* kariuomenė

arose *žr.* **arise**

around [ə'raund] *prep* aplink,
apie; *adv* aplink; a11 ~ visur

arouse [ə'rauz] *v* sukelti,
sužadinti

arrange [ə'reɪndʒ] *v* rengti, or-
ganizuoti; tvarkyti; ~ment *n* 1)
susitarimas; 2) rengimas (*kon-
certo ir pan.*); *pl* rengimasis

arrest [ə'rest] *n* areštas; *v*
1) areštuoti; 2) patraukti
(*dėmesį*)

arrival [ə'raɪvl] *n* atvykimas

arrive [ə'raɪv] *v* atvykti, atva-
žiuoti (at), ateiti

arrogant ['ærəgənt] *a* arogantiškas, išdidus

arrow ['ærəu] *n* strėlė

art [a:t] *n* menas

artful ['ɑ:tfəl] *a* gudrus, apgaulingas

artifact ['a:tɪfækt] *n* primityvaus žmogaus pagamintas daiktas

article ['a:tɪkl] *n* 1) artikelis; 2) straipsnis; 3) daiktas, prekė

artificial ['a:tɪ'fɪʃl] *a* dirbtinis

artisan ['a:tɪ'zæn] *n* amatininkas

artist ['a:tɪst] *n* menininkas; tapytojas; ~ic [a:'tɪstɪk] *a* artistiškas

as [əz, æz] *cj* kaip; kai; kadangi; ~... ~ taip pat ... kaip ir ...; ~ well well kaip; ~ if / though lyg, tarytum; *adv* kaip, kaip antai

ascend [ə'send] *v* kilti (į viršų)

ascent [ə'sent] *n* kilimas (aukštyn); kopimas

ash [æʃ] *n* pelenai

ashamed [ə'ʃeɪmd] *a* susigėdęs

ashore [ə'ʃɔ:] *adv* ant kranto, į krantą

ash-tray ['æʃtreɪ] *n* peleninė

Asia ['eɪʃə] *n* Azija; ~n ['eɪʃn] *a* Azijos; azijiečių; *n* azijietis

aside [ə'saɪd] *adv* į šalį

ask [a:sk] *v* 1) klausti; 2) (for) prašyti (ko)

asleep [ə'sli:p] *a* miegantis; b e ~ miegoti; fall ~ užmigti

aspect ['æspekt] *n* atžvilgis, aspektas

aspirin ['æspərɪn] *n* aspirinas

ass [æs] *šnek.* asilas, kvailys

assassin [ə'sæsɪn] *n* samdytas žudikas; ~ate [-eɪt] *v* nužudyti; ~ation [ə'sæsɪ'neɪʃn] *n* nužudymas

assault [ə'sɔ:lt] *n* užpuolimas; *v* užpulti

assemble [ə'sembl] *v* 1) su(si)rinkti, sušaukti; 2) montuoti

assembly [ə'semblɪ] *n* susirinkimas, asamblėja

assert [ə'sɔ:t] *v* tvirtinti, pareikšti

assist [ə'sɪst] *v* padėti (kam); ~ance *n* pagalba; ~ant [-ənt] *n* pagalbininkas, padėjėjas

associate [ə'səuʃɪeɪt] *v* 1) bendrauti; 2) sieti(s); ~ion [ə'səuʃɪ'eɪʃn] *n* asociacija

assorted [ə'sɔ:tɪd] *a* įvairiarūšis

assortment [ə'sɔ:tmənt] *n* asortimentas

assume [ə'sju:m] *v* 1) prisiimti (atsakomybę); 2) manyti, tarti

assurance [ə'ʃuərəns] *n* 1) tikrumas; 2) draudimas; 3) patikinimas

assure [ə'ʃuə(r)] v patikinti

astonish [ə'stonɪʃ] v stebinti; ~ment n nustebimas

astound [ə'staund] v apstulbinti

astride [ə'straɪd] a, adv raitomis

astrological ['æstrə'lodʒɪkl] a astrologinis

astronaut ['æstrənɔ:t] n astronautas

astronomer [ə'stronəmə] n astronomas

astronomy [ə'stronəmɪ] n astronomija

at [ət; æt] prep 1) (nurodant vietą) prie: ~ the door prie durų; 2) žymint laiką: ~ 5 o'clock 5 valandą; ~ Christmas per Kalėdas

ate žr. eat

athlete ['æθli:t] n atletas, sportininkas

athletic [æθ'letɪk] a atletiškas; ~s n lengvoji atletika

Atlantic [ət'læntɪk] a Atlanto; n (the ~) Atlanto vandenynas

atlas ['ætləs] n atlasas

atmosphere ['ætməsfɪə] n atmosfera

atom ['ætəm] n atomas; ~ic [ə'tomɪk] a atominis

attach [ə'tætʃ] v 1) prijungti; pridėti; 2) priskirti; ~ment n 1) prisirišimas (to); 2) pri(si)-

jungimas, pri(si)dėjimas

attack [ə'tæk] n puolimas; v pulti; ~er n užpuolėjas

attempt [ə'tempt] v bandyti; mėginti; n bandymas

attend [ə'tend] v lankyti; dalyvauti; ~ant [-ənt] n 1) patarnautojas; 2) palydovas

attention [ə'tenʃn] n dėmesys; pay ~ (to) kreipti dėmesį

attentive [ə'tentɪv] a dėmesingas, atidus

attic ['ætɪk] n mansarda

attitude ['ætɪtju:d] n nuostata, pažiūra, požiūris

attract [ə'trækt] v patraukti; pritraukti; ~ion n 1) traukimas; potraukis (to); 2) patrauklumas; ~ive a patrauklus

auction ['ɔ:kʃn] n varžytinės, aukcionas

audible ['ɔ:dɪbl] a girdimas

audience ['ɔ:dɪəns] n auditorija, publika, klausytojai

August ['ɔ:gəst] n rugpjūtis

aunt [a:nt] n teta

aurally ['ɔ:rəlɪ] adv iš klausos

austere [ɔ:'stɪə] a griežtas, rūstus

Australia [ə'streɪlɪə] n Australija; ~n a Australijos, australų; n australas, -ė

Austria [ostrɪə] n Austrija; ~n a austrų, austriškas; n

austras, -ė
author ['ɔ:θə(r)] n autorius;
rašytojas
authority [ɔ:'θɔrətɪ] 1) autoritetas; 2) valdžia; pl (**authorities**) valdžios įstaigos/
organai
autobiography ['ɔ:təbaɪ'ɔgrəfɪ]
n autobiografija
autograph ['ɔ:təgra:f] n autografas
automat|ic ['ɔ:tə'mætɪk] a automatinis; ~**ion** ['ɔ:tə'meɪʃn] n
automatika
autumn ['ɔ:təm] n ruduo
auxiliary [ɔ:g'zɪlɪərɪ] a pagalbinis (ir gram.)
available [ə'veɪləbl] a turimas,
esamas; gaunamas
avenue ['ævənju:] n prospektas; alėja
average ['ævərɪdʒ] a vidutinis; n vidurkis; on an ~
vidutiniškai
avert [ə'vɜ:t] v 1) nukreipti;
2) išvengti
aviation ['eɪvɪ'eɪʃn] n aviacija
avoid [ə'vɔɪd] v vengti; išsisukinėti
await [ə'weɪt] v laukti
awake [ə'weɪk] v (**awoke**
[ə'weuk]; **awoken**) 1) (pa)
žadinti; 2) pabusti
awaken [ə'weɪkən] v = awake;
~**ing** n pabudimas; (perk. t. p.)
praregėjimas

award [ə'wɔ:d] n apdovanojimas, premija; v apdovanoti,
premijuoti
aware [ə'wɛə] a žinantis
away [ə'weɪ] adv šalin, į šalį
awe [ɔ:] n (pagarbi) baimė
awful ['ɔ:fəl] a baisus
awkward ['ɔ:kwəd] a 1) nepatogus, nejaukus; 2) nerangus
awl [ɔ:l] n yla
awoke, awoken žr. awake
ax, axe [æks] n kirvis
axiom ['æksɪəm] n aksioma
axis ['æksɪs] n ašis (pl axes
[-sɪːz])
axle ['æksl] n tech. ašis
ay [aɪ] balsas "už"; šnek. tɔɪp
Azerbaijan ['æzəbaɪ'dʒɑ:n] n
Azerbaidžianas; ~**i** [-ɪ] n azerbaidžianietis
azure ['æʒə] a žydras; n žydruma

B

B, b [bi:] n muz. nata "si"
baa [ba:] n avių bliovimas; v
bliauti (apie avis)
baby ['beɪbɪ] n (pl babies)
kūdikis
babysit ['beɪbɪsɪt] v (babysat
[-sæt]) prižiūrėti kūdikį (kai
tėvai išvykę)

bachelor ['bætʃələ] *n* 1) viengungis; 2) bakalauras (*mokslinis laipsnis*)

bacilli [bə'sɪlaɪ] *n pl* bakterijos (*sg* **bacillus** [bə'sɪləs])

back [bæk] *n* nugara; *a*, *attr* užpakalinis; *adv* atgal; c o m e ~ sugrįžti

backbone ['bækbəʊn] *n* 1) stuburas; 2) *perk*. atrama, pagrindas

background ['bækgraʊnd] *n* 1) fonas; antrasis planas; 2) kilmė, išsilavinimas

backward ['bækwəd] *a* atsilikęs; ~s *adv* atgal; atbulomis

bacon ['beɪkən] *n* bekonas

bad [bæd] *a* (**worse** [wə:s]; **the worst** [...wə:st]) blogas, prastas; *adv* blogai, prastai

badge [bædʒ] *n* 1) ženklelis; 2) ženklas, požymis (of - *ko*)

bag [bæg] *n* maišas; krepšys; portfelis

baggage ['bægɪdʒ] *amer.* bagažas (*ir perk.*)

baggy ['bægɪ] *a* kabantis (*apie drabužį*)

bagpipes ['bægpaɪps] *n pl* dūdmaišis

bail [beɪl] *n* užstatas, laidas

bait [beɪt] *n* masalas, jaukas

bake [beɪk] *v* kepti; ~r *n* kepėjas; ~ry [-ərɪ] *n* kepykla

balance ['bæləns] *n* pusiaus-vyra; balansas; *v* balansuoti, išlaikyti pusiausvyrą

balcony ['bælkənɪ] *n* balkonas

bald [bɔ:ld] *a* plikas

bale I [beɪl] *n* ryšulys

bale II *v*: ~ o u t iššokti su parašiutu

ball I [bɔ:l] *n* kamuolys

ball II *n* puota, balius

ballerina ['bælə'ri:nə] *n* ballerina

ballet ['bæleɪ] *n* baletas

balloon [bə'lu:n] *n* balionas

ballot ['bælət] *n* 1) slaptas balsavimas; 2) biuletenis

ballot-box ['bælətbɒks] *n* balsadėžė

ballpoint ['bɔ:lpɔɪnt] *n* šratinukas

Baltic ['bɔ:ltɪk] *a*: t h e ~ (S e a) Baltijos jūra

ban [bæn] *v* uždrausti

banana [bə'na:nə] *n* bananas

band [bænd] *n* 1) raištis, kaspinas; juosta; 2) orkestras

bandage ['bændɪdʒ] *n* tvarstis; *v* aptvarstyti

bandit ['bændɪt] *n* banditas

bang [bæŋ] *n* trenksmas; *int*. bumpt! *v* trenkti

bangle ['bæŋgl] *n* apyrankė

banish ['bænɪʃ] *v* ištremti iš šalies

banisters ['bænɪstəz] *n pl*

laiptų turėklai

banjo ['bændʒəu] *n* bandža
(*muzikos instrumentas*)

bank I [bæŋk] *n* (*upės*) krantas

bank II *n* bankas; ~**er** bankininkas; ~**note** [-nəut] *n*
banknotas; ~**rupt** [-rʌpt] *a*
bankrutavęs; *n* subankrutavęs asmuo;~**ruptcy** [-rʌpsi]
n bankrotas

banner ['bænə(r)] *n* transparantas

banquet ['bæŋkwit] *n* banketas

bar I [ba:] *n* 1) gabalas (*muilo*);
plytelė (*šokolado*); 2) kliūtis;
sport. kartelė; 3) *muz.* taktas;
4) ;(t h e ~ s) advokato profesija; *v* užtverti

bar II *n* baras, užkandinė

barbed [ba:bd] *a* spygliuotas;
~**wire** *n* spygliuota viela

barber ['ba:bə] *n* (*vyrų*) kirpėjas

bare [bɛə] *a* nuogas, plikas;
~**foot** [-fut] *n* basas

bargain ['ba:gɪn] *v* derėtis; *n*
sandoris, derybos

barge [ba:dʒ] *n* barža

bark I [ba:k] *n* žievė; *v* nulupti žievę

bark II *v* loti

barley ['ba:lɪ] *n* miežiai

barely ['bɛəlɪ] *adv* vos

barn [ba:n] *n* klojimas, darži-

nė

barometer [bə'rɔmɪtə] *n* barometras

barracks ['bærəks] *n* barakai;
kareivinės

barrel ['bærəl] *n* 1) statinė; 2)
(*šautuvo*) vamzdis; 3) barelis

barren ['bæren] *n* nederlingas; tuščias

barricade ['bærɪ'keɪd] *n*
barikada

barrier ['bærɪə] *n* barjeras,
užkarda

barrow ['bærəu] *n* karutis,
vežimėlis

base [beɪs] *n* bazė, pagrindas;
v pagrįsti (on, upon)

baseball ['beɪsbɔ:l] *n* beisbolas

basement ['beɪsmənt] *n* pusrūsis, rūsys

bash [bæʃ] *v* smogti

bashful ['bæʃfəl] *a* nedrąsus,
drovus

basic ['beɪsɪk] *a* pagrindinis;
~**ally** [-ɪklɪ] *adv* iš esmės

basin ['beɪsn] *n* 1) dubuo; 2)
baseinas

basis ['beɪsɪs] *n* (*pl* **bases**
['beɪsi:z]) pagrindas

bask [ba:sk] *v* šildytis saulėje

basket ['ba:skɪt] *n* pintinė, krepšys; ~**ball** [-bɔ:l] *n*
krepšinis

bass [beɪs] *muz. a* bosinis; *n*
bosas

bat [bæt] n 1) lazda, kuoka;
2) raketė

batch [bætʃ] n partija (pvz.,
duonos, bandelių)

bath [ba:θ] n 1) vonia; 2) mau-
dymasis (vonioje); ~e [beɪð]
n maudymasis; v maudyti(s);
~ing-suit ['beɪðɪŋsu:t] n mau-
dymosi kostiumas; ~room
[-rum] n vonia (kambarys)

batter ['bætə] v plakti, mušti

battery ['bætərɪ] n el., kar.
baterija

battle ['bætl] n mūšis, kova;
v kautis

bawl [bɔ:l] v rėkti, rėkauti

bay I [beɪ] n įlanka, įlankėlė;
užutėkis

bay II v loti; n lojimas

bay III n 1) niša; 2) archit.
švieslangis

bay IV a bėras; n bėris

bazaar [bə'za:] n turgus

B.C. ['bi:'si:] (sutr. iš be-
fore Christ) prieš Kristaus
gimimą

be [bi:] v (was [wəz, wɔz], were
[wə:]; been [bi:n]) 1) būti; 2)
pagalb. veiksmažodis sudarant
neveik. rūšies ir Continuous
laikus

beach [bi:tʃ] n paplūdimys,
pliažas

beacon ['bi:kən] n švyturys
(ir perk.)

bead [bi:d] n karoliukas

(vėrinio); ~ed a papuoštas
karoliais

beak [bi:k] n (paukščio) sna-
pas

beam [bi:m] n 1) rąstas; 2)
spindulys; 3) maloni šypsena; v
džiugiai šypsotis, spindėti

bean [bi:n] n pupa

bear I [bɛə] n 1) meška, lokys;
2) the Great (Little) B.
Didieji (Mažieji) Grįžulo
Ratai; 3) biržos spekuliantas

bear II v (bore [bɔ:]; born
[bɔ:n]) 1) išlaikyti; pakęsti;
gimdyti; 2) nešioti; be born
gimti

beard [bɪəd] n barzda

beast [bi:st] n žvėris

beat [bi:t] v (beat, beaten
['bi:tn]) 1) mušti, daužyti; 2)
plakti; 3) nugalėti

beautiful ['bju:tɪfəl] a gražus;
puikus

beauty ['bju:tɪ] n 1) grožis; 2)
gražuolė

became žr. become

because [bɪ'kɔz] cj kadangi;
todėl, kadą; prep (~ of) dėl

beckon ['bekən] v pamoti,
kviesti

become [bɪ'kʌm] v (became
[bɪ'keɪm]; become) tapti

becoming [bɪ'kʌmɪŋ] a tinka-
mas, deramas

bed [bed] n 1) lova; ~-clothes
[-kləuðz] n lovos baltiniai;

~**room** [-rum] *n* miegamasis (*kambarys*)

bee [bi:] *n* bitė;~**hive** [-haɪv] *n* avilys; ~**keeper** [-ki:pə] *n* bitininkas

beef [bi:f] *n* jautiena;~**steak** [-steɪk] *n* bifšteksas

been *žr.* be

beer [bɪə] *n* alus

beet [bi:t] *n* burokas; runkelis; ~**root** [-ru:t] *n* burokėlis

beetle ['bi:tl] *n* vabalas

before [bɪ'fɔ:] *prep* prieš, priešais; *adv* anksčiau; ~**hand** [-hænd] *adv* iš anksto

beg [beg] *v* 1) prašyti, maldauti; 2) elgetauti

began *žr.* begin

begin [bɪ'gɪn] *v* (began [bɪ'gæn], begun [bɪ'gʌn]) pradėti; ~**er** *n* pradedantysis; naujokas

beggar ['begə] *n* elgeta

beginning [bɪ'gɪnɪŋ] *n* pradžia

begun *žr.* begin

behalf [bɪ'ha:f] *n*: in ~ of (*kieno*) naudai; on ~ of (*kieno*) vardu

behav|e [bɪ'heɪv] *v* elgtis; ~**iour** [bɪ'heɪvɪə] *n* elgesys, elgsena

behind [bɪ'haɪnd] *prep* 1) už; 2) paskui; *adv* užpakaly; f a l l ~ atsilikti

being ['bi:ɪŋ] *n* 1) buvimas; 2) būtybė

Belarus ['bjələ'rus] *n* Baltarusija

belief [bɪ'li:f] *n* įsitikinimas; tikėjimas

believe [bɪ'li:v] *v* 1) tikėti; ~ i n God Dievą tikėti; 2) manyti

Belgi|an ['beldʒən] *a* belgiškas, belgų; *n* belgas; ~**um** [-əm] *n* Belgija

bell [bel] *n* 1) varpelis, varpas; 2) skambutis

bellow ['beləu] *v* baubti, staugti, bliauti

bellows ['beləuz] *n pl* dumplės

belly ['belɪ] *n* pilvas; skradis

belong [bɪ'lɒŋ] *v* priklausyti (t o - *kam*)

Belorussian ['beəu'rʌʃn] *a* baltarusiškas, baltarusių; *n* baltarusis

below [bɪ'ləu] *prep* žemiau; po; *adv* apačioj, žemiau

belt [belt] *n* diržas; juosta

bench [bentʃ] *n* suolas

bend [bend] *v* (bent [bent]) 1) lenkti, riesti, linkti; 2) nukreipti; krypti

beneath [bɪ'ni:θ] *prep* po; *adv* apačioje; žemiau

benefit ['benɪfɪt] *v* naudotis, gauti; *n* 1) nauda; 2) pašalpa

bent [bent] *a* sulinkęs; palinkęs; sulenktas

berry ['berɪ] *n* uoga

berth [bə:θ] *n* 1) miegamoji

vieta (*traukinyje*); 2) gultas (*laive*)

beside [bɪ'saɪd] *prep* šalia, prie; ~s *adv* be to

besiege [be'si:dʒ] *v* apgulti, apsiausti

best [best] *a* geriausias; *adv* geriausiai (*aukšč. laipsnis iš* **good, well**); ◊ ~ m a n *n* vyriausiasis pajaunys

best-known ['best'nəun] *a* žinomiausias

best-seller ['best'selə] *n* bestseleris

bet [bet] *v* eiti lažybų; *n* lažybos

betray [bɪ'treɪ]*v* išduoti (*pvz., tėvynę*); ~al *n* išdavystė

better ['betə] *a* geresnis; *adv* geriau (*aukštesn. laipsnis iš* **good, well**)

between [bɪ'twi:n] *prep* tarp (*dviejų*)

beware [bɪ'wɛə] *v* ~ o f saugokis (*ko*)

beyond [bɪ'jɔnd] *prep, adv* už, anapus; ~ c o n t r o l nesuvaldomas

bias(s)ed ['baɪəst] *a* šališkas

bib [bɪb] *n* seilinukas

Bible ['baɪbl] *n* biblija

bicycle ['baɪsɪkl] *n* dviratis

big [bɪg] *a* didelis; B i g B e n Didysis Benas (*laikrodis*)

bike [baɪk] *n šnek.* dviratis; motociklas

bill [bɪl] *n* 1) įstatymo projektas; 2) sąskaita

bilingual [baɪ'lɪŋgwəl] *a* dvikalbis

billion ['bɪljən] *num* milijardas

bin [bɪn] *n* 1) dėžė; 2) šiukšlių dėžė

bind [baɪnd]*v* (**bound** [baund]) surišti; įrišti (*knygą*)

binoculars [bɪ'nɔkjuləz] *n* žiūronai

biography [baɪ'ɔgrəfɪ] *n* biografija

biology [baɪ'ɔlədʒɪ] *n* biologija

birch [bə:tʃ] *n* beržas

bird [bə:d] *n* paukštis

birth [bə:θ] *n* gimimas (*ir perk.*); g i v e ~ (pa)gimdyti

birthday ['bə:θdeɪ] *n* gimimo diena; h a p p y ~! su gimtadieniu!

biscuit ['bɪskɪt] *n* sausainis

bishop ['bɪʃəp] *n* vyskupas

bit [bɪt] *n* truputį, nedaug; 2) gabalėlis; kąsnelis; *v žr.* **bite**

bitch [bɪtʃ] *n* kalė

bite [baɪt] *v* (**bit** [bɪt]; **bitten** ['bɪtn]) kąsti

bitten *žr.* **bite**

bitter ['bɪtə] *a* kartus

black [blæk] *a* juodas; ~berry [-bərɪ] *n* gervuogė; ~bird [-bə:d] *n* strazdas; ~board [-bɔ:d] *n* (*klasės*) lenta

blacken ['blækən] v juodinti
blackmail ['blækmeɪl] n šantažas
blacksmith ['blæksmɪθ] n kalvis
bladder ['blædə] n 1) (sviedinio) kamera; 2) anat. (šlapimo) pūslė
blade [bleɪd] n 1) ašmenys; 2) peiliukas barzdai skusti
blame [bleɪm] v kaltinti, laikyti kaltu; n kaltė
blank [blæŋk] a tuščias, neprirašytas
blanket ['blæŋkɪt] n (vilnonė) antklodė
blast [bla:st] v sprogdinti; n 1) vėjo šuoras/gūsis; 2) sprogimas
blaze [bleɪz] n ryški šviesa; v ryškiai šviesti, liepsnoti
blazer ['bleɪzə] n sportinis švarkas
bleat [bli:t] v bliauti (apie avis, ožkas); n bliovimas
bleed [bli:d] v (bled [bled]) kraujuoti
bless [bles] v laiminti; ~ed ['blesɪd] a šventas(is); ~ing n 1) palaima; 2) (pa)laiminimas
blew žr. blow
blind [blaɪnd] a aklas; n (the ~) aklieji; ~fold [-fəuld] n raištis ant akių
blink [blɪŋk] v mirksėti

blister ['blɪstə] n pūslė (nuo trynimo)
blizzard ['blɪzəd] n pūga
block [blɔk] v užtverti (t.p. ~ up); ~ade [-'keɪd] n blokada
blond [blɔnd] a šviesiaplaukis; n blondinas; ~e [blɔnd] n blondinė
blood [blʌd] n kraujas
bloodshed ['blʌdʃed] n kraujo praliejimas
bloodthirsty ['blʌdθə:stɪ] a trokštantis kraujo
bloody ['blʌdɪ] a 1) kraujuotas; 2) vulg. prakeiktas
bloom [blu:m] n žiedas, žydėjimas; v (su)žydėti
blossom ['blɔsəm] n žydėjimas; v (su)žydėti
blot [blɔt] n dėmė; v 1) sutepti; 2) teršti
blouse [blauz] n palaidinukė
blow [bləu] v (blew [blu:]; blown [bləun]) 1) pūsti; to ~ a pipe groti birbyne; 2) (su)sprogti, (su)sprogdinti (t.p. ~ up); n smūgis
blue [blu:] a mėlynas; n mėlynė (dangaus)
bluff I [blʌf] a status
bluff II n apgavystė
blunt [blʌnt] a atšipęs
blush [blʌʃ] v parausti; n paraudimas
boar [bɔ:] n šernas

board [bɔ:d] *n* 1) lenta; 2) taryba, valdyba; 3) o n ~ laive; léktuve; *v* 1) apkalti lentomis; 2) sėsti (*į léktuvą, laivą*)

boarding-school ['bɔ:dɪŋsku:l] *n* internatinė mokykla

boast [bəust] *v* girtis; **~ful** *a* pagyrūniškas

boat [bəut] *n* valtis; laivas

bob [bɔb] *n* tūpčiojimas; pritūpimas (*šokant*); *v* 1) tūptelėti, pritūpti; 2) trumpai pakirpti plaukus

body ['bɔdɪ] *n* 1) kūnas; 2) korpusas; **~guard** [-ga:d] *n* asmens sargybinis

bog [bɔg] *n* pelkė

boil I [bɔɪl] *v* virti, virinti; **~er** *n* garo katilas; boileris

boil II *n* šunvotė, skaudulys

bold [bəuld] *a* drąsus

bolt [bəult] *n* 1) sklindė, varžtas; 2) žaibas

bomb [bɔm] *n* bomba; *v* bombarduoti; **~er** [-ə] *n* bombonešis

bond [bɔnd] *n* ryšys (*ir perk.*)

bone [bəun] *n* kaulas

bonfire ['bɔnfaɪə] *n* laužas

bonnet ['bɔnɪt] *n* 1) vaikiška kepurytė; 2) *aut.* gaubtas

bony ['bəunɪ] *a* kaulėtas

bookaholic ['bukə'hɔlɪk] *n šnek.* knygius

book [buk] *n* knyga; *v* užsakyti (*iš ankšto*)

bookcase ['bukkeɪs] *n* knygų spinta

booking-office ['bukɪŋ'ɔfɪs] *n* (*stoties, teatro*) bilietų kasa

book-keeper ['buk'ki:pə] *n* buhalteris

booklet ['buklɪt] *n* knygutė, brošiūra, lankstinys

boom [bu:m] *n* 1) dundesys; 2) bumas

boot [bu:t] *n* (*aulinis*) batas

border ['bɔ:də] *n* siena; riba

bore I [bɔ:] *žr.* **bear II**

bore II *v* 1) įgristi, įkyrėti; 2) gręžti; **~d** *a:* I'm ~ man nuobodu; **~dom** *n* nuobodulys

boring ['bɔ:rɪŋ] *a* neįdomus, nuobodus, įkyrus

born [bɔ:n] *a* gimęs; įgimtas

Bosnian ['bɔsnɪən] *n* bosnis; *a* bosnių

borrow ['bɔrəu] *v* skolintis (f r o m – *iš ko*)

boss [bɔs] *n* viršininkas, bosas; **~y** *a* valdingas, mėgstantis įsakinėti

botany ['bɔtənɪ] *n* botanika

both [bəuθ] *pron* abu, abi; ~ ... a n d *cj* tiek ... kiek

bother ['bɔðə] *v* 1) trukdyti; 2) rūpėti

bottle ['bɔtl] *n* butelis

bottom ['bɔtəm] *n* dugnas; apačia

bough [bau] *n* stambi medžio šaka

bought *žr.* buy

boulder ['bəuldə] *n* didelis akmuo, riedulys

bounce [bauns] *v* 1) šokinėti; 2) atšokti

bound I [baund] *a:* ~ for vykstantis į; (~ to) pasiryžęs (*ką padaryti*); (~ up) susijęs

bound II *n* šuolis; *pl* ribos

bound *žr.* bind

boundary ['baundərı] *n* siena, riba (*tarp valstybių*)

bouquet [bu'keı] *n* puokštė

bow I [bau] *v* nusilenkti

bow II [bəu] *n* laivo priekis

bow III *n* 1) smuiko griežiklis; 2) kaspinas; 3) lankas (*šaudyti strėlėmis*)

bowels ['bauəls] *n pl* žarnos, viduriai

bowl [bəul] *n* 1) dubuo (*pvz., vaisiams*); 2) vaza; 3) rutulys

box [bɔks] *n* 1) dėžė; 2) ložė; ~-office [-ɔfıs] *n* (*teatro, kino, koncertų*) bilietų kasa

boxing ['bɔksıŋ] *n sport.* boksas

boy [bɔı] *n* berniukas

bra [bra:] *n* liemenėlė

bracelet ['breıslıt] *n* apyrankė

braces [breısız] *n pl* petnešos

bracket ['brækıt] *n* skliaustas

braggart ['brægət] *n* pagyrūnas

braid [breıd] *n* juostelė; ga-

lionas

brain [breın] *n* smegenys; protas

brake [breık] *n* stabdys; *v* stabdyti

branch [bra:ntʃ] *n* 1) šaka; 2) skyrius, filialas

brand [brænd] *n* 1) firmos ženklas; rūšis; 2) nuodegulys; *v* ženklinti, įspauduoti; ~-new [-'nju:] *a* visiškai naujas

brandy ['brændı] *n* brendis, konjakas

brass [bra:s] *n* žalvaris

brave [breıv] *a* drąsus; narsus; ~ry [-rı] *n* drąsa, narsumas

Brazil [brə'zıl] *n* Brazilija; ~ian *n* brazilas; *n* brazilų

bread [bred] *n* duona

breadth [bredθ] *n* plotis

break [breık] *v* (broke [brəuk], broken ['brəukən]) 1) laužti; 2) dužti; 3) prašvisti; *n* 1) pertrauka; 2) (nu)trūkimas

breakdown ['breıkdaun] *n* 1) visiškas išsekimas; 2) avarija, sugedimas

breakfast ['brekfəst] *n* pusryčiai; to have ~ pusryčiauti

breast [brest] *n* krūtinė; krūtis

breaststroke ['breststrəuk] *n sport.* plaukimas (*krūtine*)

breath [breθ] *n* kvėpavimas, kvapas; ~less *a* be kvapo, uždusęs

bred *žr.* **breed**

breed [bri:d] *v* (**bred** [bred])
1) veisti; 2) auklėti; auginti;
n veislė

breeding ['bri:dɪŋ] *n* išauk-
lėjimas

breeze [bri:z] *n* švelnus vėje-
lis

breezy ['bri:zɪ] *a* vėjuotas;
vėsus

brew [bru:] *v* 1) užpilti (*ar-
batą*); 2) daryti alų; 3) telk-
tis; bręsti; ~**ery** [-ərɪ] *n* alaus
darykla

bribe [braɪb] *n* kyšis; *v* pa-
pirkti, duoti kyšį; ~**ry** [-rɪ] *n*
kyšininkavimas

brick [brɪk] *n* plyta

bride [braɪd] *n* nuotaka;
~**groom** ['braɪdgrum] *n* jauni-
kis; ~**smaid** ['braɪdzmeɪd] *n*
pamergė

bridge [brɪdʒ] *n* tiltas

bridle ['braɪdl] *n* apynasris

brief [bri:f] *a* trumpas

briefcase ['bri:fkeɪs] *n* lagami-
nėlis (*dokumentams*)

bright [braɪt] *a* 1) ryškus; švie-
sus; 2) sumanus; ~**en** *v* nušvis-
ti; pagyvėti

brilliant ['brɪlɪənt] *a* puikus;
blizgantis

brim [brɪm] *n* kraštas; atbraila;
~**ful** *a* sklidinas

bring [brɪŋ] *v* (**brought** [brɔ:t])
atnešti, atgabenti; ~ b a c k

grąžinti

brisk [brɪsk] *a* judrus, greitas,
smarkus

bristl|e ['brɪsl] *n* šeriai; ~**y** *a*
šeriuotas, duriantis

Britain ['brɪtn] *n* Britanija;
G r e a t ~ Didžioji Britanija

British ['brɪtɪʃ] *a* britų; *n* (the
~) britai

Briton ['brɪtn] *n* britas

brittle ['brɪtl] *a* trapus, dūžus

broad [brɔ:d] *a* platus; ~**en** *v*
platinti, praplėsti

broadcast ['brɔ:dkɑ:st] *v*
(**broadcast**) transliuoti

broiler ['brɔɪlə] *n* broileris,
mėsinis viščiukas

broke, broken *žr.* **break**

broker ['brəʊkə] *a* tarpininkas,
makleris

bronze [brɒnz] *n* bronza

brooch [brəʊtʃ] *n* sagė

brook [bruk] *n* upokšnis

broom [bru:m] *n* šluota; šepe-
tys

broth [brɛθ] *n* sultinys (*sriu-
ba*)

brother ['brʌðə] *n* brolis; ~**ly**
a broliškas

brother-in-law ['brʌðərɪnlɔ:] *n*
1) svainis; 2) dieveris

brought *žr.* **bring**

brow [brau] *n* antakis; kakta

brown [braun] *a* rudas

bruise [bru:z] *n* mėlynė,
sumušimas

brush [brʌʃ] *n* šepetys; *v* valyti (*šepečiu*)

brutal ['bru:tl] *a* brutalus

brute [bru:t] *n* 1) gyvulys; 2) žiaurus žmogus

bubble ['bʌbl] *n* burbulas

buck [bʌk] *n* (*elnio, kiškio*) patinas

bucket ['bʌkɪt] *n* kibiras

buckle ['bʌkl] *n* sagtis; *v* užsegti (*sagtimi*)

bud [bʌd] *n* pumpuras

budge [bʌdʒ] *v* pajudinti; pajudėti

budget ['bʌdʒɪt] *n* biudžetas; *v* sudaryti biudžetą

bug [bʌg] *n* 1) blakė; 2) slaptas klausymosi aparatas

bugle ['bju:gl] *n* trimitas

build [bɪld] *v* (**built** [bɪlt]) statyti; ~**er** *n* statybininkas; ~**ing** *n* pastatas

built žr. **build**

bulb [bʌlb] *n* 1) svogūnėlis; 2) elektros lemputė

Bulgary [bʌl'geərɪə] *n* Bulgarija; ~**n** *n* 1) bulgaras; 2) bulgarų kalba; *a* bulgarų, bulgariškas

bulg|e [bʌldʒ] *v* išsipūsti; ~**ing** *a* išsipūtęs

bulk [bʌlk] *n* 1) didelis kiekis; 2) didmenos; ~**y** *a* stambus; griozdiškas

bull [bul] *n* bulius; ~**dozer** [-dəuzə] *n* buldozeris

bullet ['bulɪt] *n* kulka; ~**proof** [-pru:f] *a* neperšaunamas

bully ['bulɪ] *v* priekabiauti; *n* chuliganas

bump [bʌmp] *v* atsitrenkti (*į*); *n* 1) guzas; 2) duobė (*kelyje*); ~**er** *n* buferis; ~**y** *a* nelygus, duobėtas

bun [bʌn] *n* bandelė

bunch [bʌntʃ] *n* 1) puokštė; 2) ryšelis

bundle ['bʌndl] *n* ryšulys

bunk I [bʌŋk] *n* gultas

bunk II *n šnek.* niekai, nesąmonė

buoy [bɔɪ] *n* plūduras, baketas

burden ['bə:dn] *n* našta, sunkenybė

burglar ['bə:glə] *n* įsilaužėlis

burial ['berɪəl] *n* laidotuvės

burn [bə:n] *v* degti; deginti; ~**t-out** *a* 1) perdegęs (*apie elektros lemputę*); 2) sugedęs

burrow ['bʌrəu] *n* urvas

burst [bə:st] *v* (**burst**) 1) sprogti, plyšti; 2) veržtis (*into*)

bury ['berɪ] *v* 1) (pa)laidoti; 2) užkasti; 3) (pa)slėpti

bus [bʌs] *n* autobusas

bush [buʃ] *n* krūmas

business ['bɪznɪs] *n* 1) reikalas, dalykas; 2) verslas; ~**man** [-mən] *n* verslininkas

bust [bʌst] *n* biustas

busy ['bɪzɪ] *a* užimtas; užsiėmęs

but [bʌt] *cj* bet; tačiau; *adv* tik, vos; *prep* išskyrus, be

butcher ['butʃə] *n* mėsininkas

butter ['bʌtə] *n* sviestas

butterfly ['bʌtəflaɪ] *n* peteliškė

buttocks ['bʌtəks] *n pl* sėdmenys, sėdynė

button ['bʌtn] *n* 1) saga; 2) mygtukas; to push the ~ paspausti mygtuką; *v* užsisegti; **~hole** [-həul] *n* sagos kilpa

buy [baɪ] *v* (**bought** [bɔːt]) pirkti

buzz [bʌz] *v* zvimbti, birbti; ūžti; *n* zvimbimas, ūžimas; gaudesys

by [baɪ] *adv, prep* 1) prie, greta; 2): ~ plane lėktuvu; ~ bus autobusu; 3): Shakespeare Šekspyro (*parašytas*)

bye-bye ['baɪ'baɪ] *int* viso (labo)!

bygone ['baɪgɔn] *a* praėjęs; *n pl* praeitis

C

cab [kæb] *n* 1) taksi; 2) (*vairuotojo*) kabina

cabbage ['kæbɪdʒ] *n* kopūstas;

~ soup kopūstų sriuba

cabin ['kæbɪn] *n* 1) trobelė; 2) kajutė, kabina; **~et** [-ɪt] *n* 1) spintelė; 2) (**the Cabinet**) ministrų kabinetas

cable ['keɪbl] *n* kabelis; ~ (television) kabelinė televizija

cacao [kə'keu] *n* kakava

cactus ['kæktəs] *n* kaktusas

cadet [kə'det] *n* 1) kadetas; 2) *sport.* jaunutis

café ['kæfeɪ] *n* kavinė

cage [keɪdʒ] *n* narvas, narvelis

cake [keɪk] *n* pyragaitis, pyragas; tortas

calculate ['kælkjuleɪt] *v* 1) (ap)skaičiuoti; 2) numatyti

calculation ['kælkju'leɪʃn] *n* (ap)skaičiavimas

calculator ['kælkjuleɪtə] *n* kalkuliatorius; skaičiuoklis

calendar ['kælɪndə] *n* kalendorius

calf [kɑːf] *n* (*pl* **calves** [kɑːvz]) 1) veršiukas, veršis; 2) blauzda

call [kɔːl] *v* 1) (pa)šaukti; iššaukti; 2) vadinti (*ką kuo*); iškviesti (*t.p.* ~ in); 3) aplankyti (on smth); *n* 1) (iš)kvietimas; 2) (iš)šaukimas; **~-box** [-bɔks] *n* telefono būdelė; **~er** *n* 1) svečias; 2) skambintojas (*telefonu*)

calm [ka:m] *a* ramus

came *žr.* come

camel ['kæml] *n* kupranugaris

camera ['kæmərə] *n* 1) televizijos/kino kamera; 2) fotoaparatas; ~-man [-mən] *n* (*pl* ~men [-mən]) *kin., tel.* operatorius

camomile ['kæməmaıl] *n* ramunėlė; ~ tea ramunėlių arbata

camouflage ['kæmɔfla:ʒ] *v* maskuoti(s); *n* maskuotė

camp [kæmp] *n* stovykla; *v* stovyklauti

campaign [kæm'peın] *n* žygis, kampanija

camphor ['kæmfə] *n* kamparas

campus ['kæmpəs] *n* universiteto miestelis

can I [kæn] *n* skardinė

can II [kən, kæn] *v* (could [kəd, kud]) galiu, moku; gali, moki *ir t.t.* (*esam.l. forma*); could galėjau, mokėjau; galėjai, mokėjai *ir t. t.* (*būt. l. forma*)

Canada [kænədə] *n* Kanada; ~ian *a* kanadietiškas, kanadiečių; *n* kanadietis

canal [kə'næl] *n* kanalas

canary [kə'nɛərı] *n* kanarėlė

cancel ['kænsl] *v* panaikinti, atšaukti

cancer ['kænsə] *n* vėžys

(*liga*)

candidat| e ['kændıdət] *n* kandidatas; ~ure [-tʃə] *n* kandidatūra

candle ['kændl] *n* žvakė

candy ['kændı] *n sg amer.* saldainiai; a piece of ~ saldainis

cane [keın] *n* nendrė; (*nendrinė*) lazda; *v* mušti lazda

canned [kænd] *a* konservuotas; ~ meat mėsos konservai

cannibal ['kænıbl] *n* žmogėdra

cannon ['kænən] *n* patranka

cannot ['kænɔt] *v* (*sutr.* can't [ka:nt]) *neig. esam. l. forma iš* can

canoe [kə'nu:] *n* baidarė, kanoja

canteen [kæn'ti:n] *n* bufetas, valgykla

canvas ['kænvəs] *n* 1) stora drobė; 2) brezentas; burė; 3) (*tapytas*) paveikslas

canvass ['kænvəs] *n* rinkimų kampanija

cap [kæp] *n* kepurė

capable ['keıpəbl] *a* 1) gabus; 2) galintis, sugebantis

capacity [kə'pæsətı] *n* 1) talpa; 2) (su)gebėjimas

cape [keıp] *n* apsiaustas (*be rankovių*)

capital I ['kæpıtl] *n* kapitalas

capital II *n* 1) sostinė; 2)

didžioji raidė

capsize [kæp'saɪz] *v* apvirsti, ap(si)versti (*vandenyje*)

captain ['kæptɪn] *n* 1) kapitonas; 2) *av., jūr.* vadas; *v* vadovauti

captive ['kæptɪv] *n* belaisvis

captivity [kæp'tɪvətɪ] *n* nelaisvė

capture ['kæptʃə] *v* (už)grobti; sugauti; *n* užgrobimas; trofėjus

car [ka:] *n* 1) automobilis; 2) vagonas *amer.*

caravan ['kærəvæn] *n* 1) karavanas; 2) autopriekaba-namelis; furgonas

carbon ['ka:bən] *n chem.* anglis

card [ka:d] *n* 1) korta; 2) bilietas; 3) atvirukas; **~board** [-bɔ:d] *n* kartonas

cardholder ['ka:dhəuldə] *n* kreditinės kortelės turėtojas

cardigan ['ka:dɪgən] *n* megztinis, megzta palaidinė

care [kɛə] *n* rūpestis; globa; priežiūra; t a k e ~ rūpintis (o f); **~free** [-fri:] *a* be rūpesčių; **~ful** *a* rūpestingas; atidus; atsargus; **~less** *a* nerūpestingas; neatsargus

career [kə'rɪə] *n* karjera

caretaker ['kɛəteɪkə] *n* (*namo*) sargas, prižiūrėtojas

cargo ['ka:gəʊ] *n* (*laivo, lėk-*

tuvo) krovinys

carnival ['ka:nɪvl] *n* karnavalas

carol ['kærəl] *n* Kalėdų giesmė

car-park ['ka:pa:k] *n* automobilių stovėjimo aikštelė

carpenter ['ka:pəntə] *n* dailidė

carpet ['ka:pɪt] *n* kilimas

carriage ['kærɪdʒ] *n* 1) vežimas; 2) vagonas

carrier ['kærɪə] *n* 1) (*dviračio*) bagažinė; 2) nešikas, vežėjas

carrot ['kærət] *n* morka

carry ['kærɪ] *v* nešti; vežti; ~ on tęsti; toliau vykdyti; ~ o u t įvykdyti, atlikti

cart [ka:t] *n* vežimas, ratai

carton ['ka:tn] *n* kartoninė dėžutė

cartoon [ka:'tu:n] *n* karikatūra

cartridge ['ka:trɪdʒ] *n* šovinys, patronas

carve [ka:v] *v* 1) pjaustyti (*pvz., mėsą*); 2) drožinėti (*iš medžio*)

case [keɪs] *n* 1) atvejis; 2) (*teismo*) byla; 3) pacientas; klientas; i n ~ ... tokiu atveju, jei...; i n a n y ~ bet kokiu atveju

cash [kæʃ] *n* gryni pinigai; ~ d e s k *n* kasa (*parduotuvėje*); **~-register** [-redʒɪstə] *n* kasos aparatas; *v* gauti pinigus pa-

gal čekį
cashier [kæ'ʃɪə] n kasininkas
cassette [kə'set] n kasetė
cast [ka:st] v (cast) mesti, mėtyti; n 1) liejimo forma; 2) (aktorių) sudėtis
castle ['ka:sl] n pilis
casual ['kæʒuəl] a 1) atsitiktinis; 2) kasdienis; ~ty [-tɪ] n (avarijos) auka, nukentėjelis
cat [kæt] n katė
catapillar ['kætəpɪlə] n vikšras
catapult ['kætəpʌlt] n laidynė; katapulta
catastrophe [kə'tæstrəfɪ] n katastrofa
catch [kætʃ] v (caught [kɔ:t]) 1) pagauti; 2) suprasti; 3) užsikrėsti, susirgti; ~ cold peršalti; 4) suspėti; ~ the train (su)spėti į traukinį
catching ['kætʃɪŋ] a užkrečiamas (ir perk.)
cathedral [kə'θi:drəl] n katedra
Catholic ['kæθəlɪk] n katalikas (t.p. Roman ~)
cattle ['kætl] n galvijai
Caucasian [kɔ:'keɪzɪən] a Kaukazo, kaukaziečių, kaukazietiškas; n kaukazietis,-ė
caught žr. catch
cauldron ['kɔ:ldrən] n katilas
cauliflower ['kɔlɪ'flauə] n žiedinis kopūstas

cause [kɔ:z] n 1) priežastis; 2) reikalas; v 1) būti priežastimi, sukelti; 2) priversti
caution ['kɔ:ʃn] n 1) atsargumas; 2) įspėjimas
cautious ['kɔ:ʃəs] a atsargus
cave [keɪv] n urvas, ola
cavern ['kævən] n didelis urvas
caviar(e) ['kævɪa:] n ikrai
cease [si:s] v nustoti, baigti
cease-fire ['si:sfaɪə] n kar. ugnies nutraukimas
ceaseless ['si:sləs] a nepertraukiamas, nepaliaujamas
cedar ['si:də] n kedras
ceiling ['si:lɪŋ] n lubos
celebrate ['seləbreɪt] v švęsti, iškilmingai paminėti
celebration ['seləbreɪʃn] n šventimas, minėjimas
celery ['selərɪ] n bot. salieras
cell [sel] n ląstelė
cellar ['selə] n rūsys
cello ['tʃeləu] n violančelė
cement [sɪ'ment] n cementas; v cementuoti
cemetery ['semətrɪ] n kapinės
censure ['senʃə] v smerkti
cent [sent] n centas
centimetre (amer. centimeter) ['sentɪ'mi:tə] n centimetras
central ['sentrəl] a centrinis
centre ['sentə] n centras
century ['sentʃərɪ] n šimtme-

tis, amžius

cereal ['sɪərɪəl] (*miltų, kruopų*) košė

ceremony ['serəmənɪ] *n* ceremonija, apeigos

certain ['sə:tn] *a* (*tam*) tikras; b e ~ būti įsitikinusiam; **~ly** *adv* žinoma (*be abejo*); **~ty** *n* tikrumas

certificate [sə'tɪfɪkət] *n* pažymėjimas; pažyma

certify ['sə:tɪfaɪ] *v* 1) paliudyti, pažymėti; 2) laiduoti, garantuoti

chain [tʃeɪn] *n* grandinė

chair [tʃɛə] *n* kėdė

chairman ['tʃɛəmən] *n* pirmininkas

chalk [tʃɔ:k] *n* kreida

challenge ['tʃælɪndʒ] *v* mesti iššūkį; kviesti (*lenktyniauti ir pan.*); *n* iššūkis

chamber ['tʃeɪmbə] *n* 1) rūmai; 2) kamera

champion ['tʃæmpɪən] *n* 1) čempionas; 2) šalininkas; **~ship** *n* čempionatas

chance [tʃɑ:ns] *n* proga, šansas; atsitiktinumas; b y ~ atsitiktinai; t a k e a ~ rizikuoti; *a* atsitiktinis

change [tʃeɪndʒ] *v* keisti(s); mainyti(s); *n* 1) pasikeitimas; 2) grąža (*smulkiais pinigais*); **~able** [-əbl] *a* kintamas, nepastovus

channel ['tʃænl] *n* kanalas; griovys

chaos ['keɪɔs] *n* chaosas

chaotic [keɪ'ɔtɪk] *n* chaotiškas

chap [tʃæp] *n šnek.* vaikinas, vyrukas

chapel ['tʃæpl] *n* koplyčia

chapped [tʃæpt] *a* suskeldėjęs

chapter ['tʃæptə] *n* (*knygos*) skyrius

character ['kærəktə] *n* 1) personažas; 2) charakteris; 3) žmogus; 4) rašmuo

characterize ['kærəktəraɪz] *v* charakterizuoti, apibūdinti (*as*)

charge [tʃɑ:dʒ] *n* 1) pareiga; 2) mokestis, rinkliava; 3) kaltinimas; 4) *el.* krūvis; *v* 1) pavesti; 2) apkaltinti; 3) nustatyti kainą; 4) pulti; 5) įkrauti (*bateriją*)

charit|able ['tʃærɪtəbl] *a* labdaringas; **~y** *n* labdara

charm [tʃɑ:m] *n* žavesys; *pl* kerai; *v* žavėti, kerėti; **~ing** *a* žavus, žavingas

chart [tʃɑ:t] *n* 1) jūrlapis; žvaigždėlapis; 2) diagrama

charter ['tʃɑ:tə] *n* chartija; *v* frachtuoti

charwoman ['tʃɑ:'wumən] *n* padienė darbininkė, valytoja

chase [tʃeɪs] *v* vytis, perse-

chat

chat [tʃæt] *n* pasikalbėjimas; *v* šnekučiuotis, kalbėtis

chatter ['tʃætə] *n* (*t.p.* chatterbox, chatterer ['tʃætərə]) plepys

chatty ['tʃætɪ] *a* plepus, šnekus

chauffeur ['ʃəufə] *n* samdytas vairuotojas

cheap [tʃi:p] *a* pigus

cheat [tʃi:t] *v* apgauti; sukčiauti

check [tʃek] *v* (pa)tikrinti; *n* 1) (pa)tikrinimas; 2) *amer.* čekis; ~**out** *n* savitarnos parduotuvės kasa

checkup ['tʃekʌp] *n* medicininis patikrinimas

cheek [tʃi:k] *n* skruostas

cheeky ['tʃi:kɪ] *a* įžūlus

cheer [tʃɪə] *v* džiūgauti; ~ **up** pralinksmėti; *n pl* šauksmai "valio", aplodismentai

cheerful ['tʃɪəfəl] *a* linksmas, gyvas

cheese [tʃi:z] *n* sūris

chemical ['kemɪkl] *a* cheminis

chemist ['kemɪst] *n* chemikas

chemistry ['kemɪstrɪ] *n* chemija

cheque [tʃek] *n* čekis (*amer.* check)

cherish ['tʃerɪʃ] *v* puoselėti;

branginti (*atminimą*)

cherry ['tʃerɪ] *n* vyšnia

chess [tʃes] *n* šachmatai

chest [tʃest] *n* 1) krūtinė; 2) medinė dėžė; ~ **of drawers** komoda

chestnut ['tʃesnʌt] *n* kaštonas

chew [tʃu:] *v* kramtyti

chewing-gum ['tʃu:ɪŋgʌm] *n* kramtomoji guma

chick [tʃɪk] *n* paukščiukas

chicken ['tʃɪkɪn] *n* 1) viščiukas; višta; 2) vištiena

chief [tʃi:f] *n* viršininkas; *a* vyriausiasis, svarbiausias; ~**ly** *adv* svarbiausia

Chil|e ['tʃɪlɪ] *n* Čili; ~**ian** *n* čilietis

child [tʃaɪld] *n* (*pl* ~**ren** ['tʃɪldrən]) vaikas; ~**hood** *n* vaikystė; ~**ish** *a* vaikiškas

chilled [tʃɪld] *a* atvėsęs; sušalęs

chilly ['tʃɪlɪ] *a* šaltokas

chime [tʃaɪm] *v* skambinti varpais; *n* (*varpų*) skambėjimas

chimney ['tʃɪmnɪ] *n* kaminas

chimpanzee ['tʃɪmpən'zi:] *n* šimpanzė

chin [tʃɪn] *n* smakras

China ['tʃaɪnə] *n* 1) Kinija; 2) (china) porcelianas

Chinese ['tʃaɪ'ni:z] *a* kiniškas; *n* 1) kinas; 2) kinų kalba

chip [tʃɪp] *n* 1) skiedra; 2) *komp.* mikroschema; *v* suskaldyti

chirp [tʃəːp] *n* čiulbėjimas; *v* čiulbėti

chocolate [ˈtʃɔklət] *n* šokoladas

choice [tʃɔɪs] *n* pasirinkimas; *a* rinktinis, geriausias

choir [ˈkwaɪə] *n* choras

choke [tʃəuk] *v* paspringti; (už)dusti

choose [tʃuːz] *v* (**chose** [tʃəuz]; **chosen** [ˈtʃəuzn]) (pasi)rinkti; rinktis

chop [tʃɔp] *n* pjausnys; *v* kapoti; pjaustyti

choppy [ˈtʃɔpɪ] *a* banguotas

chose, chosen *žr.* choose

christen [ˈkrɪsn] *v* krikštyti; **~ing** *n* krikštas; krikštijimas

Christ [kraɪst] *n* Kristus

Christian [ˈkrɪstʃən] *n* krikščionis; *a* krikščioniškas

Christmas [ˈkrɪsməs] *n* Kalėdos

chuckle [ˈtʃʌkl] *n* kikenimas; *v* kikenti

chum [tʃʌm] *n šnek.* draugužis

chunk [tʃʌŋk] *n* didelis gabalas

church [tʃəːtʃ] *n* bažnyčia

churn [tʃəːn] *n* bidonas (*pienui*)

ciao [tʃau] *int šnek.*čiau!, iki!

cider [ˈsaɪdə] *n* sidras

cigar [sɪˈgaː] *n* cigaras

cigarette [ˈsɪgəˈret] *n* cigaretė

cinder [ˈsɪndə] *n* pelenai

cine-camera [ˈsɪnɪˈkæmərə] *n* kino kamera

cinema [ˈsɪnɪmə] *n* kinas

circle [ˈsəːkl] *n* 1) apskritimas; ratas; 2) (*draugų ir pan.*) būrelis

circuit [ˈsəːkɪt] *n* 1) apvažiavimas; 2) elektros grandinė

circular [ˈsəːkjulə] *a* apskritas, apvalus

circulat | e [ˈsəːkjuleɪt] *v* cirkuliuoti; **~ion** *n* 1) apyvarta; 2) apytaka

circumstances [ˈsəːkəmstənsiz] *n pl* aplinkybės

circus [ˈsəːkəs] *n* cirkas

cite [saɪt] *v* cituoti; remtis

citizen [ˈsɪtɪzn] *n* pilietis

city [ˈsɪtɪ] *n* miestas (*didmiestis, sostinė*)

civic [ˈsɪvɪk] *a* miesto

civil [ˈsɪvl] *a* pilietis; **~ian** [sɪˈvɪliən] *n* civilis

civilization [ˈsɪvɪlaɪˈzeɪʃn] *n* civilizacija

claim [kleɪm] *n* 1) reikalavimas; 2) teisė, pretenzija; *v* 1) reikalauti; 2) tvirtinti

clamber [ˈklæmbə] *v* karstytis (*į medį*)

clan [klæn] *n* klanas, gentis

clang [klæŋ] *n* skambėjimas,

žvangėjimas

clap [klæp] *n* (*rankų*) plojimas; *v* ploti

clarify ['klærɪfaɪ] *v* išaiškinti

clash [klæʃ] *n* susidūrimas, konfliktas; *v* susidurti; susiremti

class [klɑ:s] *n* klasė; ~**room** [-rum] *n* klasė (*patalpa*)

classic ['klæsɪk] *a* klasikinis; *n* klasikas

classification ['klæsɪfɪ'keɪʃn] *n* klasifikavimas; klasifikacija

classify ['klæsɪfaɪ] *v* 1) klasifikuoti; 2) įslaptinti

clatter ['klætə] *v* tarškėti, bildėti; *n* kaukšėjimas; tarškesys

clause [klɔ:z] *n* sakinys (*pagrindinis ar šalutinis*)

claw [klɔ:] *n* 1) letena (*su nagais*); 2) žnyplės; 3) *tech.* letena, replės

clay [kleɪ] *n* molis

clean [kli:n] *a* švarus; *v* valyti

cleaner's ['kli:nəz] *n* cheminė valykla

clear [klɪə] *a* giedras, aiškus; ~**ly** *adv* aiškiai; ryškiai

clergy ['klɜ:dʒɪ] *n* dvasininkija; ~**man** *n* dvasininkas

clerk [klɑ:k] *n* tarnautojas; klerkas; valdininkas

clever ['klevə] *a* protingas; gudrus

click [klɪk] *v* spragtelėti,

trakštelėti; *n* spragtelėjimas (*mechanizmo*)

client ['klaɪənt] *n* klientas

cliff [klɪf] *n* stati uola

climate ['klaɪmɪt] *n* klimatas

climb [klaɪm] *v* (į)lipti, (į)kopti; ~**er** *n* alpinistas

cling [klɪŋ] (**clung** [klʌŋ]) *v* prilipti; priglusti

clinic ['klɪnɪk] *n* klinika; poliklinika

clip [klɪp] *n* segtukas (*popieriams, skalbiniams*); *v* susegti; ~**ping** *n* (*laikraščio*) iškarpa

cloak [kləuk] *n* apsiaustas; ~-**room** [-rum] *n* 1) bagažo saugykla (*stotyje*); 2) drabužinė; 3) tualeto kambarys

clock [klɔk] *n* laikrodis (*sieninis, stalinis*)

close [kləuz] *v* uždaryti; *a* [kləus] artimas; *adv* [kləus] arti; *n* [kləuz] pabaiga

clot [klɔt] *n* 1) gumulėlis; 2) (*kraujo*) krešulys

cloth [klɔθ] *n* 1) audeklas; 2) skuduras; staltiesė; ~**es** [kləuðz] *n pl* drabužiai

clothing ['kləuðɪŋ] *n* apranga

cloud [klaud] *n* debesis; ~**y** *a* debesuotas

clown [klaun] *n* klounas; juokdarys

club [klʌb] *n* 1) klubas; 2) vėzdas; 3) *pl* (*kortų*) kryžiai

cluck [klʌk] *n* kvaksėjimas; *v* kudakuoti, kvaksėti

clue [klu:] *n* raktas (*problemai išspręsti*)

clump [klʌmp] *n* (*medžių ir pan.*) grupė

clumsy ['klʌmzɪ] *n* nerangus

clung *žr.* **cling**

cluster ['klʌstə] *n* 1) grupė, būrelis; 2) kekė

clutch [klʌtʃ] *v* stipriai sugriebti, supausti

co- [kəu-] *prefix* kartu; bendra-; **co-author** [kəu'ɔ:θə] *n* bendraautoris

coach I [kəutʃ] *n* treneris

coach II *n* 1) turistinis tarpmiestinis autobusas; 2) keleivinis vagonas; 3) karieta

coal [kəul] *n* (*akmens*) anglys

coast [kəust] *n* pajūris; pakrantė

coastguard ['kəustɡɑ:d] *n* pakrantės apsauga

coarse [kɔ:s] *a* šiurkštus, grubus

coat [kəut] *n* apsiaustas; švarkas; *v* padengti (*pvz., metalu*)

coax [kəuks] *v* įkalbinėti, įtikinti

cobweb ['kɔbweb] *n* voratinklis

cock [kɔk] *n* gaidys; ~**pit** *n* lakūno kabina

cocktail ['kɔkteɪl] *n* kokteilis

cocoa ['kəukəu] *n* kakava

coconut ['kəukənʌt] *n* kokoso riešutas

cod [kɔd] *n* menkė

code [kəud] *n* 1) kodas; 2) kodeksas

coffee ['kɔfɪ] *n* kava; ~**-grinder** [-ɡraɪndə]*n* kavamalė; ~**-pot** [-pɔt] *n* kavinukas

coffin ['kɔfɪn] *n* karstas

cog [kɔɡ] *n* 1) (*rato*) krumplys; 2) *perk.* sraigtelis

coil [kɔɪl] *n* 1) spiralė; 2) *el.* ritė; 3) virvė (*susukta į ritinį*)

coin [kɔɪn] *n* moneta

coincid|e ['kəuɪn'saɪd] *v* sutapti;~**ence** [kəu'ɪnsɪdəns] *n* sutapimas

cold [kəuld] *n* šaltis; *a* šaltas

collapse [kə'læps] *v* (su)griūti; *n* (su)griuvimas

collar ['kɔlə] *n* apykaklė

colleague ['kɔli:ɡ] *n* kolega

collect [kə'lekt] *v* rinkti; ~**ion** [kə'lekʃn] *n* kolekcija

collective [kə'lektɪv] *a* kolektyvinis

college ['kɔlɪdʒ] *n* koledžas; kolegija

colli|de [kə'laɪd] *v* susidurti; ~**sion** [kə'lɪʒn]*n* susidūrimas

colon ['kəulən] *n* dvitaškis

colonel ['kɜ:nl] *n* pulkininkas

colonial [kə'ləunɪəl] *a* kolonijinis

colony ['kɔlənɪ] *n* kolonija

colossal [kə'lɔsl] *a* kolosalus

colour ['kʌlə] *n* (*amer.* color) spalva

colo(u)red ['kʌləd] *a* 1) nuspalvintas; 2) spalvotas; 3) spalvotasis (*apie rasę*)

colo(u)rful ['kʌləfəl] *a* spalvingas; ryškus

column ['kɔləm] *n* 1) kolona; 2) stulpas, stulpelis; 3) skiltis (*laikraštyje*)

commission [kə'mɪʃn] *n* 1) įgaliojimas; 2) komisija

comb [kəum] *n* šukos; *v* šukuotis

combat ['kɔmbæt] *v* kovoti (*su*)

combine [kəm'baɪn] *v* (su)jungti; ['kɔmbaɪn] *n* ž.ū. kombainas (*t.p.* ~ harvester)

come [kʌm] *v* (came [keɪm]; come) 1) ateiti, atvykti; 2) (*atsitiktinai*) susitikti; užtikti (across); ~ about atsitikti; ~ back sugrįžti; ~ in įeiti

comedian [kə'miːdɪən] *n* komikas (*aktorius*)

comedy ['kɔmədɪ] *n* komedija

comfort ['kʌmfət] *n* patogumas, komfortas

comic ['kɔmɪk] *n* 1) komikas; 2) komiksas; *a* komiškas

comical *a* = comic *a*

comma ['kɔmə] *n* kablelis

command [kə'maːnd] *n* 1) komanda; 2): a good ~ (of) geras (ko) mokėjimas

commence [kə'mens] *v* pra(si)dėti

comment; *n* [kɔ'ment] *v* komentuoti; *n* komentaras; **~ary** ['kɔməntərɪ] *n* komentaras; running ~ary *rad., tel.* reportažas **~ator** ['kɔmənteɪtə] *n* komentatorius

commerce ['kɔməːs] *n* prekyba; komercija

commercial [kə'məːʃl] *a* prekybinis, komercinis

commit [kə'mɪt] *v* padaryti, įvykdyti (*ką bloga*)

committee [kə'mɪtɪ] *n* 1) komisija; 2) komitetas

common ['kɔmən] *a* 1) bendras; 2) paprastas; *n* bendra valda (*žemės*); in ~ bendrai, kartu; **~place** [-pleɪs] *n* banalybė

commonwealth ['kɔmənwelθ] *n* federacija, sandrauga

communicate [kə'mjuːnɪkeɪt] *v* 1) bendrauti, turėti ryšį; 2) perduoti, pranešti

communication [kə'mjuːnɪ'keɪʃn] *n* 1) bendravimas; 2) *pl* ryšiai; susisiekimas

communist ['kɔmjunɪst] *n* komunistas; *a* komunistinis

community [kəˈmjuːnətɪ] *n* bendruomenė; visuomenė

commute [kəˈmjuːt] *v* reguliariai važinėti; ~r *n* asmuo, reguliariai važinėjantis (*į darbą ir atgal*)

companion [kəmˈpænjən] *n* 1) bendrakeleivis; 2) draugas

company [ˈkʌmpənɪ] *n* 1) kompanija, bendrovė; 2) draugija; 3) svečiai

comparative [kəmˈpærətɪv] *a* lyginamasis; ~ly *adv* palyginti

compare [kəmˈpɛə] *v* (pa)lyginti (*su*); as ~d with palyginti su

comparison [kəmˈpærɪsn] *n* 1) lyginimas; 2) *gram.* laipsniavimas

compartment [kəmˈpaːtmənt] *n* 1) kupė; 2) skyrius, kamera

compass [ˈkʌmpəs] *n* 1) kompasas; 2) *pl* skriestuvas

compassion [kəmˈpæʃn] *n* gailestis, užuojauta; ~ate [-ət] *a* užjaučiantis

compel [kəmˈpel] *v* priversti (*ką daryti*)

compensat|e [ˈkɒmpenseɪt] *v* kompensuoti; ~ion *n* kompensacija; (*žalos*) atlyginimas

compete [kəmˈpiːt] *v* varžytis, konkuruoti, rungtyniauti

competition [ˌkɒmpəˈtɪʃn] *n* varžybos; konkursas

competitor [kəmˈpetɪtə] *n* varžovas

complain [kəmˈpleɪn] *v* skųstis (*about*); ~t *n* 1) nusiskundimas; 2) *teis.* skundas

complement *n* [ˈkɒmplɪmənt] papildymas; *v* [-ment] papildyti

complete [kəmˈpliːt] *v* užbaigti; *a* pilnas, visiškas; ~ly *adv* visiškai

complex [ˈkɒmpleks] *a* sudėtingas; ~ity [kəmˈpleksətɪ] *n* sudėtingumas

complicated [ˈkɒmplɪkeɪtɪd] *a* sudėtingas

compliment [ˈkɒmplɪmənt] *n* komplimentas; to pay ~s sakyti komplimentus

complimentary [ˌkɒmplɪˈmentərɪ] *a* (pa)giriamasis; duodamas nemokamai

compos|e [kəmˈpəuz] *v* komponuoti; sudaryti; sukurti; ~er *n* kompozitorius

composition [ˌkɒmpəˈzɪʃn] *n* 1) kompozicija; 2) (*mokinio*) rašinys; 3) sudėtis, struktūra

compound [ˈkɒmpaund] *n* (*cheminis*) mišinys, junginys; *a* sudėtinis

comprehen|d [ˌkɒmprɪˈhend] *v* suvokti, suprasti; ~sive *a*: ~sive school (*valstybinė*) vidurinė mokykla

compress [kəm'pres] v su(si) spausti; su(si)slėgti; sutrumpinti (straipsnius ir *pan.*)

comprise [kəm'praiz] v susidėti (*iš*); su(si)daryti

compuls|ion [kəm'pʌlʃn] n prievarta; ~ory a priverstinis; privalomas

comput|e [kəm'pju:t] v skaičiuoti; ~er n elektroninė skaičiavimo mašina, kompiuteris

comrade ['kɔmreid] n draugas

concave ['kɔnkeiv] a įgaubtas

conceal [kən'si:l] v (pa)slėpti

conceited [kən'si:tid] a pasipūtęs, išpuikęs

concentrate ['kɔnsəntreit] v susikaupti, koncentruoti

conception [kən'sepʃn] n koncepcija; sąvoka

concern [kən'sə:n] v liesti, turėti ryšį; dominti; n rūpestis

concerned [kən'sə:nd] a 1) susirūpinęs; 2) susijęs (with - *su*)

concerning [kən'sə:nɪŋ] prep apie, dėl

concert ['kɔnsət] n koncertas

concession [kən'seʃn] n nuolaida; lengvata

conclude [kən'klu:d] v 1) baigti; 2) daryti išvadą; 3) sudaryti (*sutartį ir pan.*)

conclu|sion [kən'klu:ʒn] n išvada; pabaiga; ~sive [-siv] a

galutinis, baigiamasis

concrete I ['kɔnkri:t] n betonas; a betono, betoninis

concrete II ['kɔnkri:t] a konkretus, realus; n kas nors konkretus/realus; in the ~ konkrečiai, realiai

condemn [kən'dem] v smerkti

condition [kən'dɪʃn] n 1) sąlyga; 2) būklė

conduct [kən'dʌkt] v elgtis; vadovauti; ['kɔndʌkt] n poelgis; ~or n 1) konduktorius; 2) dirigentas; 3) *el.* laidininkas

cone [kəun] n 1) konkorėžis; 2) kūgis (*geometrijoje*)

confectionary [kən'fekʃənərɪ] n konditerija

conference ['kɔnfərəns] n konferencija; pasitarimas

confess [kən'fes] v 1) išpažinti (*nuodėmes*); 2) prisipažinti

confide [kən'faid] v 1) pasitikėti (in); 2) išsipasakoti

confidence ['kɔnfidəns] n pa(si)tikėjimas

confident ['kɔnfidənt] a tikras, įsitikinęs; pasitikintis

confirm [kən'fə:m] v patvirtinti

conflict ['kɔnflıkt] n konfliktas; ~ing [kən'flıktıŋ] a prieštaraujantis, prieštaringas

confuse [kən'fju:z] v 1) sumaišyti, supainioti; 2) kelti

sąmyšį; ~ed [kən'fu:zd] *a* su-
painiotas; susipainiojęs
congratulate
[kən'grætʃuleɪt] *v* sveikinti
congratulations
[kən'grætʃu'leɪʃn] *n pl* svei-
kinimai
congress ['kɔŋgres] *n* suvažia-
vimas
conifer ['kɔnifə] *n bot.* spyg-
liuotis
conjunction [kən'dʒʌŋkʃn] *n*
1) *gram.* jungtukas; 2): in ~
w i t h bendrai, kartu su
conjure ['kʌndʒə] *v* daryti fo-
kusus
conjuror ['kʌndʒərə] *n*
fokusininkas
connect [kə'nekt] *v* sujungti; *a*
susijęs; ~ion *n* ryšys, sąryšis
conquer ['kɔŋkə] *v* 1) užkariau-
ti; 2) nugalėti; ~or *n* užkariau-
tojas
conquest ['kɔŋkwest] *n* 1)
užkariavimas; 2) pergalė
conscience ['kɔnʃəns] *n* sąži-
nė
conscious ['kɔnʃəs] *a* 1) su-
prantantis; 2) sąmoningas;
~ness *n* 1) sąmonė; 2) są-
moningumas
conscript ['kɔnskrɪpt] *n* šauk-
tinis (*į karo tarnybą*)
consecrate ['kɔnsɪkreɪt] *v*
pašventinti, įšventinti
consent [kən'sent] *v* sutikti, pri-

tarti, patvirtinti; *n* sutikimas,
pritarimas, patvirtinimas
conserv|ative [kən'sə:vətɪv] *a*
konservatyvus; t h e C. Party
konservatorių partija; *n* kon-
sevatorius; ~e *v* 1) išsaugoti,
išlaikyti; 2) tausoti
consequence ['kɔnsɪkwəns] *n*
pasekmė
consequently ['kɔnsɪkwəntlɪ]
adv todėl, vadinasi
consider [kən'sɪdə] *v* 1) many-
ti, laikyti; 2) svarstyti, (ap)gal-
voti; ~able [-rəbl] *a* žymus,
didelis
considerate [kən'sɪdərət] *a* ati-
dus, taktiškas
consideration [kən'sɪdə'reɪʃn]
n 1) (ap)svarstymas; apgalvoji-
mas; 2) (*žmonių*) tausojimas,
dėmesys
consist [kən'sɪst] *v* susidėti
(of -*iš*)
consolation ['kɔnsə'leɪʃn] *n*
paguoda
console [kən'səul] *v* (pa)-
guosti
consonant ['kɔnsənənt] *n* prie-
balsis
conspictuous [kən'spɪkjuəs]
a žymus, ryškus; krintantis
į akį
conspiracy [kən'spɪrəsɪ] *n* 1)
sąmokslas; 2) konspiracija
conspirator [kən'spɪrətə] *n*
sąmokslininkas

conspire [kənˈspaɪə] v rengti sąmokslą

constable [ˈkʌnstəbl] n policininkas

constant [ˈkɔnstənt] a pastovus; ~ly adv nuolat

constituency [kənˈstɪtjuənsɪ] n rinkimų apygarda

constitute [ˈkɔnstɪtjuːt] v 1) įsteigti, 2) sudaryti

constitution [ˌkɔnstɪˈtjuːʃn] n konstitucija

constrict [kənˈstrɪkt] v (su)varžyti; (su)veržti

construct [kənˈstrʌkt] v statyti; konstruoti; ~ion n [-kʃn] n 1) statyba; konstravimas; 2) pastatas

consul [ˈkɔnsəl] n konsulas

consulate [ˈkɔnsjulət] n konsulatas

consult [kənˈsʌlt] v konsultuoti(s); ~ation [ˌkɔnsəlˈteɪʃn] n konsultacija

consum|e [kənˈsjuːm] v 1) (su)vartoti; ~er n vartotojas; ~er goods plataus vartojimo prekės

contact [ˈkɔntækt] n sąlytis; kontaktas; v susisiekti (su)

contain [kənˈteɪn] v 1) turėti savyje; 2) tilpti; ~er n konteineris

contaminate [kənˈtæmɪneɪt] v užkrėsti

contempt [kənˈtempt] n panieka; ~ible a niekingas

contemporary [kənˈtempərərɪ] n amžininkas; a šiuolaikinis

content [kənˈtent] a patenkintas

contents [ˈkɔntents] n pl turinys

contest n [ˈkɔntest] varžybos; konkursas; v [kənˈtest] varžytis

contestant [kənˈtestənt] v varžybų dalyvis

context [ˈkɔntekst] n kontekstas

continent [ˈkɔntɪnənt] n žemynas, kontinentas

continual [kənˈtɪnjuəl] a nepaliaujamas

continue [kənˈtɪnjuː] v tęsti; to be ~d bus daugiau, nuolatinis

continuous [kənˈtɪnjuəs] a nenutrūkstamas, ištisinis; nuolatinis

contra- [kɔntrə-] kontr(a)-; cóntráband kontrabanda

contract [ˈkɔntrækt] n sutartis, sandoris

contrary [ˈkɔntrərɪ] a priešingas; n: on the ~ priešingai

contrast [ˈkɔntraːst] n skirtumas; v [kənˈtraːst] 1) supriešinti, (su)gretinti; 2) skirtis

contribute [kənˈtrɪbjuːt] v 1) prisidėti; 2) daryti įnašą; 3) bendradarbiauti

contribution ['kɒntrɪ'bjuːʃn] *n*
1) įnašas; 2) bendradarbiavi-
mas (*spaudoje*)

control [kən'trəul] *n* 1) kon-
trolė; 2) valdymas; be in ~
of vadovauti; ~s *pl* mašinos
valdymo prietaisai/svirtys; *v* 1)
tikrinti; 2) valdyti

convenien|ce [kən'viːnɪəns]
n patogumas; ~t *a* patogus,
tinkamas

convent ['kɒnvənt] *n* moterų
vienuolynas

conventional [kən'venʃnəl] *a*
sutartinis; įprastinis; tradi-
cinis

conversation ['kɒnvə'seɪʃn] *n*
pokalbis

conversion [kən'vɜːʃn] *n* 1)
(pa)vertimas; (pa)virtimas; 2)
at(si)vertimas; 3) perskaičia-
vimas (*kitais vienetais*)

convex ['kɒnveks] *a* išgaub-
tas

convey [kən'veɪ] *v* 1) perduoti;
pateikti; 2) pergabenti; ~er,
-or *n* konvejeris

convict ['kɒnvɪkt] *n* kalinys; *v*
pripažinti kaltu, nuteisti

conviction [kən'vɪkʃn] *n* 1) į(si)-
tikinimas; 2) nuteisimas

convince [kən'vɪns] *v* įtikinti

cook [kuk] *v* virti; gaminti (*val-
gį*); *n* virėjas; ~er *n* viryklė

cookery ['kukərɪ] *n* kulinarija

cool [kuːl] *a* 1) vėsus; 2) ra-

mus

co-operate [kəu'ɒpəreɪt] *v* ben-
dradarbiauti, padėti

co-operation [kəu'ɒpə'reɪʃn] *n*
bendradarbiavimas

co-operative [kəu'ɒpərətɪv] *a*
linkęs bendradarbiauti

coordinate [kəu'ɔːdɪneɪt] *v* ko-
ordinuoti, derinti

cop [kɒp] *n* policininkas

cope [kəup] *v* 1) susidoroti
(*with*); 2) to have to ~
(with) susidurti, pakęsti

copper ['kɒpə] *n* varis

copy ['kɒpɪ] *v* 1) nurašyti; 2)
kopijuoti; *n* 1) kopija; 2) eg-
zempliorius

cord [kɔːd] *n* plona virvė, špa-
gatas

cordial ['kɔːdɪəl] *a* širdingas,
draugiškas

core [kɔː] *n* 1) šerdis; 2) *prk.*
esmė

cork [kɔːk] *n* kamštis; ~screw
[-skruː] *n* kamščiatraukis; *v* už-
kimšti (*kamščiu*)

corn [kɔːn] *n* 1) grūdai; 2)
javai; 2) *amer.* kukurūzai

corner ['kɔːnə] *n* 1) kampas;
2) *sport.* kampinis

cornflakes ['kɔːnfleɪks] *n pl*
kukurūzų dribsniai

coronation ['kɒrə'neɪʃn] *n* karū-
navimas

corporation ['kɔːpə'reɪʃn] *n*
korporacija

corpse [kɔːps] *n* lavonas

corpulent ['kɔːpjulənt] *s* storas, apkūnus

correct [kə'rekt] *v* taisyti; koreguoti; *a* teisingas; **~ion** [kə'rekʃn] *n* (iš)taisymas

correspond ['kɔrɪ'spɔnd] *v* 1) atitikti (*to, with*); 2) susirašinėti (*with*); **~ence** [-əns] *n* korespondencija; **~ent** [-ənt] *n* korespondentas

corridor ['kɔrɪdɔː] *n* koridorius

cosmetic [kɔz'metɪk] *a* kosmetinis; **~s** *n pl* kosmetinės priemonės

cosmic ['kɔzmɪk] *a* kosminis

cosmonaut ['kɔzmənɔːt] *n* kosmonautas

cost [kɔst] *v* (cost) kainuoti; **~ly** *a* brangus

costume ['kɔstjuːm] *n* 1) kostiumas; 2) drabužiai (*pvz., tautiniai*)

cosy ['kəuzɪ] *a* jaukus

cot [kɔt] *n* vaikiška lovytė

cottage ['kɔtɪdʒ] *n* vasarnamis, užmiesčio namelis

cotton ['kɔtn] *n* 1) medvilnė; 2) vata; *a, attr* medvilninis; **~-wool** ['kɔtn'wul] *n* vata

couch [kautʃ] *n* sofa; kušetė

cough [kɔf] *v* kosėti; *n* kosulys

could žr. can

couldn't = could not

council ['kaunsl] *n* taryba; city/town ~ municipalitetas, miesto taryba

count [kaunt] *v* skaičiuoti; **~less** *a* nesuskaičiuojamas

counter I ['kauntə] *n* 1) prekystalis; 2) langelis (*banko*)

counter II : ~ to *prep* prieš

counteract ['kauntə'ækt] *v* veikti prieš; neutralizuoti

country ['kʌntrɪ] *n* 1) šalis; 2) tėvynė; 3) kaimas, užmiestis (*papr.* the ~)

county ['kauntɪ] *n* grafystė (*rajonas*)

couple ['kʌpl] *n* pora

coupon ['kuːpɔn] *n* kuponas

courage ['kʌrɪdʒ] *n* drąsa; **~ous** [kə'reɪdʒəs] *a* drąsus

course [kɔːs] *n* 1) kursas; 2) eiga; 3) patiekalas; in the ~ of per, metu; in the ~ of time laikui bėgant; of ~ žinoma, be abejo

court [kɔːt] *n* 1) teismas; 2) kiemas; 3) (*žaidimų*) aikštelė, kortas; **~eous** ['kɔːtɪəs] *a* mandagus

courtship ['kɔːtʃɪp] *n* piršimasis

courtyard ['kɔːtjɑːd] *n* kiemas (*tarp pastatų*)

cousin ['kʌzn] *n* pusbrolis; pusseserė

cove [kəuv] *n* įlankėlė

cover ['kʌvə] *v* 1) uždengti; 2)

aprėpti, apimti; *n* 1) dangtis; 2) (*knygos*) viršelis; **~ing** [-rɪŋ] *n* apdengimas; danga

cow [kau] *n* karvė

coward ['kauəd] *n* bailys

cowboy ['kaubɔɪ] *n* kaubojus

crab [kræb] *n* krabas

crack [kræk] *n* plyšys; **~** įtrūkti

cracker ['krækə] *n* 1) traškutis (*sausainis*); 2) fejerverkas; 3) *pl* spaustukai (*riešutams*)

crackle ['krækl] *v* traškėti (*apie degantį*)

cradle ['kreɪdl] *n* lopšys

craft [kra:ft] *n* 1) amatas; 2) gudrybė; 3) *pl* laivai, lėktuvai

craftsman ['kra:ftsmən] *n* meistras, amatininkas

crafty ['kra:ftɪ] *a* gudrus, klastingas

crag [kræg] *n* stati uola

cram [kræm] *n* kamšatis, grūstis; **~med** *a* sausakimšas

cranberry ['krænbərɪ] *n* spanguolė

crane [kreɪn] *n* 1) gervė; 2) keliamasis kranas

crash [kræʃ] *n* 1) trenksmas; 2) krachas; avarija; *v* nukristi, sudužti; **~helmet** [-helmɪt] *n* (*apsaugos*) šalmas

crater ['kreɪtə] *n* krateris

crawl [krɔ:l] *v* šliaužti; *n* kraulis (*plaukimo būdas*)

craze [kreɪz] *n* mada, susižavėjimas

crazy ['kreɪzɪ] *a* 1) išprotėjęs, pamišęs; 2) susižavėjęs (*about*)

creak [kri:k] *v* girgždėti

cream [kri:m] *n* 1) kremas; 2) grietinėlė; **~y** *a* 1) kreminis; 2) su grietinėle; grietininis

crease [kri:s] *v* raukšlėti; *n* raukšlė

create [kri'eɪt] *v* 1) kurti; 2) sukelti

creat|ion [krɪ'eɪʃn] *n* (su)kūrimas; kūryba; **~ive** *a* kūrybingas; kūrybinis

creator [krɪ'eɪtə] *n* kūrėjas

creature ['kri:tʃə] *n* būtybė; padaras

credit ['kredɪt] *n* 1) pasitikėjimas; 2) geras vardas; 3) paskola, kreditas

creep [kri:p] *v* (**crept** [krept]) 1) šliaužti; 2) slinkti, sėlinti; **~er** *n* vijoklis

crescent ['kresnt] *n* pusmėnulis

crest [krest] *n* 1) viršūnė, ketera; 2) skiauterė, kuodas

crew [kru:] *n* 1) (*laivo, lėktuvo*) įgula; ekipažas; brigada

cricket I ['krɪkɪt] *n* sport. kriketas

cricket II *n* svirplys

cries [kraɪz] *n* verksmas; šauksmai

crime [kraɪm] n nusikaltimas

criminal ['krɪmɪnl] n nusikaltėlis; a 1) kriminalinis; 2) nusikalstamas

crimson ['krɪmzn] a tamsiai raudonas

cripple ['krɪpl] v suluošinti; n luošys, invalidas

crisis ['kraɪsɪs] n (pl crises ['kraɪsi:z]) krizė

crisps [krɪsps] a traškus; n pl (bulvių) traškučiai

critical ['krɪtɪkl] a 1) kritiškas; pavojingas (pvz., susirgimas); 2) kritinis

criticism ['krɪtɪsɪzm] n kritika

criticize ['krɪtɪsaɪz] v kritikuoti

croak [krəʊk] n krankimas; kurkimas; v krankti, kvarkti, kurkti

Croat ['krəʊət] n kroatiškas; ~ia [krəʊ'eɪʃə] n Kroatija; ~ian n kroatų

crockery ['krɒkərɪ] n (moliniai, porceliano) indai

crocodile ['krɒkədaɪl] n krokodilas

crook [kruk] n 1) lazda; 2) šnek. sukčius; 3) sulenkimas; v sulenkti

crooked ['krukɪd] a 1) sulenktas, kreivas; 2) suktas

crop [krɒp] n 1) derlius; 2) pl pasėliai, javai

cross [krɒs] n kryžius; v 1) pereiti (skersai); 2) žegnoti(s); ~ off/out išbraukti; a piktas

cross-examination ['krɒsɪgzæmɪ'neɪʃn] n teis. kryžminė apklausa

cross-examine ['krɒsɪg'zæmɪn] v teis. kryžmiškai apklausti

crossing ['krɒsɪŋ] n 1) perėja; 2) kryžkelė

crossroads ['krɒsrəʊd] n kryžkelė, sankryža

crossword ['krɒswɔ:d] n kryžiažodis

crouch [krautʃ] v 1) susigūžti; 2) pasilenkti; pritūpti

crow [krəʊ] n varna

crowd [kraud] n minia; ~ed a perpildytas; pilnutėlis

crown [kraun] n karūna; v karūnuoti

crucifix ['kru:sɪfɪks] n nukryžiuotasis

crucify ['kru:sɪfaɪ] v nukryžiuoti

cruel [kruəl] a žiaurus; ~ty n žiaurumas

cruise [kru:z] n kelionė jūra; ~r n kreiseris

crumb [krʌm] n gabalėlis, trupinėlis (duonos)

crumble ['krʌmbl] v trupinti; trupėti

crumple ['krʌmpl] v glamžyti(s)

crunch [krʌntʃ] v 1) triuškinti; 2) trašketi, girgždeti (po kojomis)

crush [krʌʃ] n grūstis, spūstis; v 1) (su)traiškyti; 2) (su)triuškinti

crust [krʌst] n pluta

crutch [krʌtʃ] n ramentas

cry [kraɪ] v 1) rėkti; 2) verkti; ~-baby [-beɪbɪ] n verksnys

cub [kʌb] n (žvėries) jauniklis

Cuba [kjuːbə] n Kuba; ~n n ir kubietis, -ė; a kubiečių

cube [kjuːb] n kubas; v mat. pakelti kubu

cubic [kjuːbɪk] a kubinis

cuckoo [kuːkuː] n gegutė

cucumber [kjuːkʌmbə] n agurkas

cuddle [kʌdl] v priglausti, apkabinti

cuff [kʌf] n rankogalis

culpable [kʌlpəbl] a kaltas; baustinas

culprit [kʌlprɪt]n kaltininkas

cultivate [kʌltɪveɪt] v (ap)dirbti (žemę); kultivuoti

cultural [kʌltʃərəl] a kultūrinis

culture [kʌltʃə] n kultūra; ~d a kultūringas

cunning [kʌnɪŋ] a 1) gudrus; suktas; 2) sumanus; 3) amer. pikantiškas; n 1) gudrybė, suktybė; 2) sumanumas

cup [kʌp] n 1) puodukas; 2) taurė

cupboard [kʌbəd] n bufetas, spintelė

curate [kjuərət] n pastoriaus/klebono padėjėjas; vikaras

curb [kəːb] n amer. šaligatvio kraštas

curd(s) [kəːd(z)] n varškė

cure [kjuə] v (iš)gydyti

curiosity [kjuərɪɒsətɪ] n žingeidumas

curious [kjuərɪəs] a 1) smalsus; 2) keistas, neįprastas

curl [kəːl] n garbana; v garbanoti (plaukus); ~er n suktukas (plaukams garbanoti); ~y a garbanotas

currant [kʌrənt] n serbentai

currency [kʌrənsɪ] n valiuta; h a r d ~ tvirtoji valiuta

current [kʌrənt] n srovė; a einamas, dabartinis

curry [kʌrɪ] n aštrus ragu; karis

curse [kəːs] v 1) keikti(s); 2) (pra)keikti

curtail [kəːteɪl] v 1) sutrumpinti; 2) (su)mažinti, (ap)riboti (išlaidas ir pan.)

curtain [kəːtn] n 1) uždanga; 2) užuolaida

curtsey [kəːtsɪ] n reveransas; v daryti reveransą

curve [kəːv] n 1) kreivė; 2) vingis, išlinkis

curved [kəːvd] a kreivas, išlenktas

cushion ['kuʃn] *n* pagalvėlė

custard ['kʌstəd] *n* saldus padažas/kremas

custody ['kʌstədɪ] *n* 1) globa; 2) saugojimas; 3) suėmimas

custom ['kʌstəm] *n* paprotys

customer ['kʌstəmə] *n* klientas, pirkėjas

customs ['kʌstəmz] *n pl* muitas; muitinė

cut [kʌt] (**cut**) *v* pjauti; ~ down 1) iškirsti (*medžius*); 2) (ap)kirpti; (ap)karpyti; 3) sumažinti (*išlaidas ir pan.*)

cutlery ['kʌtlərɪ] *n* stalo įrankiai

cutlet ['kʌtlɪt] *n* pjausnys; kotletas

cutting ['kʌtɪŋ] *a* 1) aštrus; kandus; 2) šaizus, žvarbus

cycle I ['saɪkl] *n* dviratis; *v* važiuoti dviračiu

cycle II *n* ciklas

cycl|ing ['saɪklɪŋ] *n* dviračių sportas; ~ist *n* dviratininkas

cyclone ['saɪkləun] *n* ciklonas

Czech [tʃek] *n* 1) čekas, -ė; 2) čekų kalba; *a* čekiškas; ~ Republic Čekija

D

dab [dæb] *v* 1) liestelėti; palytėti; 2) teptelėti

dad [dæd], **daddy** ['dædɪ] *n* šnek. tėtis, tėvelis

daffodil ['dæfədɪl] *n* gelsvasis narcizas

daft [da:ft] *a* šnek. kvailokas

dagger ['dægə] *n* durklas

dahlia ['deɪlɪə] *n bot.* jurginas

daily ['deɪlɪ] *a* kasdieninis; *n* dienraštis

dainty ['deɪntɪ] *a* dailus, žavus; *n* skanėstas

dairy ['dɛərɪ] *n* pieninė

daisy ['deɪzɪ] *n bot.* saulutė

dam [dæm] *n* užtvanka

damage ['dæmɪdʒ] *n* žala, nuostolis; *v* 1) padaryti nuostolių/žalos; pakenkti; 2) (su)gadinti

damn(ed) [dæm(d)] *a* prakeiktas; bjaurus

damp [dæmp] *a* drėgnas

dance [da:ns] *v* šokti; *n* šokis

dandelion ['dændɪlaɪən] *n bot.* kiaulpienė

dandruff ['dændrəf] *n* pleiskanos

dandy ['dændɪ] *n* dabita

Dan|e [deɪn] *n* danas; ~ish *a* danų, daniškas; *n* danų kalba

danger ['deɪndʒə] *n* pavojus; **~ous** ['deɪndʒərəs] *a* pavojingas

dare [dɛə] *v* drįsti; **~devil** ['dɛə'devl] *n* drąsuolis

daring ['dɛərɪŋ] *a* drąsus, bebaimis

dark [da:k] *a* tamsus; **~ness** *n* tamsa

darling ['da:lɪŋ] *n*, *a* brangus(is); mylimas(is)

darn [da:n] *v* adyti

dart [da:t] *n* 1) strėlė; 2) *pl* smiginis, strėlių mėtymas (*žaidimas*); *v* mesti(s), lėkti

dash [dæʃ] *v* 1) mestis; pulti; 2) tėkšti; 3) atskiesti, atmiešti; *n* brūkšnys, brūkšnelis

data ['deɪtə] *n pl* duomenys (*sg datum*)

date [deɪt] *n* 1) data; 2) *šnek.* pasimatymas; *v* datuoti; **~d** [-ɪd] *a* pasenęs

daughter ['dɔ:tə] *n* duktė; **~-in-law** [-ɪnlɔ:] *n* marti

dawdle ['dɔ:dl] *v* dykinėti; gaišti

dawn [dɔ:n] *n* aušra

day [deɪ] *n* diena; the ~ before yesterday užvakar; the ~ after tomorrow poryt; one of these ~s artimiausiomis dienomis; some ~ kada nors

daytime ['deɪtaɪm] *n* dienos metas; in the ~ dieną

daze [deɪz] *v* apstulbinti; *n*: in a ~ apsvaigęs, pritrenktas

dazzle ['dæzl] *v* apakinti (*šviesa*); *n* akinantis blizgesys; apakinimas

dead [ded] *a* miręs, negyvas; *n* (the ~) mirusieji; **~ly** *a* mirtinas

deaf [def] *a* kurčias; **~en** ['defn] *v* apkurtinti

deal [di:l] *n* 1) sandoris; kiekis; a great/good ~ of daug (*ko; su sg*)

deal [di:l] *v* (dealt [delt]) 1) išdalyti; 2) užsiimti, tvarkyti reikalą (with); 3) prekiauti (in); 4) nagrinėti, spręsti (with); **~er** *n* 1) prekiautojas, pirklys; 2) (*kortų*) dalintojas

dean [di:n] *n* dekanas

dear [dɪə] *a* brangus; brangus(is) (*laiške*); Dear Sir gerbiamas pone; **~ly** *adv* labai, švelniai

death [deθ] *n* mirtis; **~ly** *adv* mirtinai; **~rate** [-reɪt] *n* mirtingumas (*rodiklis*)

debate [dɪ'beɪt] *v* diskutuoti; *n* debatas, diskusija

debt [det] *n* skola; to be in ~ būti skolingam

decay [dɪ'keɪ] *v* 1) pūti, gesti; 2) irti; smukti; *n* 1) puvimas; 2) irimas, smukimas, žlugimas

decant [dɪ'kænt] *v* filtruoti

deceitful [dɪ'si:tfəl] *n* apgaulingas

deceive [dɪ'si:v] v apgauti

December [dɪ'sembə] n gruodis

decent ['di:snt] a 1) padorus; 2) malonus, šaunus

deception [dɪ'sepʃn] n apgavystė, apgaulė

decide [dɪ'saɪd] v 1) nuspręsti; 2) ryžtis

decid|ed [dɪ'saɪdɪd] a 1) aiškus; 2) ryžtingas; ~ing a lemiamas

decipher [dɪ'saɪʒə] v iššifruoti

decision [dɪ'sɪʒn] n nutarimas, sprendimas

decisive [dɪ'saɪsɪv] a lemiamas

deck [dek] n denis; ~chair ['dektʃɛə] n šezlongas

declare [dɪ'klɛə] v pareikšti; paskelbti

declassify [di:'klæsɪfaɪ] v išslaptinti

decline [dɪ'klaɪn] n smukimas, nuosmukis; v 1) smukti, nykti; 2) nepriimti, atmesti

decompose [di:kəm'pəuz] v irti, pūti

decorate ['dekəreɪt] v puošti

decoration ['dekə'reɪʃn] n 1) puošimas; 2) apdaila, dekoravimas; 3) ordinas, apdovanojimas

dedication ['dedɪ'keɪʃn] n

paskyrimas, dedikacija

deed [di:d] n poelgis; žygdarbis

deep [di:p] a gilus; adv giliai (*t.p.* deeply); ~-freeze ['di:pfri:z] n šaldyklė; ~en v gilinti

deer [dɪə] n (*pl* deer) elnias

defeat [dɪ'fi:t] n pralaimėjimas; v nugalėti, sumušti

defective [dɪ'fektɪv] a su defektais; sugedęs

defence [dɪ'fens] n gynyba

defend [dɪ'fend] v ginti(s), saugoti(s); ~er n gynėjas

defiant [dɪ'faɪənt] a nepaklūstantis; įžūlus

define [dɪ'faɪn] v apibrėžti, apibūdinti; nustatyti

definite ['definɪt] a apibrėžtas; ~ly adv tikrai; žinoma

definition ['defɪ'nɪʃn] n apibrėžimas

defrost ['di:'frɒst] v atšildyti, atitirpdyti

deft [deft] a miklus, mitrus

defy [dɪ'faɪ] v 1) nepaklusti, ignoruoti; 2) mesti iššūkį

degree [dɪ'gri:] n laipsnis

dejected [dɪ'dʒektɪd] a nusiminęs, nuliūdęs

delay [dɪ'leɪ] v 1) delsti, gaišti; 2) atidėlioti; n delsimas; gaišimas

delegate n ['delɪgət] delegatas; v ['delɪgeɪt] deleguoti

delegation ['delı'geıʃn] n delegacija

deliberate [dı'lıbərət] a 1) tyčinis, apgalvotas; 2) atsargus, lėtas

delicate ['delıkət] a 1) subtilus; 2) gležnas, trapus; 3) keblus

delicious [dı'lıʃəs] a skanus, puikus

delight [dı'laıt] n 1) džiaugsmas; 2) malonumas; t o t a k e ~ i n patirti malonumą (dėl); v džiuginti; žavėti; ~ed a susižavėjęs; ~ful a žavingas

deliver [dı'lıvə] v 1) (at)gabenti; pristatyti; 2) įteikti

demand [dı'ma:nd] n (pa)reikalavimas; v (pa)reikalauti

democr|acy [dı'mɔkrəsı] n demokratija; ~at ['deməkræt] n demokratas; ~atic ['demə'krætık] a demokratinis

demolish [dı'mɔlıʃ] v išgriauti

demonstrate ['demənstreıt] v demonstruoti

demonstration ['demən'streıʃn] n 1) demonstracija; 2) demonstravimas

den [den] n 1) urvas; 2) (plėšikų) landynė

denial [dı'naıəl] n paneigimas

Denmark ['denma:k] n Danija

denote [dı'nəut] v pažymėti

dense [dens] a tankus; tirštas

dent [dent] n įlenkimas

dentist ['dentıst] n dantų gydytojas

deny [dı'naı] v neigti

depart [dı'pa:t] v išvykti

department [dı'pa:tmənt] n 1) skyrius; 2) fakultetas; katedra

departure [dı'pa:tʃə] n išvykimas

depend [dı'pend] v priklausyti (on/upon- nuo); ~able a patikimas; ~ence n priklausomybė; ~ent a priklausomas

deposit [dı'pɔzıt] n 1) indėlis; 2) nuosėdos; v padėti (kur nors); deponuoti

depot ['depəu] n 1) sandėlis; 2) depas; parkas

depress [dı'pres] v liūdinti; ~ed a prislėgtas, nuliūdęs

depth [depθ] n gylis

deputy ['depjutı] n deputatas

derivative [dı'rıvətıv] n vedinys, išvestinis žodis

descend [dı'send] v 1) (nusi)leisti, leistis žemyn; 2) kilti (iš ko); ~ant [-ənt] n palikuonis

descent [dı'sent] n 1) nusileidimas; 2) nuokalnė; 3) staigus užpuolimas; 4) kilmė

describe [dı'skraıb] v aprašyti

description [dı'skrıpʃn] n aprašymas

desert I [dɪ'zɜːt] v apleisti, palikti; ~ed a apleistas

desert II ['dezət] n dykuma

deserve [dɪ'zɜːv] v būti vertam, nusipelnyti

design [dɪ'zaɪn] v 1) projektuoti; 2) sukurti (*modelį*); n 1) projektas; 2) eskizas; 3) ketinimas; ~er n 1) projektuotojas; 2) modeliuotojas; dizaineris

desirable [dɪ'zaɪərəbl] a pageidaujamas, norimas

desire [dɪ'zaɪə] n troškimas; noras; v labai norėti, trokšti

desk [desk] n 1) rašomasis stalas; 2) mokyklinis suolas

desolate ['desələt] a apleistas

despair [dɪ'speə] n neviltis

despatch, dispatch [dɪ'spætʃ] v pasiųsti; n pranešimas, žinia

desperate ['despərət] a 1) beviltiškas; 2) žūtbūtinis; smarkus

desperation [ˌdespə'reɪʃn] n neviltis

despise [dɪ'spaɪz] v niekinti, neapkęsti

despite [dɪ'spaɪt] prep nepaisant

dessert [dɪ'zɜːt] n saldusis patiekalas, desertas

destination [ˌdestɪ'neɪʃn] n 1) paskirtis; 2) tikslas

destroy [dɪ'strɔɪ] v griauti, naikinti

destruction [dɪ'strʌkʃn] n (su)griovimas, (su)naikinimas; ~ive a griaunamasis, naikinamasis

detach [dɪ'tætʃ] v atskirti, atkabinti

detail ['diːteɪl] n smulkmena, detalė; in ~ detaliai; ~ed a detalus

detain [dɪ'teɪn] v 1) sulaikyti; 2) užlaikyti, sutrukdyti

detect [dɪ'tekt] v susekti, atskleisti; ~ive n detektyvas

detergent [dɪ'tɜːdʒənt] n valymo/dezinfekavimo priemonė

determination [dɪˌtɜːmɪ'neɪʃn] n 1) apibrėžimas; 2) ryžtingumas

determine [dɪ'tɜːmɪn] v 1) apibrėžti; 2) nuspręsti; pasiryžti; ~ed a ryžtingas

detest [dɪ'test] v neapkęsti

detour ['diːtuə] n aplinkelis, lankstas

devastate ['devəsteɪt] v nusiaubti, nuniokoti

develop [dɪ'veləp] v 1) plėtoti(s), (iš)vystyti; 2) išaiškinti; 3) fot. išryškinti

device [dɪ'vaɪs] n 1) būdas; 2) prietaisas

devil [devl] n 1) velnias, nelabasis; 2) šnek. žmogus, vyrukas

devoid [dɪ'vɔɪd] a neturintis,

be (of)

devote [dɪ'vəut] v 1) atsidėti; 2) skirti (to-*kam*); **~d** [-ɪd] a išitikimas

devour [dɪ'vauə] v (pra)ryti; **~ingly** adv godžiai

dew [dju:] n rasa; **~y** a rasotas

diagram ['daɪəgræm] n diagrama; grafikas; schema

dial [daɪəl] v surinkti telefono numerį

dialogue ['daɪələg] n dialogas

diamond ['daɪəmənd] n deimantas

diary ['daɪərɪ] n dienoraštis; to keep a ~ rašyti dienoraštį

dice [daɪs] n (pl ~) žaidimas kauliukais

dictate [dɪk'teɪt] v diktuoti

dictation [dɪk'teɪʃn] n diktantas

dictator [dɪk'teɪtə] n diktatorius

dictionary ['dɪkʃənərɪ] n žodynas

did *žr.* do

didn't ['dɪdnt] = did not

die [daɪ] v mirti (for-*už*; of-*nuo*)

diesel ['di:zl] n: ~ fuel dyzelinis kuras; ~ engine dyzelinis variklis

diet ['daɪət] n dieta

differ ['dɪfə] v 1) skirtis (*apie*

nuomones); nesutikti, nesutarti

difference ['dɪfrəns] n 1) skirtumas; 2) nesutarimas

different ['dɪfrənt] a skirtingas; kitoks, kitas; **~ly** adv skirtingai; kitaip

difficult ['dɪfɪkəlt] a sunkus, sudėtingas; **~y** n 1) sunkumas; 2) kliūtis

dig [dɪg] v (dug [dʌg]) kasti; ~ up iškasti, atkasti

digest [dɪ'dʒest] v viršinti; n ['daɪdʒest] santrauka, reziumė

dignity ['dɪgnətɪ] n orumas, kilnumas

digress [daɪ'gres] v nukrypti, nutolti (*nuo*)

dike [daɪk] n pylimas, užtvanka

dim [dɪm] a blausus, neaiškus, miglotas

diminish [dɪ'mɪnɪʃ] v (su)mažinti

din [dɪn] n ūžesys, gausmas

dine [daɪn] v pietauti

dining-room ['daɪnɪŋrum] n valgomasis (*kambarys*)

dinner ['dɪnə] n pietūs; to have ~ pietauti

dinosour ['daɪnəsɔ:] n dinozauras

dip [dɪp] v panardinti, įmerkti

direct ['dɪrekt] a tiesioginis; v

1) vadovauti; 2) diriguoti; 3) nukreipti; ~ion [-kʃn] *n* kryptis; ~ly *adv* tiesiogiai; ~or *n* 1) direktorius; 2) dirigentas; 3) režisierius; ~ory [-ərɪ] *n* adresų/telefonų knyga

dirt [də:t] *n* nešvarumai; purvas

dirty ['də:tɪ] *a* nešvarus, purvinas

dis- *prefix* teikia neigiamą *reikšmę* ne-, dislike – nemėgti

disadvantage ['dɪsəd'va:ntɪdʒ] *n* 1) nepatogumas, nenauda; 2) nepalankumas

disagree ['dɪsə'gri:] *v* nesutikti; ~able [-əbl] *a* nemalonus; ~ment *n* nesutikimas, nesantaika

disappear ['dɪsə'pɪə] *v* (pra)dingti, išnykti

disappoint ['dɪsə'pɔɪnt] *v* 1) apvilti; 2) apgauti; ~ed *a* nusivylęs; ~ment *n* nusivylimas

disapprove ['dɪsə'pru:v] *v* nepritarti

disarmament [dɪs'a:məmənt] *n* nusiginklavimas

disaster [dɪ'za:stə] *n* nelaimė

disastrous [dɪ'za:strəs] *a* pragaištingas; pražūtingas

disc (*amer.* disk) [dɪsk] *n* 1) diskas; 2) (*gramofono*) plokštelė

discharge [dɪs'tʃa:dʒ] *v* 1) paleisti; 2) atleisti (*iš darbo*); 3) (su)mokėti (*skolas, sąskaitas*)

discipline ['dɪsɪplɪn] *v* drausminti; *n* drausmė

disc-jockey ['dɪsk'dʒɔkɪ] *n* muzikos laidų vedėjas; žokėjas

discontented ['dɪskən'tentɪd] *a* nepatenkintas

disco ['dɪskəu] *šnek.*, **discotheque** ['dɪskətek] *n* diskoteka

discount ['dɪskaunt] *n* nuolaida; diskontas; *v* diskontuoti; daryti nuolaidą

discourage [dɪs'kʌrɪdʒ] *v* atimti drąsą

discover [dɪs'kʌvə] *v* atrasti; atskleisti; ~y *n* atradimas; atskleidimas

discuss [dɪs'kʌs] *v* svarstyti, diskutuoti; ~ion [dɪ'skʌʃn] *n* svarstymas; diskusija

disease [dɪ'zi:z] *n* liga

disembark ['dɪsɪm'ba:k] *v* išlipti (*iš laivo, lėktuvo, autobuso*)

disgrace [dɪs'greɪs] *n* negarbė; *v* žeminti, daryti gėdą; ~ful *a* negarbingas, gėdingas

disguise [dɪs'gaɪz] *v* maskuoti(s); *n* maskavimas(is)

disgust [dɪs'gʌst] *n* pasibjaurėjimas; *v* sukelti pasibjaurėjimą; ~ing *a* bjaurus, šlykštus

dish ['dɪʃ] *n* patiekalas; ~es

n pl indai

dishonest [dɪsˈɔnɪst] *a* nedoras, nesąžiningas

dishonour [dɪsˈɔnə] *n* negarbė, gėda; *v* nuplėšti garbę

dishwasher [ˈdɪʃwɔʃə] 1) indaplovė; 2) indų plovėjas

disinfectant [ˈdɪsɪnˈfektənt] *n* dizinfekavimo priemonė

disinterested [dɪsˈɪntrɪstɪd] *a* nesuinteresuotas; nesavanaudiškas

diskette [dɪsˈket] *n* diskelis

dislike [dɪsˈlaɪk] *v* nemėgti (*ko*); I ~ h i m aš jo nemėgstu

disloyal [dɪsˈlɔɪəl] *a* nelojalus

dismal [ˈdɪzməl] *a* niūrus

dismay [dɪsˈmeɪ] *n* 1) nusiminimas; 2) baimė, nerimas; *v* nuliūdinti

dismiss [dɪsˈmɪs] *v* 1) atleisti (*iš darbo*) 2) paleisti

dismount [dɪsˈmaunt] *v* nulipti (*nuo arklio, dviračio*)

disobedien|ce [ˈdɪsəˈbiːdɪəns] *n* neklusnumas; ~t *a* nepaklusnus

disobey [ˈdɪsəˈbeɪ] *v* neklausyti, nepaklusti

disorder [dɪsˈɔːdə] *n* netvarka; ~ly *a* nesutvarkytas

disorganize [ˈdɪsˈɔːɡənaɪz] *v* dezorganizuoti, (su)ardyti, (su)trikdyti

display [dɪˈspleɪ] *n* paroda; *v* parodyti

displease [dɪsˈpliːz] *v* nepatikti; ~d *a* nepatenkintas, supykęs

displeasure [dɪsˈpleʒə] *n* nepasitenkinimas

dispose [dɪsˈpəuz] *v* 1) atsikratyti, išmest; 2) disponuoti

disposition [ˈdɪspəˈzɪʃn] *n* 1) būdas, charakteris; 2) polinkis (t o – *i, apie*)

dispute [dɪˈspjuːt] *v* diskutuoti; *n* disputas; ginčas

dissatisfied [dɪˈsætɪsfaɪd] *a* nepatenkintas

dissolve [dɪˈzɔlv] *v* 1) (su)tirpti; (iš)tirpti; 2) skaidyti(s)

distance [ˈdɪstəns] *n* atstumas; in the ~ tolumoje; ~t 1) skirtingas, atskiras; 2) *a* tolimas

distinct [dɪˈstɪŋkt] *a* ryškus, aiškus; ~ion *n* skirtumas, gebėjimas skirti; ~ive *a* savitas

distinguish [dɪˈstɪŋɡwɪʃ] *v* (at)skirti, išskirti; ~ed *a* (į)žymus

distort [dɪˈstɔːt] *v* iškraipyti, iškreipti

distress [dɪˈstres] *v* atnešti vargą, kančias; sukelti sielvartą

distribute [ˈdɪstrɪbjuːt] *v* išdalinti (among); paskirstyti

district [ˈdɪstrɪkt] *n* rajonas, apylinkė, apygarda

distrust [dɪsˈtrʌst] *n* nepasitikėjimas; *v* nepasitikėti

disturb [dɪˈstɜːb] v 1) (su)-
trukdyti; 2) (su)drumsti (ramy-
bę); ~ance n 1) drumstimas,
(su)ardymas; 2) bruzdėjimas,
neramumai; ~ing a keliantis
nerimą, neramus

disused [dɪsˈjuːzd] a nebenau-
dojamas

ditch [dɪtʃ] n 1) griovys; 2)
tranšėja

dive [daɪv] v (pa)sinerti, nardy-
ti; ~r n naras

divert [daɪˈvɜːt] v nukreipti,
atitraukti (dėmesį)

divide [dɪˈvaɪd] v dalyti

divine [dɪˈvaɪn] a dieviškas

division [dɪˈvɪʒn] n 1) dalyba,
dalijimasis; 2) matematika; 3)
skyrius; 4) divizija

divisor [dɪˈvaɪzə] n mat. da-
liklis

divorse [dɪˈvɔːs] n 1) skyrybos,
išskirti (apie sutuoktinius); 2)
atskirti; ~e [dɪˈvɔːsiː] n iš-
siskyrėlis, -ė

divulge [daɪˈvʌldʒ]v atskleis-ti
(paslaptį)

dixie [ˈdɪksɪ] n kar. (žygio) ka-
tiliukas

D.I.Y. [ˈdiːaɪˈwaɪ] sutr. pasidaryk
pats (do it yourself)

dizziness [ˈdɪzɪnɪs] n galvos
sukimasis, svaigulys

dizzy [ˈdɪzɪ] a apsvaigęs, svai-
ginimas; I am/feel ~ man
sukasi galva; v (ap)svaiginti

do [duː] v (did [dɪd], done
[dʌn]) 1) daryti, veikti; 2)
ruošti; ~ away atsikratyti,
panaikinti; ~ without?
apseiti (be ko); that will ~
užteks, gana

dock [dɔk] n dokas, ~er n do-
kininkas

doctor [ˈdɔktə] n 1) dakta-
ras (gydytojas); 2) (mokslų)
daktaras

document [ˈdɔkjumənt] n do-
kumentas; ~ary [-ərɪ] n do-
kumentinis filmas

dodge [dɔdʒ] v išvengti

does [dʌz, dəz] v veiksmažodžio
do esam. l. 3-ojo asmens (he,
she, it) forma

doesn't [dʌznt] = **do not**

doer [ˈduːə] n atlikėjas

dog [dɔg] n 1) šuo ; 2) šnek.
šuniokas

do-it-yourself [ˈduːɪtjəˈself] a
pasidaryk pats

dole [dəul] n bedarbio pašal-
pa

doll [dɔl] n lėlė

dollar [ˈdɔlə] n doleris ($)

dolt [dəult] n kvailys, bu-
kaprotis

dome [dəum] n 1) kupolas; 2)
(dangaus) skliautas

domestic [dəˈmestɪk] a 1)
naminis, namų; 2) vidaus

dominate [ˈdɔmɪneɪt] v 1)
vyrauti, dominuoti; 2) valdy-

ti

done žr. do

donkey ['dɔŋkɪ] n asilas

don't [dəunt] = **do not**

door ['dɔː] n durys; **~bell** [-bel] n durų skambutis; **~way** [-weɪ] n tarpduris

dormitory ['dɔːmɪtrɪ] n 1) didelis miegamasis kambarys (*pensiono*); 2) *amer.* studentų bendrabutis

dose [dəus] n dozė; v dozuoti

dot [dɔt] n taškas (*pvz.*, *ant* i)

dotage ['dəutɪdʒ] n suvaikėjimas (*senatvėje*)

double ['dʌbl] a dvigubas; **~room** dvivietis kambarys; v dvigubinti; n antrininkas

double-dealing ['dʌbl'diːlɪŋ] n dviveidiškumas; veidmainiavimas

double-decker ['dʌbl'dekə] n dviaukštis autobusas

double-talk ['dʌbltɔːk] n dviprasmybė

doubt [daut] v abejoti; n abejonė; **~less** neabejotinai

dough [dəu] n tešla

down [daun] prep, adv žemyn; **~hearted** [-'hɑːtɪd] a liūnas, nusiminęs; **~hill** ['daun'hɪl] adv žemyn (*nuo kalnelio*); **~pour** ['daunpɔː] n liūtis; **~stairs** ['daun'stɛəz] adv laiptais žemyn; **~ward**(s) adv žemėjantis; a žemyn

doze [dəuz] n snaudulys; v snausti

dozen ['dʌzn] n tuzinas

draft [drɑːft] n 1) matmenys, planas; 2) *amer.* skervėjis

drag [dræg] v 1) temti, vilkti; 2) vilktis, slinktis; **~ on** lėtai slinkti

dragon ['drægən] n drakonas, slibinas

drain [dreɪn] v sausinti; n nutekamasis vamzdis

draining-board ['dreɪnɪŋbɔːd] n (*indų*) džiovykla

drama ['drɑːmə] n drama; **~tic** [drə'mætɪk] a dramatiškas; dramos; **~tist** [-tɪst] n dramaturgas

drank žr. **drink**

drap|e [dreɪp] n užuolaida, drapiruotė; apmušalas; **~ery** 1) tekstilės gaminiai, audiniai; 2) pl (*sunkios*) užuolaidos

drastic ['dræstɪk] a griežtas, drastiškas; radikalus

draught [drɑːft] n 1) maukas, gurkšnis; 2) skersvėjis, trauka, traukimas; 3) planas; 4) pl. šaškės; **~y** a skersvėjais

draw I [drɔː] v (**drew** [druː]; **drawn** [drɔːn]) 1) traukti, vilkti; 2) piešti, braižyti; **~ up** a plan sudaryti planą, sąrašą

draw II [drɔː] n sportinės lygiosios

drawer [drɔːə] *n* stalčius

drawing ['drɔːɪŋ] *n* 1) piešinys, brėžinys; 2) (*burtų*) traukimas; **~pin** [-pɪn] *n* smeigtukas; **~room** [-rum] *n* svetainė

dreatful ['dredfl] *a* baisus; **~ly** *adv* baisiai, labai

dream [driːm] *v* 1) sapnuoti, *n* sapnas; 2) *v* svajoti, *n* svajonė; svajingas, užsisvajojęs

dreary ['drɪərɪ] *a* nuobodus, nykus

drench [drentʃ] *v* klaurai permerkti

dress [dres] *n* 1) suknelė; 2) drabužis; *v* rengti, ap(si)rengti

dressing ['dresɪŋ] *n* 1) tvarstis 2) padažas, įdaras

dressing-gown ['dresɪŋgaun] *n* chalatas

dressing-room ['dresɪŋrum] *n* persirengimo kambarys

dressing-table ['dresɪŋteɪbl] *n* tualetinis staliukas

drew žr. **draw**

drier ['draɪə] *n* džiovintuvas

drift [drɪft] *n* 1) dreifas; 2) (nu)tekėjimas, migracija; 3) pusnis; *v* 1) dreifuoti; 2) sunešti, supustyti

drill I [drɪl] *v* 1) gręžti; *n* grąžtas

drill II *v* treniruoti; *n* treniruotė

drink [drɪŋk] *v* (**drank** [dræŋk];

drunk [drʌŋk]) gerti; *n* gėrimas; **~able** *a* geriamas; **~ing** *n* girtavimas

drip [drɪp] *v* lašėti

drive ['draɪv] *v* (**drove** [drəuv]; **driven** ['drɪvn]) 1) varyti; 2) važiuoti; 3) vairuoti (*automobilį ir pan.*) **~ing** *n* vairavimas; *a* vairuotojo, vairavimo; **~er** *n* vairuotojas

drizzle ['drɪzl] *v* lynoti, dulkti; *n* dulksna

drop ['drɔp] *n* lašas, lašelis; *v* išmesti (*netyčia*); krıstı

drought [draut] *n* sausra

drove žr. **drive**

drown [draun] *v* 1) (nu)skęsti; 2) (pa)skandinti

drug ['drʌg] *n* vaistas; narkotikas; **~ addiction** narkomanija; **~store** [-stɔː] *n amer.* vaistinė

drum ['drʌm] *n* būgnas; **to beat the ~** mušti būgną; **~mer** *n* būgnininkas

drunk 1) žr. **drink**; 2) (*ir* **drunken**) [drʌŋkən] *a* (*visiškai*) girtas

drunkard ['drʌŋkəd] *n* girtuoklis

dry [draɪ] *a* sausas; *n* **~-cleaning** ['draɪ'kliːnɪŋ] cheminis valymas

dryer ['draɪə] *n* džiovintuvas

dual [djuːəl] *a* dvejopas, dvigubas, dvilypis

dubious ['dju:bɪəs] *a* abejotinas, įtartinas

duchess ['dʌtʃɪs] *n* hercogienė

duck [dʌk] *n* antis

duel ['dju:əl] *n* dvikova

duel [dju:'et] *n* duetas

due to ['dju: tu] *prep* dėl, ryšium su

dug žr. dig

duke [dju:k] *n* hercogas, kunigaikštis

dull [dʌl] *a* 1) nuobodus 2) bukas; 3) atbukęs

duly ['dju:lɪ] *adv* 1) tinkamu laiku; 2) deramas

dumb [dʌm] *a* nebylus

dumb-founded [dʌm'faundɪd] *a* apstulbęs

dump [dʌmp] *n* sąvartynas; (su)versti, (su)mesti

dune [dju:n] *n* kopa

dung [dʌŋ] *n* mėšlas; trąša

dupe [dju:p] *n* apgautasis; naivuolis

durable ['djurəbl] *a* patvarus, tvirtas

duration [dju'reɪʃn] *n* trukmė

during ['djuərɪŋ] *prep* metu, per

dusk [dʌsk] *n* sutema

dust ['dʌst] *n sg* dulkės; *v* dulkinti; ~**bin** [-bɪn] *n* šiukšlių dėžė; ~**er** dulkių šluostas; ~**man** [-mən] *n* šiukšlininkas;

~**pan** [-pæn] *n* šiukšlių semtuvėlis

Dutch [dʌtʃ] *a* olandų; ~**man** [-mən] *n* olandas

duty ['dju:tɪ] *n* 1) pareiga; 2) budėjimas; on ~ budintis; ~**free** ['dju:tɪ'fri:] *a* neapmuitinamas

dwarf [dwɔ:f] *n* nykštukas, neūžauga; *v* trukdyti, stabdyti (*augimą*)

dwell [dwel] *v* (**dwelt** [dwelt]) gyventi; ~**er** *n* gyventojas

dye [daɪ] *v* dažyti; *n* dažai

dying ['daɪɪŋ] *n* mirtis, mirimas; *a* mirštantis

dynamite ['daɪnəmaɪt] *n* dinamitas

E

each [i:tʃ] *pron* kiekvienas; ~ other vienas kitą (*papr. apie du*)

eager ['i:gə] *a*: to be ~ trokšti, stengtis, nekantriai laukti

eagle ['i:gl] *n* erelis, klausa

ear [ɪə] *n* ausis; ~**phones** ['ɪəfəunz] *n pl* (*radijo*) ausinės; ~**ring** ['ɪərɪŋ] *n* auskaras

earl [ɜ:l] *n* grafas

early ['ɜ:lɪ] *a* ankstyvas; *adv*

 anksti

earn [ə:n] *v* 1) uždirbti; 2) nusipelnyti

earnest ['ə:nɪst] *a* rimtas, uolus; **~ness** *n* rimtumas

earnings ['ə:nɪŋz] *n pl* uždarbis

earth ['ə:θ] *n* žemė; **~quake** [-kweɪk] *n* žemės drebėjimas; **~worm** [wə:m] *n* sliekas

ease ['i:z] *n* ramybė; a t ~ laisvai, patogiai

easel ['i:zl] *n* molbertas

easily ['i:zəlɪ] *adv* lengvai; laisvai

east ['i:st] *n sg* rytai; **~ern** [-ən] *a* rytinis; **~ward(s)** [-wəd(z)] *a*, *adv* rytų, į rytus

easy ['i:zɪ] *a* 1) lengvas; 2) laisvas, patogus; *adv* lengvai

eat [i:t] *v* (ate [et]; eaten ['i:tn]) 1)valgyti; 2) ėsti; **~able** valgomas

eau-de-Cologne ['əudəkə'ləun] *n* odekolonas

ebb [eb] *n* atoslūgis

eccentric [ɪk'sentrɪk] *a* ekscentriškas, keistas

echo ['əkəu] *n* aidas; *v* aidėti

ecological ['ekə'lɔdʒɪkl] *a* ekologinis; ~ b a l a n c e ekologinė pusiausvyra

ecology [ɪ'kɔlədʒɪ] *n* ekologija

economic ['kə'nɔmɪk] *a* ekonominis; **~al** *a* ekonomiškas, tau-

pus; **~s** *n* ekonomika (mokslas)

economist [ɪ'kɔnəmɪst] *n* ekonomistas

economy [ɪ'kɔnəmɪ] *n* ekonomika; ūkis

edge [edʒ] *n* kraštas, pakraštys

edible ['edɪbl] *a* valgomas

edit ['edɪt] *v* redaguoti

edition [ɪ'dɪʃn] *n* leidimas (knygos)

editor ['edɪtə] *n* redaktorius

editor-in-chief ['edɪtərɪn'tʃi.ʃ] *n* vyriausias redaktorius

educate ['edʒukeɪt] *v* auklėti; **~ed** a apsišvietęs, išsilavinęs

education ['edʒu'keɪʃn] *n* auklėjimas; švietimas; **~al** *a* švietimo; ~ a l i n s t i t u t i o n švietimo įstaiga

eel [i:l] *n* ungurys

E-free [i:'fri:] *a* be konservantų, be priedų

effect [ɪ'fekt] *n* poveikis, veikimas; efektas; *v* (į)vykdyti, atlikti; **~ive** veiksmingas, efektyvus

efficiency [ɪ'fiʃnsɪ] *n* efektyvumas

efficient [ɪ'fiʃnt] *a* efektyvus; **~ly** *adv* efektyviai

effort ['efət] *n* 1) pastanga; 2) mėginimas

e.g. ['i:dʒi:] *sutr.* pavyzdžiui

egg ['eg] *n* kiaušinis; **~-cup** [kʌp]

n taurelė kiaušiniui įstatyti

Egypt [iːdʒɪpt] *n* Egiptas; ~**ian** [ɪˈdʒɪpʃn] *a* egiptiečių

eiderdown [ˈaɪdədaun] *n* pūkinė antklodė

eight [ˈeɪt] *num* aštuoni; ~**een** [eɪˈtiːn] *num* aštuoniolika; ~**y** [-ɪ] *num* aštuoniasdešimt; ~**h** [-ð] *num* aštuntas; ~**eenth** [ˈeɪtiːnθ] *num* aštuonioliktas; ~**ieth** [ˈeɪtɪθ] *num* aštuoniasdešimtas

either [ˈaɪðə(r)] *a*, *pron* tas ar kitas; bet kuris, abu; *adv* taip pat (ne), irgi (ne) (*neigiamuose sakiniuose*); ~ ... or arba ... arba

eject [ɪˈdʒekt] *v* išmesti

elaborate [ɪˈlæbərət] *a* įmantrus, sudėtingas, detalizuotas

elastic [ɪˈlæstɪk] *a* tamprus, lankstus (*ir perk.*)

elbow [ˈelbəu] *n* alkūnė

elder [ˈeldə] *n* vyresnysis (*šeimoje*); ~**ly** *a* senyvas, pagyvenęs

eldest [ˈeldɪst] *a* vyriausias (*šeimoje*)

elect [ɪˈlekt] *v* rinkti; *a* išrinktasis; ~**ion** [-kʃn] *n* rinkimai; general ~ion visuotiniai rinkimai; ~**ive** *a* 1) renkamas; *v* 2) rinkimas

electric [ɪˈlektrɪk] *a* elektrinis; elektros

electicity [ɪˈlekˈtrɪsəti] *n* elek-

tra

electronic [ɪˈlekˈtrɒnɪk] *a* elektroninis; ~**s** *n* elektronika

elegant [ˈelɪɡənt] *a* elegantiškas, gražus; ~**ly** *adv* elegantiškai

element [ˈelɪmənt] *n* elementas

elementary [ˈelɪˈmentərɪ] *a* elementarus

elephant [ˈelɪfənt] *n* drambljys

elevator [ˈelɪveɪtə] *n* amer. liftas

eleven [ɪˈlevn] *num* vienuolika; ~**th** *num* vienuoliktas

else [els] *adv* dar; somebody ~ dar kas nors; ~**where** [ˈelsˈweə] *adv* kitur

embark [ɪmˈbɑːk] *v* 1) sėsti (*į laivą*); 2) imtis, griebtis

embarrass [ɪmˈbærəs] *v* trikdyti, varžyti; ~**ed** sutrikęs, sumišęs; ~**ing** *a* nepatogus; ~**ment** *n* nepatogumas, varžymasis

embassy [ˈembəsi] *n* ambasada

embezzle [ɪmˈbezl] *v* savintis, grobstyti, (iš)eikvoti

embody [ɪmˈbɒdi] *v* įkūnyti, įgyvendinti

embrace [ɪmˈbreɪs] *v* ap(si)kabinti

embroider [ɪmˈbrɔɪdə] *v* siuvinėti; ~**y** *n* siuvinėjimas

emerald [ˈemərəld] *n* smaragdas; *a* smaragdo

emerge [ɪ'mɜːdʒ] *v* iškilti, pasirodyti; ~ency *n* nenumatytas, blogiausias

emigrant ['emɪgreɪt] *v* emigruoti

emotion [ɪ'məuʃn] *n* jausmas, emocija; ~al *a* 1) emocinis; 2) emocingas

emperor ['empərə] *n* imperatorius

emphasize ['emfəsaɪz] *v* pabrėžti

employ [ɪm'plɔɪ] *v* 1) samdyti, įdarbinti; 2) panaudoti; ~ee ['emplɔɪ'i:] *n* darbuotojas, tarnautojas; ~er *n* darbdavys; ~ment *n* darbas; užimtumas

empty ['emptɪ] *a* tuščias; *v* ištuštinti

enable [ɪ'neɪbl] *v* leisti, įgalinti

enamel [ɪ'næml] *n* emalis; *v* emaliuotas

enchant [ɪn'tʃɑːnt] *v* sužavėti; užburti; ~ing *a* žavus

enclose [ɪn'kləuz] *v* 1) aptverti; 2) įdėti (*į laišką*)

enclosure [ɪn'kləuʒə] *n* 1) aptvaras; 2) įdėklas (*dokumento priedas*)

encourage [ɪn'kʌrɪdʒ] *v* (pa)drąsinti, (pa)raginti; ~ment *n* padrąsinimas; paskatinimas

encyclop(a)edia [en'saɪkləu'pi:dɪə] *n* encik-

lopedija

end [end] *n* pabaiga; galas; *v* (pa)baigti; baigtis; ~ing *n* pabaiga; ~less *a* begalinis

endure [ɪn'djuə] *v* pakęsti

enemy ['enɪmɪ] *n* priešas

energetic ['enə'dʒetɪk] *a* energingas

energy ['enədʒɪ] *n* energija

engage [ɪn'geɪdʒ] *v* 1) samdyti; sukabinti; ~ed *a* 1) susižadėjęs; 2) užimtas; ~ing *a* patrauklus; ~ment *n* 1) samdymas; 2) susižiedavimas; 3) susitarimas

engine ['endʒɪn] *n* variklis; garvežys; ~-driver [-draɪvə] *n* mašinistas

engineer ['endʒɪ'nɪə] *n* 1) inžinierius; mechanikas; 2) *amer.* mašinistas; ~ing *n* technika; inžinerija

England [ɪŋglənd] *n* Anglija

English ['ɪŋglɪʃ] *a* angliškas; *n* (t h e) ~ (l a n g u a g e) anglų kalba; ~man [-mən] *n* anglas; ~woman [-wumən] *n* anglė

enjoy [ɪn'dʒɔɪ] *v* 1) gėrėtis; 2) naudotis (*teisėmis*); 3) patikti, mėgti; ~able *a* teikiantis malonumą

enjoyment [ɪn'dʒɔɪmənt] *n* malonumas; pasigėrėjimas

enlarge [ɪn'lɑːdʒ] *v* padidinti; ~ment *n* (pa)didinimas; didėjimas

enlightened [ɪn'laɪtnd] *a* apsišvietęs

enliven [ɪn'laɪvn] *v* pagyvinti, išjudinti

enormous [ɪ'nɔ:məs] *a* milžiniškas

enough [ɪ'nʌf] *adv* gana, pakankamai

enraged [ɪn'reɪdʒd] *a* įsiutęs, įniršęs

enquire, enquiry *žr.* **inquire, inquiry**

ensure [ɪn'ʃuə] *v* užtikrinti

enter ['entə] *v* 1) įeiti, 2) įstoti

enterprise ['entəpraɪz] *n* įmonė; ~ing *a* veržlus, iniciatyvus

entertain ['entə'teɪn] *v* 1) vaišinti; 2) linksminti; ~ing *a* įdomus, linksmas; ~ment *n* 1) pobūvis; 2) pasilinksminimas

enthusiasm [ɪn'θju:zɪæzm] *n* entuziazmas

entire [ɪn'taɪə] *a* visas, visiškas; ~ly *adv* 1) visiškai; 2) vien tik, tiktai

entrance ['entrəns] *n* įėjimas; ~ fee *n* stojamasis mokestis

entry ['entɪ] *n* 1) įėjimas; 2) įstojimas

envelope ['envələup] *n* vokas

envious ['envɪəs] *a* pavydus

environment [ɪn'vaɪərənmənt]

n aplinka

envy ['envɪ] *v* pavydėti; *n* pavydas

epidemic ['epɪ'demɪk] *n* epidemija; *a* epideminis

equal ['i:kwəl] *a* lygus, vienodas

equality ['i:kwɔlətɪ] *n* lygybė

equator [ɪ'kweɪtə(r)] *n* pusiaujas, ekvatorius; ~ial ['ekwə'tɔ:rɪəl] *a* pusiaujo, ekvatoriaus

equip [ɪ'kwɪp] *v* aprūpinti, įrengti; ~ment *n* įranga; aprūpinimas

era ['ɪərə] *n* era

erase [ɪ'reɪz] *v* ištrinti

erect [ɪ'rekt] *a* tiesus, stačias; *v* statyti; ~ion *n* pastatas

enrich [ɪn'rɪtʃ] *v* praturtinti

enroll [ɪn'rəul] *v* įtraukti į sąrašą; už(si)registruoti

err [ə:] *v* (su)klysti

errand ['erənd] *n* pasiuntimas, pasiuntinys

error ['erə(r)] *n* klaida

eruption [ɪ'rʌpʃn] *n* išsiveržimas

escape [ɪ'skeɪp] *v* 1) pabėgti *n* pabėgimas; *v* 2) išvengti; *n* išvengimas; 3) išsiveržti

escort *n* ['eskɔ:t] palyda; *v* [ɪs'kɔ:t] (pa)lydėti

especially [ɪ'speʃəlɪ] *adv* ypač

Estonia [e'stəunɪə] *n* Estija; ~n *n* 1) estas, -ė; 2) estų kalba; *a* estų, estiškas

essay ['eseɪ] n rašinys; esė

essential [ɪ'senʃl] a esminis; ~ly adv iš tikrųjų

establish [ɪ'stæblɪʃ] v 1) nustatyti; 2) įkurti; ~ment n 1) įkūrimas; 2) nustatymas; 3) įstaiga

estate [ɪ'steɪt] n 1) dvaras; 2) teisinis turtas

estimate ['estɪmɪt] n apskaičiavimas, įvertinimas; v apskaičiuoti, įvertinti

estuary ['estʃuərɪ] (upės) žiotys

etc [et'setrə] sutr. ir t.t.

eternal [ɪ'tɜːnl] a amžinas

eternity [ɪ'tɜːnɪtɪ] n amžinybė

Europe ['juərəp] n Europa; ~an ['juərə'pɪən] a europinis, Europos

evacuate [ɪ'vækjueɪt] v evakuoti

evaluate [ɪ'væljueɪt] v įvertinti, įkainuoti

evasion [ɪ'veɪʒn] n (iš)vengimas; išsisukinėjimas

eve [iːv] n išvakarės; on the ~ išvakarėse

even ['iːvn] adv net; a lygus, vienodas

evening ['iːvnɪŋ] n vakaras; good ~ labas vakaras

event [ɪ'vent] n įvykis; ~ually [-tʃuəlɪ] adv pagaliau

ever ['evə] adv kada nors;

~**green** [-griːn] a amžinai žaliuojantis/žalias

every ['evrɪ] a kiekvienas ~ other day (week, year) kas antrą dieną (savaitę, kas antri metai); ~body, ~one pron kiekvienas (asmuo); ~thing pron viskas; ~where [-weə] adv visur; ~day [-deɪ] kasdieninis

evidence ['evɪdəns] n įrodymas

evident ['evɪdənt] a aiškus, akivaizdus; ~ly adv matyti (įterpt.)

evil ['iːvl] n 1) blogybė; 2) bėda, plogas, piktas

evolve [ɪ'vɒlv] v vystytis, plėtotis

exact [ɪg'zækt] a tikslus; ~ing a reiklus; ~ly adv tiksliai; kaip tik

exaggerate [ɪg'zædʒəreɪt] v perdėti

exam [ɪg'zæm] n egzaminas

examination [ɪg'zæmɪ'neɪʃn] n 1) egzaminas; 2) tyrimas

examine [ɪg'zæmɪn] v 1) apžiūrėti, egzaminuoti

example [ɪg'zɑːmpl] n pavyzdys; for ~ pavyzdžiui

exasperation [ɪg'zæspə'reɪʃn] n su(si)erzinimas

exasperate [ɪg'zæspəreɪt] v suerzinti, supykdyti; ~d a įpykęs, susierzinęs

excavate ['ekskəveɪt] v iškasti

exceed [ɪk'si:d] v viršyti

excel [ɪk'sel] v pralenkti, pranokti

excellence ['eksələns] n meistriškumas, tobulumas

Excellency ['eksələnsɪ] n ekselencija (titulas)

excellent ['eksələnt] a puikus, aukštos kokybės

except [ɪk'sept], **excepting** [ɪk'septɪŋ] prep išskyrus

exception [ɪk'sepʃn] n išimtis; ~al a išimtinis; ~ally adv nepaprastai, ypač

exchange [ɪks'tʃeɪndʒ] v apsikeisti, pasikeisti (kuo)

excite [ɪk'saɪt] v 1) sukelti; 2) jaudinti; ~d a susijaudinęs

exciting a jaudinantis, įdomus

exclaim [ɪk'skleɪm] v sušukti

exclamation ['eksklə'meɪʃn] n sušukimas; ~ m a r k šauktukas

exclud|e [ɪk'sklu:d] v pašalinti; ~ing prep išskyrus, be

excursion [ɪk'skə:ʃn] n ekskursija, išvyka

excuse v [ɪks'kju:z] atsiprašyti; n [ɪks'kju:s] pasiteisinimas, atsiprašymas

execute ['eksɪkju:t] v įvykdyti mirties bausmę

exercise ['eksəsaɪz] n pratimas, pl mankšta; v daryti mankštą;

~**-book** [-buk] n sąsiuvinis

exhausted [ɪg'zɔ:stɪd] a išvargęs; išsekęs

exhibit [ɪg'zɪbɪt] n eksponatas; v 1) eksponuoti; 2) (pa)rodyti; ~**ion** [eksɪ'bɪʃn] n paroda

exile ['eksaɪl] n tremtis; v ištremti

exist [ɪg'zɪst] v gyventi; egzistuoti; ~**ence** n gyvenimas; egzistavimas

exit ['eksɪt] n išėjimas

expand [ɪkspænd] v iš(si)plėsti

expect [ɪk'spekt] v 1) laukti; 2) tikėtis; ~**ation** ['ekspek'teɪʃn] n 1) tikėjimas; 2) pl viltis

expedition ['ekspɪ'dɪʃn] n ekspedicija

expel [ɪk'spel] v išvaryti, išmesti

expens|ive [ɪk'spensɪv] a brangus; ~**es** n pl išlaidos

experience [ɪk'spɪərɪəns] n patirtis; ~**d** a prityręs, įgudęs

experiment n [ɪk'sperɪmənt] eksperimentas; v [ɪk'sperɪment] eksperimentuoti; ~**al** [eksˌperɪ'mentl] a eksperimentinis

expert ['ekspə:t] n specialistas, ekspertas

expire [ɪk'spaɪə] v baigtis (apie terminą)

explanation [eksplə'neɪʃn] n paaiškinimas

explain [ɪk'spleɪn] *v* (pa)aiš-
kinti (*smth to smb*)

explicit [ɪk'splɪsɪt] *a* aiškus,
tikslus

explode [ɪk'spləud] *v* sprogti

exploit [ɪks'plɔɪt] *v* išnaudoti;
ekspotuoti

exploration ['eksplɔ:'reɪʃn] *n*
tyrinėjimas

explore [ɪk'splɔ:] *v* ištirti, tyri-
nėti, žvalgyti

explorer [ɪk'splɔ:rə] *n* tyrinė-
tojas, tyrėjas

explosive [ɪk'spləusɪv] *n* sprog-
menys; *a* sprogstamasis

explosion [ɪk'spləuʒn] *n* sprogi-
mas

export ['ekspɔ:t] *n* eksportas;
v [ɪk'spɔ:t] eksportuoti

exposition [ekspə'zɪʃn] *n* 1)
ekspozicija; 2) išdėstymas

express I [ɪk'spres] *n* ekspre-
sas; greitasis traukinys

express II [ɪk'spres] *v* išreikšti;
~**ion** [-eʃn] *n* 1) posakis; 2)
išraiška

exquisite ['ekskwɪzɪt] *a* nuosta-
bus, rafinuotas

extend [ɪk'stend] *v* iš(si)plėsti;
tęstis; ~**ed** *a* nusitęsęs, pratęs-
tas, išplėstas

extention [ɪk'stenʃn] *n* iš(si)-
plėtimas

extent [ɪk'stent] *n* apimtis, dy-
dis, mastas

exterior [ɪk'stɪərɪə] *n* išorė, *a*
išorinis

external [ɪk'stə:nl] *a* išorinis

extinct [ɪk'stɪŋkt] *a* 1) užgesęs;
2) (iš)miręs; išnykęs

extinguish [ɪk'stɪŋgwɪʃ] *v* užge-
sinti; ~**er** *n* gesintuvas

extort [ɪk'stɔ:t] *v* išplėšti, prie-
varta išgauti

extra ['ekstrə] *a* papildomas;
adv 1) papildomai; 2) ypač,
nepaprastai

extract [ɪk'strækt] *v* ištraukti;
n ['ekstrækt] ištrauka

extraordinary [ɪk'strɔ:dnrɪ] *a*
nepaprastas, ypatingas

extravagant [ɪk'strævəgənt]
a išlaidus; ~**ly** *adv* ekstrava-
gantiškai

extreme [ɪk'stri:m] *a* 1) nepa-
prastas, ypatingas; 2) kraštu-
tinis; ~**ly** *adv* nepaprastai,
ypač

eye ['aɪ] *n* akis; ~**brow** [-brau]
n antakis; ~**lash** [-læʃ] *n* blaks-
tiena; ~**-shadow** [-ʃædəu] *n* šešėliai
(akių vokams dažyti); ~**sight**
[-saɪt] *n* regėjimas; ~**-wit-
ness** [-wɪtnɪs] *n* įvykį matęs
liudininkas

F

fable ['feɪbl] *n* 1) pasakėčia; 2) mitas; 3) melas

fabric ['fæbrɪk] *n* audeklas

fabricate ['fæbrɪkeɪt] *v* išgalvoti, suklastoti, (su)fabrikuoti

face [feɪs] *v* veidas; ~ to ~ akis į akį; *v* 1) būti atsisukus (į); išeiti (į, *apie langą*); 2) drąsiai sutikti; ~**cloth** [-klɒð] *n* frotinis skudurėlis (veidui prausti)

fact [fækt] *n* faktas; in ~ faktiškai, iš tikrųjų

factory ['fæktərɪ] *n* fabrikas

faculty ['fæklti] *n* 1) sugebėjimas, gabumas; 2) fakultetas

fade [feɪd] *n* 1) (iš)blankti; 2) (nu)vysti; 3) pamažu išnykti, dingti

fail [feɪl] *n* nesėkmė, neišlaikyti (egzamino); *v* 1) nepavykti; 2) silpnėti

failure ['feɪljə] *n* nepasitenkinimas, nesėkmė

faint [feɪnt] *a* silpnas, blankus; *v* alpti

fair I [fɛə] *a* gražus; ~**ly** *adv* gana, pakankamai

fair II *n* mugė

fairy ['fɛərɪ] *n* fėja

fairy-tale [fɛərɪteɪl] *n* pasaka

faith [feɪθ] *n* tikėjimas; ~**ful** *a* patikimas; Yours faithfully (*laiško pabaigoje*) Jūsų...

fake [feɪk] *n* klastotė; *v* 1) klastoti; 2) apsimetinėti

fall I [fɔːl] *n amer.* ruduo

fall II [fɔːl] *v* (fell [fel]; fallen ['fɔːln]) kristi; to ~ asleep užmigti; to ~ ill susirgti

false [fɔːls] *a* 1) klaidingas; 2) netikras, dirbtinis, apsimestinis

fame [feɪm] *n* garbė, garsus

familiar [fə'mɪlɪə] *a* 1) susipažinęs; 2) pažįstamas, žinomas; ~**ize** *v* (with) supažindinti (*su nauju dalyku*)

family ['fæmɪlɪ] *n* šeima

fam|ine ['fæmɪn] *n* badas, badmetis; ~**ish** *v* kentėti badą, badauti

famous ['feɪməs] *a* garsus

fan I [fæn] *n* vėduoklė, ventiliatorius

fan II *n* aistruolis, sirgalius

fanatic [fə'nætɪk] *a* fanatiškas; *n* fanatikas

fancy ['fænsɪ] *v* įsivaizduoti; ~ dress maskaradinis kostiumas

fantastic [fæn'tæstɪk] *a* neįtikėtinas

far [fɑː] (farther ['fɑːðə], further ['fɜːðə]; farthest ['fɑːðɪst], furthest ['fɜːðɪst]) *a* 1) tolimas; 2) kitas, tolimesnis; *adv* toli; ~ away labai toli; ◊ from (it) toli gražu ne; so ~ kol kas

far-off ['fɑːr'ɔf] *a attr* tolimas, nutolęs

fare [fɛə] *n* bilieto kaina (*už važiavimą*)

farewell ['fɛə'wel] *a* atsisveikinimas; *int* lik sveikas! sudie!

farm [fɑːm] *n* ferma; ūkis; *v* ūkininkauti; ~**er** *n* fermeris; ~**hand** [-hænd] *n* fermos darbininkas; ~-**yard** [-jɑːd] *n* sodybos kiemas

farther ['fɑːðə] *adv* toliau (apie atstumą); *a* tol(im)esnis, anas

fascinate ['fæsineit] *v* (su)žavėti

fashion ['fæʃn] *n* mada; ~**able** *a* madingas

fast I [fɑːst] *a* greitas; *adv* greitai

fast II [fɑːst] *v* pasninkauti; *n* pasninkas

fasten [fɑːsn] *v* 1) tvirtinti; 2) susegti, su(si)rišti

fat [fæt] *a* riebus, storas; *n* riebalai, taukai

fatal ['feitl] lemtingas; ~**ly** *adv* 1) lemtingai; 2) mirtinai

fate [feit] *n* likimas

father ['fɑːðə] *n* tėvas; **father-in-law** ['fɑːðərinlɔ:] *n* uošvis

fault [fɔːlt] *n* 1) klaida; 2) kaltė; ~**less** *a* be klaidų; ~**y** *a* sugedęs

fauna ['fɔːnə] *n* fauna

favo(u)r ['feivə] *n* 1) paslauga; 2) palankumas; ~**able** *a* 1) palankus; 2) tinkamas; ~**ite** [-rit] *a* mylimas, mėgstamas; *n* favoritas

fear [fiə] *n* baimė; *v* bijoti; ~**ful** *a* bijantis, baugštus

feast [fiːst] *n* puota; *v* puotauti

feat [fiːt] *n* žygis

feather ['feðə] *n* (*paukščio*) plunksna

feature ['fiːtʃə] *n* 1) bruožas, savybė; 2) *pl* veido bruožai; ~ f i l m vaidybinis filmas

February ['februəri] *n* vasaris

fed *žr.* feed

federal ['fedərəl] *a* federalinis, federacinis

fee [fiː] *n* 1) honoraras, mokestis; 2) arbatpinigiai

feeble ['fiːbl] *a* silpnas, palieges

feed [fiːd] *v* (**fed** [fed]) maitinti; šerti

feel [fiːl] *v* (**felt** [felt]) 1) jausti(s); 2) (pa)čiupinėti; ~ l i k e norėti

feeling ['fiːliŋ] *n* jausmas

feet *žr.* foot

feign [fein] *v* apsimesti, dėtis

fell I [fel] *v* kirsti (*medžius*)

fell II *žr.* fall II

fellow ['feləu] *n* 1) *šnek.* vyrukas, vaikinas; 2) bendradarbis

felt žr. **feel**

female ['fi:meɪl] n 1) moteris; 2) patelė

feminine ['femɪnɪn] a moteriškas, moterų

feminism ['femɪnɪzm] n feminizmas

feminist ['femɪnɪst] n feministas

fence [fens] n tvora; v (ap)tverti; fechtuotis

fern [fɜːn] n papartis

ferocious [fə'rəuʃəs] a žiaurus

ferret ['ferɪt] n šeškas

ferry ['ferɪ] n keltas; v per(si)kelti

fertile ['fɜːtaɪl] a derlingas

fertilize ['fɜːtɪlaɪz] v tręšti; ~r n trąša

fervour ['fɜːvə] n užsidegimas, aistra

festival ['festɪvl] n 1) šventė; 2) festivalis

festive ['festɪv] a šventikas

fetch [fetʃ] v (nueiti ir) atnešti

feud [fjuːd] n nesantaika

feudal ['fjuːdl] a feodalinis

fever ['fiːvə] n karštis, karščiavimas; ~ish a 1) karštligiškas; 2) karščiuojantis

few [fjuː] a nedaug, nedaugelis; a ~ keletas

fiance [fi'ɒnseɪ] n sužadėtinis; ~e n sužadėtinė

fib [fɪb] n prasimanymas; v prasimanyti; ~ber n (smulkus) melagis

fibre ['faɪbə] n skaidula; pluoštas

fiction ['fɪkʃn] n 1) fikcija; 2) beletristika; grožinė literatūra

fictitious [fɪk'tɪʃəs] a fiktyvus, netikras

fiddle ['fɪdl] n šnek. smuikas

fidget ['fɪdʒɪt] v nenustygti vietoje, nerimti

field [fiːld] n 1) laukas; 2) (veiklos) sritis

fierce [fɪəs] a nuožmus, įnirtingas

fifteen ['fɪf'tiːn] num penkiolika; ~th [-θ] num penkioliktas

fifty-fifty ['fɪftɪ'fɪftɪ] adv lygiomis, pusiau

fith [fɪfθ] num penktas

fiftieth ['fɪftɪɪθ] num penkiasdešimtas

fifty ['fɪftɪ] num penkiasdešimt

fig [fɪg] n figa

fight [faɪt] v (fought [fɔːt]) kovoti, kautis; n kova

fight | er ['faɪtə] n 1) kovotojas; 2) naikintuvas (lėktuvas); ~ing ['faɪtɪŋ] n kova; muštynės

figure ['fɪgə(r)] n 1) figūra; 2) skaitmuo

file I [faɪl] n 1) segtuvas; aplankas; 2) byla; 3) kompiuterio rinkmena

file II [faɪl] *n* dildė, *v* dildyti

file III [faɪl] *n* vora, eilė

fill [fɪl] *v* pripildyti; ~ing station ['steɪʃn] degalinė

fillet ['fɪlɪt] *n* 1) kaspinas (*plaukams*); 2) filė

film [fɪlm] *n* filmas; ~star kino žvaigždė; *v* filmuoti

filter ['fɪltə] *n* filtras, koštuvas; *v* filtruoti, košti

filthy ['fɪlθɪ] *a* labai nešvarus

fin [fɪn] *n* pelėkas

final ['faɪnl] *a* paskutinis, galutinis, baigiamasis; *n* finalas; ~ly [-nəlɪ] *adv* pagaliau, galų gale

finance ['faɪnæns] *n* finansai; *pl* lėšos; *v* finansuoti

financial [faɪ'nænʃl] *a* finansinis

find [faɪnd] *v* (found [faund]) (su)rasti; ~ out sužinoti

fine I [faɪn] *a* 1) puikus, geras; 2) švelnus

fine II [faɪn] *n* (pa)bauda

finger ['fɪŋgə] *n* pirštas (*rankos*); ~print [-prɪnt] *n* piršto anspaudas

finish ['fɪnɪʃ] *v* baigti(s); *n* 1) galas, pabaiga; 2) apdaila; 3) finišas

Finland ['fɪnlənd] *n* Suomija

Finn [fɪn] *n* suomis; ~ish *a* suomiškas; *n* suomių kalba

fir [fɜ:] *n* eglė (*t.p.* ~tree)

fire ['faɪə] *n* 1) ugnis; 2) laužas; 3) gaisras; to catch ~ užsidegti; be on ~ degti; set ~ padegti; *v* šauti, šaudyti; ~alarm [-lɑ:m] *n* gaisro signalizacija; ~brigade [-brɪgeɪd] *n* ugniagesių komanda; ~engine [-endʒɪn] *n* gaisrinės automobilis; ~escape [-ɪskeɪp] *n* atsarginis išėjimas, gaisrinės kopėčios; ~extinguisher [-ɪkstɪŋwɪʃə] *n* gesintuvas; ~man [-mən] *n* gaisrininkas; ~place [-pleɪs] *n* 1) židinys; 2) ugniavietė; ~side [-saɪd] vieta prie židinio

firework(s) ['faɪəwɜ:k] *n* fejerverkas

firm I [fɜ:m] *a* tvirtas

firm II [fɜ:m] *n* firma

first [fɜ:st] *num* pirmas; *adv* pirma; ~ of all *n* pradžia, visų pirma; at ~ iš pradžių

first-aid ['fɜ:st'eɪd] *n* pirmoji pagalba

first-night ['fɜ:st'naɪt] *n* premjera

first-rate ['fɜ:st'reɪt] *a* pirmarūšis

fish [fɪʃ] *n* žuvis; *pl* ~men [-mən] žvejas

fishmonger ['fɪʃmʌŋgə] *n* žuvų pardavėjas

fist [fɪst] *n* kumštis

fit [fɪt] *a* tinkamas; *v* 1) tikti; 2)

flow

pritaikyti (to); 3) tilpti (into)

fitful ['fɪtfl] *a* 1) nereguliarus, neritmingas; 2) trūkčiojamas

fitness ['fɪtnɪs] *n* 1) tinkamumas; gera fizinė būklė; 2) *sport.* fitnesas

five [faɪv] *num* penki

fix [fɪks] *v* 1) pritvirtinti; 2) nustatyti, paskirti, sutvarkyti; 3) sutaisyti; ~ed *a* nustatytas

fizz [fɪz] *v* putoti; ~y putojantis

flag [flæg] *n* vėliava; ~pole [-pəul] vėliavos kotas

flake [fleɪk] *n* gabalėlis, dribsnis

flame [fleɪm] *n* liepsna, *v* liepsnoti

flannel ['flænl] *n* flanelė

flap [flæp] *n* nukaręs daiktas; *v* 1) plasnoti; 2) plaikstyti(s)

flare [fleə] *n* ryški, nelygi šviesa; *v* 1) blykčioti, tviskėti; 2) įsiliepsnoti

flash [flæʃ] *v* tvykstelėti; *n* blyksnis

flask ['flɑːsk] *n* 1) gertuvė; 2) termosas

flat I [flæt] *a* plokščias

flat II [flæt] *n* butas; block of ~ s daugiabutis namas

flatten ['flætn] *v* iš(si)lyginti, padaryti plokščią

flatter ['flætə] *v* meilikauti; *n* meilikavimas

flavour ['fleɪvə] *n* skonis; ~less

a be skonio

flax [flæks] *n* linas; linai

flea [fliː] *n* blusa

flee [fliː] (fled [fled]) pabėgti (*nuo*)

fleet [fliːt] *n* laivynas

flesh [fleʃ] *n* 1) mėsa; 2) minkštimas

flew žr. **fly**

flex [fleks] *n* lankstusis laidas

flick [flɪk] *n* staigus judesys; *v* pliaukštelėti; ~er *v* blikčioti, švystelėti

flight I [flaɪt] *n* skridimas; reisas

flight II *n* bėgimas

fling [flɪŋ] *v* (flung [flʌŋ]) mesti; (par)blokšti

flirt [flɜːt] *v* flirtuoti

float [fləut] *v* plūduriuoti

flock [flɒk] *n* banda; būrys; *v* būriuotis

flog [flɒg] *v* plakti, perti

flood [flʌd] *n* potvynis

floor [flɔː] *n* 1) grindys; 2) aukštas

flop [flɒp] *v* dribti; pliumptelėti

flora ['flɔːrə] *n* flora

florist ['flɔːrɪst] *n* gėlių pardavėjas

flour ['flauə(r)] *n* (*tik sg*) miltai

flourish ['flʌrɪʃ] *v* klestėti

flow [fləu] *n* tekėjimas; srovė;

v tekėti

flower ['flauə] *n* gėlė

flown *žr.* fly

flu [flu:] *n* gripas

fluctuate ['flʌktʃueɪt] *v* svy-ruoti, kisti

fluent ['flu:ənt] *a* sklandus; ~ly *adv* sklandžiai

fluid ['flu:ɪd] *n* skystis; *a* skys-tas

flush [flʌʃ] *v* 1) parausti; 2) nu-plauti vandens srove; nuleisti vandenį (*tualete*)

flute [flu:t] *n* fleita

flutter ['flʌtə] *v* plasnoti; *n* 1) plazdesys; 2) jaudinimasis

fly I [flaɪ] *v* (flew [flu:]; flown [fləun]) skristi; ~ing *a* skrai-dantis; ◊ ~ing saucer skrai-dančioji lėkštė

fly II *n* musė

flyover ['flaɪəuvə] *n* viadukas

foal [fəul] *n* kumeliukas

foam [fəum] *n* putos; *v* pu-toti

focus ['fəukəs] *v* centruoti; *n* centras; židinys

foe [fəu] *n* priešas

fog [fɔg] *n* rūkas

fold [fəuld] *n* klostė, raukšlė; *v* sulankstyti, suvynioti; ~er*n* aplankas

folk [fəuk] *n* liaudis, žmonės

follow ['fɔləu] *v* sekti; eiti iš paskos; ~ing seka; 1) kitas; 2) šitas

fond [fɔnd] *a* mylintis; meilus; be ~ (of) mylėti

fondle ['fɔndl] *v* glostyti, gla-monėti

food ['fu:d] *n* maistas; ~stuffs [-stʌfs] *n pl* maisto produktai

fool ['fu:l] *n* kvailys; *v* kvailinti; ~ish *a* kvailas

foot [fut] (*pl* feet [fi:t]) *n* 1) koja, pėda; 2) pėda (ilgio matas = 30,48 cm); ◊ on ~ pėsčiomis

football ['futbɔ:l] *n* futbolas; ~ player futbolininkas

footpath ['futpɑ:θ] *n* takas

footprint ['futprɪnt] *n* pėd-sakas

footstep ['futstep] *n* (*girdimas*) žingsnis

for [fə, fɔ:] *prep džn.* verčia-mas naudininku; dėl; per; už; į; this is ~ you ['ðɪs ɪz fə 'ju:] tai jums; ~ a week savaitei, savaitę; just ~ fun dėl juoko; ~ Kaunas į Kauną; to be ~ būti "už"; *cj* nes

forbear [fɔ:'bɛə] *v* (forbode [fɔ:'bɔ:]; forborne [fɔ:'bɔ:n]) susilaikyti

forbid [fə'bɪd] *v* (forbade [fə'beɪd]; forbidden [fə'bɪdn]) uždrausti

forecast ['fɔ:kɑ:st] *v* pranašau-ti; *n* pranašavimas, prognozė

foresee [fɔ:'si:] *v* (foresaw [fɔ:'sɔ:], foreseen) numatyti

force [fɔːs] *n* galia, jėga, b y ~
priverstinai; *v* priversti

foreground ['fɔːgraund] *n* prie-
kinis planas

forehead ['fɔrɪd, 'fɔːhed] *n*
kakta

foreign ['fɔrən] *a* 1) užsienio;
2) svetimas;~**er** *n* užsienietis

foreman ['fɔːmən] *n* meistras

forest ['fɔrɪst] *n* miškas,
giria

forever [fə'revə] *adv* amžinai,
visiems laikams

foreword ['fɔːwəːd] *n* pra-
tarmė

forgave žr. forgive

forge I [fɔːdʒ] *n* 1) kalvė; 2)
žaizdras

forg|e II [fɔːdʒ] *v* klastoti; ~
klastotė; ~**y** [-ə] *n* klastoji-
mas

forget [fə'get] *v* (forgot [-'gɔt];
forgotten [-'gɔtn]) užmiršti

forgive [fə'gɪv] *v* (forgave
[fə'geɪv]; forgiven [fə'gɪvn])
dovanoti, atleisti

fork [fɔːk] *n* 1) šakutė; 2)
šakės

forlorn [fə'lɔːn] *a* apleistas,
vienišas

form [fɔːm] *n* 1) forma; 2) klasė
(mokinių); *v* formuoti; ~**al** *a*
formalus; ~**ation** [fɔː'meɪʃn] *n*
formavimas(is)

former ['fɔːmə(r)] *a* buvęs,
ankstesnis;~**ly** adv anksčiau

formula ['fɔːmjulə] *n* for-
mulė

fort [fɔːt] *n* fortas

forth [fɔːθ] *adv* pirmyn; ◊ a n d
s o ~ i r t.t.

fortieth ['fɔːtɪəθ] *num* ketu-
riasdešimtas

fortification [ˌfɔːtɪfɪ'keɪʃn] *n* 1)
sutvirtinimas; 2) *pl kar* įtvir-
tinimas

fortify ['fɔːtɪfaɪ] *v* (su)tvirtinti,
stiprinti

fortnight ['fɔːtnaɪt] *n* dvi
savaitės

fortress ['fɔːtrɪs] *n* tvirtovė

fortunate ['fɔːtʃənət] *a* laimin-
gas; ~**ly** *mod* laimei

fortune ['fɔːtʃn] *n* 1) laimė, tur-
tas; 2) likimas, dalia

forty ['fɔːtɪ] *num* keturias-
dešimt

forward ['fɔːwəd] *adv* į priekį,
pirmyn; *a* priekinis; *n* (*sporte*)
puolėjas; *v* 1) persiųsti; 2)
paspartinti, prisidėti; ~**s** *adv*
pirmyn

fossil ['fɔsl] *n* iškasena

fought žr. fight

foul [faul] *a* 1) bjaurus, nešva-
rus; 2) nešvankus, nepadorus;
v prasižengti; *n* pražanga

found I žr. find

Found II [faund] *v* įkurti,
įsteigti; ~**ation** *n* 1) pamatas;
2) įkūrimas, įsteigimas

foundry ['faundrɪ] *n* liejykla

fountain ['fauntɪn] *n* fontanas; šaltinis; ~-pen [-pen] *n* parkeris, automatinis plunksnakotis

four ['fɔ:] *num* keturi; ~th [-θ] ketvirtas; ~teen [-ti:n] keturiolika; ~teenth [ti:nθ] keturioliktas

fowl [faul] *n* naminis paukštis

fox [fɒks] *n* lapė

fraction ['frækʃn] *n* 1) trupmena; 2) dalelė

fractur ['fræktʃə] *n* lūžis; *v* lūžis

fragile ['frædʒaɪl] *a* trapus

fragment ['frægmənt] *n* 1) nuolauža, šukė; 2) fragmentas

frail [freɪl] *a* silpnas, netvirtas

frame [freɪm] *n* rėmas; *v* įrėminti

France [frɑːns] *n* Prancūzija

frank [fræŋk] *a* atviras; nuoširdus

frantic ['fræntɪk] *a* paklaikęs, įsiutęs

fraternal [frə'tɜːnl] *a* broliškas

fraud [frɔːd] *n* 1) sukčiavimas; 2) sukčius

frayed [freɪd] *a* atspuręs, apibrizgęs

freckle ['frekl] *n* strazdana, šlakas

free [fri:] *a* 1) laisvas; 2) nemo-

kamas; 3) dosnus; *v* išlaisvinti; ~dom *n* laisvė

freez|e [fri:z] *v* (**froze** [frəuz]; **frozen** ['frəuzn]) (už)šalti; ~er 1) šaldykla; 2) *amer.* šaldymo kamera; ~ing-point [fri:zɪŋpɔɪnt] *n* užšalimo taškas

freight [freɪt] *n* krovinys

French [frentʃ] *a* prancūzų, prancūziškas; *n* 1) the ~ prancūzai; 2) prancūzų kalba

fretful ['fretfl] *a* irzlus, neramus

frequency ['fri:kwənsɪ] *n* dažnis, dažnumas

frequent *a* ['fri:kwənt] dažnas; *v* [frɪ'kwent] dažnai lankytis

fresh [freʃ] *a* šviežias

friable ['fraɪəbl] *a* purus; trapus

Friday ['fraɪdɪ] *n* penktadienis

friend ['frend] *n* bičiulis, draugas; ~ly *a* draugiškai; ~ship draugystė

fright [fraɪt] *n* baimė; ~en ['fraɪtn] *v* gąsdinti, bauginti; ~ful *a* 1) baikštus, baimingas; 2) *šnek.* baisus; bjaurus

frigid ['frɪdʒɪd] *a* šaltas (*ir perk.*)

fringle [frɪndʒ] *n* 1) kutas; 2) kirpčiukai

frizzle ['frɪzl] *n* garbanoti

plaukai

fro [frəu:] *adv*: to and ~ ten ir atgal

frock [frɔk] *n* suknelė

frog [frɔg] *n* varlė

from [frɔm, frəm] *prep* iš; nuo; ◊ ~ time to time kartais, retkarčiais

front [frʌnt] *n* 1) priekis; 2) fasadas; in ~ (of) priešakyje, priešais; ~tier ['trʌntiə] *n* siena; riba

frost [frɔst] *n* šaltis; šalna

froth [frɔθ] *n* puta; *v* putoti

frown [fraun] *v* 1) susiraukti; 2) šnairuoti, nepritariamai žiūrėti; *n* susiraukimas; nepritarimas

froze *žr.* **freeze**

fruit [fru:t] *n* vaisiai; ~ful *a* vaisingas; ~less *a* nevaisingas

fry [frai] *v* kepti, čirškinti; *n* kepsnys

frying-pan ['fraiŋpæn] *n* keptuvė

ft. *žr.* iš **feet**

fuel ['fju:əl] *n* kuras

fulfil(l) [ful'fil] *v* atlikti, įvykdyti

full [ful] *a* 1) pilnas; 2) visas, visiškas; *n*: to the ~ ligi galo, pilnutinai; ~y ['fuli] *adv* 1) visiškai; 2) pilnai

full-time ['fultaim] *a* turintis visą etatą

fumble ['fʌmbl] *v* grabalioti

fumes [fju:mz] *n pl* garai, šutas; dūmai

fun [fʌn] *n* juokas; pokštas

function ['fʌŋkʃn] *n* funkcija; *v* funkcionuoti, veikti

fund [fʌnd] *n* 1) fondas; 2) *pl* lėšos

funeral ['fju:nərəl] *n* laidotuvės

funnel ['fʌnl] *n* kaminas

funny ['fʌni] *a* juokingas, keistas

fur [fə:(r)] *n* kailis, kailiniai

furious ['fjuəriəs] *a* įsiutęs

furnace ['fə:nis] *n* krosnis, židinys

furnish ['fə:niʃ] *v* 1) apstatyti baldais; 2) aprūpinti

furniture ['fə:nitʃə] *n* baldai; apstatymas

furrow ['fʌrəu] *n* 1) (*veido*) gili raukšlė; 2) vaga; proveža

further ['fə:ðə] *a, adv* toliau (*apie atstumą, laiką, eilę*); *žr.* **far**

fury ['fjuəri] *n* 1) siautimas; įtūžis; 2) šėlimas

fuse | e [fju:z] *v* išlydyti; *n* el saugiklis; ~ion *n* 1) su(si)lydymas; 2) susiliejimas

fuss [fʌs] *n* sambrūzdis; ~y *a* neramus, nervingas

future ['fju:tʃə] *n* ateitis; *a* būsimas(is)

G

gabble ['gæbl] v taukšti, klegėti; n klegesys

gadget ['gædʒɪt] n šnek. (naujas) įtaisas/prietaisas

gad-fly ['gædflaɪ] n gylys

gag [gæg] n kamšalas; v užkimšti (burną)

gaiety ['geɪətɪ] n 1) linksmumas; 2) pl linksmybės

gaily ['geɪlɪ] adv linkomai

gain [geɪn] v 1) uždirbti; 2) v įgyti, gauti; 3) laimėti

gala ['gɑːlə] n šventė; iškilmė; a šventinis

gallant ['gælənt] a puikus, narsus

gallery ['gælərɪ] n galerija; (teatre) balkonas

gallon ['gælən] n galonas (saikas; anglų 4,54 l; JAV 3,78 l)

gallop ['gæləp] v šuoliuoti

gallows ['gæləuz] n kartuvės

galosh [gæ'lɒʃ] n kaliošas

gambl|e ['gæmbl] v lošti; n rizika; ~er n lošėjas (azartiškas); ~ing n lošimas (iš pinigų)

game I [geɪm] n žaidimas; partija (žaidimo); Olimpic ~s Olimpinės žaidynės

game II [geɪm] n medžioklės laimikis

gang [gæŋ] n būrys; gauja; v organizuoti gaują/būrį; suburti;

~ster [-stə] n gangsteris

gangway ['gæŋweɪ] n 1) trapas (laive); 2) perėjimas (tarp eilių)

gap [gæp] n tarpas; plyšys

gape [geɪp] v 1) spoksoti; 2) žiovauti

gaping ['geɪpɪŋ] n žiojėjantis

garage ['gærɑːʒ] n garažas

garbage ['gɑːbɪdʒ] n šiukšlės, atliekos, atmatos

garden ['gɑːdn] n sodas; ~er n oodininkao; ~ing n oodininkystė

garlic ['gɑːlɪk] n česnakas

garment ['gɑːmənt] n apdaras, drabužis

garnish ['gɑːnɪʃ] n 1) papuošalas; 2) garnyras

garret ['gærɪt] n palėpė, mansarda

garrison ['gærɪsn] n kar. įgula

garrulous ['gærələs] a šnekus, plepus

gas [gæs] n 1) dujos; 2) amer. benzinas; ~bag [-bæg] n dujų balionas; ~burner [-'bə:nə] n dujų degiklis

gash [gæʃ] n gili žaizda; v su(si)žeisti

gasp I [gɑːsp] v žioptelėti; n žioptelėjimas

gasp II [gɑːsp] v dusti, sunkiai kvėpuoti

gassy ['gæsɪ] a dujinis, pilnas dujų

gate [geɪt] *n* vartai; varteliai; **~way** [-weɪ] *n* įėjimas, išėjimas; vartai

gather [ˈgæðə] *v* rinkti(s); **~ing** *n* susirinkimas; sambūris

gaudy [ˈgɔːdɪ] *a* neskoningas; rėžiantis akį

gauge [geɪdʒ] *n* matuoklis; manometras; *v* išmatuoti

gave žr. give

gay [geɪ] *a* linksmas

gaze [geɪz] *v* įdėmiai žiūrėti; įbesti žvilgsnį

gazoline [ˈgæsəliːn] *n* amer. benzinas

gear [gɪə] *n* 1) tech. pavara; krumpliaratis; 2) apranga, apdaras

geese žr. goose

gem [dʒem] *n* brangakmenis

gender [ˈdʒendə] *n* gramatinė giminė

general I [ˈdʒenrəl] *a* 1) bendras; 2) nespecializuotas, paprastas; 3) vyriausiasis; **~ize** *v* apibendrinti; **~ly** *adv* 1) apskritai; 2) paprastai

general II [ˈdʒenrəl] *n* generolas

generation [ˌdʒenəˈreɪʃn] *n* karta; the younger ~ jaunoji karta

generosity [ˌdʒenəˈrɒsətɪ] *n* dosnumas

generous [ˈdʒenərəs] *a* 1) dos-

nus; 2) kilnus

genial [ˈdʒiːnɪəl] *a* 1) švelnus (*apie klimatą*); linksmas ir draugiškas

genius [ˈdʒiːnɪəs] *n* genijus

gentle [ˈdʒentl] *a* švelnus

gentleman [ˈdʒentlmən] *a* (*pl* **gentlemen**) džentelmenas; ponas

genuine [ˈdʒenjuɪn] *a* 1) tikras; 2) nuoširdus

geography [dʒɪˈɒgrəfɪ] *n* geografija

geological [dʒɪəˈlɒdʒɪkl] *a* geologinis

geologist [dʒɪˈɒlədʒɪst] *n* geologas

geology [dʒɪˈɒlədʒɪ] *n* geologija

geometry [dʒɪˈmetrɪ] *n* geometrija

geophysical [ˈdʒiːəˈfɪzɪkl] *a* geofizinis

Georgia [ˈdʒɔːdʒɪə] *n* Gruzija; **~n** *a* gruzinų, gruziniškas; *n* 1) gruzinas, -ė; 2) gruzinų kalba

germ [dʒəːm] *n* bakterija

German [ˈdʒəːmən] *a* vokiečių, vokiškas; *n* 1) vokietis, -ė; 2) vokiečių kalba; **~y** *n* Vokietija

gesture [ˈdʒestʃə] *n* gestas, mostas

get [get] *v* (**got** [gɒt]; **got**, *amer.* **gotten** [ˈgɒtn]) 1) gauti; *v* į(si)-

gyti; 2)atvykti, pasiekti (t o);
3) priversti, įtikinti; 4) tapti; 5)
imtis (darbo ir panašiai; t o ~
i n 1) įeiti; 2) nuimti (derlių);
~up atsikelti

ghastly ['gɑ:stlɪ] *a* 1) baisus,
šiupus; 2) ~**ly** *a* išbalęs kaip
drobė; vaiduokliškas, šmėkliškas

ghost [gəust] *n* dvasia

giant ['dʒaɪənt] *n* milžinas; *a*
milžiniškas

giddy ['gɪdɪ] *a* apsvaigęs

gift [gɪft] *n* dovana; ~**ed** *a* gabus, talentingas

gigantic ['dʒaɪ'gæntɪk] *a* gigantiškas

giggle ['gɪgl] *v* kikenti; *n* kikenimas

gild [gɪld] *v* paauksuoti

gilt [gɪlt] *n* paauksinimas; *a*
paauksuotas

ginger ['dʒɪndʒə] *a* rusvaplaukis; *n* imbieras; ~**b r e a d**
[-bred] imbierinis meduolis

gipsy ['dʒɪpsɪ] *n* čigonas, -ė

giraffe [dʒɪ'rɑ:f] *n* žirafa

girl [gə:l] *n* mergaitė; ~**ish** *a*
mergiškas, mergaičių

give [gɪv] *v* (**gave** [geɪv]; **given** ['gɪvn]) 1) duoti; 2) (pa-)
dovanoti; ~ **b a c k** grąžinti;
~ i n pasiduoti; ~ u p mesti
(pvz., rūkyti)

glacier ['glæsɪə] *n* ledynas

glad [glæd] *a* patenkintas;

linksmas; b e ~ džiaugtis;
~**ly** *adv* mielai, mielu noru;
su džiaugsmu

glance [glɑ:ns] *n* žvilgsnis; *v*
žvilgtelėti

glare [gleə] *v* akinamai spindėti; *n* blizgesys, spindesys

glass [glɑ:s] *n* 1) stiklas; 2) stiklinė; ~**es** [-ɪz] *pl* akiniai

gleam [gli:m] *v* švytėti

glide [glaɪd] *v* slysti; ~**r** *n*
sklandytuvas

glimmer ['glɪmə(r)] *v* mirgėti,
spindėti

glimpse [glɪmps] *n* blykstelėjimas; švystelėjimas

glisten ['glɪsn] *v* blizgėti

glitter ['glɪtə] *v* žibėti, žėrėti

global ['gləubl] *a* globalinis

globe [gləub] *n* 1) žemės
rutulys; 2) gaublys

gloomy ['glu:mɪ] *a* 1) tamsus;
2) nuliūdęs

glorious ['glɔ:rɪəs] *a* šlovingas

glory ['glɔ:rɪ] *n* garbė, šlovė

glossy ['glɒsɪ] *a* žvilgantis

glove [glʌv] *n* pirštinė

glow [gləu] *v* švytėti, žėrėti; *n*
žėrėjimas

glue [glu:] *n* klijai; *v* klijuoti

glum [glʌm] *a* apniukęs,
nusiminęs

gnarled [nɑ:ld] *a* gumbuotas

gnaw [nɔ:] *v* graužti

go [gəu] *v* (**went** [went]; **gone**

[gɔn]) 1) eiti, vaikščioti; 2) važiuoti, vykti; ~ on a trip vykti į kelionę; (be ~ing to do smth) ruoštis, ketinti ką daryti (reiškiant būsimąjį laiką); ~ by praeiti pro šalį; ~ without išsiversti be ko; ~ on tęsti(s)

goal ['gəul] *n* 1) tikslas; 2) įvartis; **~keeper** [-ki:pə] *n* (*sporte*) vartininkas

goat [gəut] *n* ožys, ožka

go-between ['gəubı'twi:n] *n* tarpininkas

god [gɔd] *n* 1) (G.) Dievas; 2) stabas; **~ess** *n* deivė

goggles ['gɔglz] *n pl* apsauginiai akiniai

going ['gəuıŋ] *n* 1) išnykimas; 2) ėjimas; važiavimas; *a* 1) einantis, veikiantis; 2) esamas

gold [guəld] *n* auksas; **~en** *a* auksinis; **~fish** [-fıʃ] *n* auksinis karosas

golf [gɔlf] *n* golfas

gone *žr.* go

gong [gɔŋ] *n* gongas

good [gud] *a* (**better** ['betə]); **best** [best]) geras; gražus; *n* gėris

goodbye ['gud'baı] *int* viso labo!; sudie!

good-looking ['gud'lukıŋ] *a* gražiai atrodantis, gražus

good-natured ['gud'neıtʃed] *a* gero būdo, geraširdi(ška)s

goodness ['gudnıs] *n* gerumas; ~ me! vaje!; my ~! Viešpatie!; ~ knows! galas žino!

good night ['gud'naıt] *int* labanakt!

good-tempered ['gud'tempəd] *a* gero būdo

good-for-nothing ['gudfən'ʌðıŋ] *a attr* niekam tikęs/vertas

goods [gudz] *n pl* prekės

goose [gu:s] (*pl* **geese** [gi:s]) *n* žąsis; **~berry** ['gu:zbrı] *n* agrastas

gorgeous ['gɔ:dʒəs] *a* 1) puikus; 2) puošnus, spalvingas

gorilla [gə'rılə] *n* gorila

gosh [gɔʃ] *int* na! negali būti!

gossip ['gɔsıp] *v* liežuvauti; *n* paskalos

got *žr.* get

govern ['gʌvn] *v* valdyti; **~ess** *n* guvernantė; **~ment** *n* 1) valdžia, vyriausybė; 2) valdymas; **~or** ['gʌvənə] *n* gubernatorius

gown [gaun] *n* 1) ilga suknelė; 2) mantija

grab [græb] *v* (pa)griebti; *n* (pa)griebimas

grace [greıs] *n* grakštumas; **~ful** *a* grakštus

gracious ['greıʃəs] *a* maloningas; gailestingas

grade ['greıd] *n* 1) laipsnis; 2)

klasė (mokykloje); ~-school
amer. pradinė mokykla

gradual ['grædʒuəl] *a* laipsniš-
kas

graduate ['grædʒueɪt] *v* baigti
mokyklą (from)

graduation ['grædʒu'eɪʃn] *n*
baigimas (mokyklos)

graft [gra:ft] *n bot.* skiepas;
skiepijimas; *v* skiepyti

grain [greɪn] *n* 1) grūdas, grū-
dai; 2) kruopelė, smiltelė

grammar ['græmə] *n* grama-
tika

gram(me) [græm] *n* gramas

gramophone ['græməfəun] *n*
patefonas

granary ['grænəri] *n* svirnas,
klėtis

grand ['grænd] *a* 1) svarbiau-
sias, pagrindinis; 2) grandi-
ozinis, įspūdingas, didingas;
~child ['græntʃaɪld] *n* anūkas;
~(d)ad [-æd] *n* šnek. senelis;
~daughter [-ɔ:tə] *n* anūkė;
~father [-fa:ðə] *n* senelis;
~ma, ~mother [grænma:,
grænmʌðə] *n* senelė; ~parents
[grænpɛərənts] *n* seneliai; ~son
[grænsʌn] *n* anūkas

grandstand ['grændstænd] *n*
centrinė tribūna (stadione)

granny, grannie ['grænɪ] *n*
šnek. senelė, močiutė

grant [gra:nt] *n* subsidija, dot-
acija; *v* 1) suteikti; 2) (pa)-
dovanoti

grapefruit ['greɪpfru:t] *n* greip-
frutas

grapes [greɪps] *n* vynuogės

grasp [gra:sp] *v* 1) sugriebti;
2) suvokti; ~ing a 1) grabus;
2) gobšus

grass [gra:s] *n* žolė; veja;
ganykla

grasshopper ['gra:shɔpə] *n*
žiogas

grass-snake ['gra:sneɪk] *n*
žaltys

grate I [greɪt] *n* (*krosnies*)
grotelės

grate II [greɪt] *v* trinti; tarkuo-
ti

grateful ['greɪtfl] *a* dėkingas

gratitude ['grætɪtju:d] *n*
dėkingumas

grave I ['greɪv] *n* kapas; ~yard
[-ja:d] *n* kapinės

grave II ['greɪv] *v* raižyti, gra-
viruoti; *a* rimtas

gravel ['grævl] *n* žvyras

gravity ['grævətɪ] *n* 1) rim-
tumas; orumas; 2) (*ligos ir
pan.*) sunkumas 3) *fiz.* svorio
jėga; centre of ~ svorio
centras

gravy ['greɪvɪ] *n* (*riebus*)
padažas

gray [greɪ] *a amer. žr.* grey

graze [greɪz] *v* ganytis (apie
galvijus)

greas|e [gri:s] *v* patepti; *n* 1)

taukai, riebalai; 2) tepalas; ~y
a 1) taukuotas, riebaluotas; 2)
glitus (*apie kelią*)
great ['greɪt] *a* 1) didis; didysis;
a ~ **m a n** didis vyras; ~**ly** *adv*
žymiai, labai; 2) didelis; ~**ness**
n didumas; didybė
Greece [gri:s] *n* Graikija
greedy ['gri:dɪ] *a* godus
Greek [gri:k] *n* 1) graikas, -ė;
2) graikų kalba; *a* graikiškas,
graikų
green ['gri:n] *a* žalias; ~**house**
[-haus] *n* šiltnamis
greet ['gri:t] *v* sveikinti; ~**ing**
n sveikinimas
grenade [grə'neɪd] *n* granata
grew *žr.* **grow**
grey [greɪ] *a* 1) pilkas; 2) ži-
las; ~**ish** *a* 1) pilkšvas; 2) žils-
telėjęs
grid [grɪd] *n* 1) grotelės; 2)
tinklelis
grief [gri:f] *n* sielvartas
grieve [gri:v] *v* sielvartauti,
sielotis
grill [grɪl] *n* 1) kepta mėsa; 2)
grotelės (*mėsai kepti*); *v* kepti
(*mėsą*)
grim [grɪm] *a* niūrus, nykus
grin [grɪn] *n* šypsnis; *v* šaipy-
tis
grind [graɪnd] *v* (**ground**
[graund]) 1) malti; 2) trinti(s),
griežti (dantimis); 3) galąsti
grindstone ['graɪndstəun] *n*

tekėlas
grip [grɪp] *v* sugriebti; su-
spausti
grit [grɪt] *n* (*rupus*) smėlis
grits [grɪts] *n pl* kruopos,
košė
groan [grəun] *v* dejuoti; *n*
dejonė
grocer ['grəusə(r)] *n* baka-
lėjininkas; ~**y** *n* bakalėja;
~**y s t o r e** bakalėjos par-
duotuvė
groom [gru:m] *n* 1) arklinin-
kas; 2) jaunikis
groove [gru:v] *n* griovelis
gross [grəus] *a* 1) šiurkštus,
storžieviškas; 2) didžiulis,
aiškus; 3) bruto
grope [grəup] *v* eiti apgrai-
bomis
ground I *žr.* **grind**.
ground II [graund] *n* 1) že-
mė; 2) gruntas; 3) pagrindas;
4) atstumas; *v* (pa)grįsti
group [gru:p] *n* grupė; *v* gru-
puoti
grove [grəuv] *n* giraitė, miš-
kelis
grovel ['grəuvl] *v* keliaklups-
čiauti, šliaužioti
grow [grəun] *v* (**grew** [gru:];
grown [grəun]) 1) augti; *v*
auginti; 2) tapti, darytis; ~
u p augti (*apie žmones*)
grower ['grəuə] *n* augintojas;
sodininkas, daržininkas

growl [grəul] *v* urgzti; *n* urzgimas

grown-up ['grəunʌp] *a* suaugęs, subrendęs; *n pl* suaugusieji

growth ['grəuθ] *n* 1) augimas; didėjimas; 2) auglys

grubby ['grʌbɪ] *a* purvinas

grudge [grʌdʒ] *n* pagieža, pavydas; to bear a ~ griežti dantį

grumble ['grʌmbl] *v* niurnėti; ~r *n* bambeklis

grumpy [grʌmpɪ] *a* irzlus, niurzgus

grunt [grʌnt] *v* 1) kriuksėti; 2) niurnėti

guarantee ['gærən'ti:] *v* garantuoti; *n* garantija

guard [gɑ:d] *n* 1) sargybinis; 2) sargyba; 2) *pl* gvardija; ~ian [-ɪən] *n* teisinis globėjas; ~ianship [-ɪənʃɪp] *n* teisinė globa

guerilla [gə'rɪlə] *n* partizanas

guess [ges] *v* 1) (at)spėti; spėlioti; 2) *šnek. amer.* manyti; *n* 1) (at)spėjimas; 2) manymas, nuomonė

guest [gest] *n* svečias

guidance ['gaɪdəns] *n* 1) vadovavimas; 2) pamokymas, patarimas

guide [gaɪd] *v* vadovauti, vesti; *n* 1) vadovas, gidas; 2) (G.) skautė (*t.p.* Girl G.)

guilty [gɪlt] *n* kaltė, kaltumas

guilty ['gɪltɪ] *a* kaltas

guinea-pig ['gɪnɪpɪg] *n* jūrų kiaulytė

guitar [gɪ'tɑ:] *n* gitara

gulf [gʌlf] *n* įlanka

gullible ['gʌlɪbl] *a* patiklus, lengvatikis

gulp [gʌlp] *v* godžiai ryti; *n* gurkšnis, maukas

gum [gʌm] *n* 1) klijai; 2) sakai; 3) guma; *v* suklijuoti

gums [gʌmz] *n pl* dantenos

gun [gʌn] *n* šaunamasis ginklas; šautuvas; patranka; revolveris; ~powder [-paudə(r)] *n* parakas

gush [gʌʃ] *n* stipri srovė; *v* siūbtelėti (*srove*)

gust [gʌst] *n* 1) gūsis; 2) (*jausmų*) protrūkis; ~y *a* 1) šoruotas, vėjuotas; 2) audringas; smarkus

gutter [gʌtə(r)] *n* 1) latakas; 2) *perk.* (visuomenės) padugnės

guy [gaɪ] *n šnek.* vyrukas; vaikinas

gym [dʒɪm] *sutr.* = gymnasium ir gymnastics

gymnasium [dʒɪm'neɪzɪəm] *n* gimnastikos salė

gymnastics [dʒɪm'næstɪks] *n* gimnastika

gyps(um) ['dʒɪps(əm)] *n* gipsas

gypsy ['dʒɪpsɪ] *n* čigonas, -ė

H

ha! *int* o!

haberdashery [ˈhæbədæʃərɪ] *n* galanterija

habit [ˈhæbɪt] *n* įprotis; ~**ual** [həˈbɪtʃuel] *a* įprastinis; ~**ally** *adv* įprastai, nuolat

hack I [hæk] *v* 1) sukapoti į gabalus; įkirsti; įpjauti; 2) įsibrauti į kito kompiuterio sistemą; *n* 1) įkirtis, įpjova; pjautinė žaizda; 2) kirstukas, kaplys

hack II [hæk] *n* 1) samdomas rašeiva; 2) nuomojamas arklys; 3) pasijodinėjimas 4) *amer. šnek.* taksis, taksistas; *a* 1) nuomojamas, 2) nuvalkiotas, banalus; *v* 1) nuomoti; 2) pasijodinėti; 3) nuvalkioti, subanalinti

hackneyed [ˈhæknɪd] *a* nuvalkiotas, banalus

had *žr.* have

haddock [ˈhædək] *n* juodadėmė menkė

hail [heɪl] *n* kruša, ledai; *v* lyti ledais; ~**stone** [-stəun] krušos gabalėlis

hair [ˈhɛə(r)] *n* plaukai; plaukas; ~**cut** [-kʌt] *n* apkirpimas; ~**do** [-du:] *n* (*moterų*) šukuosena; ~**dresser** [-dresə] *n* (*moterų*) kirpėjas, -a; ~**pin**

n plaukų smeigtukas; ~**y** *a* plaukuotas

half [hɑːf] *n* (*pl* **halves** [hɑːvz]) pusė; *a* pusinis, pusės; ~**hour** [ˈauə] *n* pusvalandis

haft [hɑːft] *n* kotas, rankena

half-term [ˈhɑːftəːm] *n* (*mokykloje*) trumposios atostogos

halt-time [ˈhɑːftaɪm] *n* pertrauka tarp kėlinių

half-way [ˈhɑːfweɪ] *n* pusiaukelė

halloo [əˈluː] *int* 1) pui! 2) ei! (*dėmesiui patraukti*)

halt [hɔːlt] *v* sustoti; *n* sustojimas

halve [hɑːv] *v* dalyti pusiau

ham [hæm] *n* 1) kumpis; 2) *pl* sėdmenys

hamburger [ˈhæmbəːgə] *n* 1) mėsainis; 2) *amer.* malta jautiena

hammer [ˈhæmə] *n* plaktukas

hammock [ˈhæmək] *n* hamakas

hand [ˈhænd] *n* ranka (*plaštaka*); to shake ~s pasisveikinti (paspaudžiant ranką); *v* įteikti (t.p. ~ in); ~**bag** [ˈbəg] *n* rankinė; ~**book** [-buk] *n* vadovėlis; ~**cuffs** [-kʌfs] *n* *pl* antrankiai; ~**ful** *n* sauja; ~**grenade** [-grəneɪd] *n* rankinė granata; ~**icap** [-ɪkæp] *n* 1) kliūtis; 2) *sport.* handikapas;

~kerchief ['kæɪkətʃɪf] nosinė, skepetaitė

handle ['hændl] n rankena; v 1) elgtis; traktuoti; 2) valdyti, reguliuoti; **~bar** [-bɑ:] n (dviračio, motociklo) vairo rankena; vairas

hand-made ['hænd'meɪd] a rankų darbo

handsome ['hændsəm] a gražus

handwriting ['hændraɪtɪŋ] n rašysena, brūkžas

handy ['hændɪ] a parankus, patogus; nagingas

hang ['hæŋ] v (hung [hʌŋ]; reikšmė „pakarti" hanged) 1) kabinti; 2) karti

hangar ['hæŋə(r)] n angaras

hanger ['hæŋə] n pakabe; **~-on** ['hæŋər'ɒn] n pakalikas

hankie, hankey ['hæŋkɪ] šnek. = handkerchief

happen ['hæpən] v atsitikti, įvykti; **~ing** n atsitikimas

happiness ['hæpɪnɪs] n laimė

happy ['hæpɪ] a laimingas

happy-go-lucky ['hæpɪgəu'lʌkɪ] a nerūpestingas

harbor ['hɑ:bə(r)] n 1) uostas; 2) prieglobstis

hard ['hɑ:d] a 1) sunkus (pvz., darbas) 2) kietas; adv sunkiai; **~-hearted** ['hɑ:tɪd] a žiaurus; **~ly** adv 1) vos; 2) vargu ar

hard-working ['hɑ:dwə:kɪŋ] a darbštus, sunkiai/daug dirbantis

hardy ['hɑ:dɪ] a ištvermingas

hare ['heə] n kiškis

harm ['hɑ:m] n žala; v kenkti; **~ful** a žalingas, kenksmingas

harness ['hɑ:nɪs] n pakinktai; v kinkyti

harp [hɑ:p] n arfa

harrow ['hærəu] n akėčios; v akėti

harsh [hɑ:ʃ] a 1) šiurkštus, grubus; 2) griežtas, žiaurus

harvest ['hɑ:vɪst] n derlius; pjūtis

has [hæz, həz] v esam. l. 3 asm. forma iš have

hasn't ['hæznt] = has not

haste [heɪst] n skubėjimas; **make ~** skubėti

hasten ['heɪsn] v skubėti, skubinti

hasty ['heɪstɪ] a skubotas

hat [hæt] n skrybėlė

hatch [hætʃ] v išsiristi, prasikalti (apie paukšti); (iš)perėti

hate [heɪt] n neapykanta; v neapkęsti

hatred ['hætrɪd] n neapykanta

hatter ['hætə(r)] n skrybėlininkas

haughty ['hɔ:tɪ] a išdidus

haul [hɔ:l] v tempti, vilkti; n 1) tempimas; 2) grobis, laimikis

haunt [hɔ:nt] *v* persekioti, neduoti ramybės (*apie mintis*); dažnai lankytis; *n* mėgstama vieta

haunted ['hɔ:ntɪd] *a* kuriame vaidenasi (*apie namą*)

have [hæv] *v* (**had** [hæd] 1) turėti; 2) privalėti (+ *to inf*); 3) *pagalbinis vksmž. Perfect laikams sudaryti*

have-nots ['hæv'nɔts] *n* (the ~) beturčiai

haven't [hævnt] = **have not**

hawk [hɔ:k] *n* vanagas

hay ['heɪ] *n* šienas; ~stack [-stæk] šieno kūgis

hazard ['hæzəd] *n* rizika

hazel ['heɪzl] *n* lazdynas

H-bomb ['eɪtʃbɔm] *n* vandenilinė bomba

he [hi:] *pron* jis

head ['hed] *n* 1) galva; 2) viršininkas, vedėjas; *a* vyresnysis, vyriausiasis; centrinis; *v* vesti, vadovauti; būti priekyje; ~**waiter** vyresnysis padavėjas; ~**phones** [-feunz] *n pl* ausinės

heady ['hedɪ] *a* svaiginantis; apsvaigęs

headquarters ['hedkwɔ:təz] *n* (*karinis*) štabas, būstinė

heal ['hi:l] *v* (už)gyti; gydyti; ~**er** *n* hileris

health ['helθ] *n* sveikata; ~ centre poliklinika, ~y [-ɪ]

a sveikas

heap [hi:p] *n* krūva; ~s *šnek.* daugybė (of - *ko*)

hear [hɪə(r)] *v* (**heard** [hə:d]) girdėti; išgirsti; ~ ! ~ ! *int* teisingai! taip, taip! (*pritariant*)

hearing ['hɪərɪŋ] *n* 1) klausa; 2) girdimumas; girdėjimas; 3) (*bylos*) svarstymas

heart ['hɑ:t] *n* 1) širdis; siela; ~ a t t a c k širdies priepuolis; 2) jausmai; 3) centras; vidurys; 4) (*kortų*) čirvai; ◊ b y ~ atmintinai; t o h a v e y o u r ~ i n y o u r m o u t h širdis apmirė; t o l o s e ~ prarasti drąsą; t o t a k e ~ įsidrąsinti

heart-broken ['hɑ:tbrəukən] *a* susisielojęs, sielvartingas

heart-to-heart ['hɑ:tə'hɑ:t] *n* intymus, nuoširdus

hearth [hɑ:θ] *n* židinys

heartless ['hɑ:tlɪs] *a* beširdis, negailestingas

hearty ['hɑ:tɪ] *a* 1) širdingas, draugiškas; 2) energingas; 3) gausus

heat [hi:t] *n* 1) karštis; 2) šiluma; 3) *pl prk.* didelis susijaudinimas; *v* įkaitinti (*ir perk.*); kaisti

heater ['hi:tə] *n* šildytuvas

heating ['hi:tɪŋ] *n* (ap)šildymas; c e n t r a l ~ centrinis šildymas

heave [hi:v] *v* 1) kilnoti, (pa)-

kelti; (hove [həuv], heaved) jūr. traukti (*lyną, inkarą*)

heaven ['hevn] *n* bažn. dangus; good ~s! Dieve mano!

heavy ['hevɪ] *a* 1) sunkus (apie svorį); 2) didelis; smarkus

hectare ['hekta:r] *n* hektaras

hedge [hedʒ] *n* gyvatvorė

hedgehog ['hedʒhɔg] *n* ežys

heel [hi:l] *n* kulnas

height [haɪt] *n* aukštis

heir [ɛə] *n* paveldėtojas; ~ess ['ɛərɪs] *n* paveldėtoja

held žr. hold

helicopter ['helɪkɔptə] *n* malūnsparnis

hell [hel] *n* pragaras

he'll [hi:l] = he will

hello [hə'ləu] *int* 1) alio; 2) sveikas!

helmet ['helmɪt] *n* šalmas

help ['help] *n* pagalba; *v* padėti; ~ful *a* naudingas; ~ing *n* 1) pagalba; 2) (*valgio*) porcija; ~less *a* bejėgis

hem [hem] *n* siūlė, apsiuvas

hemisphere ['hemɪsfɪə] *n* pusrutulis

hemp [hemp] *n* kanapės

hen [hen] *n* višta

her [hə:] *pron* jos; ją; jai

herald ['herəld] *n* šauklys, pranašas; *v* paskelbti

herb [hə:b] *n* vaistažolė

herd [hə:d] *n* (*gyvulių*) banda

here ['hɪə] *adv* 1) čia; 2) štai; ~ you are! prašau! (*paduodant*)

heritage ['herɪtɪdʒ] *n* paveldas

hermit ['hə:mɪt] *n* atsiskyrėlis

hero ['hɪərəu] *n* didvyris; ~ic [hɪ'rəuɪk] *a* didvyriškas; ~ine ['herəuɪn] *n* didvyrė

herring ['herŋ] *n* silkė

hers [hə:z] jos (*be dktv.*)

herself [hə:'self] *pron* 1) (ji) pati; 2) save *atitinka sangrąžos dalelytę* –si

hesitate ['hezɪteɪt] *v* svyruoti, nesiryžti; stereo aparatūra ~ion *n* svyravimas, neryžtingumas

hiccup, hiccough ['hɪkʌp] *v* žagsėjimas; *n* žagsėti

hide [haɪd] *v* (hid [hɪd]; hidden ['hɪdn]) slėpti(s); ~-and-seek [-ənd'si:k] slėpynės

hideous ['hɪdɪəs] *a* šlykštus; bjaurus

hiding ['haɪdɪŋ] *n* slapstymasis

hi-fi ['haɪfaɪ] *n* aukštos kokybės grotuvas; stereo aparatūra

high ['haɪ] *a* aukštas; ~school *amer.* vidurinė mokykla; ~ly *adv* labai, didžiai, aukštai

highlands ['haɪlændz] *n pl* aukštumos; kalvotas kraštas

Highness ['haɪnɪs] *n* 1) aukštumas; 2) didenybė (*titulas*)

highway ['haɪweɪ] *n* plentas, vieškelis, magistralė; **~man** [-mən] *n* plėšikas

hijack ['haɪdʒæk] *v* užgrobti, pagrobti (*lėktuvą, automobilį*); **~er** *n* (*lėktuvo, automobilio*) pagrobėjas, plėšikas

hik|e [haɪk] *n* žygis/išvyka pėsčiomis; *v* keliauti pėsčiomis; **~er** *n* (*pėsčias*) turistas

hill [hɪl] *n* kalva; **~y** *a* kalvotas

him [hɪm] *pron* jį, jam; **~self** [hɪm'self] pron 1) (*jis*) pats; 2) save, savimi *atitinka sangrąžos dalelytę* **–si**

hind I [haɪnd] *n* užpakalinis

hind II [haɪnd] *n* stirna

hinder ['hɪndə] *v* trukdyti

hindrance ['hɪndrəns] *n* trukdymas, kliūtis

hint [hɪnt] *n* užuomina; aliuzija; *v* užsiminti, (pa)daryti aliuziją

hip [hɪp] *n* šlaunis (*iki juosmens*); klubas

hippopotamus [hɪpə'pɒtəməs] *n* hipopotamas

hire ['haɪə(r)] *v* 1) samdyti; 2) nuomoti; *n* 1) nuoma; 2) samda

his [hɪz] *pron* 1) jo 2) savo

hiss [hɪs] *v* šnypšti; *n* šnypštimas

historic [hɪ'stɒrɪk] *a* istorinis

history ['hɪstərɪ] *n* istorija

hit [hɪt] *v* (**hit**) 1) smogti; 2) pataikyti; 3) trenktis

hitch-hike ['hɪtʃhaɪk], *šnek.*

hitch [hɪtʃ] *v* keliauti autostopu

hitherto ['hɪðə'tu:] *adv* ligi šiol(ei)

hive [haɪv] *n* avilys

hoard [hɔːd] *n* (*slaptas*) atsargos; *v* (su)kaupti

hoarfrost ['hɔːfrɒst] *n* šerkšnas

hoarse [hɔːs] *a* užkimęs

hoax [həʊks] *n* nemalonus pokštas; *v* pasityčioti; pagauti

hobble ['hɒbl] *v* šlubuoti

hobby ['hɒbɪ] *n* mėgstamas darbas, hobis

hockey ['hɒkɪ] *n* ledo ritulys (*t.p.* ice **~**)

hoe [həʊ] *n* kauptukas; *v* kaupti

hog [hɒg] *n* meitėlis; kiaulė

hoist [hɔɪst] *v* (iš)kelti (*į viršų*)

hold ['həʊld] *v* (**held** [held]) 1) laikyti(s); 2) tilpti, talpinti; **~all** *n* kelioninis krepšys; **~er** *n* 1) savininkas; 2) kotelis; rankena

hole [həʊl] *n* 1) skylė; 2) urvas

holiday ['hɒlədɪ] *n* 1) šventė; 2) *pl* atostogos

Holland ['hɒlənd] *n* Olandija

hollow ['hɔləu] *a* tuščiaviduris, tuščias

holly ['hɔlɪ] *n bot.* bugienis

holy ['həulɪ] *a* šventas

home ['həum] *n* namai; *a* namų; naminis; at ~ namie; ~**less** *a* benamis; ~-**made** [-meɪd] *a* namų darbo; ~**sick** [-sɪk] *a* išsiilgęs namų; ~**work** [-wɔːk] *n* namų darbas

honest ['ɔnɪst] *a* doras, sąžiningas; atviras; ~**y** *n* sąžiningumas, dora

honey ['hʌnɪ] *n* medus; ~**moon** [-muːn] *n* medaus mėnuo

honorary ['ɔnərərɪ] *a* garbės (*apie narį, vardą*)

honour ['ɔnə] *n* garbė; ~**able** *a* garbingas

hood [hud] *n* 1) gobtuvas; 2) dangtis

hoof [huːf] *n* (*pl* **hooves**) kanopa

hook [huk] *n* kablys, kabliukas; *v* užsagstyti/susegti kabliukais

hoop [huːp] *n* lankas; metalinis žiedas

hoot [huːt] *n* 1) (*automobilio*) signalas; 2) ūbavimas (*pelėdos*); *v* 1) kaukti; duoti signalą; 2) ūbauti

hop I [hɔp] *v* šokinėti, šokuoti

hop II [hɔp] *n* apynys

hope ['həup] *v* tikėti, viltis; *n* viltis; ~**less** *a* beviltiškas

horn [hɔːn] *n* ragas; ~**y** raguotas; raginis

horrible ['hɔrəbl] *a* baisus; bjaurus

horrid ['hɔrɪd] *a* = **horrible**

horrify ['hɔrɪfaɪ] *v* sukelti siaubą

horror ['hɔrə] *n* siaubas; pasibaisėjimas

horse ['hɔːs] *n* arklys, žirgas; ~**shoe** [-ʃuː] *n* pasaga

hose [həuz] *n* žarna (laistyti, gaisrui gesinti)

hospitable ['hɔspɪtəbl] *a* svetingas, vaišingas

hospital ['hspɪtl] *n* ligoninė

host I [həust] *n* šeimininkas

host II [həust] *n* daugybė

hostage ['həustɪdʒ] *n* įkaitas

hostel ['hɔstl] *n* bendrabutis

hostess ['həustɪs] *n* šeimininkė

hostile ['hɔstaɪl] *a* priešiškas

hot [hɔt] *a* karštas; it is ~ karšta; ~**bed** [-bed] *n* inspektas; ~**house** [-haus] *n* šiltnamis

hotel [həu'tel] *n* viešbutis

hound [haund] *n* skalikas

hour ['auə] *n* valanda; ~**ly** *adv* kas valandą

house [haus] *n* namas (*pl* **houses** ['hauzɪz]); House of Commons (of Lords) atstovų (lordų) rūmai; ~**hold**

[-həuld] *n* namiškiai, šeimyna; namų ūkis

housing ['hauzɪŋ] *n* butų fondas; aprūpinimas butais

house | keeper ['hauski:pə], **~wife** [-waɪf] *n* (*pl* **~wives** [-waɪvz] namų šeiminė

hover ['hɒvə(r)] *v* 1) plazdenti, pakilti (*ore*) 2) sukinėtis, slankioti; 3) abejoti, svyruoti

hovercraft ['hɒvəkrɑːft] *n* transporto priemonė su oro pagalve

how [hau] *adv* kaip; ◊ ~ a r e y o u ? kaip jaučiatės?, kaip gyvuojate? ~ d o y o u d o ? sveiki! (*papr. susipažįstant*); ~ m a n y ?, ~ m u c h ? kiek?

however [hau'evə] *adv* kaip ne; kiek ne; kad ir kaip; *cj* tačiau

howl ['haul] *n* staugimas; *v* staugti

huckleberry ['hʌklbərɪ] *n amer.* mėlynė (*uoga*)

huddle ['hʌdl] *n* (*netvarkingai*) suversta krūva; *v* 1) suversti į krūvą; 2) spūstis

hue [hjuː] *n* atspalvis; spalva

hug [hʌg] *v* apkabinti; apkabinimas

huge [hjuːdʒ] *a* milžiniškas, didžiulis

hullo [hə'ləu] *int* = hello

hum [hʌm] *v* ūžti; *n* ūžimas

human ['hjuːmən] *a* žmogiškas, žmogaus; **~being** žmogus; **~e**

[hju:'meɪn] *a* humaniškas

humanity [hju:'mænətɪ] *n* žmonija

humble ['hʌmbl] *a* 1) kuklus, nuolankus; 2) paprastas

humbug ['hʌmbʌg] *n* 1) apgavystė; 2) apgavikas; apsimetėlis

humid ['hjuːmɪd] *a* drėgnas; **~ity** *n* drėgnumas, drėgmė; r e l a t i v e ~ santykinis oro drėgnumas

humiliate [hju:'mɪlɪeɪt] *v* pažeminti

humorous ['hjuːmərəs] *a* juokingas, humoristinis

humour ['hjuːmə] *n* humoras

hump [hʌmp], **hunch** [hʌntʃ] *n* kupra

hundred ['hʌndrəd] *num* šimtas; **~th** [-θ] *num* šimtasis

hung *žr.* hang

Hungar | ian [hʌŋ'gɛrɪən] *n* 1) vengras; 2) vengrų kalba; *a* vengrų, vengriškas; **~y** *n* Vengrija

hunger ['hʌŋgə] *n* alkis

hungry ['hʌŋgrɪ] *a* alkanas

hunt [hʌnt] *v* medžioti; *n* medžioklė; **~er** *n* medžiotojas

hurl [hɜːl] *v* sviesti; *n* staigus metimas

hurrah [hu'rɑː], **hurray** [hu'reɪ] *int* valio!

hurricane ['hʌrɪkən] *n* uraganas

hurry ['hʌrɪ] *v* skubėti; *n* skubėjimas; **be in a ~** skubėti

hurt [hə:t] *v* (**hurt**) su(si)žeisti; skaudėti; **~ oneself** užsigauti, susižeisti; *n* sužalojimas

husband ['hʌzbənd] *n* vyras (*sutuoktinis*)

hush [hʌʃ] *int* ša!, cit!

hut [hʌt] *n* trobelė; lūšnelė

hydrogen ['haɪdrədʒən] *n* van denilis

hydroelectric ['haɪdrəu'ılektrık] *n* hidroelektrinis; **~ power-station** hidroelektrinė

hyena, hyaena [haɪ'i:nə] *n* hiena

hygiene ['haɪdʒi:n] *n* higiena

hymn [hɪm] *n* himnas

hyphen ['haɪfn] *n* brūkšnelis (*rašyboje*)

hypnotize ['hɪpnətaɪz] *v* hipnotizuoti

hypothesis [haɪ'pɔθɪsɪs] *n* (*pl* **hypotheses** [-θəsi:z]) hipotezė

hysterics [hɪ'sterɪk] *n* isterijos priepuolis, isterija

I

I [aɪ] *pron* aš

ibidem ['ɪbɪdem] *adv lot.* ten pat

ice ['aɪs] *n* ledas; **~berg** [-bə:g] *n* ledkalnis; **~-breaker** [-breɪkə] *n* ledlaužis; **~-cream** [-kri:m] *n sg* (*valgomieji*) ledai

Iceland ['aɪslənd] *n* Islandija; **~er** *n* islandas,-ė; **~ic** ['aɪs'lændɪk] *a* islandiškas; *n* islandų kalba

icicle ['aɪsɪkl] *n* (*ledo*) varveklis

icing ['aɪsɪŋ] *n* 1) *kul.* glajus; 2) *av.* apledėjimas

icy ['aɪsɪ] *a* ledinis, šaltas

I'd [aɪd] 1) = I **had**; 2) = I **would**; I **should**

idea [aɪ'dɪə] *n* idėja, mintis

ideal [aɪ'dɪəl] *n* idealas; *a* idealus

identical [aɪ'dentɪkl] *a* toks pats, identiškas

identification [aɪ'dentɪfɪ'keɪʃn] *n* tapatybės nustatymas

identify [aɪ'dentɪfaɪ] *v* nustatyti tapatybę; identifikuoti

identity [aɪ'dentɪtɪ] *n* 1) tapatumas; 2) *teis.* asmenybės tapatybė; **~ card** asmens liudijimas

idiom ['ɪdɪəm] *n* idioma; **~ic** ['ɪdɪə'mætɪk] *a* idiomatinis

idiot ['ɪdɪət] *n* idiotas; ~ic [ɪdɪ'ɔtɪk] *a* idiotiškas

idle ['aɪdl] *a* tuščias, nenaudingas; be darbo; *v* tinginiauti, dykinėti

idol ['aɪdl] *n* stabas

i.e. ['aɪ'i:] *sutr.* tai yra *(t.y)*

if [ɪf] *cj* 1) jei(gu); 2) ar; 3) kad (ir); nors ir

ignorance ['ɪgnərəns] *n* nemokšiškumas; nežinojimas

ignorant ['ɪgnərənt] *a* nemokšiškas; nežinantis

ignore [ɪg'nɔ:] *v* ignoruoti

I'll [aɪl] = I shall; I will

ill [ɪl] *a* 1) sergantis, nesveikas; 2) blogas, prastas

ill-bred ['ɪl'bred] *a* neišauklėtas

illegal [ɪ'li:gl] *a* neteisėtas

illegible [ɪ'ledʒəbl] *a* neįskaitomas

illiterate [ɪ'lɪtərət] *n* beraštis; *a* neraštingas

ill-treat ['ɪl'tri:t] *v* blogai elgtis *(su kuo)*; ~ment *n* blogas elgesys

illuminate [ɪlu:mɪnɪt] *v* apšviesti

ill-will ['ɪl'wɪl] *n* pikta valia; nepalankumas

I'm [aɪm] = I am

image ['ɪmɪdʒ] *n* 1) paveikslas; vaizdas; 2) įvaizdis

imaginary [ɪ'mædʒɪnərɪ] *a* įsivaizduotas; įsivaizduoja-

mas

imagination [ɪ'mædʒ'ɪneɪʃn] *n* vaizduotė

imaginative [ɪ'mædʒɪnətɪv] *a* vaizdingas; lakios vaizduotės

imagine [ɪ'mædʒɪn] *v* įsivaizduoti; manyti

imitation [ɪmɪ'teɪʃn] *n* pamėgdžiojimas; imitacija

immediate [ɪ'mi:dɪət] *a* 1) neatidėliojamas; 2) tiesioginis; ~ly *adv* 1) tiesiogiai; 2) tuojau pat

immense [ɪ'mens] *n* didžiulis; ~ly *adv* be galo, nepaprastai

immigrant ['ɪmɪgrənt] *n* imigrantas

immigrate ['ɪmɪgreɪt] *v* imigruoti

immigration ['ɪmɪ'greɪʃn] *n* imigracija

immovable [ɪ'mu:vəbl] *a* nejudamas; nepajudinamas

imp [ɪmp] *n* velniūkštis *(apie vaiką)*

impart [ɪm'pɑ:t] *v* 1) duoti, suteikti; 2) perteikti *(žinias ir pan.)*

impatien|ce [ɪm'peɪʃns] *n* nekantrumas; ~t *a* nekantrus

imperative [ɪm'perətɪv] *a* įsakmus, primygtinis; *n* liepiamoji nuosaka

imperfect [ɪm'pə:fɪkt] *a* neužbaigtas; netobulas

impertinen|ce [ɪm'pə:tɪnens]

n įžūlumas; ~t *a* įžūlus
implant [ɪm'plɑːnt] *v* įdiegti, įskiepyti
implement ['ɪmplɪmənt] *n* įrankis, prietaisas
implore [ɪm'plɔː(r)] *v* maldauti
imply [ɪm'plaɪ] *v* (nu)manyti, duoti suprasti, turėti mintyje
impolite ['ɪmpə'laɪt] *a* nemandagus
import ['ɪmpɔːt] *n* importas; *v* [ɪm'pɔːt] importuoti, ~er *n* importuotojas
importance [ɪm'pɔːtns] *n* svarba
important [ɪm'pɔːtnt] *a* svarbus
impossible [ɪm'pɔsəbl] *a* negalimas, neįmanomas
impostor [ɪm'pɪstə] *n* apsišaukėlis; apgavikas
impress [ɪm'pres] *v* daryti įspūdį; ~ion *n* įspūdis; ~ive *a* įspūdingas
imprison [ɪm'prɪzn] *v* įkalinti
improbable [ɪm'prɔbəbl] *a* neįtikėtinas
improve [ɪm'pruːv] *v* pagerinti; pagerėti; ~ment *n* pagerinimas; pagerėjimas
impuden|ce ['ɪmpjudəns] *n* įžūlumas; ~t *a* įžūlus
in [ɪn] *prep* 1) (*kur*) ~ the room kambaryje; 2) (*kada*) ~ summer vasarą; 3) (*kaip*)

~ pencil pieštuku; *adv* (*viduje*; *į*) come ~ įeiti; be ~ būti namie
in. *sutr iš* inch
inability ['ɪnə'bɪlətɪ] *n* negalėjimas
inaccurate [ɪn'ækjurət] *a* netikslus
inadequate [ɪn'ædɪkwət] *a* 1) ne(ati)tinkamas, neadekvatus; 2) nepakankamas, nepilnavertis
inaudible [ɪn'ɔːdɪbl] *a* negirdimas
inborn [ɪn'bɔːn] *a* įgimtas
incapable [ɪn'keɪpəbl] *a* negalintis, nesugebantis
incessant [ɪn'sesnt] *a* nesiliaujamas
inch [ɪnʃ] *n* colis (= 2,54 cm)
incident ['ɪnsɪdent] *n* atsitikimas; ~al ['ɪnsɪ'dentl] *a* atsitiktinis; ~ally *adv* atsitiktinai
inclined [ɪn'klaɪnd] *a* 1) palinkęs; 2) *prk.* linkęs
includ|e [ɪn'kluːd] *v* įjungti, įskaityti; ~ing *prep* įskaitant
income ['ɪnkəm] *n sg* pajamos; uždarbis; ~-tax [-tæks] *n* pajamų mokestis
incomplete ['ɪnkəmp'liːt] *a* neužbaigtas; nepilnas
inconsiderate ['ɪnkən'sɪdərət] *a* 1) neapgalvotas; 2) nedėmesingas kitiems
inconvenien|ce ['ɪnkən'viːnɪə

ns] *n* nepatogumas; ~t *a* nepatogus

incorrect ['ınkə'rekt] *a* neteisingas

increase *n* ['ınkr:is] (pa)didėjimas; *v* [ın'kri:s] didėti, (iš)augti

incredible [ın'kredəbl] *a* neįtikėtinas

indebted [ın'detıd] *a* 1) skolingas; 2) dėkingas

indeed [ın'di:d] *adv* iš tikrųjų; ~? tikrai?

indefinite [ın'defənıt] *a* neapibrėžtai; t h e ~ a r t i c l e nežymimasis artikelis; ~ly *adv* neapibrėžtai; neribotam laikui

independen|ce ['ındı'pendə ns] *n* nepriklausomybė; ~t *a* nepriklausomas

index ['ındeks] *n* rodyklė; indeksas

India ['ındıə] *n* Indija; ~n *a* 1) Indijos; 2) indų; *n* 1) indas; 2) indėnas

indicate ['ındıkeıt] *v* nurodyti

indicator ['ındıkeıtə] *n* indikatorius

indignant [ın'dıgnənt] *a* pasipiktinęs

indigestion ['ındı'dʒestʃn] *n* virškinimo traktas

indirect ['ındı'rekt] *a* netiesioginis

indispensable ['ındı'spensəbl] *a* būtinas

individual ['ındı'vıdʒuəl] *a* atskiras; individualus; *n* individas

indivisible [ındı'vızəbl] *a* nedalijamas

Indonesia ['ındə'ni:ʒə] *n* Indonezija; ~n *n* indonezietis, -ė

indoor ['ındɔ:r] *a* vykstantis viduje (*ne lauke*); ~s ['ın'dɔ:z] *adv* viduje, į vidų; patalpoje

industrial [ın'dʌstrıəl] *a* pramonės, industrinis; ~ize [-aız] *v* industrializuoti

industry ['ındəstrı] *n* pramonė

inexpensive ['ınık'spensıv] *a* nebrangus

infant ['ınfənt] *n* kūdikis

infect [ın'fekt] *v* užkrėsti; ~ion *n* infekcija, už(si)krė-timas

infectious [ın'fekʃəs] *a* užkrečiamas

infertile [ın'fə:taıl] *a* nederlingas

infinite ['ınfınıt] *a* begalinis; ~ly *adv* be galo

infinitive [ın'fınıtıv] *n* bendratis

infinity [ın'fınıtı] *n* begalybė

inflammable [ın'flæməbl] *a* degus, lengvai užsidegantis

inflatable [ɪnˈfleɪtəbl] *a* pripučiamas

inflat|e [ɪnˈfleɪt] *v* pripūsti; ~**ion** [ɪnˈfleɪʃn] 1) (pri)(pasi)pūtimas; 2) *ekon.* infliacija

influence [ˈɪnfluəns] *n* įtaka (on, upon, over – *kam*); ~**tial** [-ʃl] *a* įtakingas

info [ˈɪnfəu] *n šnek.* informacija, žinios

inform [ɪnˈfɔːm] *v* 1) pranešti, informuoti; 2) įskųsti

informal [ɪnˈfɔːml] *a* neformalus, neoficialus

information [ˌɪnfəˈmeɪʃn] *n* informacija; ~**bureau/office** informacijos biuras

infrequent [ɪnˈfriːkwənt] *a* nedažnas

ingredient [ɪnˈgriːdɪənt] *n* ingredientas

inhabit [ɪnˈhæbɪt] *v* apgyvendinti; ~**ant** [-ənt] *n* gyventojas

inherit [ɪnˈherɪt] *v* apveldėti; ~**ance** *n* paveldėjimas; palikimas

initial [ɪˈnɪʃl] *a* pradinis

inject [ɪnˈdʒekt] *v* įleisti (*vaistų*)

injection [ɪnˈdʒekʃn] *n* injekcija

injure [ˈɪndʒə] *v* 1) sužeisti; 2) įžeisti; 3) pakenkti

injury [ˈɪndʒərɪ] *n* 1) žala; pakenkimas; 2) sužeidimas

ink [ɪŋk] *n* rašalas; tušas; (*t.p.* I n d i a n ~)

inland [ˈɪnlənd] *a* esantis krašto viduje

inn [ɪn] *n* smuklė; ~**keeper** [-kiːpə] *n* smuklininkas

inner [ˈɪnə] *a* vidinis

innings [ˈɪnɪŋz] *n* eilė paduoti kamuolį (*krikete, beisbole*)

innocent [ˈɪnəsnt] *a* nekaltas

inquir|e [ɪnˈkwaɪə] *v* teirautis, klausti; ~**ing** *a* 1) klausiamas; 2) smalsus

inquiry [ɪnˈkwaɪərɪ] *n* teiravimasis

inquisitive [ɪnˈkwɪzəvɪt] *a* smalsus

insane [ɪnˈseɪn] *a* psichiškai nesveikas

insect [ˈɪnsekt] *n* vabzdys

insecure [ˌɪnsɪˈkjuə(r)] *a* nesaugus

inside [ɪnˈsaɪd] *adv, prep* viduje, į vidų

insolent [ˈɪnsələnt] *a* užgaulus

insolvent [ɪnˈsɔlvənt] *a* nemokus, subankrutavęs

insomnia [ɪnˈsɔmnɪə] *n med.* nemiga

inspect [ɪnˈspekt] *v* 1) atidžiai apžiūrėti; 2) tikrinti; *n* apžiūra; ~**ion** inspekcija; ~**or** *n* inspektorius

inspir|ation [ˌɪnspɪˈreɪʃn] *n* įkvėpimas; ~**e** *v* įkvėpti, uždegti

install [ɪnˈstɔːl] *v* įrengti (*aparatūrą*), įrangą

installation [ˌɪnstəˈleɪʃn] *n* įrenginys, įranga

instance [ˈɪnstəns] *n* 1) atvejis, pavyzdys; 2) reikalavimas; f o r ~ pavyzdžiui

instant [ˈɪnstənt] *a* greitas, tuoj įvykstantis; ~ c o f f e e tirpi kava

instead [ɪnˈsted] *adv* vietoj; užuot; *prep* vietoj (*ko*)

instigate [ˈɪnstɪɡeɪt] *v* (su)-kurstyti, raginti

instinct [ˈɪnstɪŋkt] *n* instinktas; ~ive [ɪnˈstɪŋktɪv] *a* instinktyvus

institute [ˈɪnstɪtjuːt] *n* institutas

intoxicated [ɪnˈtɒksɪkeɪtɪd] *a* 1) pasigėręs, girtas 2) *med.* apsinuodijęs

instruct [ɪnˈstrʌkt] *v* 1) mokyti; 2) instruktuoti

instruct|ion [ɪnˈstrʌkʃn] *n* 1) (ap)mokymas; 2) *pl* instrukcijos, nurodymai; ~ive [-tɪv] *a* 1) pamokomas; 2) instruktyvinis

instructor [ɪnˈstrʌktə] *n* vadovas, mokytojas; instruktorius

insrument [ˈɪnstrumənt] *n* įrankis; instrumentas

insufficient [ˌɪnsəˈfɪʃnt] *a* nepakankamas

insulation [ˌɪnsjuˈleɪʃn] *n* izoliacija

insult [ɪnˈsʌlt] *v* įžeisti; ~ing *a* įžeidžiamas, užgaulus

insurance [ɪnˈʃuərəns] *n* (ap)-draudimas

insure [ɪnˈʃuə(r)] *v* (ap)drausti

intellectual [ˌɪntɪˈlektʃuel] *n* inteligentas; intelektualas

intelligence [ɪnˈtelɪdʒəns] *n* protiniai gabumai, protas

intelligent [ɪnˈtelɪdʒənt] *a* protingas; sumanus

intend [ɪnˈtend] *v* ketinti; ~ed *a* 1) skirtas; 2) numatyta, numatomas

intense [ɪnˈtens] *a* 1) intensyvus; 2) smarkus

intention [ɪnˈtenʃn] *n* ketinimas, noras; ~al *a* tyčinis, iš anksto apgalvotas

interest [ˈɪntrɪst] *n* 1) susidomėjimas, interesas; 2) procentas; palūkanos; *v* (su) dominti; b e ~ e d (in) *v* domėtis; ~ing *a* įdomus

interfer|e [ˌɪntəˈfɪə] *v* 1) kištis (in); 2) trukdyti (with smb/smth); ~ence *n* trukdymas; kišimasis

interior [ɪnˈtɪərɪə] *a* vidinis; *n* 1) vidus; 2) interjeras

intermediate [ˌɪntəˈmiːdɪət] *a* 1) vidutinis; 2) tarpinis

internal [ɪnˈtəːnl] *a* vidinis,

vidaus

international ['ɪntə'næʃnəl] *a* tarptautinis

interpret [ɪn'tə:prɪt] *v* 1) versti (*žodžiu*); 2) aiškinti; ~er *n* vertėjas

interrogate [ɪn'terəgeɪt] *v* (ap)klausinėti

interrogation [ɪn'terə'geɪʃn] *n* apklausa, (ap)klausinėjimas

interrupt ['ɪntə'rʌpt] *v* nutraukti; trukdyti

interval ['ɪntəvl] *n* 1) intervalas; 2) pertrauka (*koncerte ir pan.*)

interview ['ɪntəvju:] *n* interviu; pokalbis; *v* 1) imti interviu; 2) apklausti

into ['ɪntə] *prep* į (*į vidų*); to go ~ the house įeiti į namus

introduce ['ɪntrə'dju:s] *v* 1) įvadas, įžanga; 2) supažindinimas; 3) įdiegimas

intrude [ɪn'tru:d] *v* 1) kištis; įsibrauti (into); 2) primesti

invade [ɪn'veɪd] *v* įsiveržti, užgrobti; ~r grobikas, įsiveržėlis

invalid I ['ɪnvəlɪd] *n* invalidas, ligonis

invalid II [ɪn'vælɪd] *a* negaliojantis

invasion [ɪn'veɪʒn] *n* įsibrovimas

invent [ɪn'vent] *v* išrasti; ~ion

[-nʃn] *n* išradimas; ~or *n* išradėjas; ~ive *a* išradingas

inverted [ɪn'vɔ:tɪd] *a* apverstas; ~ commas kabutės (*tekste*)

invest [ɪn'vest] *v* investuoti; ~ment *n* investavimas

investigate [ɪn'vestɪgeɪt] *v* tirti, tyrinėti

invisibel [ɪn'vɪzəbl] *a* nematomas

invitation ['ɪnvɪ'teɪʃn] *n* (pa)kvietimas

invite [ɪn'vaɪt] *v* (pa)kviesti

invoice ['ɪnvɔɪs] *n* sąskaita, faktūra

invole [ɪn'vɔlv] *v* 1) sietis (*su*); 2) įtraukti, įpainioti; ~d *a* 1) įsitraukęs, įsipainiojęs; 2) painus; ~ment *n* į(si)traukimas

inward [ɪnwəd], -s [-z] *adv* į vidų

Iranian [ɪ'reɪnɪən] *a* Irano; *n* iranietis

Iraqi [ɪ'rɑ:kɪ] *a* Irako; *n* irakietis

Ireland ['aɪələnd] *n* Airija

Irish ['aɪərɪʃ] *a* airių, airiškas; *n* 1) airis; 2) airių kalba

iron ['aɪən] *n* 1) geležis; 2) lygintuvas (*drabužiams*); *a* geležinis

irregular [ɪ'regjulə] *a* netaisyklingas; nereguliavus

irresponsible ['ɪrɪ'spɔnsəbl] *a*

neatsakingas

irritable ['ırıtəbl] *a* irzlus

irritate ['ırıteıd] *v* erzinti, nervinti; **~d** *a* labai susierzinęs

irritation ['ırı'teıʃn] *n* 1) pyktis; 2) *med.* sudirgimas

is [ız] *esam. l. 3 asmuo iš* be

island ['aıslənd] *n* sala

isle ['aıl] *n* salelė

isn't ['ıznt] = is not

Israel ['ızreıl] *n* Izraelis

isolate ['aısəleıt] *v* izoliuoti, atskirti

issue ['ıʃu:, 'ısju:] *n* 1) ginčijamas klausimas; 2) leidinys; leidimas; 3) rezultatas; *v* išleisti

it [ıt] *pron* 1) jis, ji (*žymint daiktus*); 2) (*beasmeniuose sakiniuose*); ~ r a i n s lyja; ~ i s c o l d šalta

itch [ıtʃ] *n* niežai; *v* niežėti

Italian [ı'tælıən] *a* italų, itališkas; *n* 1) italas, -ė; 2) italų kalba

Italy ['ıtəlı] *n* Italija

item ['aıtəm] *n* punktas; klausimas

itinerary [aı'tınərərı] *n* maršrutas, kelias

it's [ıts] = it is

its [ıts] *pron* jo, jos, savo (*apie negyvus daiktus ir gyvulius*)

itself [ıt'self] *pron* 1) pats; pati (*apie daiktus ir gyvulius*); 2) atitinka sangrąžos dalelytę **–si**

I've [aıv] = I have

ivory ['aıvərı] *n* 1) šviesiai geltona, balta spalva; 2) dramblio kaulas

ivy ['aıvı] *n bot.* gebenė

J

jab [dʒæb] *n* staigus smūgis; dūris; *v* badyti (at); durti

jack [dʒæk] *n* 1) (*kortų*) valetas; 2) *tech.* domkratas

jacket ['dʒækıt] *n* švarkas

jack-of-all-trades ['dʒækə v'ɔ:l'treıdz] *n* visų galų/amatų meistras

jagged ['dʒægıd] *a* dantytas, nelygus

jaguar ['dʒægjuə] *n* jaguaras

jail [dʒeıl] *n* kalėjimas; *v* įkalinti; **~er** *n* kalėjimo sargas

jam I [dʒæm] *n* uogienė

jam II [dʒæm] *v* suspausti

Jamaica [dʒə'meıkə] *n* Jamaika

jangle ['dʒæŋgl] *v* džerškėti; džerškinti; *n* džerškėjimas

January ['dʒænjuərı] *n* sausis

Japan [dʒə'pæn] *n* Japonija; **~ese** ['dʒæpə'ni:z] *n a* japonų, japoniškas; *n* 1) japonas, -ė; 2) japonų kalba

jar [dʒɑ:(r)] *n* stiklainis, ąsotis

jaunt [dʒɔ:nt] *n* trumpa išvyka, iškyla; *v* iškylauti, keliauti

jaw [dʒɔ:] *n* 1) žandikaulis; 2) *pl* nasrai; 3) žiotys; *v* nuobodžiai kalbėti

jazz [dʒæz] *n* džiazas

jealous ['dʒeləs] *a* pavydus; ~**y** pavydas

jeans [dʒi:nz] *n* džinsai (*t.p.* a pali of ~).

jeep [dʒi:p] *n* džipas

jeer [dʒɪə] *v* kvatoti

jelly ['dʒəlɪ] *n* želė; drebučiai; ~**fish** *n* medūza

jerk [dʒə:k] *n* staigus judesys; *v* stumtelėti, truktelėti; trūkčioti

jersey ['dʒə:zɪ] *n* džersis (*audinys; drabužis*)

jet [dʒet] *n* 1) srautas; 2) reaktyvinis lėktuvas

jetty ['dʒetɪ] *n* damba, molas

Jew [dʒu:] *n* žydas; ~**ess** *n* žydė; ~**ish** *a* žydų, žydiškas

jewel ['dʒu:əl] *n* brangakmenis; ~**ler** [-ə] *n* juvelyras; ~**ry** *n* brangenybės

jingle ['dʒɪŋgl] *v* skambėti, žvangėti; *n* skambesys

job ['dʒɔb] *n* darbas, tarnyba; ~**less** *a* bedarbis

jockey ['dʒɔkɪ] *n* žokėjas

jocular ['dʒɔkjulə] *a* juokaujamas

jog [dʒɔg] *v* stumtelėti, bėgti, risnoti; ~**ger** *n* bėgikas pastriuokom

join [dʒɔɪn] *v* 1) (su)jungti; 2) prisijungti; įstoti (*į organizaciją*)

joint [dʒɔɪnt] *n* sąnarys; *a* jungtinis, bendras

joke [dʒəuk] *n* juokas, pokštas; *v* juokauti

jolly ['dʒɔlɪ] *a* linksmas, laimingas; *adv* šnek. labai; ~ **good** labai geras

jolt [dʒəult] *v* kratyti, trankyti; *n* kratymas

jostle ['dʒɔsl] *v* stumdytis (*minioje*); *n* stumdymasis

jot [dʒɔt] *v* trumpai/greitai užsirašyti, brūkštelėti

journal ['dʒə:nl] *n* žurnalas, laikraštis; ~**ist** *n* žurnalistas

journey ['dʒə:nɪ] *n* kelionė

joy ['dʒɔɪ] *n* džiaugsmas; ~**ful** *a* džiaugsmingas

jubilee ['dʒu:bɪli:] *n* jubiliejus

judge [dʒʌdʒ] *n* teisėjas; *v* 1) teisti; 2) teisėjauti; 3) spręsti (*by, from*); ~**ment** *n* sprendimas

judo ['dʒu:dəu] *n* sport. dziudo

jug [dʒʌg] *n* ąsotis

juggle ['dʒʌgl] *v* žongliruoti; ~**r** *n* žonglierius

juice [dʒu:s] *n* sultys, syvai

July [dʒu'laɪ] *n* liepa (*mėnuo*)

jumble ['dʒʌmbl] *n* sendaikčiai; **~-sale** [-seɪl] sendaikčių išpardavimas

jump [dʒʌmp] *v* šokti, šokinėti; *n* šuolis

jumper ['dʒʌmpə(r)] *n* megztinis, džemperis

junction ['dʒʌŋkʃn] *n* 1) susijungimas; sandūra; 2) mazgas (*pvz., geležinkelių*).

June [dʒu:n] *n* birželis

jungle ['dʒʌŋgl] *n* džiunglės

junior ['dʒu:nɪə] *a* jaunesnysis; žemesnio rango

jury ['dʒuərɪ] *n* prisiekusieji; žiuri

just [dʒʌst] *adv* 1) taip, kaip tik; 2) ką tik; 3) *šnek*. tik, tiesiog; *a* 1) teisingas; 2) pelnytas; deramas; tinkamas

justice ['dʒʌstɪs] *n* teisingumas, teisybė

justify ['dʒʌstɪfaɪ] *v* pateisinti, išteisinti

juvenile ['dʒu:vənaɪl] *n* paauglys, nepilnametis

K

kangaroo ['kæŋgə'ru:] *n* kengūra

Kazakh [kə'zɑ:k] *n* 1) kazachas, -ė; 2) kazachų kalba; **~stan** [-stɑ:n] *n* Kazachstanas

keel [ki:l] *n* (*laivo*) kilis

keen [ki:n] *a* 1) aštrus; 2) labai trokštantis; be ~ on smth 1) labai ko trokšti, labai ką mėgti; 2) energingas

keep [ki:p] *v* (**kept** [kept]) 1) (iš)laikyti; saugoti; 2) laikytis; 3) ~ doing (*smth*) nesiliauti ką darius

keeper ['ki:pə] *n* saugotojas; sargas

keepsake ['ki:pseɪk] *n* atminimo dovana

kennel ['kenl] *n* šuns būda

Kenya ['kenjə] *n* Kenija

kept *žr*. keep

kerb [kə:b] *n* šaligatvio kraštas

kerchief ['kə:tʃɪf] *n* skepeta, skarelė

kernel ['kə:nl] *n* 1) grūdas; branduolys; 2) esmė

ketchup ['ketʃəp] *n* (*aštrus*) pomidorų padažas, kečupas

kettle ['ketl] *n* virtuvas, (*metalinis*) virdulys

key [ki:] *n* 1) raktas; 2) klavišas

khaki ['kɑ:kɪ] *a* chaki spalva; *n* chaki spalvos audinys

kick [kɪk] *v* spirti, spardyti(s); *n* spyris

kid I [kɪd] *n* 1) ožiukas; 2) *šnek*.

vaikelis, jauniklis

kid II [kɪd] *šnek.* apgaudinėti

kidnap ['kɪdnæp] *v* pagrobti (*vaiką*)

kidney ['kɪdnɪ] *n* inkstas

kill ['kɪl] *v* užmušti; ~**er** *n* žudikas

kilo ['ki:ləu] *sutr.* kilogramas

kilogram ['kɪləgræm] *n* kilogramas

kilometre ['kɪləmi:tə] *n* kilometras

kilt [kɪlt] *n* 1) kiltas (*škotų sijonėlis*); 2) klostuotas sijonas

kin [kɪn] *n* giminaičiai, giminė

kind I ['kaɪnd] *n* rūšis

kind II ['kaɪnd] *a* geras; malonus; švelnus; ~**ness** *n* 1) gerumas; 2) geras darbas, paslauga

kindle ['kɪndl] *v* uždegti, užkurti

king ['kɪŋ] *n* karalius; ~**dom** *n* karalystė

kiosk ['ki:ɔsk] *n* kioskas

kipper ['kɪpə(r)] *n* rūkyta silkė/žuvis

Kirghizia [kə:'gi:zɪə] *n* Kirgizija

kiss [kɪs] *v* bučiuoti; *n* bučinys

kit [kɪt] *n* komplektas; reikmenys

kitchen ['kɪtʃɪn] *n* virtuvė

kite [kaɪt] *n* aitvaras

kitten ['kɪtn] *n* kačiukas

knack [næk] *n šnek.* įgudimas; mokėjimas (*ką daryti*)

knapsack ['næpsæk] *n* kuprinė

knave [neɪv] *n* 1) niekšas; sukčius; 2) (*kortų*) valetas

knead [ni:d] *v* minkyti

knee [ni:] *n* kelis

kneel [ni:l] *v* (knelt [nelt]) klaupti(s); klūpoti

knew *žr.* know

knickers ['nɪkəz] *n pl šnek.* moteriškos kelnaitės

knife [naɪf] *n* (*pl* knives [naɪvz]) peilis

knight [naɪt] *n* riteris

knit [nɪt] *v* (knitted/knit) megzti; ~**ting** *n* mezgimas; ~ting needle mezgimo virbalas

knob [nɔb] *n* gumbas

knock [nɔk] *v* 1) (pa)belsti; 2) trenkti(s); *n* smūgis; ~**down** ['nɔkdaun] *n sport.* nokdaunas; ~**out** ['nɔkaut] *n sport.* nokautas

knot [nɔt] *n* mazgas; *v* užmegzti

know [nou] *v* (knew [nju:]; known [nəun]) 1) žinoti; pažinti; 2) mokėti

know-how ['nəuhau] *n* 1) išmanymas, mokėjimas (*ką daryti*); 2) techninės žinios;

mokslinė informacija

knowledge ['nɔlɪdʒ] *n* 1) žinios, mokslas; 2) pažinimas

known *žr.* know

knuckle ['nʌkl] *n* krumplys

Korea [kə'rɪə] *n* Korėja; ~**n** *a* korėjiečių; *n* 1) korėjietis, -ė; 2) korėjiečių kalba

Kuwai [ku'weɪt] *n* Kuveitas

L

label ['leɪbl] *n* kortelė; etiketė

laboratory [lə'bɔrətrɪ] *n* laboratorija

labour ['leɪbə] *n* darbas, triūsas; ~**-consuming** [-kən'sju:mɪŋ] *a* daug darbo reikalaujantis; ~**er** [-rə] *n* (*nekvalifikuotas*) darbininkas

lace [leɪs] *n* 1) nėriniai; 2) (bat)raištis

lack [læk] *n* trūkumas, stoka; *v* stokoti trūkti

lad [læd] *n šnek.* vyrukas; vaikinas

ladder ['lædə] *n* kopėčios

lade [leɪd] *v* krauti, prikrauti; ~**n** 1) pakrautas; 2) *šnek.* prislėgtas

ladle ['leɪdl] *n* samtis; *v* pasemti samčiu

lady ['leɪdɪ] *n* 1) dama, ponia; 2) ledi (*titulas*)

lag [læg] *v* atsitikti; (t.p. t o ~ b e h i n d) *n* atsilikimas

lager ['lɑ:gə] *n* šviesus alus

laid *žr.* lay

lain *žr.* lie

lake [leɪk] *n* ežeras

lamb [læm] *n* ėriukas, avytė

lame [leɪm] *a* 1) šlubas; 2) nevykęs

lamp ['læmp] *n* lempa; ~**post** [-pəust] *n* žibinto stulpas; ~**shade** [-ʃeɪd] *n* lempos gaubtas

land ['lænd] *n* 1) sausuma, žemė; 2) kraštas, šalis; *v* 1) išlipti; iškrauti į krantą; 2) nusileisti (*apie lėktuvą*); ~**ing** *n* 1) (*lėktuvo*) nusileidimas; 2) laiptų aikštelė; ~**lady** [-leɪdɪ] *n* 1) savininkė; 2) šeimininkė; ~**lord** [-lɔ:d] *n* 1) savininkas; 2) šeimininkas; ~**owner** [-əunə] *n* žemvaldys

land-rover ['lændrəuvə] *n* visureigis (*automobilis*)

landscape ['lændskeɪp] *n* kraštovaizdis; peizažas

landslide ['lændslaɪd] *n* nuogriuva, nuošliauža

lane [leɪn] *n* 1) gatvelė; 2) takas; keliukas

language ['læŋgwɪdʒ] *n* kalba

lantern ['læntən] *n* žibintas

lap I [læp] *n* 1) sterblė; 2) prieglobstis; 3) ausies spenelis

lap II [læp] *n sport.* ratas

lap III [læp] *v* lakti

lapel [lə'pel] *n* atlapas

larder ['lɑːdə] *n* sandėliukas

large ['lɑːdʒ] *a* didelis; stambus; ~ly *adv* žymiai; labai; daugiausia

lark [lɑːk] *n* vieversys

laser [leɪzə] *n* lazeris

lash [læʃ] *v* čaižyti, pliekti; *n* botagas, rimbas

lasso [lə'suː] *n* lasas, kilpavirvė

last I [lɑːst] *a* paskutinis; praėjęs; ~ night vakar vakare; ~ time praėjusį kartą; at ~ pagaliau!

last II [lɑːst] *v* tęstis, trukti

lasting ['lɑːstɪŋ] *a* tvirtas, patvarus, ilgalaikis

latch [lætʃ] *n* skląstis;~key [-kiː] *n* durų raktas

late [leɪt] *a* 1) vėlyvas; it is ~ vėlu; to be ~ vėluoti; ~ly *adv* neseniai; pastaruoju metu; ~r *a adv* 1) vėlesnis; 2) ankstesnis, nesenas; vėliau; ~st [-ɪst] *adv* naujausias; vėliausiai

Latin ['lætɪŋ] *n* lotynų kalba; *a* lotynų, lotyniškas

latitude ['lætɪtjuːd] *n geogr.* platuma

latter ['lætə] *a* paskutinis, pastarasis (*iš minėtųjų*)

lattice ['lætɪs] *n* grotelės, pinučiai

Latvia ['lætvɪə] *n* Latvija; ~n 1) latvis, -ė; 2) latvių kalba; *a* latvių, latviškas

laugh ['lɑːf] *v* juoktis; *n* juokas; ~ter [-tə] *n* juokas

launch [lɔːntʃ] *v* 1) paleisti (*raketą*); 2) nuleisti (*laivą*); *n* kateris

launching-pad ['lɔːntʃɪŋpæd] *n* (*raketos*) paleidimo aikštelė

laundress ['lɔːndrɪs] *n* skalbėja

laundrette ['lɔːnd'ret] *n* savitarnos skalbykla

laundry ['lɔːndrɪ] *n 1)* skalbykla; 2) *sg* skalbiniai

laurels ['lɔrəlz] *n pl* laurai, laurų vainikas

lava ['lɑːvə] *n* lava

lavatory ['lævətrɪ] *n* tualetas, išvietė

lavish ['lævɪʃ] *n* dosnus, gausus

law [lɔː] *n* 1) įstatymas; 2) teisė; ~ful *a* teisėtas, teisiškas

lawn ['lɔːn] *n* veja; ~mower [-məuə] *n* mašina vejos žolei pjauti

lawyer ['lɔːjə] *n* 1) advokatas; 2) teisininkas, juristas

lay I [leɪ] (laid [leɪd]) 1) (pa)dėti; 2) kloti, tiesti

lay II *žr.* lie

layer ['leɪə] *n* sluoksnis

laze [leɪz] *v* tinginiauti

laziness ['leɪzɪnɪs] *n* tinginystė, tingėjimas

lazy ['leɪzɪ] *a* tingus; ~**bones** [-bəunz] *n šnek.* tingus

lb. *sutr.* **libra** *lot.* (svaras)

lead I [led] *n* 1) švinas; 2) grafitas

lead II ['li:d] *v* (led [led]) vesti; ~**er** *n* vadas; lyderis; ~**ership** [-əʃɪp] *n* vadovybė; ~**ing** *a* vadovaujantis

leaf ['li:f] (*pl* leaves [li:vz]) *n* lapas

leaflet ['liflɪt] *n* lapelis

league [li:g] *n* sąjunga; lyga

leak [li:k] *n* protėkis; *v* 1) pratekėti, praleisti vandenį; 2) nutekėti (*apie informaciją*)

lean I [li:n] *a* liesas

lean II *v* (leant [lent]) 1) palinkti; atsiremti; 2) remtis (on)

leap ['li:p] *v* (leapt [lept] leaped) šokti, šokinėti; *n* šuolis; ~-**year** [-jə:] *n* keliamieji metai

lear [lə:n] *v* (learnt [lə:nt]

learn|ed [lə:nd]) mokytis; išmokti; ~**er** *n* besimokantysis

lease [li:s] *n* nuomojimas, nuoma; *v* nuomoti(s); iš(si)-nuomoti

last [li:st] *a* mažiausias; at ~

mažiausiai

leather ['leðə] *n* 1) (išdirbta) oda; 2) odos gaminys (*diržas ir pan.*)

leave I [li:v] *v* (left [left]) 1) išvykti; išeiti; 2) palikti; ~ **off** nustoti, sustoti

leave II [li:v] *n* atostogos; o n ~ atostogose, atostogaujantis

leavings [li:vɪŋz] *n pl* likučiai; atmatos

lectur|e ['lektʃə] *n* paskaita; *v* skaityti paskaitą; ~**er** *n* lektorius

led *žr.* lead

ledge [ledʒ] *n* kraštas, briauna

leech [li:tʃ] *n* dėlė

left I *žr.* leave I

left II ['left] *a* kairys(is); *adv* į kairę, kairėn; ~-**hand** [-hænd] *a* kairys(is)

leg [leg] *n* koja (*virš pėdos*)

legacy ['legəsɪ] *n* palikimas

legal ['li:gl] *a* juridinis, teisinis; teisėtas

legend ['ledʒənd] *n* legenda

legible ['ledʒɪbl] *a* įskaitomas

legislate ['ledʒɪsleɪt] *v* leisti įstatymus

legitimate [lɪ'dʒɪtɪmət] *a* įstatyminis, teisėtas

leisure ['leʒə] *n* laisvalaikis; ~**ly** *a* lėtas, neskubus

lemon ['lemən] *n* citrina; ~**ade**

lend

['lemə'neɪd] *n* limonadas

lend [lend] *v* (**lent** [lent]) skolinti (*kam*)

length ['leŋθ] *n* ilgis; a t ~ 1) pagaliau; b) ilgai; smulkiai; ~en *v* pailginti; pailgėti; ~y *a* ilgokas, per ilgas

lens [lenz] *n* lęšis

lent *žr.* **lend**

leopard ['lepəd] *n* leopardas

less [les] mažiau; mažesnis; *pron* ~en [-sn] *v* (su)mažinti; (su)mažėti

lesson ['lesn] *n* pamoka

lest [lest] *cj* kad... ne-; I'm afraid ~ he might be late bijau, kad jis nepavėluotų

let [let] *v* (let) 1) leisti; 2) išnuomoti; 3) let's go! eime!

letter ['letə] *n* 1) raidė; 2) laiškas; ~box [-bɔks] *n* pašto dėžutė

lettuce ['letɪs] *n* salotos (*daržovė*)

level ['levl] *n* 1) lygis, lygmuo; 2) lyguma; *a* lygus; *v* (iš)lyginti

level-crossing ['levl'krɔsɪŋ] *n* geležinkelio pervaža

lever ['li:və] *n tech.* svertas; *v* pakelti svertu

liable ['laɪəbl] *a* 1) galimas; 2) linkęs (*į ką*); 3) privalantis, įpareigotas

lier ['laɪə] *n* melagis

liberal ['lɪbərəl] *a* liberalus

liberate ['lɪbəreɪt] *v* išlaisvinti, išvaduoti

Liberia [laɪ'bɪərɪə] *n* Liberija

liberty ['lɪbətɪ] *n* laisvė; a t ~ laisvas, nevaržomas

librarian [laɪ'brɛərɪən] *n* bibliotekininkas

library ['laɪbrərɪ] *n* biblioteka

lice *žr.* **louse**

licence ['laɪsns] *n* leidimas, licenzija; pažymėjimas (*pvz., vairuotojo*)

license ['laɪsns] *v* duoti leidimą/licenziją

lick [lɪk] *v* laižyti; *n* (pa)laižymas

lid [lɪd] *n* 1) dangtis; 2) (*akies*) vokas

lie I [laɪ] *v* (lay [leɪ]; lain [leɪn]) gulėti; ~ down atsigulti

lie II [laɪ] *v* meluoti; *n* melas

lieutenant [lef'tenənt] *n* leitenantas

life ['laɪf] *n* gyvenimas; gyvybė; ~belt [-belt] *n* gelbėjimosi ratas; ~-boat *n* gelbėjimosi valtis; ~-jacket [-dʒækɪt] *n* gelbėjimosi liemenė; ~less *a* negyvas; ~time [-taɪm] *n* gyvenimas

lift [lɪft] *n* liftas; *v* (pa)kelti

light [laɪt] *n* šviesa; *a* 1) šviesus; 2) lengvas; ~en *v* 1) apšviesti; 2) šviesėti; ~er *n* žieb-

tuvėlis; **~house** [-haus] *n* švy-
turys; **~ning** [-nɪŋ] *n* žaibas
like I [laɪk] *a* panašus; *adv* taip,
panašiai; *prep* kaip (*ir*)
like II [laɪk] *v* mėgti, patikti;
~able *a* malonus, simpatiš-
kas
likely ['laɪklɪ] *a* galimas, tikėti-
nas; *adv* greičiausiai, turbūt
likeness ['laɪknɪs] *n* panašu-
mas
liking ['laɪkɪŋ] *n* pomėgis
lily ['lɪlɪ] *n* lelija
limb [lɪm] *n* 1) galūnė (*ranka,
koja*); 2) šaka
lime I [laɪm] *n* kalkės
lime II *n* liepa (*t.p.* ~ tree)
lime III *n* citrina
limit ['lɪmɪt] *n* riba; *v* (ap)ri-
boti
limp I [lɪmp] *a* gležnas, su-
glebęs
limp II *v* šlubuoti; *n* šlubčioji-
mas
line [laɪn] *n* 1) linija; 2) eilutė;
3) raukšlė; 4) virvė; valas
line-up ['laɪnʌp] *n* 1) dalyvių
sudėtis; 2) iš(si)dėstymas; iš(si)
rikiavimas
lined I [laɪnd] *a* liniuotas
lined II *a* su pamušalu
linen ['lɪnən] *a* lininis; *n* lino
audinys
liner ['laɪnə] *n* laineris
linger ['lɪŋgə] *v* 1) užtrukti; (už)-
gaišti; 2) laikytis, tvyroti

link [lɪŋk] *n* 1) grandis; jung-
tis; 2) ryšys; *v* sujungti; nu-
statyti ryšį
lino ['laɪnəu] *šnek.* **linoleum**
[lɪ'nəuliəm] *n* linoleumas
lion ['laɪən] *n* liūtas; **~ess** *n*
liūtė
lip [lɪp] *n* lūpa; **~stick** [-stɪk]
n lūpų dažas
liquid ['lɪkwɪd] *a* skystas; *n*
skystis
liquor ['lɪkə] *n* gėrimas
lisping ['lɪspɪŋ] *a* šveplas
list [lɪst] *n* sąrašas; *v* daryti
sąrašą
listen ['lɪsn] *v* klausyti(s) (to)
literature ['lɪtrətʃə] *n* litera-
ratūra
Lithuania [ˌlɪθju'eɪnɪə] *n* Lie-
tuva; **~n** *n* 1) lietuvis, -ė; 2)
lietuvių kalba; *a* lietuviškas
litre ['li:tə] *n* litras
litter ['lɪtə] *n* 1) šiukšlės; 2)
vada (*paršiukų, šuniukų*); *v*
1) šiukšlinti; 2) paršiuotis,
kačiuotis
little ['lɪtl] (**less** [les], **least**
[li:st]) *a* mažas; *adv* mažai;
n truputis; a ~ truputį, šiek
tiek
live I [lɪv] *v* gyventi; long ~!
tegyvuoja!
live II [laɪv] *a* 1) gyvas (*nemi-
ręs*); 2) energingas; 3) degan-
tis; 4) aktualus; **~ly** *a* gyvas,
linksmas; neužgesęs

liver ['lɪvə] *n sg* kepenys

living ['lɪvɪŋ] *n* pragyvenimas, gyvenimo būdas; **to earn one's ~** uždirbti pragyvenimui; *a* 1) gyvas; 2) gyvenimo; **~-room** [-rum] *n* bendrasis kambarys, svetainė

load [ləud] *v* 1) (pa)krauti; *kar.* užtaisyti; *n* 1) krovinys; 2) krūvis; 3) našta

loaf [ləuf] *n* (*pl* loaves [ləuvz]) kepalas

loan [ləun] *n* paskola; *v* skolinti, duoti paskolinimui

loathe [ləuð] *v* neapkęsti; **~ing** *n* neapykanta (for)

lobster ['lɔbstə] *n* omaras

local ['ləukl] *a* vietinis

location [ləu'keɪʃn] *n* (*buvimo, gyvenamoji*) vieta

lock I [lɔk] *n* 1) garbana; 2) sruoga

lock II [lɔk] *n* užraktas; spyna; *v* užrakinti; **~er** *n* užrakinama spintelė

locomotive ['ləukəməutɪv] *n* garvežys; lokomotyvas

lodge|e [lɔdʒ] *v* apgyvendinti; **~er** *n* nuomininkas; **~ing** *n* nuomojami kambariai

loft ['lɔft] *n* palėpė; **~y** *a* 1) labai aukštas, didus; išpuikęs

log [lɔg] *n* rąstas; rąstgalys

loiter ['lɔɪtə(r)] *v* slampinėti, stoviniuoti

lollipop ['lɔlɪpɔp] , **lolly** ['lɔlɪ] *n*

ledinukas ant pagaliuko

lonely ['ləunlɪ] *a* vienišas, atsiskyręs

London ['lʌndən] *n* Londonas

long I [lɔŋ] *a* ilgas; *adv* ilgai; **~ ago** seniai; (as **~ as**) iki tol, kol

long II *v* labai norėti; ilgėtis (for)

longer ['lɔŋgə] *a* ilgesnis; *adv* ilgiau; **no ~** (jau) nebe; daugiau ne

look ['luk] *v* 1) žiūrėti (at –*į ką*); 2) atrodyti; 3) (for) ieškoti (*ko*); 4) (after) prižiūrėti; **~ forward** laukti, tikėtis (gerų žinių); **~ out** *v* būti atsargiam, saugotis; *n* budrumas

loom [lu:m] *n* (*audimo*) staklės

loop [lu:p] *n* kilpa

loose ['lu:s] *a* laisvas, palaidas; **~n** *v* atpalaiduoti, paleisti

lord [lɔ:d] *n* 1) lordas; ponas; (the Lord) Viešpats Dievas; **Our Lord** Kristus

lorry ['lɔrɪ] *n* sunkvežimis

los|e ['lu:z] *v* (lost [lɔst]) 1) pamesti, prarasti; 2) praleisti; **~er** *n* 1) pralaimėtojas; 2) nevykėlis

loss [lɔs] *n* netekimas, nuostolis

lot 1) dalia; 2) sklypas; 3) *šnek.* aibė; *a* **~** (of) daugybė, daug;

(t. p. ~s)
lotion ['ləuʃn] *n* losjonas
lottery ['lɒtəri] *n* loterija
loud ['laud] *a* garsus; *adv* garsiai (*t.p.* **loudly**); ~**speaker** [-'spi:kə] *n* garsiakalbis
lounge [laundʒ] *n* poilsio kambarys; *v* drybsoti
louse [laus] *n* (*pl* **lice**) utelė
lovable ['lʌvəbl] *a* mielas
love [lʌv] *n* meilė; to fall in ~ įsimylėti (with); *v* mylėti; ~**ly** *a* mielas; gražus, žavus
low I [ləu] *n* mykimas; *v* mykti
low II *a* 1) žemas; 2) silpnas; 3) prislėgtas; *adv* žemai; ~**er** *v* nuleisti žemyn; *a* žemutinis, žemesnis
loyal ['lɔɪəl] *a* lojalus; ~**ty** *n* lojalumas
luck [lʌk] *n* laimė; pasisekimas; ~**ily** *adv* laimingai; laimei; ~**y** *a* laimingas
luggage ['lʌgɪdʒ] *n* bagažas
lull [lʌl] *n* tylos valandėlė; užliūliuoti
lullaby ['lʌləbaɪ] *n* lopšinė
lump [lʌmp] *n* 1) gabalas, gumulas; 2) gumbas
lunatic ['lu:nətɪk] *n* beprotis, pamišėlis
lunch [lʌntʃ] *n* ankstyvi pietūs; *v* pietauti (*vidury dienos*)
lung [lʌŋ] *n anat.* plautis
lurch [lə:tʃ] *v* pasvirti; truk-

telėti; ~ forward staiga šoktelėti į priekį
lurk [lə:k] *v* tykoti
luxurious [lʌg'zjuərɪəs] *a* prabangus; labai brangus
luxury ['lʌkʃərɪ] *n* prabanga
lying ['laɪɪŋ] *Participle I iš* **lie I, II**

M

ma [mɑ:] *n* (*sutr. iš* **mamma**) mama
ma'am [mæm] *n* (*sutr. iš* **madam**) ponia (*kreipiantis*)
machine [mə'ʃi:n] *n* mašina; ~**-gun** [-gʌn] *n* kulkosvaidis; ~**ry** mašinos; mechanizmai; ~**-tool** [-tu:l] *n tech.* staklės
mackintosh ['mækntɒʃ] *n* lietpaltis
mad [mæd] *a* pamišęs; beprotiškas; ~**ly** *adv* beprotiškai, pašėlusiai; ~**man** [-mən] *n* beprotis, pamišėlis
made *žr.* **make**
magazine ['mægə'zi:n] *n* žurnalas
magic ['mædʒɪk] *n* burtai, magija; ~**ian** [mə'dʒɪʃn] *n* burtininkas; fokusininkas
magistrate ['mædʒɪstreɪt] *n* teisėjas, teismo pareigūnas

magnet ['mægnɪt] *n* magnetas; **~ic** [mæg'netɪk] *a* magnetinis

magnificient [mæg'nɪfɪsnt] *a* puikus, nuostabus, didingas

magnify ['mægnɪfaɪ] *v* (pa)-didinti; **~ing-glass** [-ɪŋglɑ:s] *n* didinamasis stiklas

magnitude ['mægnɪtju:d] *n* dydis, didumas

magpie ['mægpaɪ] *n* šarka

maid [meɪd] *n* tarnaitė; old ~ senmergė

mail [meɪl] *n* paštas; *v* siųsti paštu

maintain [meɪn'teɪn] *v* 1) palaikyti; prižiūrėti; 2) tvirtinti, teigti; **~ance** ['meɪntənəns] *n* palaikymas; išlaikymas, priežiūra

maize [meɪz] *n* kukurūzai

majestry ['mædʒəstɪ] *n* didenybė; Your M. Jūsų didenybe

major I ['meɪdʒə] *n* majoras

major II *a* 1) didesnis, svarbesnis; pagrindinis; 2) vyresnysis; **~ity** [mə'dʒɔrətɪ] *n* dauguma

make [meɪk] *v* (made [meɪd]) 1) daryti, gaminti; 2) priversti; ◊ ~ up one's mind nutarti

make-up ['meɪkʌp] *n* grimas; kosmetika

male [meɪl] *n* vyras; patinas; *a* vyriškos lyties, vyriškas

malice ['mælɪs] *n* pagieža, pyktis

mama, *amer.* **mamma** [mə'mɑ:] *n* mama, motina

man [mæn] (*pl* **men** [men]) *n* 1) žmogus; 2) vyras; *v* sukomplektuoti; sutelkti žmones

manage ['mænɪdʒ] *v* 1) vadovauti; 2) susidoroti; **~ment** *n* vadyba; **~r** (*apie moterį*)

manageress ['mænɪdʒə'rəs]) *n* vadybininkas, direktorius; vedėjas; menedžeris

managing ['mænɪdʒɪŋ] vadovaujantis; ~ d i r e c t o r generalinis direktorius

mane [meɪn] *n* karčiai

maniac ['meɪnɪæk] *n* maniakas

mankind [mæn'kaɪnd] *n* žmonija

manly ['mænlɪ] *a* vyriškas, drąsus

man-made ['mænmeɪd] *a* žmogaus pagamintas; dirbtinis

manner ['mænə] *n* 1) būdas; maniera; 2) *pl* elgesys; elgsena

mansion ['mænʃn] *n* didžiulis namas, rūmai

mantlepiece ['mæntlpi:s] *n* židinio atbraila

manual ['mænjuəl] *a* 1) fizinis; 2) rankų (*darbo*); *n* vadovėlis

manufactur|e ['mænju'fækʃə] *v* gaminti; *n* gamyba; ~**r** *n* gamintojas

manuscript ['mænjuskrɪpt] *n* rankraštis

many ['menɪ], **more** [mɔ:], **most** [məust] *a* daugelis, daug; a g o o d / g r e a t ~ (of) (labai) daug

map [mæp] *n* žemėlapis; *v* 1) pažymėti žemėlapyje; 2) nubraižyti planą.

maple ['meɪpl] *n* klevas

marble ['mɑ:bl] *n* 1) marmuras; *pl* 2) stiklo rutuliukai; *a* marmurinis; ~**d** *a* imituojantis marmurą

mar [mɑ:] *v* sugadinti, sudarkyti

march [mɑ:tʃ] *v* žygiuoti; *n* maršas, žygis

March [mɑ:tʃ] *n* kovas (*mėnuo*)

mare [mɛə] *n* kumelė

margarine ['mɑ:dʒəˈri:n] *n* margarinas

margin ['mɑ:dʒɪn] *n* 1) paraštė; 2) pakraštys

mark [mɑ:k] *n* 1) žymė; pažymys, balsas; *v* žymėti

market ['mɑ:kɪt] *n* turgus; rinka

marmalade ['mɑ:məleɪd] *n* marmeladas

marriage ['mærɪdʒ] *n* vedybos; vestuvės

married ['mærɪd] *a* vedęs; ištekėjus; t o g e t ~ vesti, tekėti

marine [məˈri:n] *n* 1) laivynas; 2) jūrų pėstininkas

marrow ['mærəu] *n* kaulų smegenys, čiulpai

marry ['mærɪ] *v* vesti, ištekėti, tuoktis

Mars [mɑ:s] *n* Marsas

marsh [mɑ:ʃ] *n* pelkė, liūnas

marvel ['mɑ:vl] *n* stebuklas; *v* stebėti, žavėtis

marvellous ['mɑ:vələs] *a* nuostabus, stebuklingas

masculine ['mæskju:lɪn] *a* vyriškas; *n gram.* vyriškoji giminė

mash [mæʃ] *v* (su)trinti; (su)grūsti

mask [mɑ:sk] *n* kaukė; *v* maskuoti, slėpti

mass [mæs] *n* daugybė; 1) masė; *a attr* masinis

massacre ['mæsəkə] *n* žudynės, skerdynės

massive ['mæsɪv] *a* masyvus; didžiulis, sunkus

mast [mɑ:st] *n* (*laivo, vėliavos, radijo*) stiebas

master ['mɑ:stə] *n* 1) šeimininkas; 2) meistras; 3) mokytojas; 4) magistras; *v* 1) išmokti; 2) įveikti

masterpiece ['mɑ:stəpi:s] *n* šedevras

mat [mæt] *n* patiesalas; demb-
lys; ~ed *a* suveltas; ~ting *n*
plaušai

match I [mætʃ] *n* degtukas

match II [mætʃ] *n* 1) mačas,
varžybos; 2) pora; *v* parinkti/
tikti į porą; derinti(s)

mate I [meɪt] *v* poruoti(s) *n* 1)
patinas; patelė; 2) *šnek.* drau-
gas, bičiulis; 3) *jūr.* kapitono
padėjėjas

mate II [mᴐɪt] *n* matas; *v* duoti
matą

material [mə'tɪərɪə] *n* 1)
medžiaga; 2) audeklas

mathematics ['mæθə'mætɪks]
(*sutr.* maths ['mæθs] *šnek.*) *n*
matematika

matinée ['mætɪneɪ] *n* dieninis
spektaklis/seansas

matron ['meɪtrən] *n* 1) ūkvedė
(*mokykloje*); 2) vyresnioji
medicinos sesuo

matter ['mætə] *n* 1) medžiaga;
materija; 2) dalykas; klausi-
mas; ◊ w h a t 's t h e ? kas
nutiko? kas yra? n o ~ nesvar-
bu; *v* reikšti, būti svarbiam

matter-of-fact ['mætərəv'fækt]
a sausas, proziškas; dalykiš-
kas

mattress ['mætrɪs] *n* matra-
cas

mauve [məuv] *a* rausvai vio-
letinė spalva

maximum ['mæksɪməm] *a*

maksimalus; *n* maksimumas

May [meɪ] *n* gegužė (*mė-
nuo*)

may [meɪ] *v* (might [maɪt]): ~
I c o m e i n ? ar man galima
įeiti? he ~ c o m e jis galbūt
atvyks; y o u ~ s t a y jūs galite
pasilikti (*jums leidžiama pasi-
likti*)

maybe ['meɪbi:] galbūt

mayor [mɛə] *n* meras; ~ess
['mɛə'rɪs] *n* merė

me [mi:] *pron* mane, man

meadow ['medəu] *n* pieva

meagre ['mi:gə] *a* menkas,
skurdus

meal [mi:l] *n* valgis; valgy-
mas

mean I [mi:n] *v* (meant [ment])
1) reikšti; 2) turėti omenyje

mean II [mi:n] *n* vidurys; vi-
durkis; *a* vidutinis

mean III [mi:n] *a* žemas, ne-
doras

meaning ['mi:nɪŋ] *n* reikšmė

means [mi:nz] *n* 1) priemonė;
būdas; 2) *pl* lėšos

meant *žr.* mean

meantime ['mi:ntaɪm] i n t h e
~ tuo metu

meanwhile ['mi:nwaɪl] *adv*
tuo tarpu

measles ['mi:zlz] *n med.* ty-
mai

measure ['meʒə] *n* 1) matas;
2) mastas; 3) priemonė; *v* ma-

tuoti; **~ment** 1) matavimas; 2) *pl* matai; matmenys

meat [mi:t] *n* mėsa

mechanic [mɪˈkænɪk] *n* mechanikas; **~al** *a* mechaninis; **~s** *n* mechanika

mechanization [ˌmekənaɪˈzeɪʃn] *n* mechanizacija

mechanized [ˈmekənaɪzd] *a* mechanizuotas

medal [ˈmedl] *n* medalis

meddle [ˈmedl] *v* kištis (*ne į savo reikalus*)

media [ˈmiːdɪə] *n* (the ~) žiniasklaida (*t.p.* mass ~)

medical [medɪkl] *a* sveikatos, medicinos, gydymo

medicine [ˈmedsn] *n* 1) medicina; 2) vaistas

Mediterranean [ˌmedɪtəˈreɪnɪən] *n* (the ~) Viduržemio jūra

medium [ˈmiːdɪəm] *n* vidurys; vidurkis; *a* vidutinis; vidurinis

meet [mi:t] *v* (met [met]) 1) su(si)tikti; 2) susipažinti

meeting [ˈmiːtɪŋ] *n* 1) susitikimas; 2) susirinkimas; posėdis; mitingas

megaphone [ˈmegəfəun] *n* megafonas

melody [ˈmelədɪ] *n* melodija

melon [ˈmelən] *n* melionas

melt [melt] *v* 1) tirpti; 2) lydytis; **~ing-point** [-ɪŋpɔɪnt]

n tirpimo/lydymosi temperatūra

member [ˈmembə] *n* narys; **~ship** *n* narystė

memorable [ˈmemərəbl] *a* 1) atmintinas; 2) įsimintinas

memorandum [ˌmeməˈrændəm] (*sutr.* memo [ˈmeməu]) *n* raštelis, atmintinė

memorial [mɪˈmɔːrɪəl] *n* paminklas; *a* paminklinis, memorialinis

memorize [ˈmeməraɪz] *v* išmokti atmintinai

memory [ˈmemərɪ] *n* 1) atmintis; 2) atsiminimas

men *žr.* **man**

menace [ˈmenəs] *n* grėsmė; *v* kelti grėsmę/pavojų

mend [mend] *v* (pa)taisyti, adyti, lopyti; **~ing** *n* 1) taisymas; 2) taisytini drabužiai/daiktai

mental [ˈmentl] *a* 1) psichinis; 2) proto, protinis

mention [ˈmenʃn] *v* (pa)minėti; don't ~ it nėra už ką (*atsakant į* thank you)

menu [ˈmenjuː] *n* meniu, valgiaraštis

merchant [ˈmɜːtʃənt] *n* pirklys

merci|ful [ˈmɜːsfl] *a* gailestingas; **~less** *a* negailestingas, žiaurus

mercy [ˈmɜːsɪ] *n* pasigailėjimas; gailėtis

merely ['mɪəlɪ] *adv* tik, tiktai

merge [məːdʒ] *v* 1) susilieti, susijungti; 2) pereiti (into)

merit ['merɪt] *n* 1) nuopelnas; 2) privalumas; *v* būti vertam, nusipelnyti

mermaid ['məːmeɪd] *n* undinė

merry ['merɪ] *a* linksmas; **~-go-round** [-gəu'raund] *n* karuselė

mess [mes] *n* netvarka; *v* to ~ about/around krapštinėtis, kuistis; ~ in kištis (į); ~ up sujaukti; sugadinti

message ['mesɪdʒ] *n* žinutė, pranešimas

messenger ['mesɪndʒə] *n* pasiuntinys, pranešėjas

messy ['mesɪ] *a* nešvarus; netvarkingas

met *žr.* **meet**

metal ['metl] *n* metalas; *a* metalinis; **~ic** [mɪ'tælɪk] *a* metalo (*pvz., garsas*)

meter ['miːtə] *n* skaitiklis; matuoklis

method ['meθəd] *n* metodas, būdas

metric ['metrɪk] *a* metrinis

Mexican ['meksɪkən] *a* meksikietiškas; meksikiečių; *n* meksikietis,-ė; **~o** *n* Meksika

mice *žr.* **mouse**

microphone ['maɪkrəfəun] *n* mikrofonas

microscope ['maɪkrəskəup] *n* mikroskopas

midday ['mɪddeɪ] *n* vidurdienis

middle ['mɪdl] *n* vidurys; *a* 1) vidurinis; 2) vidutinis; **~-aged** ['mɪdl'eɪdʒ] *a* vidutinio amžiaus

midnight ['mɪdnaɪt] *n* vidurnaktis

midst [mɪdst] *n* in the ~ of vidURYJE, tarp ko

midsummer ['mɪd'sʌmə] *n* vidurvasaris

mid-way ['mɪd'weɪ] *adv* pusiaukelėje

might I [maɪt] *n* galia; jėga

might II *žr.* **may**

mighty ['maɪtɪ] *a* galingas; didžiulis

mike [maɪk] *n šnek.* mikrofonas

mild [maɪld] *a* švelnus, minkštas; romus

mile ['maɪl] *n* mylia; (*anglų mylia – apie 1609m; jūrų mylia – apie 1853m*); **~age** [-ɪdʒ] *n* atstumas myliomis

military ['mɪlɪtərɪ] *a* karinis

milk ['mɪlk] *n* pienas; *v* melžti; **~man** [-mən] *n* pienininkas, pienvežys

mill [mɪl] *n* 1) malūnas, malūnėlis; 2) gamykla

million ['mɪlɪən] *num* milijonas; **~aire** ['mɪlɪə'nɛə] *n* milijonierius

mimic ['mɪmɪk] *v* (pa)mėgdžioti; *n* mėgdžiotojas; **~ry** *n* pamėgdžiojimas

mince [mɪns] *v* malti mėsą; *n* faršas

mind ['maɪnd] *n* 1) protas; 2) galva, atmintis; 3) nuomonė; *v* 1) atsiminti; 2) rūpintis, žiūrėti; ~ y o u r o w n b u s i n e s s žiūrėk savo reikalų; nesikišk; ◊ n e v e r ~ ! nesvarbu! niekis!

mine I [maɪn] *pron* mano (*be dktv.*)

min|e II *n* kasykla; šachta; **~er** *n* šachtininkas

mineral ['mɪnərəl] *n* 1) mineralas; 2) mineralinis vanduo; *a* mineralinis

minge ['mɪndʒ] *v* su(si)maišyti

miniature ['mɪnɪtʃə(r)] *n* miniatiūra

minimum ['mɪnɪməm] *n* minimumas; *a* minimalus

mining ['maɪnɪŋ] *n* kasyba

minister ['mɪnɪstə] *n* 1) ministras; 2) dvasininkas, pastorius

ministry ['mɪnɪstrɪ] *n* 1) ministerija; 2) kunigystė

minor ['maɪnə] *a* 1) mažesnysis; 2) antraeilis; **~ity** [maɪ'nɔrətɪ]

n mažuma

mint [mɪnt] *n* mėta; *a* mėtinis, mėtų

minus ['maɪnəs] *n* minusas; *prep* minus

minute I [maɪ'njut:] *n* 1) mažytis, smulkutis; 2) kruopštus

minute II ['mɪnɪt] *n pl* protokolas

minutes ['mɪnɪts] *n* minutė, minutėlė

miracle ['mɪrəkl] *n* stebuklas

mirror ['mɪrə] *n* veidrodis

mis- *pref* 1) ne-, blogai; 2) neteisingas, neteisingai

misbehave ['mɪsbɪheɪv] *v* blogai elgtis

mischief ['mɪstʃɪf] *n* 1) blogybė; 2) kenkimas; 3) išdaiga

mischievous ['mɪstʃɪvəs] *a* piktas, blogas; išdykęs

miser ['maɪzə] *n* gobšuolis

miserable ['mɪzərəbl] *a* 1) labai nelaimintas; 2) vargingas

misery ['mɪzərɪ] *n* vargas

mistrust *n* nepasitikėjimas

misfit ['mɪsfɪt] *v* netikti; *n* blogai gulintis

misfortune ['mɪs'fɔ:tʃən] *n* nelaimė

misguided [mɪs'gaɪdɪd] *a* 1) klaidingas; suklaidintas; 2) nevykęs

mishear ['mɪs'hɪə] *v* (**mishead** ['mɪs'hɔːd]) nenugirsti

misinform ['mɪsɪn'fɔːm] *v* dezinformuoti, klaidingai informuoti

mislay ['mıs'leı] (**mislaid** ['mıs'laıd]) v pamesti, nudėti

mislead ['mıs'li:d] v ['mıs'led] 1) (su)klaidinti; 2) apgauti

Miss [mıs] n mis, panelė

miss ['mıs] v 1) praleisti (*pvz., pamoką*); 2) nepataikyti; **~ing** a 1) nesantis; dingęs; 2) trūkstamas

missilė ['mısaıl] n *kar.* raketa

mission ['mıʃn] n misija; **~ary** n misionierius; a misionieriškas

mist [mıst] n rūkas, migla

mistake [mı'steık] n klaida; by **~** per klaidą; v (**mistook** [mı'stuk]; **mistaken** [mı'steıkn]) (su)klysti; a 1) neteisus; 2) klaidingas

mite [maıt] n erkė

mistletoe ['mısltəu] a *bot.* amalas

mistress ['mıstrıs] n 1) savininkė; 2) meilužė; 3) mokytoja

misuse ['mıs'ju:z] v netinkamai vartoti/naudoti; piktnaudžiauti

misunderstand ['mısndə 'stænd] v (**misunderstood** [-stud]) neteisingai suprasti

mitten ['mıtn] n kumštinė pirštinė

mix [mıks] v maišyti; **~ up** (su)painioti; **~ed** a mišrus, maišytas; **~er** n mikseris; **~ture** ['mıkstʃə] n mišinys; mikstūra

moan [məun] n dejonė; v dejuoti

moat [məut] n griovys, pripildytas vandens (*papr. pilies gynybai*)

mob [mɔb] n 1) minia; 2) (t h e **~**) mafija; *šnek.* kompanija; v būriuotis; grūstis

mobile ['məubaıl] a judrus; kilnojamas; n mobilusis telefonas

mobilization ['məubılaı'zeıʃn] n mobilizacija

mobilize ['məubılaız] v mobilizuoti

mock [mɔk] v išjuokti, tyčiotis

mode [məud] n būdas, metodas; režimas

model ['mɔdl] n 1) modelis; 2) kopija; 3) a pavyzdys, pavyzdinis; v formuoti, modeliuoti; dirbti pozuotoju/manekenu

moderate ['mɔdərət] a 1) nuosaikus; santūrus; 2) vidutinis

modern ['mɔdən] a dabartinis; modernus; **~ize** v moderninti

modest ['mɔdıst] a kuklus; **~y** n kuklumas

moist [mɔıst] a drėgnas; **~en** v (su)drėkinti; **~ure** ['mɔıstʃə] n *n* drėgmė

Moldova [mɔl'dɔvə] *n* Moldavija; ~n *n* moldavas, -ė

mole ['məul] *n* kurmis; ~-hill [-hɪl] *n* kurmiarausis

molecule ['mɔlɪkju:l] *n* molekulė

moment ['məumənt] *n* momentas; minutėlė; just a ~ minutėlę; ~ary *a* momentalus, momentinis

monarch ['mɔnək] *n* monarchas; ~y *n* monarchija

monastery ['mɔnəstrɪ] *n* vienuolynas

Monday ['mʌndɪ] *n* pirmadienis

money ['mʌnɪ] *n* (*tik sg*) pinigai; ~-box [-bɔks] *n* taupyklė

Mongolia [mɔŋ'gəulɪə] *n* Mongolija; ~n *n* mongolas, -ė

monk [mʌŋk] *n* vienuolis

monkey ['mʌŋkɪ] *n* beždžionė

monotonius [mə'nɔtənəs] *n* monotoniškas

monster ['mɔnstə] *n* 1) pabaisa; 2) išsigimėlis, bjaurus

monstrous ['mɔnstrəs] *a* 1) siaubingas; 2) gigantiškas

month [mʌnθ] *n* mėnuo; ~ly *n* mėnesinis žurnalas; *adv* kas mėnesį

monument ['mɔnjumənt] *n* paminklas, monumentas

moo [mu:] *v* baubti

mood I [mu:d] *n* nuotaika

mood II *n gram.* nuosaka

moon [mu:n] *n* (the ~) mėnulis

moor I [muə], **moorland** ['muələnd] *n* viržynė

moor II *v jūr.* švartuoti(s); ~ings *n* laivų švartavimosi vieta

moot [mu:t] *v* ginčijamas

mop [mɔp] *n* 1) šluostas; 2) kuokštas; *v* valyti, šluostyti

moped ['məuped] *n* mopedas

more [mɔ:] *a, adv* daugiau; ◊ ~ or les daugmaž, apytiksliai

moreover [mɔ:'rəuvə] *adv* be to; dar daugiau

morning ['mɔ:nɪŋ] *n* rytas; good ~! labas rytas!

Morocc|an [mə'rɔkən] *n* marokietis; ~o [-əu] *n* Marokas

Mosambique ['məuzəm'bi:k] *n* Mozambikas

mosque [mɔsk] *n* mečetė

mosquito [mə'ski:təu] *n* moskitas, uodas

moss [mɔs] *n* samanos; ~y *a* samanotas

most [məust] *a, adv* daugiausia; ~ly *adv* dažniausiai, paprastai

moth [mɔθ] *n* kandis

mother ['mʌðə] *n* motina; ~-tongue [-tʌŋ] *n* gimtoji kalba

mother-in-law ['mʌðəɪnlɔ:] *n* anyta; uošvė

motion ['məuʃn] *n* 1) judėjimas; judesys; 2) pasiūlymas; **~less** *a* nejudantis

motive ['məutɪv] *n* motyvas

motor ['məutə] *n* motoras, variklis; **~bike** [-baɪk]; **~cycle** [-saɪkl] *n* motociklas; **~-boat** [-bəut] *n* motorinė valtis; **~car** [-ka:] *n* (*lengvasis*) automobilis; **~ist** *n* automobilistas; **~way** [-weɪ] *n* autostrada

mottled ['mɒtld] *n* išmargintas, taškuotas

mould I [məuld] *n* pelėsiai; **~y** apipelėjęs

mould II *n* (*liejimo*) forma; *v* lieti (*formoje*)

mound [maund] *n* 1) kalva; 2) kauburys

mount [maunt] *n* 1) kalnas; lipti (*aukštyn*), užlipti (*ant*); 2) *gr.* įtaisyti, įrengti, (su)montuoti

mountain ['mauntɪn] *n* kalnas; **~ous** *a* kalnuotas

mountaineer ['mauntɪ'nɪə] *n* alpinistas; **~ing** *n* alpinizmas

mourn [mɔ:n] *v* 1) (ap)raudoti; 2) gedėti; **~ing** *n* gedulas

mouse [maus] *n* (*pl* mice [maɪs]) pelė

moustache [mə'sta:ʃ] *n* ūsai

mouth ['mauθ] *n* (*pl* mouths [mauðz]) burna; **~ful** [-ful]

n gurkšnis, kąsnis; **~organ** [-ɔgən] *n* lūpinė armonikėlė

move ['mu:v] *v* 1) judėti; judinti; 2) per(si)kelti (į kitą butą); **~ment** *n* judėjimas

movies ['mu:vɪz] *n pl šnek.* kinas

mow [məu] *v* šienauti; **~er** *n* šienapjovė (*mašina*)

Mr ['mɪstə] *n* (*sutr. iš* Mister) misteris; ponas

Mrs ['mɪsɪz] *n* (*sutr. iš* Missis) misis; ponia

much [mʌtʃ] *adv* (more [mɔ:], most [məust]) daug; labai; ~ b e t t e r žymiai/daug geriau/ geresnis; t h i s / t h a t ~ šitiek; a s ~ tiek pat

mud [mʌd] *n* purvas, purvynė

muddle ['mʌdl] *v* (su)painioti; sujaukti; *n* painiava

muddy ['mʌdɪ] *a* purvinas

mud-guard ['mʌdga:d] *n* purvasaugis

mug [mʌg] *n* 1) (*stiklinis*) puodukas; taurė; 2) *šnek.* snukis; *v šnek.* apiplėšti (*gatvėje*)

mule I [mju:l] *n* 1) mulas; 2) *šnek.* užsispyrėlis, ožys

mule II *n* šlepetė

multi- [mʌltɪ] daugia-; m u l t i - n a t i o n a l daugiatautis

multi-coloured ['mʌltɪ'kʌləd] *a* daugiaspalvis, spalvotas

multiplication ['mʌltɪplɪ'keɪʃn]

n mat. daugyba

multiply ['mʌltɪplaɪ] *v* (pa)-
dauginti (*ir mat.*)

multitude ['mʌltɪtjuːd] *n*
daugybė

mum [mʌm], **mummy** ['mʌmɪ]
n mama, mamytė

mumble ['mʌmbl] *v* murmėti

mumps [mʌmps] *n med.* kiau-
lytė

murder ['mɜːdə] *n* žmogžudystė;
v žudyti; **~er** *n* žmogžudys;
~eress *n* žmogžudė

murmur ['mɜːmə(r)] *n* mur-
mėjimas; *v* murmėti

museum [mjuːˈzɪəm] *n* mu-
ziejus

muscle [mʌsl] *n* raumuo

mushroom ['mʌʃrum] *n* gry-
bas

music ['mjuːzɪk] *n* muzika; **~al**
a muzikinis; **~ian** [mjuːˈzɪʃn]
n muzikantas, muzikas

Muslim ['muzlɪm] *n* musul-
monas

must [mʌst, məst] *v mod.* 1)
privalo, reikia, turi; 2) tikriau-
siai, turbūt; 3) negalimas (*reiš-
kiantis draudimą neigiamuose
sakininiuose*)

mustard ['mʌstəd] *n* gars-
tyčios

mustn't ['mʌsnt] = **must not**

mute [mjuːt] *a* nebylus

mutiny ['mjuːtɪnɪ] *n* maištas;
v maištauti

mutter ['mʌtə(r)] *v* (su)mur-
mėti, niurnėti; *n* murmėji-
mas

mutton ['mʌtn] *a* aviena

mutual ['mjuːtʃuəl] *a* abipusis,
savitarpio

muzzle ['mʌzl] *n* 1) snukis, nas-
rai; 2) atsnukis

my [maɪ] *pron* mano; savo

myself [maɪˈself] *pron* 1) save;
-si; I wash ~ [aɪˈwɒʃmaɪself] aš
prausiuosi; 2) pats; I did it
~ aš pats tai padariau

mysterious [mɪsˈtɪərɪəs] *a*
paslaptingas

mystery ['mɪstərɪ] *n* paslap-
tis, mįslė

myth [mɪθ] *n* mitas

N

nag I [næg] *n šnek.* kuinas

nag II *v* prikaišioti, graužti

nail [neɪl] *n* 1) nagas; 2) vinis;
v prikalti (*vinimis*)

naked ['neɪkɪd] *a* nuogas; pli-
kas; with the ~ eye pli-
ka akimi

name [neɪm] *n* vardas; pava-
dinimas; first ~ vardas; last
~ pavardė

namely ['neɪmlɪ] *adv* būtent

Namibia [nəˈmɪbɪə] *n* Namibija

nanny ['nænı] *n* auklė; **~-goat** [-gəut] *n* ožka

nap [næp] *n* pogulis; to take a ~ nusnūsti

nape [neɪp] *n* sprandas

napkin ['næpkın] *n* servetėlė

nappy ['næpɪ] *n* vystyklas

narrate [nə'reɪt] *v* (nu)pasakoti

narrow ['nærəu] *a* siauras; ankštas; **~ly** vos ne vos

nasty ['nɑːstɪ] *a* bjaurus; šlykštus

nation ['neɪʃn] *n* tauta, nacija

national ['næʃnəl] *a* tautinis, nacionalinis

nationality ['næʃə'nælətɪ] *n* 1) tautybė; 2) pilietybė

native ['neɪtɪv] *a* gimtasis; *n* čiabuvis

NATO ['neɪtəu] *sutr.* NATO

natural ['nætʃrəl] *a* 1) gamtinis; 2) natūralus; **~ist** *n* gamtininkas; **~ly** *adv* žinoma

nature ['neɪtʃə] *n* 1) gamta; 2) prigimtis; 3) charakteris, būdas

naughty ['nɔːtɪ] *a* išdykęs; neklusnus (*apie vaiką*)

naval ['neɪvl] *a* karinio jūrų (*laivyno*); jūrų

navigate ['nævɪgeɪt] *n* vairuoti (*lėktuvą*), vesti (*laivą*)

navigator ['nævɪgeɪtə] *n* 1) jūrininkas; jūrų keliautojas;

2) šturmanas

navy ['neɪvɪ] *n* karinis jūrų laivynas; **~-blue** ['neɪvɪ'bluː] *a* tamsiai mėlynas

near [nɪə] *prep, adv* arti, netoli; *a* artimas; **~by** visai greta, netoliese; **~ly** *adv* beveik

neat [niːt] *a* tvarkingas, švarus

necessarily ['nesəserəlɪ] *adv* būtinai; neišvengiamai

neccessary ['nesəsərɪ] *a* būtinas, reikalingas

necessity [nɪ'sesətɪ] *n* būtinumas, būtinybė

neck [nek] *n* 1) kaklas; 2) apykaklė; **~-lace** [-lɪs] *n* vėrinys, karoliai; **~tie** [-taɪ] *n* kaklaraištis

need [niːd] *n* 1) reikalingumas, reikalas; 2) *pl* poreikiai, reikmės; *v* reikėti

needle ['niːdl] *n* adata

needless ['niːdləs] *a* nereikalingas

needn't ['niːdnt] = need not

needy ['niːdɪ] *a* nepasiturintis, vargstantis

negative ['negətɪv] *a* neigiamas

neglect [nɪ'glekt] *v* apleisti, nesirūpinti; **~ed** *a* apleistas; **~ful** *a* nesirūpinantis, neatidus

negotiate [nɪ'gəuʃɪeɪt] *v* 1) derėtis, tartis; 2) *fin.* leisti į apyvartą (*čekį, vekselį*)

negotiations [nɪˈgəʊʃɪˈeɪʃnz] *n pl* derybos

Negro [ˈniːgrəu] *n* negras, -ė; (*apie moterį t.p.* **Negress**)

neigh [neɪ] *n* žvengimas; *v* žvengti

neighbour [ˈneɪbə] *n* kaimynas; ~**hood** [-hud] *n* kaimynystė; ~**ing** *n* kaimyninis

neither [ˈnaɪðə] *pron* nei vienas (*iš dviejų*); *adv* taip pat ne; *cj* ~ ... n o r ... nei... nei...

nephew [ˈnevjuː] *n* sūnėnas, brolėnas

nerv|e [ˈnəːv] *n* nervas; t o g e t o n s m b ~ s nervinti ką; ~**ous** *a* nervingas

nest [nest] *n* lizdas; *v* sukti lizdą

net I [ˈnet] *n* tinklas; ~**ball** [-bɔːl] *n* toks žaidimas (*panašus į krepšinį*)

net II *a* grynas, neto (*apie svorį ir pan.*)

netting [ˈnetɪŋ] *n* tinklas

nettle [ˈnetl] *n* dilgėlė

neuter [ˈnjuːtə] *a* 1) niekatrosios bevardės giminės; 2) belytis

neutral [ˈnjuːtrəl] *a* neutralus

never [ˈnevə] *adv* niekada

nevertheless [ˈnevəðəˈles] *adv*, *cj* vis dėlto, nepaisant to

new [ˈnjuː] *a* naujas; ~**comer** [-kʌmə] *a* atvykėlis; ~**ly** *adv*

1) naujai; iš naujo; 2) ką tik, neseniai

news [ˈnjuːz] *n* žinia, žinios; ~**agent** [-eɪdʒənt] *n* kioskininkas

newspaper [ˈnjuːˈspeɪpə] *n* laikraštis

New-Year [ˈnjuːˈjɪə] *a* Naujųjų metų; ~ p a r t y Naujųjų metų sutikimas

New York [ˈnjuːˈjɔːk] *n* Niujorkas

New Zealand [ˈnjuːˈziːlənd] *n* Naujoji Zelandija

next [nekst] *a* kitas; *adv* paskui, toliau; *prep* ~ t o šalia, prie; ~**-door** [ˈnekstˈdɔː] *a* artimiausias, kaimyninis

nib [nɪb] *n* (*rašiklio*) galiukas

nibble [ˈnɪbl] *v* kramsnoti; *n* kąsnelis

Nicaragua [ˈnɪkəˈrægjuə] *n* Nikaragva

nice [naɪs] *a* geras, mielas; dailus

nickname [ˈnɪkneɪm] *n* pravardė

niece [niːs] *n* dukterėčia

Nigeria [naɪˈdʒɪrɪə] *n* Nigerija

night [ˈnaɪt] *n* naktis; vakaras; *a* naktinis; ~**dress** [-dres] *šnek.* ~**ie** [ˈnaɪtɪ] *n* naktiniai marškiniai (*moters, vaiko*)

nightingale [ˈnaɪtɪŋgeɪl] *n* lakštingala

nightly ['naɪtlɪ] *a* kasnaktinis; *adv* kasnakt

nightmare ['naɪtmɛə] *n* košmaras

night-watchman ['naɪt'wɔtʃmən] *n* (*pl* –men [-mən]) naktinis sargas

nil [nɪl] *n* nulis

nine [naɪn] *num* devyni; **~teen** [-'ti:n] devyniolika; **~teenth** [-'ti:nθ] devynioliktas; **~tieth** [-tɪɪθ] devyniasdešimtas; **~ty** [-tɪ] devyniasdešimt

ninth [naɪnθ] *num* devintas

nip [nɪp] *n* 1) gnybis; 2) įkandimas; *v* įgnybti; įkąsti

nitrogen ['naɪtrədʒən] *n* azotas

no [nəu] (neigiant) ne; *pron* joks; ~ s m o k i n g nerūkyti; *avd* ne, nė kiek ne; ~ m o r e ne daugiau, (daugiau) ne

noble ['nəubl] *a* 1) kilnus; 2) kilmingas

nobody ['nəubədɪ] *pron* niekas (*apie asmenį*)

nod [nɔd] *v* linktelti galva

noise ['nɔɪz] *n* triukšmas; t o m a k e ~ triukšmauti; **~less** *a* tylus, netriukšmingas

noisy ['nɔɪzɪ] *a* triukšmingas

non- [nɔn] *pref* ne-, be- (*reiškiant neigimą*); n o n – e s s e n t i a l ne esminis

none [nʌn] *pron* niekas; nė vienas; *adv* nė kiek ne

nonsense ['nɔnsəns] *n* niekai, nesąmonė

noon [nu:n] *n* vidurdienis

no-one ['nəu wʌn] *pron* niekas (*apie žmogų*)

nor [nɔ:] *cj* žr. neither... nor...

normal ['nɔ:ml] *a* normalus, įprastas

north ['nɔ:θ] *n* šiaurė; **~ern** ['nɔ:ðən] *a* šiaurinis, šiaurės; t h e ~ e r n lights *a* šiaurės pašvaistė; **~ward(s)** [-wədz] *a*, *adv* šiaurės; šiaurė, į šiaurę

Nor|way ['nɔ:weɪ] *n* Norvegija; **~wegian** [-'wi:dʒn] *n* norvegas, -ė

nose [nəuz] *n* nosis

nosy ['nəuzɪ] *a* smalsus, landus

not [nɔt] *adv* ne-; nė; ~ a b i t nė trupučio; ~ a t a l l 1) visai ne; 2) nėra už ką (dėkoti)

note [nəut] *n* 1) pastaba; 2) *pl* užrašai; 3) nota; 4) gaida; *v* 1) pastebėti; 2) pa(si)žymėti, užsirašyti (*t.p.* ~ d o w n)

notebook ['nəutbuk] *n* užrašų knygelė

notepaper ['nəut'peɪpə] *n* laiškinis popierius

nothing ['nʌθɪŋ] *pron* niekas; ~ of the kind/sort nieko panašaus; *n* menkniekis; *adv* nė kiek

notice ['nəutɪs] v pastebėti; n 1) skelbimas; 2) pranešimas, įspėjimas; ~**able** a pastebimas; ~**board** [-bɔːd] n skelbimų lenta

notorious [nəu'tɔːrɪəs] a (liūdnai) pagarsėjęs, žinomas

nought [nɔːt] n nulis; niekas

noun [naun] n daiktavardis

nourishing ['nʌrɪʃɪŋ] a maistingas

novel ['nɔvl] n romanas

novelty ['nɔvəltɪ] n 1) naujumas; 2) naujovė

November [nəu'vembə] n lapkritis

now [nau] adv dabar; ~ and then/again kartais, retkarčiais; ~**adays** [-ədeɪz] adv dabar, mūsų laikais

nowhere ['nəuwɛə] adv niekur

nucle | ar ['njuːklɪə] a branduolinis; ~**us** [-əs] n branduolys

nudge [nʌdʒ] v bakstelėti alkūne, kumštelėti

nuisance ['njuːsns] n 1) įkyruolis; 2) apmaudas

numb [nʌmb] a sustingęs, nutirpęs

number ['nʌmbə] n 1) skaičius; kiekis; 2) numeris; a good ~ of daug, daugelis; ~**plate** [-pleɪt] n aut. numerio ženklo skydelis (amer. license-plate)

numeral ['njuːmərəl] n. gram. skaitvardis

numerous ['njuːmərəs] a gausus

nun [nʌn] n vienuolė; ~**nery** [-ərɪ] n moterų vienuolynas

nurse [nəːs] n 1) slaugė, medicinos sesuo; 2) auklė

nursery ['nəːsərɪ] n vaikų lopšelis; vaikų kambarys; ~-**school** [-skuːl] n vaikų darželis

nut [nʌt] n riešutas; ~**shell** [-ʃel] n riešuto kevalas; in a nut-shell trumpai, keliais žodžiais

nylon ['naɪlən] n 1) nailonas; 2) pl moteriškos nailoninės kojinės

nuzzle ['nʌzl] v uostinėti

O

oak [euk] n ąžuolas

oar [ɔː] n irklai

oasis [əu'eɪsɪs] n (pl oases [-siːz]) oazė

oatflakes ['əutfleɪks] n avižiniai dribsniai

oath [əuθ] n priesaika

oatmeal ['əutmiːl] n 1) avižinės kruopos; 2) amer. avižinė košė

oats ['əut] n pl avižos

obey [ə'beɪ] *v* (pa)klausyti; paklusti

object I ['ɔbdʒɪkt] *n* 1) daiktas; 2) objektas; 3) tikslas; 4) papildinys

object II [əb'dʒekt] *v* prieštarauti

oblige [ə'blaɪdʒ] *v* įpareigoti; priversti

obliged [ə'blaɪdʒed] *a* dėkingas; I am much ~ (to you) labai *(jums)* dėkingas

oblong ['ɔblɔŋ] *a* 1) pailgas; 2) *geom.* stačiakampis

observation ['ɔbzə'veɪʃn] *n* stebėjimas; priežiūra

observatory [əb'zɔ:vətrɪ] *n* observatorija

observ|e [əb'zɔ:v] *v* 1) stebėti; 2) laikytis *(įstatymų, papročių)*; *n* 1) stebėtojas; 2) apžvalgininkas

obsolete ['ɔbsəli:t] *a* pasenęs, atgyvenęs

obstacle ['ɔbstəkl] *n* kliūtis

obstinate ['ɔbstɪnət] *a* užsispyręs

obstruct [əb'strʌkt] *v* trukdyti; ~ion *n* 1) kliūtis; 2) trukdymas

obtain [əb'teɪn] *v* (iš)gauti, į(si)gyti

obvious ['ɔbvɪəs] *a* aiškus, akivaizdus; ~ly *adv* aišku; *mod.* matyt

occupation ['ɔkju'peɪʃn] *n* 1)

okupacija; 2) užsiėmimas; profesija

occupy ['ɔkjupaɪ] *v* užimti; okupuoti

occur [ə'kɔ:] *v* 1) atsitikti, įvykti; 2) pasitaikyti; 3) ateiti į galvą

ocean ['əuʃn] *n* vandenynas; ~ic ['əuʃɪ'ænɪk] *a* okeaninis, vandenyno

o'clock [ə'klɔk]: at six ~ šeštą valandą

October [ɔk'təubə] *n* spalis

odd [ɔd] *a* 1) nelyginis; 2) keistas, savotiškas

odds [ɔdz] *n* 1) šansai; 2) persvara; ~ and ends smulkmenos, mažmožiai

of [ɔv, əv] *prep* 1) *(atitinka kilmininką)*; a work ~ art meno kūrinys; 2) iš; made ~ wood padarytas iš medžio

off [ɔf] *adv* nuo, šaliai; šalin; far ~ toli; to cut ~ atpjauti; *prep* nuo *(reiškiant atitolimą/ atskyrimą)*; he felt ~ the roof jis nukrito nuo stogo

offence [ə'fens] *n* 1) į(si)žeidimas; 2) *n* pažeidimas; nusikaltimas

offend [ə'fend] *v* 1) įžeisti; 2) nusižengti *(įstatymui)*; ~er *n* įžeidėjas; pažeidėjas, nusikaltėlis

offer ['ɔfə] *v* (pa)siūlyti; *n* pasiūlymas

office ['ɔfis] *n* 1) įstaiga; raštinė; 2) pareigos, tarnyba

officer ['ɔfisə] *n* 1) tarnautojas, pareigūnas; 2) policininkas; 3) karininkas

official [ə'fiʃl] *a* 1) tarnybinis; 2) oficialus; *n* pareigūnas

often ['ɔfn] *adv* dažnai

oh [əu] *int* o! ak! (*žymint nustebimą, skausmą ir kt.*)

oil ['ɔil] *n* 1) nafta; 2) nafta; alyva; **oils** *pl* 3) aliejiniai dažai (*t.p.* ~**paint**); ~**painting** [-peɪtɪŋ] *n* aliejiniais dažais tapytas paveikslas; ~**rig** [-rɪg] *n* naftos bokštas; ~**-tanker** [-tæŋkə] *n* naftos tanklaivis; ~**-well** [-wel] *n* naftos gręžinys

oily ['ɔilɪ] *a* 1) aliejuotas; 2) alyvotas

ointment ['ɔintmənt] *n* tepalas

O.K., okay ['əu'keɪ] *šnek.* gerai; *int.* gerai!; *adv* (*viskas*) puiku; sutinku

old [əuld] *a* senas; how ~ are you? kiek jums metų? *n* (the ~) seniai; ~**-fashioned** ['əuld'fæʃnd] *a* senamadis

Olimpic [ə'limpik] *a* olimpinis; the ~ Games Olimpinės žaidynės

omelette ['ɔmlit] *n* omletas

omission [ə'miʃn] *n* 1) praleidimas; 2) nepadarymas (*ko*)

omit [ə'mit] *v* 1) praleisti; neįtraukti; 2) neatlikti

on [ɔn] *prep* 1) ant; ~ the desk ant stalo; 2) (*žymint laiką*) ~ Sunday sekmadienį; *adv* 1) pirmyn; iš anksto; 2) toliau; ◊ from now ~ toliau, nuo šiol; ~ and ~ be paliovos

once [wʌns] *adv* 1) kartą; vieną kartą; ~ a week kartą per savaitę; 2) kažkada, kadaise; ~ upon a time seniai, labai seniai (*pasakose*); at ~ tuojau pat; kartu; ~ again/more dar kartą/sykį

one [wʌn] *num* vienas; *pron* 1) ~ must learn reikia mokytis; 2) give me the red ~ duok man raudoną (*knygą, pieštuką ir pan.*); *a* 1) vienintelis, vienas; 2) vieningas

oneself [wʌn'self] *pron* atitinka -s, -si sangrąžiniuose veiksmažodžiuose žr. myself, yourself, himself

onion ['ʌnɪən] *n* svogūnas

only ['əunlɪ] *adv* tik, tiktai; *a* vienintelis

onto ['ɔntu:], ['ɔntə] *prep* ant

onward(s) ['ɔnwəd(z)] *adv* į priekį, pirmyn

ooze [u:z] *v* srūti; sunktis, pratekėti

open ['əupən] *v* atidaryti; *a* 1) atdaras; 2) atviras;

nuoširdus;~er *n* atidariklis; ~ing *n* 1) anga; 2) pradžia; 3) atidarymas; ~ly *adv* atvirai; viešai

open-minded ['əupən'maindid] *a* plačių pažiūrų, nešališkas

opera ['ɔpərə] *n* opera; ~-house [-haus] *n* operos teatras

operate ['ɔpəreit] *v* 1) veikti; 2) eksploatuoti, naudoti; 3) operuoti (on)

operation [ɔpə'reiʃn] *n* 1) operacija; 2) veikimas; darbas; 3) procesas

operator ['ɔpəreitə] *n* 1) operatorius; 2) mašinistas

opinion [ə'piniən] *n* nuomonė; public ~ viešoji nuomonė

opponene [ə'pəunənt] *n* 1) oponentas; 2) priešininkas

opportunity ['ɔpə'tju:nəti] *n* (gera) proga

oppose [ə'pəuz] *v* priešintis; būti nusistačiusiam

opposite ['ɔpəzit] *a* priešingas; *prep* prieš; *adv* priešais; *n* prieš(ing)ybė

oppressed [ə'prəst] *a* engiamas; prislėgtas

optic |al ['ɔptikl] *a* optinis; ~s *n* optika

optimist ['ɔptimist] *n* optimistas; ~ic ['ɔpti'mistic] *a* optimistiškas

option ['ɔpʃn] *n* pasirinkimas; ~al *a* pasirenkamas, fakultaty-

vus, neprivalomas

or [ɔ:] *cj* ar, arba; to be ~ not to be būti ar nebūti

oral ['ɔːrəl] *a* žodinis, žodžiu; sakytinis

orange ['ɔrindʒ] *n* apelsinas; *a* oranžinis

orbit ['ɔːbit] *n* orbita

orchard ['ɔːtʃəd] *n* vaismedžių sodas

orchestra ['ɔːkistrə] *n* orkestras

ordeal [ɔː'diːl] *n* sunkus išmėginimas

order ['ɔːdə] *n* 1) tvarka; out of ~ netvarkingas; 2) nurodymas, įsakymas; 3) ordinas; *v* 1) įsakyti; 2) užsakyti; užsakymas 3) orderis; in ~ to/that tam, kad; to get out of ~ sugedęs

ordinary ['ɔːdinəri] *a* paprastas, eilinis; normalus

ore [ɔː] *n* rūda

organ ['ɔːgən] *n* 1) organas; 2) vargonai; ~ic ['ɔː'gænik] *a* organinis, organiškas; ~ism *n* organizmas

organization ['ɔːgənai'zeiʃn] *n* organizacija

organize ['ɔːgənaiz] *v* organizuoti

oriental ['ɔːri'entl] *a* Rytų, rytų Azijos, rytietiškas

orientalist ['ɔːri'entəlist] *n* orientalistas

orienteering [ˈɔːrɪənˈtɪərɪŋ] *n* orientavimosi sportas

origin [ˈɔrɪdʒɪn] *n* 1) kilmė; 2) pradžia; šaltinis, ištaka

original [əˈrɪdʒɪnəl] *a* 1) pradinis; 2) originalus; tikras; *n* originalas; ~**ally** *adv* iš pradžių

ornament [ˈɔːnəmənt] *n* ornamentas; ~**al** [ɔːnəˈmentl] *a* dekoratyvinis

orphan [ˈɔːfn] *n* našlaitis, -ė; ~**age** [ˈɔːfənɪdʒ] *n* našlaičių namai/prieglauda

ostrich [ˈɔstrɪtʃ] *n* strutis

other [ˈʌðə] *a pron* 1) kitas; 2) (*su dktv. dgsk.*) kiti; ~**wise** [-waɪz] *adv* kitaip

ought [ˈɔːt] *v mod.* 1) privalo, reikia, turi; you ~ to go jums reikėtų vykti; 2) turbūt

ounce [auns] *n* uncija (= 28,3 g)

our [ˈauə] *pron* mūsų; ~**s** [ˈauəz] *pron*. mūsų (*be dktv.*); this book is ~s ši knyga mūsų; ~**selves** [-auəˈselvz] 1) savęs, save; -si; 2) patys; we do it ~ mes tai darome patys

oust [aust] *v* išstumti, išvaryti

out [aut] *prep* iš, už; *adv* lauke, lauk(an); to go ~ išeiti; he is ~ jo nėra namie

outbreak [ˈautbreɪk] *n* (*staigi*)

pradžia; protrūkis

outburst [ˈautbɜːst] *n* (*jausmų*) protrūkis

outdoor [ˈautdɔː] *a* lauko; ~**s** [autˈdɔːz] *adv* lauke

outer [ˈautə] *a* išorinis; tolimesnis, atokus

outfit [ˈautfɪt] *n* 1) apranga; 2) įrankių komplektas

outgrow [autˈɡrəu] *v* (**outgrew** [-ɡruː]; **outgrown** [-ˈɡrəun] 1) išaugti; 2) peraugti

outing [ˈautɪŋ] *n* išvyka

outlaw [ˈautlɔː] *n* nusikaltėlis, asmuo (*esantis už įstatymo ribų*)

outline [ˈautlaɪn] *n* 1) kontūras; 2) metmenys

outlook [ˈautluk] *n* 1) požiūris; 2) perspektyva

outnumber [autˈnʌmbə] *v* viršyti skaičiumi

out-of-date [ˈautəvˈdeɪt] *a* pasenęs; senamadis

output [ˈautput] *n* 1) produkcija; išdirbis; 2) *tech.* našumas

outside [autˈsaɪd] *adv* iš išorės; iš lauko, lauke; *prep* 1) už(ribų); 2) išskyrus

outskirts [ˈautskɜːts] *n* priemiestis; pakraštys

outstanding [autˈstændɪŋ] *a* 1) įžymus, išsiskiriantis; 2) neapmokėtas (*skola, sąskaitos*)

outward(s) [ˈautwədz] *a* išori-

nis, išviršinis; *adv* į išorę; lau-
kan

oval ['əuval] *a* ovalus

oven [ʌvn] *n* orkaitė

over ['əuvə] *prep* 1) virš; per;
~ London virš Londono; 2)
per; ~ the fence per tvorą;
~ 70 per septyniasdešimt; 3)
to be ~ baigtis, pasibaigti

overalls ['əuvərɔ:lz] *n pl* kom-
binezonas

overboard ['əuvəbɔ:d] *adv* už
borto

overcoat ['əuvəkəut] *n* apsiaus-
tas, paltas

overcome ['əuvə'kʌm] *v* (over-
came [-'keim]; overcome) nu-
galėti

overcrowded ['əuvə'kraudɪd] *a*
perpildytas, sausakimšas

overdo ['əuvə'du:] *v* (-did [-dɪd];
-done [-dʌn]) *v* 1) perdėti; per-
sistengti; 2) perkep(in)ti

overdue ['əuvə'dju:] *a* 1)
pavėlavęs; 2) laiku nesumokė-
tas, uždelstas

overflow ['əuvə'fləu] *v* 1) už-
tvindyti; 2) lietis per kraštus

overgrown ['əuvə'grəun] *a*
užžėlęs, apaugęs

overhaul ['əuvə'hɔ:l] *v* sure-
montuoti, rekonstruoti

overhead ['əuvə'hed] *adv* virš
galvos

overrun ['əuvə'rʌn] *n* 1) už-
grobti; 2) užtvindyti, užplūs-

ti; 3) peržengti, viršyti

owe [eu] būti skolingam

owing ['əuɪŋ] *a* skolingas; *prep*
~ to dėl

owl [aul] *n* pelėda

own ['əun] *a* savas; nuosavas; *v*
valdyti, turėti; ~er *n* savinin-
kas, valdytojas; ~ership *n*
nuosavybė

ox [ɔks] *n* (*pl* oxen ['ɔksn])
jautis

oxygen ['ɔksɪdʒən] *n* deguo-
nis

P

pa [pɑ:] *a sutr.* tėtė, tėvelis

pace [peɪs] *n* žingsnis; tempas;
v griūtis; to keep ~(with)
neatsilikti (*nuo*)

Pasific [pə'sɪfɪk] *n* (the ~)
Ramusis/Didysis vandeny-
nas

pack ['pæk] *v* pakuoti(s); *n*
(*t.p.* ~age ['pækɪdʒ]) ryšulys,
paketas

packed [pækt] *a* supakuotas

packet ['pækɪt] *n* dėžutė,
pakelis

packing ['pækɪŋ] *n* 1)
pakavimas(is); 2) pakuotė

pact [pækt] *n* paktas, sutar-
tis

pad [pæd] *n* 1) minkštas pa-
mušas; 2) bloknotas; *v* pa-
mušti

paddle ['pædl] *v* irtis, irk-
luotis

paddock ['pædək] *n* aptvaras
(*arkliams*)

padlock ['pædlɔk] *n* pakabi-
namoji spyna

page [peɪdʒ] *n* puslapis

paid žr. **pay**

pail [peɪl] *n* kibiras

pain ['peɪn] *n* skausmas;
to take ~s stengtis; ~**ful**
a skausmingas; ~**less** *a*
beskausmis

paint ['peɪnt] *n* dažai; *v* 1) tapy-
ti; 2) dažyti; ~**er** *n* 1) tapytojas;
2) dažytojas; ~**ing** *n* 1) tapyba;
2) paveikslas; 3) dažymas

pair [pɛə] *n* pora

Pakistan ['pɑːkɪ'stɑːn] *n* Pa-
kistanas; ~**i** [-ɪ] *n* pakistanie-
tis, -ė

pal [pæl] *šnek.* draugužis,
bičiulis

palace ['pælɪs] *n* rūmai

palate ['pælət] *n anat.* go-
murys

pale [peɪl] *a* išbalęs

palm I [pɑːm] *n* palmė

palm II *n* delnas

pan ['pæn] *n* 1) prikaistuvis; 2)
amer. keptuvė; ~**cake** [-keɪk]
n blynas

Panama ['pænəmɑː] *n* 1)

Panama; 2) (*p.*) panama
(*skrybėlė*)

pane [peɪn] *n* (*lango*) stiklas

panel ['pænl] *n* 1) (*prietaisų*)
skydas; 2) panelis, plokštė

panic ['pænɪk] *n* panika;
~**-stricken** [-strɪkən] *a* apimtas
panikos; *v* pulti į paniką

pant [pænt] *v* dūsuoti, švokš-
ti

pantihose ['pæntɪhəuz] *n* pėd-
kelnės

pantomime ['pæntəmaɪm] *n*
pantomima

pantry ['pæntrɪ] *n* podėlis,
sandėliukas

pants [pænts] *n* 1) trumpikės,
kelnaitės; 2) kelnės

papa [pə'pɑ] *n* tėtis

paper ['peɪpə] *n* 1) popierius;
2) pranešimas, referatas; 3)
laikraštis; *v* tapetuoti (*sie-
nas*); ~**back** [-bæk] *n* knyga
minkštais viršeliais; ~**clip**
[-klɪp] *n* sąvaržėlė

parachute ['pærəʃuːt] *n* para-
šiutas; *v* nusileisti parašiutu

parade [pə'reɪd] *n* paradas; *v*
paraduoti, žygiuoti

paradise ['pærədaɪs] *n* rojus

paraffin ['pærəfɪn] *n* para-
finas

paragraph ['pærəgrɑːf] *n* pa-
straipa; skirsnis, paragrafas

Paraguay ['pærəgwaɪ] *n* Para-
gvajus

parallel ['pærəlel] *n* 1) lygiagretė; 2) paralelė; *a* lygiagretus

paralyze ['pærəlaız] *v* paralyžuoti

parcel ['pɑsl] *n* pasiuntinys; paketas

parched [pɑ:tʃt] *a* perdžiūvęs; sukepęs (*apie lūpas*)

pardon ['pɑ:dn] *n* atleidimas, dovanojimas; *int* (atsi)prašau (*nenugirdus, atsirūgus*)

parents ['pɛərənts] *n* tėvai

parish ['pærɪʃ] *n* 1) parapija; 2) apylinkė

park [pɑ:k] *n* parkas; *v* pastatyti automobilį (*saugojimo aikštelėje*)

parliament ['pɑ:ləmənt] *n* parlamentas; m e m b e r o f ~ parlamentaras; ~ary ['pɑ:lə'mentərı] *a* parlamentinis

parlour ['pɑ:lə] *n* kabinetas, salionas

parrot ['pærət] *n* papūga

parsley ['pɑ:slı] *n* petražolė

parson ['pɑ:sn] *n* šnek. pastorius, dvasininkas

part [pɑ:t] *n* 1) dalis; 2) vaidmuo; ◊ t o t a k e ~ (i n) dalyvauti; *v* at(si)skirti; atsisveikinti

participant [pɑ:'tısıpənt] *n* dalyvis

participate [pɑ:'tısıpeıt] *v* dalyvauti

participle ['pɑ:tısıpl] *n* gram. dalyvis

particular [pə'tıkjulə] *a* ypatingas; *n* in ~ ypatingai; ypač; ~ly *adv* ypač

parting ['pɑ:tıŋ] *n* 1) sklastymas; 2) atsisveikinimas, atsiskyrimas

partly ['pɑ:tlı] *adv* iš dalies

part-time ['pɑ:ttaım] *a* dirbantis ne visą darbo dieną

party ['pɑ:tı] *n* 1) *polit.* partija; ?) pobūvis, vakaras

pass [pɑ:s] *v* 1) praeiti; pravažiuoti; 2) perduoti; 3) išlaikyti (*egzaminą*); t o ~ a w a y mirti

passage ['pæsıdʒ] *n* 1) perėja, perėjimas; 2) ištrauka

passenger ['pæsındʒə] *n* keleivis

passer-by ['pɑ:sə'baı] *n* praeivis

passion ['pæʃn] *n* aistra

passive ['pæsıv] *a* pasyvus; ~ v o i c e *gram.* neveikiamoji rūšis

passport ['pɑ:spɔ:t] *n* pasas

password ['pɑ:swɜ:d] *n* slaptažodis

past [pɑ:st] *a* praėjęs; buvęs; ~ t e n s e būtasis laikas; *prep* pro, už; *adv* pro šalį; *n* (t h e ~) praeitis

paste [peıst] *n* 1) klijai; 2) tešla; pasta; 3) paštetas

pastime ['pɑːstaɪm] *n* pramoga

pastry ['peɪstrɪ] *n* 1) (*saldi*) tešla; 2) tešlainis

pasture ['pɑːstʃə] *n* ganykla

pat [pæt] *n* tapšnojimas; *v* (pa)tapšnoti

patch [pætʃ] *n* 1) lopas; 2) skydelis; *v* lopyti

path [pɑːθ] *n* 1) takas; 2) *perk*. kelias

patience ['peɪʃn] *n* kantrybė

patient ['peɪʃnt] *n* ligonis; *a* kantrus

patrol [pə'trəʊl] *n* patrulis; *v* patruliuoti

patter ['pætə(r)] *v* 1) tapsėti; 2) teškenti

pattern ['pætən] *n* 1) modelis, šablonas; 2) (*audinio*) raštas

pause [pɔːz] *n* pauzė; *v* daryti pauzę; sustoti

pavement ['peɪvment] *n* 1) šaligatvis; 2) grindinys

pavilion [pə'vɪlɪən] *n* paviljonas

paw ['pɔː] *n* letena

pawn I [pɔːn] *n* 1) *šach.* pėstininkas; 2) *perk.* marionetė

pawn II *n* užstatas, įkaitas

pay ['peɪ] *v* (paid [peɪd]) (už-) mokėti; **~ing** *a* pelningas; **~ment** *n* mokėjimas

pea [piː] *n* žirnis

peace ['piːs] *n* taika; **~ful** *a* taikingas

peach [piːtʃ] *n* persikas

peacock ['piːkɔk] *n* povas

peak [piːk] *n* viršūnė

peal [piːl] *v* gausti (*apie varpus*); *n* 1) gausmas, gaudesys; 2) dundesys

peanut ['piːnʌt] *n* žemės riešutas

pear [peə] *n* kriaušė

pearl [pəːl] *n* perlas

peasant ['peznt] *n* valstietis

peat [piːt] *n* durpės

pebble ['pebl] *a* akmenėlis (*paplūdimy*)

peck [pek] *v* lesti; *n* kirtis snapu

peculiar [pɪ'kjuːlɪə] *a* 1) ypatingas, specifinis; 2) keistas, savotiškas

pedal ['pedl] *n* pedalas; *v* minti pedalus

pedestrian [pɪ'destrɪən] *n* pėsčiasis; *a* pėsčias

peel [piːl] *v* (nu)lupti (*žievę*); *n* žievė (*vaisių, daržovių*)

peep [piːp] *v* žvilgtelėti; *n* žvilgsnis vogčiomis

peer [pɪə] *v* įsižiūrėti; spoksoti

peg [peg] *n* 1) kablys; 2) kaištis, kuolelis; *v* pritvirtinti kaiščiais

pen I [pen] *n* plunksna, plunksnakotis; rašiklis

pen II *n* aptvaras

penalty ['penəltɪ] *n* bauda;

bausmė

pence [pens] *n pl* pensai (*apie pinigų sumą*)

pensil ['pensıl] *n* pieštukas

penetrate ['penıtreıt] *v* skverbtis, prasiskverbti; ~ing *a* skarbus, įžvalgus

pen-friend ['penfrend] *n* susirašinėjimo draugas

penguin ['peŋgwın] *n* pingvinas

peninsula [pı'nınsjulə] *n* pusiasalis

pen-knife ['pennaıf] *n* lenktinis peiliukas

penny ['penı] *n* (*pl* **pennies** ['penız] ir **pence** [pens]) 1) pensas; 2) *amer.* centas (*moneta*)

pension ['penʃn] *n* pensija; ~er pensininkas, -ė

people ['pi:pl] *n* 1) žmonės; 2) liaudis, tauta

pepper ['pepə] *n* pipirai; *v* (į)berti pipirų

pepermint ['pepəmınt] *n* 1) pipirmėtė; 2) mėtinis saldainis

per [pə:] *prep* per; ~ p o s t paštu; ~ h o u r per valandą

percent [pə'sent] *n* procentas

perch I [pə:tʃ] *n* lakta (*vištoms*); *v* 1) tupėti; 2) sėdėti aukštai

perch II *n* ešerys

perfect ['pə:fıkt] *n gram.* per-

fektas; *a* tobulas, idealus; nepriekaištingas; ~ly *adv* puikiai, tobulai

perform [pə'fɔ:m] *v* 1) atlikti; 2) (su)vaidinti; ~ance *n* 1) spektaklis, vaidinimas; 2) pasirodymas; ~er *n* atlikėjas

perfume ['pə:fju:m] *n* kvepalai

perhaps [pə'hæps] *mod.* galbūt

peril ['perıl] *n* pavojus; ~ous *u* pavojingas

period ['pıərıəd] *n* periodas; ~ic(al) ['pıərı'ɔdık(l)] *a* periodiškas, periodinis

perish ['perıʃ] *v* žūti

permanent ['pə:mənənt] *a* nuolatinis; pastovus, permanentinis

permission [pə'mıʃn] *n* leidimas

permit [pə'mıt] *v* leisti

perpetual [pə'petʃuəl] *a* amžinas, begalinis

perplex [pə'pleks] *v* (su)gluminti

persecute ['pə:sıkju:t] *v* persekioti

persecution ['pəsı'kju:ʃn] *n* persekiojimas

persist [pə'sıst] *v* užsispirti, atkakliai toliau daryti; ~ance *n* užsispyrimas, atkaklumas

person ['pə:sən] *n* asmuo; i n ~ asmeniškai, asmeninis; ~ality

['pɔːsəˈnætəli] *n* 1) asmenybė;
2) įžymybė

perspiration [pɔːspɪreɪʃn] *n*
prakaitavimas

perspire [pɔˈspaɪə] *v* prakaituoti

persuade [pɔˈsweɪd] *v* įtikinti;
įkalbėti

persuasion [pɔˈsweɪʒn] *n* įtikinimas; įkalbėjimas

Peru [pɔˈruː] *n* Peru

pesimist ['pesɪmɪst] *n* pesimistas; ~**ic** [-'pɔsɪˈmɪstɪk] *a* pesimistiškas

pest ['pest] *n ž.ū.* kenkėjas;
~**icide** [-ɪsaɪd] *n* pesticidas

pester ['pestɔ(r)] *v* įgristi

pet [pet] *n* 1) kambarinis gyvūnėlis; 2) lepūnėlis; mylimasis

petition [pɔˈtɪʃn] *n* prašymas;
peticija

petrol ['petrɔl] *n* benzinas; ~
s t a t i o n *n* degalinė

petticoat ['petɪkɔut] *n* apatinis
sijonas, apatiniai marškiniai

phantom ['fæntəm] *n* šmėkla,
vaiduoklis

phase [feɪz] *v* fazė; tarpsnis

phenom|enon [fɔˈnɒmɪnən] *n*
(*pl* –**ena** [-ɪnə]) reiškinys

philosoph|er [fɪˈlɒsəfə] *n* filosofas; ~**y** *n* filosofija

phone ['fəun] *n* telefonas; *v*
skambinti telefonu; ~**booth**
[-buːð] *n* telefono kabina (*pastate*); telefono būdelė

phonetic [fɔˈnɛtɪk] *a* fonetinis;
~**s** fonetika

phon(e)y ['fəunɪ] *a šnek*. apsimestinis; netikras

photo(graph) ['pəutə(grɑːf)] *n*
nuotrauka; *v* fotografuoti

phrase [freɪz] *n* frazė; posakis

physical ['fɪzɪkl] *a* fizinis, fiziškai

physician [fɪˈzɪʃn] *n* gydytojas

physicist ['fɪzɪsɪst] *n* fizikas

physics ['fɪzɪks] *n* fizika

piano [pɪˈænəu] *n* fortepijonas; pianinas

pick I [pɪk] *v* rinkti(s); t o ~
u p pakelti (*kas nukritę*)

pick II *n* kirstukas, kirtiklis

picket ['pɪkɪt] *n* piketas

pickle ['pɪkl] *v* marinuoti; sūdyti; rauginti

pickpocket ['pɪkpɔkɪt] *n* kišenvagis

picnic ['pɪknɪk] *n* iškyla, piknikas

picture ['pɪktʃə] *n* 1) paveikslas; 2) nuotrauka; t o t a k e
~ s fotografuoti

pie [paɪ] *n* pyragėlis (*su
įdaru*)

piece [piːs] *n* 1) gabalas; 2)
kūrinys; 3) moneta

pier [pɪə] *n* prieplauka

pierce [pɪəs] *v* pradurti

piercing ['pɪəsɪŋ] *a* veriantis

pig [pɪg] n kiaulė, paršas; ~let [-let] n paršiukas

pigeon ['pɪdʒɪn] n karvelis

pigsty ['pɪgstaɪ] n kiaulidė

pike [paɪk] n lydeka

pile [paɪl] n krūva; v krauti į krūvą

pilgrim ['pɪlgrɪm] a keliaujantis maldininkas, piligrimas; ~age [-ɪdʒ] n kelionė (į šventąsias vietas)

pill [pɪl] n piliulė

pillar ['pɪlə] n archit. piliorius; atrama

pillow ['pɪləʊ] n pagalvė; ~case [-keɪs], ~slip [-slɪp] n (pagalvės) užvalkalas

pilot ['paɪlət] n 1) lakūnas, pilotas; t e s t ~ lakūnas bandytojas; 2) locmanas

pimple ['pɪmpl] n spuogas

pin [pɪn] n 1) sagė; smeigtukas; 2) kaištis

pinafore ['pɪnəfɔ:] n prijuostė

pinch [pɪntʃ] v 1) įgnybti, spausti (apie batus); 2) nukniaukti; n gnybis

pine ['paɪn] n pušis; ~apple [-æpl] n ananasas

ping-pong ['pɪŋpɒŋ] n stalo tenisas

pink [pɪŋk] a rožinis, rausvas

pint [paɪnt] n pinta (0,57 l)

pioneer ['paɪə'nɪə] n pionierius

pip [pɪp] n sėkla, kauliukas

pipe ['paɪp] n 1) pypkė; 2) vamzdis; ~er n grojikas dūdmaišiu/dūdele

pirat|e ['paɪərət] n piratas; v piratauti; ~ic(al) [paɪ'rætɪkl] a piratinis, piratiškas

pit [pɪt] n 1) duobė; 2) šachta

pitch I [pɪtʃ] n derva, degus; ~dark [-'dɑ:k] a labai tamsus

pitch II a (gʌrsʊ) aukštis

pitcher ['pɪtʃə] n asotis; puodynė

pitiful ['pɪtɪfl] a pasigailėtinas

pity ['pɪtɪ] n gailestis; i t ' s a ~ gaila

placard ['plækɑ:k] n plakatas

place [pleɪs] n vieta; a (pa)dėti, (pa)talpinti; t a k e ~ v (į)vykti

plain [pleɪn] n lyguma; a 1) aiškus; 2) paprastas; ~-clothes [-kləʊðəz] a dėvintis civiliniais drabužiais; ~ly adv aiškiai

plait [plæt] n kasa; v supinti

plan [plæn] n planas; v planuoti

plane [pleɪn] n 1) lėktuvas; 2) plokštuma

planet ['plænɪt] n planeta

plank [plæŋk] n stora lenta

plant I [plɑ:nt] n augalas; v (ap)

sodinti; ~ation [plɑ:n'teɪʃn] *n* plantacija.

plant II *n* gamykla

plaster ['plɑ:stə] *n* 1) tinkas; 2) gipsas; 3) pleistras; *v* tinkuoti

plastic ['plæstɪk] *n* plastmasė; *a* 1) plastmasinis; 2) plastinis

plate [pleɪt] *n* lėkštė

platform ['plætfɔ:m] *n* platforma; pakyla; tribūna

play ['pleɪ] *n* 1) žaidimas; lošimas; 2) pjesė, spektaklis; *v* žaisti, vaidinti, groti; t o ~ a p a r t atlikti vaidmenį; ~er *n* žaidėjas; ~ful *a* žaismingas; ~ground [-graund] *n* žaidimų aikštelė; ~ingfield [-fi:ld] *n* (futbolo, beisbolo) sporto aikštelė; ~mate [-meɪt] *n* vaikystės/žaidimų draugas; ~wright ['pleɪraɪt] *n* dramaturgas

plea [pli:] *n* prašymas; *teis.* pareiškimas

plead [pli:d] *v* 1) prašyti, maldauti; 2) *teis.* ginti

pleasant ['pleznt] *a* malonus, mielas

please [pli:z] *v* 1) įtikti; 2) malonėti, norėti; *mod.* prašau! ~d *a* patenkintas, laimingas

pleasing ['pli:zɪŋ] *a* malonus; patrauklus

pleasure ['pleʒə] *n* malonumas

pleated ['pli:tɪd] *a* klostuotas

plentiful ['plentɪfl] *a* gausus

plenty ['plentɪ] *n* gausiai; ~ o f pakankamai daug; *adv šnek.* gana

pliers ['plaɪəz] *n pl* replės

plod [plɒd] *v* 1) kiūtinti; 2) plušėti

plonk [plɒŋk] *v šnek.* (nu)drėbti; tėkšti(s)

plot I [plɒt] *n* 1) sąmokslas; 2) fabula

plot II *n* sklypas, laukas

plough [plau] (*amer.* plow) *n* plūgas; *v* (su)arti

pluck ['plʌk] *v* 1) (nu)raškyti; 2) nupešti; *n* 1) raškymas; 2) pešiojimas; 3) drąsa, vyriškumas; ~y *a* drąsus

plug [plʌg] *n* 1) *el.* kištukas; 2) kamštis; *v* įjungti (into)

plum [plʌm] *n* slyva

plumber ['plʌmbə] *n* santechnikas

plump [plʌmp] *a* putlus, apkūnus

plunge [plʌndʒ] *v* nerti; mesti; *n* nėrimas, kritimas

plural ['pluərəl] *n* daugiskaita; *a* daugiskaitos

plus [plʌs] *n* pliusas; *a* teigiamas, pliusinis; *prep* plius

p.m. ['pi:'em] *sutr.* po pusiaudienio

poach [pəutʃ] *v* brakonieriauti; ~er *n* brakonierius

pocket ['pɔkɪt] *n* kišenė;
~-money [-mʌnɪ] *n* kišen-
pinigiai
pod [pɔd] *n* ankštis
poem ['pəuɪm] *n* poema;
eilėraštis
poet ['pəuɪt] *n* poetas; **~ry** [-rɪ]
n poezija
point [pɔɪnt] *n* 1) taškas; 2)
dalykas, reikalas; 3) esmė;
4) punktas; 5) smaigalys; t o
be on the ~ of (doing
s m t h) ruoštis (*ką daryti*); *v*
1) (nu)rodyti; 2) nusmailinti;
~ o u t nurodyti; atkreipti
dėmesį; **~ed** *a* 1) smailus; 2)
perk. aštrus; **~less** *a* betikslis
poison ['pɔɪzn] *n sg* nuodai;
v (už)nuodyti; **~ous** *a* nuo-
dingas
pok|e [pəuk] *v* 1) bakstelėti,
kumštelėti; 2) iš(si)kišti; **~r** *n*
žarsteklis
Poland ['pəulənd] *n* Lenkija
polar ['pəulə(r)] *a* 1) poliari-
nis; 2) polinis
Pole [pəul] *n* lenkas, -ė
pole I [pəul] *n* 1) ašigalis; 2)
polius
pole II *n* stulpas, kartis
police [pə'li:s] *n* policija; **~man**
[-mən] *n* policininkas; **~wom-
an** [-wumən] *n* policininkė
policy ['pɔlɪsɪ] *n* 1) politika; 2)
strategija, kursas
Polish ['pəulɪʃ] *a* lenkiškas;

Lenkijos; *n* lenkų kalba
polish ['pɔlɪʃ] *n* 1) politūra, la-
kas; 2) poliravimas; blizgini-
mas; *v* poliruoti, šlifuoti;
blizginti (*batus*)
polite [pə'laɪt] *a* mandagus
political [pə'lɪtɪkl] *a* politinis;
~ s c i e n c e *n* politologija
politician ['pɔlɪ'tɪʃn] *n* poli-
tikas
politics ['pɔlɪtɪks] *n* politika
poll [pəul] *n* 1) apklausa; 2)
rinkimai; balsavimas; *v* 1) ap-
klausti; 2) balsuoti
pollut|e [pə'lu:t] *v* (su)teršti;
~ion *n* (už)teršimas
polytechnic ['pɔlɪ'teknɪk] *n*
(poli)technikos koledžas/
kolegija
pond [pɔnd] *n* tvenkinys,
kūdra; baseinas
pony ['pəunɪ] *n* ponis (*ark-
liukas*)
pool I [pu:l] *n* 1) klanas; 2)
plaukimo baseinas
pool II *n* fondas; *v* su(si)dėti,
kaupti
poor ['puə] *a* 1) skurdus; var-
gingas; 2) menkas, blogas; *n*
(t h e ~) *n* vargšai; **~ly** *adv* 1)
blogai, menkai; 2) vargingai,
skurdžiai
pop I [pɔp] *n* 1) pokštelėjimas;
2) *šnek.* putojantis gėrimas; *v*
1) pokštelėti; įkišti, kaišioti
pop II pop muzika (*sutr. iš*

popular); ~star [-stɑ:] pop muzikos žvaigždė

Pope [pəup] *n* popiežius

poppy ['pɔpɪ] *n* aguona

popular ['pɔpjulə] *a* populiarus; ~ity ['pɔpju'lærətɪ] *n* populiarumas

population ['pɔpju'leɪʃn] *n* gyventojai; gyventojų skaičius

porcelain ['pɔ:səlɪn] *n* porcelianas

porch [pɔ:tʃ] *n* 1) priebutis, prieangis; 2) *amer.* veranda

pork [pɔ:k] *n* kiauliena

porn [pɔ:n] *n sutr. šnek.* pornografija

porridge ['pɔrɪdʒ] *n* košė

port [pɔ:t] *n* uostas

portable ['pɔ:təbl] *a* nešiojamasis, portatyvus

porter ['pɔ:tə] *n* nešikas

porthole ['pɔ:thəul] *n jūr.* liukas; iliuminatorius

portion ['pɔ:ʃn] *n* 1) dalis; 2) porcija

portrait ['pɔ:trɪt] *n* portretas

Portug|al [pɔ:tʃugəl] *n* Portugalija; ~ese *n* 1) portugalas, -ė; 2) portugalų kalba; *a* portugalų

position [pə'zɪʃn] *n* 1) padėtis, pozicija; 2) vieta

positive ['pɔzɪtɪv] *a* 1) teigiamas, pozityvus; 2) tikras, įsitikinęs

possess [pə'zes] *v* (už)valdyti, turėti; ~ion *n* 1) turtas, nuosavybė, valda; 2) turėjimas; valdymas

possibility ['pɔsə'bɪlətɪ] *n* galimybė

possibl|e ['pɔsəbl] *a* galimas; ~y *adv* galbūt; (+can, could) galima, įmanoma

post I ['pəust] *n* paštas; *v* siųsti paštu; ~age [-ɪdʒ] *n* persiuntimo kaina; ~box [-bɔks] *n* pašto dėžutė; ~card [-kɑ:d] *n* atvirukas; ~man [-mən] *n* laiškininkas; ~office [-ɔfɪs] paštas (*įstaiga*), pašto skyrius

post II *n* postas, tarnyba

postpone [pəs'pəun] *v* atidėti (*vėlesniam laikui*)

postwar ['pəust'wɔ:] *a* pokarinis, pokario

pot [pɔt] *n* 1) puodas, katiliukas; 2) vazonas; ~ter *n* puodžius

potato [pə'teɪtəu] *n* bulvės; m a s h e d ~es *n* bulvių košė

pottery ['pɔtərɪ] *n* keramika

poultry ['pəultrɪ] *n* naminiai paukščiai

pounce [pauns] *v* staiga užpulti/mestis (on)

pound [paund] *n* 1) svaras (=453,6 *g*); 2) svaras sterlingų

pour [pɔ:] *v* (į)pilti, pripilti

poverty ['pɔvəti] *n* skurdas; **~-stricken** [-strikn] *a* nuskuręs

powder ['paudə] *n* 1) milteliai; 2) pudra; 3) parakas

power ['pauə] *n* 1) galia; jėga; 2) valdžia; valstybė; 3) (*elektros*) energija; **~ful** *a* galingas; **~less** *a* bejėgis; **~-station** [-steiʃn] *n* elektrinė

practical ['pæktikl] *a* praktinis, praktiškas; *amer.* **practise**

practice ['præktis] *v* 1) praktikuoti(s), lavintis, treniruotis; 2) verstis (*kokia*) praktika

praise [preiz] *v* girti, garbinti; *n* gyrimas, garbinimas

pram [præm] *v* vaikiškas vežimėlis

prank [præŋk] *n* išdaiga, pokštas

pray [prei] *v* 1) melstis; 2) maldauti

preach [pri:tʃ] *v* pamokslauti; **~er** *n* pamokslininkas

precautions [pri'kɔ:ʃnz] *n pl* atsargumo priemonės

preciuos ['preʃəs] *a* vertingas, brangus

precipice ['presipis] *n* bedugnė, praraja

precise [pri'sais] *a* tikslus; apibrėžtas; **~ly** *adv* 1) tiksliai; 2) būtent

predatory ['predətri] *a* 1) grobuoniškas; 2) plėšrusis

predict [pri'dikt] *v* numatyti (*ateiti*); (iš)pranašauti

preface ['prefis] *n* pratarmė; įžanga

prefect ['pri:fekt] *n* 1) vyresnysis mokinys; 2) prefektas

prefer [pri'fə:] *v* teikti pirmenybę, labiau mėgti/norėti; **~able** ['prefrebl] *a* labiau pageidaujamas; **~ence** ['prefrəns] *n* pirmenybė

prefix ['pri:fiks] *n* priešdėlis

pregnant ['pregnənt] *a* nėščia

prejudice ['predʒedis] *n* išankstinis nusistatymas; prietaras

premature ['premə'tʃuə] *a* pirmalaikis, priešlaikinis

premier ['premiə] *n* premjeras

premises ['premisiz] *a pl* pastatai, patalpos

preparation ['prepə'reiʃn] *n* pa(si)ruošimas

preparatory [pri'pærətri] *a* parengiamasis; **~ shool** privati parengiamoji mokykla

prepare [pri'pɛə] *v* ruošti(s), pa(si)ruošti

preposition ['prepə'ziʃn] *n* prielinksnis

prescribe [pri'skraib] *v* 1) išrašyti (*receptą*); 2) nurodyti

prescription [pri'skripʃn] *n med.* receptas

presence ['prezns] *n* dalyvavimas; in his ~ jam esant

present I ['preznt] *a* dabartinis, esamas; the ~ tense esamasis laikas; *n* dabartis; ~ly *adv* greitai, netrukus, dabar

present II *n* dovana; *v* [prɪ'zent] 1) patekti; 2) (ap)dovanoti; ~ation ['prezən'teɪʃn] *n* pristatymas; (pa)teikimas

preserve [prɪ'zə:v] *v* 1) (iš)saugoti; išlaikyti; 2) konservuoti

president ['prezɪdənt] *n* prezidentas

press ['pres] *n* spauda; ~ centre spaudos centras; *v* 1) spausdinti; 2) reikalauti, spirti

pressure ['preʃə] *n* spaudimas

presume [prɪ'zju:m] *v* 1) manyti; 2) leisti sau

pretence (*amer.* **pretense**) [prɪ'tens] *n* apsimetimas

pretty ['prɪtɪ] *a* gražus, puikus, mielas; *adv šnek.* gana; ~ good gana geras

prevent [prɪ'vent] *v* sutrukdyti, užkirsti kelią; ~ion [-ʃn] *n* sutrukdymas; prevencija; ~ive *a* profilaktinis

previuos ['pri:vɪəs] *a* ankstesnis; ~ly *adv* anksčiau, pirma; prieš

prewar ['pri:'wɔ:] *a* prieškari-

nis

prey [preɪ] *n* grobis; auka

price [praɪs] *n* kaina; ~less *a* neįkainojamas, labai vertingas

prick [prɪk] *v* į(si)durti; *n* dūris

prickle ['prɪkl] *n* dyglys

pride [praɪd] *n* išdidumas; pasididžiavimas

priest [pri:st] *n* kunigas, dvasininkas

primary ['praɪmərɪ] *a* 1) svarbiausias; 2) pradinis

prime [praɪm] *a* pagrindinis; ~ minister *n* ministras pirmininkas

primitive ['prɪmɪtɪv] *a* primityvus; pirmykštis

princ|e [prɪns] *n* princas; ~ss [prɪn'ses] *n* princesė

principal ['prɪnsɪpl] *a* svarbiausias; *n* (*mokyklos*) direktorius; ~ly *adv* daugiausia

principl|e ['prɪnsɪpl] *n* principas; ~ed *a* principingas, principinis

print ['prɪnt] *v* spausdinti; ~er *n* 1) spaustuvininkas; 2) spausdinimo įrenginys

priority [praɪ'ɔrətɪ] *n* pirmumas, prioritetas

prison ['prɪzn] *n* kalėjimas; ~er *n* 1) kalinys; 2) (*karo*) belaisvis

private ['praɪvɪt] *a* privatus, asmeniškas, asmeninis; *n* eilinis (t.p. ~ soldier)

privation [praɪˈveɪʃn] *n* skurdas, nepriteklius

privatize [ˈpraɪvətaɪz] *v* privatizuoti

privilege [ˈprɪvɪlɪdʒ] *n* privilegija, (*ypatinga*) teisė; to be a ~ suteikti ypatingą malonumą; *v* suteikti privilegiją; ~**d** *a* privilegijuotas

privy [ˈprɪvɪ] *a* 1) privatus; 2) bendrininkavęs, žinantis

prize [praɪz] *n* prizas, premija

probabl|**e** [ˈprɒbəbl] *a* galimas, tikėtinas; ~**y** *mod.* turbūt, tikriausiai

problem [ˈprɒbləm] *n* 1) klausimas, problema; 2) *mat.* uždavinys

proceed [prəˈsiːd] *v* tęsti(s); imtis (*ko*); pereiti (to – *prie*)

proceeding [prəˈsiːdɪŋ] *n* pl 1) vyksmas, eiga; 2) (*mokslo draugijos*) darbai; 3) *pl* darbas, veikla (*komisijos*); *pl.* 4) teismo procesas, teisiniai veiksmai

process [ˈprəʊses] *n* procesas; *v* apdirbti, apdoroti

produce [prəˈdjuːs] gaminti; *n* [ˈprɒdjuːs] *n* produkcija, produktai; ~**r** *n* 1) gamintojas; 2) statytojas, prodiuseris (*spektaklio ir pan.*)

product [ˈprɒdʌkt] *n* produk-

tas, gaminys; ~**ion** [prəˈdʌkʃn] *n* gamyba; ~**ive** [prəˈdʌktɪv] *a* produktyvus, našus

profession [prəˈfeʃn] *n* profesija; ~**al** *a* 1) profesinis; 2) profesionalus, profesionalų

professor [prəˈfesə] *n* profesorius

profit [ˈprɒfɪt] *n* pelnas, nauda; ~**able** *a* pelningas

program(me) [ˈprəʊgræm] *n* programa

progress *n* [ˈprəʊgres] pažanga, progresas; *v* [prəˈgres] eiti/judėti į priekį, progresuoti

prohibit [prəˈhɪbɪt] *v* uždrausti; ~**ive** *a* draudžiamas

project [ˈprɒdʒekt] *n* planas, projektas; *v* projektuoti, planuoti; ~**or** [prəˈdʒektə] *n* 1) projektorius; 2) projektuotojas

promenade [ˌprɒməˈnɑːd] *n* pasivaikščiojimo vieta

prominent [ˈprɒmɪnənt] *a* 1) išsikišęs, iškilus; 3) žymus

promise [ˈprɒmɪs] *n* pažadas; *v* pažadėti

promote [prəˈməʊt] *v* paaukštinti pareigose; (pa)remti, skatinti

promotion [prəˈməʊʃn] *n* paaukštinimas; rėmimas; reklamavimas

prompt I [ˈprɒmt] *a* skubus, neatidėliotinas; ~**ly** *adv* punktualiai, tiksliai

prompt II *v* sufleruoti, priminti

pronoun [prəunaun] *n* įvardis

pronounce [prə'nauns] *v* (iš)-tarti; ~**d** *a* juntamas, ryškus

pronunciation [prə'nʌnsɪ'eɪʃn] *n* tarimas; tartis

proof [pru:f] *n* įrodymas

prop [prɒp] *v* (pa)remti; at(si)-remti

propeller [prə'pelə] *n* propeleris; (*laivo*) sraigtas

proper ['prɒpə] *a* 1) būdingas; 2) deramas; 3) tikras(is)

property ['prɒpətɪ] *n* 1) turtas; nuosavybė; 2) savybė

prophet ['prɒfɪt] *n* pranašas

proportion [prə'pɔ:ʃn] *n* 1) dalis; 2) proporcija; 3) dydis, mastas

proposal [prə'pəuzl] *n* pasiūlymas

propose [prə'pəuz] *v* (pa)-siūlyti

proprietor [prə'praɪətə] *n* savininkas

pros|aic [prəu'zeɪɪk] *a* 1) prozinis; 2) *perk.* proziškas; ~**e** [prəuz] *n* proza

prosecute ['prɒsɪkju:t] *v* 1) tęsti; toliau daryti (*ką*); 2) *teis.* persekioti (*baudžiamąja tvarka*)

prosecution ['prɒsɪ'kju:ʃn] *n* 1) *teis.* baudžiamasis persekiojimas; 2) *teis.* kaltinimas; 3) (*darbo*) vykdymas, atlikimas; ~ **of operations** operacijų atlikimas

prosecutor ['prɒsɪkju:tə] *n* 1) ieškovas; 2) kaltintojas; **public** ~ prokuroras

prosody ['prɒsədɪ] *n* prozodija, [prə'sɒdɪk] *a* prozodijos, prozodinis

prospect ['prɒspekt] *n* perspektyva; vaizdas

prosperity [prɒ'sperətɪ] *n* gerovė; (su)klestėjimas

prosperous ['prɒspərəs] *a* 1) klestintis, sėkmingas; 2) pasitikintis

protect [prə'tekt] *v* saugoti, ginti; ~**ion** [prə'tekʃn] *n* saugojimas; gynimas; globa

protest ['prəutest] protestas; [prə'test] *v* protestuoti

protrude [prə'tru:d] *v* iš(si)-kišti; kyšoti

proud [praud] *a* išdidus; **to be** ~ (**of**) didžiuotis (*kuo*)

prove [pru:v] *a* įrodyti, įrodinėti; **to** ~ (**to be**) pasirodyti (*esant*)

proverb ['prɒvəb] *n* patarlė

provide [prə'vaɪd] *v* 1) pa(si)-rūpinti; tiekti; 2) duoti; suteikti

provided [prə'vaɪdɪd], **providing** [prə'vaɪdɪŋ] *cj* su sąlyga, jei

province ['provɪns] *n* provincija

provision [prə'vɪʒn] *n* 1) parūpinimas; ap(si)rūpinimas; 2) *pl* maisto atsargos

provoke [prə'vəuk] *v* 1) (iš)provokuoti; 2) sukelti (*pyktį, juoką*)

prowl [praul] *v* sėlinti; klaidžioti

prune I [pru:n] *n* džiovinta slyva

prune II *v* apgenėti

pry [praɪ] *v* kišti nosį (into); smalsauti

psalm [sɑ:m] *n* psalmė

pseudonym ['sju:dənɪm] *n* slapyvardis, pseudonimas

psychology [saɪ'kɔlədʒɪ] *n* psichologija

pub [pʌb] (*sutr. iš* p u b l i c h o u s e) *šnek.n* alinė, smuklė, baras

public ['pʌblɪk] *n* 1) visuomenė; 2) publika; *a* 1) viešas; 2) visuomeninis

publication [ˌpʌblɪ'keɪʃn] *n* 1) išleidimas; paskelbimas; 2) *n* leidinys

publish ['pʌblɪʃ] *v* 1) išleisti; spausdinti; 2) paskelbti

pudding ['pudɪŋ] *n* pudingas; apkepas

puddle ['pʌdl] *n* balutė; klanas

puff [pʌf] *n* gūsis; *v* 1) pūsti gūsiais, papsėti; 2) puškuoti

pull ['pul] *v* traukti, vilkti; ~over [-əuvə] *n* megztinis

pulpit ['pulpɪt] *n* sakykla

pulse [pʌls] *n* pulsas; *v* pulsuoti

pump [pʌmp] *n* siurblys; *v* 1) siurbti; 2) pumpuoti

pumpkin ['pʌmkɪn] *n* moliūgas

punch I [pʌnʃ] *n* smūgis (*kumščiu*)

punch II *v* pramušti skyles

punctual ['pʌŋktjuəl] *a* punktualus

punctuate ['pʌŋkjueɪt] *v* dėti skyrybos ženklus

punctuation [ˌpʌŋkʃu'eɪʃn] *n* skyryba

puncture ['pʌŋktʃə] *v* pradurti (*pvz., padangą*); *n* 1) pradūrimas; 2) išdurta skylė

punish ['pʌnɪʃ] *v* bausti; ~ment *n* 1) bausmė; 2) nubaudimas

pupil I ['pju:pl] *n* mokinys,-ė

pupil II *n* (*akies*) lėliukė

puppet ['pʌpɪt] *n* šuniukas

purchase ['pə:tʃəs] *v* pirkti; *n* pirkinys; t o m a k e a ~ nusipirkti

pur|e [pjuə] *a* grynas; tyras; ~ity *n* grynumas

purgative ['pə:gətɪv] *a* vidurių paleidžiamasis (*vaistas*)

purple ['pə:pl] *n* purpurinė

spalva

purpose ['pə:pəs] *n* tikslas;
~ful *a* tikslingas; siekiantis
tikslo; o n ~ tyčia

purr [pə:] *v* murkti (*apie
katę*)

purse [pə:s] *n* piniginė

pursue [pə'sju:] *v* 1) vykdyti; 2)
siekti (*tikslo*); 3) persekioti

pus [pʌs] *n* pūliai

push [puʃ] *v* (pa)stumti

puss [pus], **pussy** ['pusɪ] *n*
katytė

put [put] *v* (put) 1) (pa)dėti,
(pa)statyti; 2) reikšti, išdėstyti;
3) užduoti (*klausimą*); 4) (pa)-
skirti; ~ d o w n (su)rašyti; ~
o f f atsidėti; ~ o n užsidėti,
užsivilkti, užsimauti; ~ o u t
užgesinti; ~ u p pakęsti, taiks-
tytis (w i t h); t o ~ t o b e d
paguldyti (*miegoti*)

puzzle ['pʌzl] *v* sugluminti, su-
painioti; pastatyti (*ką*) į keblią
padėtį; *n* mįslė, galvosūkis

pyjamas [pə'dʒa:məz] *n pl*
pižama

pyramid ['pɪrəmɪd] *n* pira-
midė

Q

quack [kwæk] *v* krykti (*apie*

antį); *n* krykimas, kvarksėji-
mas

quadratic [kwə'drætɪk] *a mat.*
kvadratinis

quake [kweɪk] *v* virpėti; drebė-
ti; *n* drebulys

qualification ['kwɔlɪfɪ'keɪʃn] *n*
kvalifikacija

qualified ['kwɔlɪfaɪd] *a* kvali-
fikuotas; tinkamas

quaility ['kwɔlətɪ] *n* kokybė

quantity ['kwɔntətɪ] *n* kieky-
bė, kiekis

quarrel ['kwɔrəl] *n* ginčas;
v ginčytis; ~some [-səm] *a*
priekabus, barningas

quarry I n ['kwɔrɪ] *n* grobis,
laimikis

quarry II *n* karjeras; r o c k ~
akmenų skaldykla

quart [kwɔ:t] *n* kvota

quarter ['kwɔ:tə] *n* 1) ketvir-
tis; 2) kvartalas; 3) *amer.* 25
centų moneta; ~ly *n* žurna-
las, išeinantis kas 3 mėnesiai;
a trijų mėnesių, ketvirtinis;
adv kartą per tris mėnesius,
kas ketvirtį

quay [ki:] *n* prieplauka,
krantinė

queen [kwi:n] *n* karalienė

queer [kwɪə] *a* keistas; įtar-
tinas

quench [kwentʃ] *v* 1) numalšin-
ti (*troškulį*); 2) užgesinti

query ['kwɪərɪ] *v* klausti; teirautis; *n* klausimas

question ['kwestʃn] *n* klausimas; *v* klau(si)nėti; **~-mark** [-maːk] *n* klaustukas

queue [kjuː] *n* eilė; *v* stovėti eilėje (*t.p.* ~ up; for smth)

quick [kwɪk] *a* greitas; spartus

quiet ['kwaɪət] *n* tyla; ramybė; *a* tylus; ramus; **~en** *v* (nu(si))-raminti

quilt [kwɪlt] *n* antklodė

quit [kwɪt] *v* 1) palikti; mesti (*darbą*); 2) *šnek.* nustoti, liautis

quite [kwaɪt] *adv* 1) visai, visiškai; 2) gana

quiver ['kwɪvə] *v* drebėti, virbėti

quiz [kwɪz] *n* 1) viktorina; 2) apklausa (*mokinių*)

quotation [kwəu'teɪʃn] *n* citata

quote [kwəut] *v* 1) cituoti; 2) imti į kabutes

R

rabbit ['ræbɪt] *n* triušis

race I [reɪs] *n* rasė; the human ~ žmonija

race II *n* lenktynės; *v* 1) lenktyniauti; 2) lėkti; nuskubėti

racing ['reɪsɪŋ] *n* lenktynės

rack [ræk] *n* lentyna; regztis bagažui

racket I, racquet ['rækɪt] *n* raketė

racket II *n* reketas, sukčiavimas; **~eering** ['rækə'tɪəriŋ] *n* reketavimas

radar ['reɪdɑː(r)] *n* radaras

radiation ['reɪdɪ'eɪʃn] *n* spinduliavimas; radiacija

radiator ['reɪdɪətə] *n* radiatorius

radio ['reɪdɪəu] *n* radijas (*papr.* the ~); to listen to the ~ klausytis radijo

radioactivity ['reɪdɪəuæk'tɪvətɪ] *n* radioaktyvumas

radioaktive ['reɪdɪəu'æktɪv] *a* radioaktyvus

raft [rɑːft] *n* 1) sielis; 2) plaustas

rag [ræg] *n* skurdas; **~ged** ['rægɪd] *a* skarmaluotas, suplyšęs

rage [reɪdʒ] *n* įniršis; *v* 1) niršti; 2) siautėti

raid [reɪd] *n* reidas; *v* surengti reidą

rail [reɪl] *n* 1) turėklas; 2) bėgis

railroad ['reɪlrəud] *n* *amer.* geležinkelis

railway ['reɪlweɪ] *n* geležinkelis

rain ['reɪn] *n* lietus; *v* lyti; it

often ~s dažnai lyja; ~**coat** [-kəut] *n* lietpaltis; ~**y** *a* lietingas

raise [reɪz] *v* 1) pakelti; padidinti; 2) (iš)augti; 2) surinkti; 3) sukelti

rake [reɪk] *n* glėbys; *v* (su)grėbti

rally ['rælɪ] *n* sambūris; m a s s ~ masinis mitingas

ram [ræm] *n* 1) avinas; 2) *tech.* taranas; *v* taranuoti

ramble ['ræmbl] *v* vaikštinėti, klajoti; *n* pasivaikščiojimas

rampart ['ræmpɑ:t] *n* (*tvirtovės*) pylimas *ar* siena

ran *žr.* **run**

rancid ['rænsɪd] *a* apkartęs, sudusęs

rang *žr.* **ring**

range [reɪndʒ] *n* 1) virtinė, eilė; 2) apimtis; diapazonas; 3) viryklė

rank I [ræŋk] *n* 1) eilė, rikiuotė; 2) rangas, laipsnis, vardas

rank II *a* vešlus; išsikerojęs; užželęs

ransom ['rænsəm] *n* išpirka

rap [ræp] *v* pabelsti, belstelėti

rapid ['ræpɪd] *a* greitas

rapids ['ræpɪdz] *n pl* (*upės*) slenksčiai

rare ['rɛə] *n* retas; ~**ly** retai

rascal ['rɑ:skl] *n* išdykėlis, šelmis

rash I [ræʃ] *a* 1) neapdairus, skubotas

rash II *n* išbėrimas

raspbery ['rɑ:zbrɪ] *n* avietė

rat [ræt] *n* žiurkė

rate [reɪt] *n* 1) tarifas; norma; ~ o f e x c h a n g e keitimo kursas; 2) koeficientas; 3) greitis, tempas

rather ['rɑ:ðə] *adv* 1) verčiau, geriau; I w o u l d ~ aš verčiau; 2) gana, gerokai

ratio ['reɪʃɪəu] *n* santykis, koeficientas

ration ['ræʃn] *n* normuoti; *n* norma, davinys, porcija

rattle ['rætl] *n* barškutis; *v* barškinti, barškėti, tarškėti

raven ['reɪvn] *n* varnas, kranklys

ravenous ['rævənəs] *a* išalkęs kaip vilkas

raw [rɔ:] *a* žalias, neapdirbtas; ~ m a t e r i a l s žaliavos

ray [reɪ] *n* spindulys

razor ['reɪzə] *n* skustuvas

re- [ri:-] *pref* iš naujo, vėl, dar kartą, atgal; per-, at-, re-

reach [ri:tʃ] *v* 1) pasiekti; siekti; 2) ištiesti (ranką)

read ['ri:d] *v* (**read** [red]) skaityti; ~**er** *n* 1) skaitytojas; 2) docentas; lektorius; 3) skaitymo knyga

readily ['redɪlɪ] *adv* 1) mielai; 2) lengvai, be vargo

ready ['redɪ] *a* pasiruošęs (for); ~-made ['redɪ'meɪd] *a* gatavas

real ['rɪəl] *a* tikras; realus; ~ity [rɪ'ælətɪ] *n* tikrovė; in ~ity iš tiesų, iš tikrųjų

realize ['rɪəlaɪz] *v* 1) suprasti; 2) įgyvendinti, realizuoti

really ['rɪəlɪ] *adv* 1) tikrai, iš tikrųjų; 2) nejaugi? tikrai?

reap [ri:p] *v* pjauti (*javus*)

rear I [rɪə] *n* užnugaris

rear II *v* (iš)auginti

reason ['ri:zn] *n* 1) priežastis, argumentas; 2) protas; *v* protauti; ~able *a* 1) protingas; 2) pagrįstas; nuosaikus; 3) priimtinas

reassur|ence ['ri:ə'ʃuərəns] *n* patikinimas; ~e [-ʃuə] *v* nuraminti; patikinti; ~ing *a* nuraminantis; patikinantis

rebel [rɪ'bel] *v* maištauti, sukilti; ~lion [rɪ'belɪən] *n* maištas, sukilimas; ~lious [rɪ'belɪəs] *a* maištingas

recall [rɪ'kɔ:l] *v* 1) prisiminti; 2) atšaukti

recant [rɪ'kænt] *v* atsisakyti, išsižadėti

recapitulate ['ri:kə'pɪtjuleɪt] *v* trumpai pakartoti; reziumuoti

recapitulation ['ri:kə'pɪtʃu'leɪʃn] *n* pakartojimas, trumpa santrauka

recapture ['ri:'kæptʃə] *v* vėl atgauti; atsiimti

recast ['ri:'kɑ:st] *v* (**recast**) 1) perdirbti, suteikti naują formą; 2) *tech.* perlieti

recede [rɪ'si:d] *v* 1) trauktis; tolti; 2) silpnėti; kristi (*apie kainas*)

receipt [rɪ'si:t] *n* kvitas

receive [rɪ'si:v] *v* 1) gauti; 2) priimti (svečius); ~r *n* 1) telefono ragelis; 2) imtuvas

reception [rɪ'sepʃn] *n* 1) priimamasis; registratūra; 2) (*svečių*) priėmimas; ~ist *n* (*viešbučio*) registratorius, priimamojo sekretorius

recipe ['resɪpɪ] *n* (*kulinarijoje*) receptas

recite [rɪ'saɪt] *v* deklamuoti

reckless ['reklɪs] *a* beatodairiškas

reckon ['rekən] *v* laikyti; manyti

recognize ['rekəgnaɪz] *v* 1) atpažinti; 2) pripažinti

recommend ['rekə'mend] *v* rekomenduoti; ~ation ['rekəmen'deɪʃn] *n* rekomendacija

record ['rekɔ:d] *n* 1) įrašas; 2) protokolas; *v* [rɪ'kɔ:d] 1) įrašinėti; 2) užrašyti, registruoti

recorder [rɪ'kɔ:də] *n* 1) įrašymo aparatas; 2) pučiamasis instrumentas

record-player ['rɪkɔ:dpleɪə] *n*

grotuvas; patefonas

recover [rɪ'kʌvə] v 1) at(si)-gauti; 2) (pa)sveikti; ~y n 1) pasveikimas; 2) atgavimas

recreation ['rekrɪ'eɪʃn] n poil-sis; jėgų atgavimas

recruit [rɪ'kru:t] n naujokas; v verbuoti; (su)telkti

rectangular [rek'tæŋgjulə] a geom. stačiakampis

rectangle ['rektæŋgl] n geom. stačiakampis

red [red] a raudonas; pa-raudęs; ~den v rausti, rau-donuoti

reduce [rɪ'dju:s] v 1) sumažinti; 2) paversti, sutrumpinti (trup-meną)

reed [ri:d] n 1) nendrė; 2) liežuvėlis (klarneto)

reel I [ri:l] n ritė

reel II v 1) svirduliuoti; 2) suk-tis (apie galvą)

refer [rɪ'fə:] v 1) remtis (to – kuo); 2) minėti (to); vadinti; 3) pažiūrėti (į žodyną, sąrašą); ~ee ['refə'ri:] n sport. teisė-jas

reference ['refrəns] n 1) nuro-dymas; rėmimasis; 2) nuoroda; ~ book n žinynas; 3) reko-mendacija

refill n ['ri:fɪl] n (tušinuko) šir-delė; v ['ri:'fɪl] vėl pripildyti

reflect [rɪ'flekt] v 1) at(si)-spindėti; 2) apmąstyti; ~ion

n at(si)spindėjimas; ~or n reflektorius

refresh [rɪ'freʃ] v at(si)gaivinti; ~ing a gaivinantis; ~ment n atsigaivinimas; ~room [-rum] n bufetas

refrigerator [rɪ'frɪdʒəreɪtə] n (sutr. fridge [frɪdʒ]) šaldy-tuvas

refuge ['refju:dʒ] n prieglobs-tis, prieglauda

refugee ['refju'dʒi:] n pabė-gėlis

refusal [rɪ'fju:zl] n atsisakymas; atmetimas

refuse I [rɪ'fju:z] v at(si)sakyti; atmesti

refuse II ['refju:s] n atmatos, šiukšlės

regain [rɪ'geɪn] v atgauti

regard [rɪ'gɑ:d] n 1) pagarba; 2) pl linkėjimai; v atsižvelgti; laikyti; as regards dėl; ~ing prep ryšium su; dėl

regiment ['redʒɪment] n kar. pulkas

region ['ri:dʒən] n kraštas; sri-tis; regionas

register ['redʒɪstə] v re-gistruoti(s); n 1) (registracijos) žurnalas; 2) įrašas (žurnale)

regret [rɪ'gret] v gailėtis, ap-gailestauti

regular ['regjulə] a 1) regulia-rus; 2) nuolatinis, įprastinis; 3) taisyklingas

regulate ['regjuleɪt] v reguliuoti

regulations ['regju'leɪʃnz] n pl taisyklės; įstatai

rehearsal [rɪ'hɜːsl] n repeticija

rehearse [rɪ'hɜːs] v repetuoti

reign [reɪn] n karaliavimas; v karaliauti

rein [reɪn] n (papr. pl) vadelės

reindeer ['reɪndɪə] n šiaurės elnias

reject [rɪ'dʒekt] v atmesti; atsisakyti

rejoice [rɪ'dʒɔɪs] v džiūgauti; ~ing n džiūgavimas

relate [rɪ'leɪt] v (su)sieti; to be ~d (to) būti giminingam; būti susijusiam

relation ['rɪleɪʃn] n 1) giminaitis; 2) santykis; ryšys; ~ship n 1) giminystė; 2) santykis; sąryšis

relative ['relatɪv] n giminaitis, -ė

relax [rɪ'læks] v at(si)palaiduoti; ~ation ['riːlæk'seɪʃn] n poilsis

relay ['riːleɪ] n 1) pamaina; 2) sport. estafetė; 3) retransliacija

release [rɪ'liːs] v 1) atsipalaiduoti; 2) išlaisvinti (from); atleisti

reliable [rɪ'aɪəbl] a patikimas

relief [rɪ'liːf] n palengvėjimas

reliev|e [rɪ'liːv] v palengvinti; (nu)raminti; ~ed a jaučiantis palengvėjimą

religi|on [rɪ'lɪdʒən] n religija; ~ous a religinis

reluctan|ce [rɪ'lʌktəns] n nenoras; ~t a nenorintis

rely [rɪ'laɪ] v pasitikėti, pasikliauti (on)

remain [rɪ'meɪn] v pasilikti; ~s n pl likučiai

remark [rɪ'mɑːk] n pastaba

remarkable [rɪ'mɑːkəbl] a žymus; nuostabus

remedy ['remədɪ] n vaistas (ir perk.)

remember [rɪ'membə] v at(si)minti; neužmiršti

remind [rɪ'maɪnd] v priminti

remote [rɪ'məʊt] a atokus; nutolęs; tolimas

remove [rɪ'muːv] v 1) pašalinti; 2) nuimti

render ['rendə] v 1) duoti, (su)teikti; 2) versti (į kitas kalbas)

repay [rɪ'peɪ] v at(si)lyginti; ~ment n at(si)lyginimas

repeat [rɪ'piːt] v 1) (pa)kartoti; 2) atsakinėti; sakyti mintinai; ~edly adv pakartotinai

repetition ['repɪ'tɪʃn] n (pa)kartojimas; kartojimasis

replace [rɪ'pleɪs] v 1) (pa)dėti į vietą; 2) pakeisti (smth

respond

- *ką*; w i t h - *kuo*); **~ment** *n*
pakeitimas

reptile ['reptail] *n* roplys

reply [rɪ'plaɪ] *v* atsakyti; *n* at-
sakymas

report [rɪ'pɔ:t] *n* 1) praneši-
mas; 2) ataskaita; *v* pranešti;
~edly *adv* kaip kalbama; **~er** *n*
reporteris, korespondentas

represent ['reprɪ'zent] *v* 1)
atstovauti; 2) (pa)vaizduoti;
~ative ['reprɪ'zentətɪv] *n* at-
stovas

reproduce ['ri:prə'dju:s] *v* at-
gaminti, atkurti

republic [rɪ'pʌblɪk] *n* res-
publika

reputation ['repju'teɪʃn] *n* re-
putacija, vardas

request [rɪ'kwest] *n* prašymas;
a t s m b ' s **~** kieno prašymu/
pageidavimu

require [rɪ'kwaɪə] *v* reika-
lauti

rescue ['reskju:] *v* (iš)gel-
bėti

research [rɪ'sə:tʃ] *n* tyrimas
(into); mokslinis darbas; **~er**
n tyrinėtojas

resembl|ence [rɪ'zembləns]
n panašumas; **~e** [rɪ'zembl] *v*
būti panašiam

resent [rɪ'zent] *v* piktintis;
~ment *n* pasipiktinimas

reserve [rɪ'zə:v] *v* 1) rezervuo-
ti; 2) iš anksto užsakyti; *n* 1)

atsarga, rezervas; 2) santūru-
mas; **~d** *a* 1) santūrus; 2)
rezervuotas

reservior ['rezəvwɑ:] *n* rezer-
vuaras

residence ['rezɪdəns] *n* 1) gyve-
namoji vieta (*t.p.* p l a c e o f
~) 2) rezidencija

resident ['rezɪdənt] *n* (*nuola-
tinis*) gyventojas

resign [rɪ'zaɪn] *v* atsistatydinti;
~ation ['rezɪg'neɪʃn] *n* atsista-
tydinimas

resist [rɪ'zɪst] *v* priešintis;
~ance *n* 1) pasipriešinimas;
2) varža

resistant [rɪ'zɪstənt] *a* atsparus;
t o b e **~** priešintis

resolution ['rezə'lu:ʃn] *n* 1)
rezoliucija; 2) sprendimas,
pasiryžimas

resolve [rɪ'zɔlv] *v* 1) pasiryžti;
2) apsispręsti, nutarti

resort [rɪ'zɔ:t] *n* 1) (*jėgos*) pa-
vartojimas; 2) kurortas

resources [rɪ'sɔ:sɪz] *n pl* atsar-
gos, resursai

respect [rɪ'spekt] *n* 1) pagarba;
2) *pl* linkėjimai; 3) atžvilgis;
i n t h i s **~** šiuo atžvilgiu; *v*
gerbti; **~able** *a* vertas pagar-
bos, gerbtinas

respectively [rɪ'spektɪvlɪ] *adv*
atitinkamai

respond [rɪs'pɔnd] *v* atsakyti,
reaguoti

response [rɪ'spɔns] *n* 1) reakcija; atgarsis; 2) atsakymas

responsibility [rɪ'spɔnsə'bɪlətɪ] *n* atsakingumas, atsakomybė

responsible [rɪ'spɔnsəbl] *a* atsakingas

rest I [rest] *v* ilsėtis

rest II *n* (the ~) liekana; likusieji

restaurant ['restrɔnt] *n* restoranas

restful ['restfl] *a* ramus, raminantis

restless ['restlɪs] *a* neramus; nerimstantis

restore [rɪ'stɔ:] *v* 1) atstatyti; atkurti

restrain [rɪ'streɪn] *v* su(si)laikyti; ~ed *a* santūrus

restrict [rɪ'strɪkt] *v* apriboti; ~ion *n* apribojimas

result [rɪ'zʌlt] *n* rezultatas; *v* 1) išeiti; išplaukti (from – *iš*); 2) baigtis (in)

resume [rɪ'zju:m] *v* vėl toliau tęsti

retail ['ri:teɪl] *n* mažmeninis pardavimas; *adv* mažmenomis

retain [rɪ'teɪn] *v* išlaikyti

retire [rɪ'taɪə] *v* pasitraukti, atsistatydinti; išeiti į pensiją

retreat [rɪ'tri:t] *v* atsitraukti, trauktis; *n* atsitraukimas

return [rɪ'tə:n] *v* (su)grįžti; *n* sugrįžimas

reunion ['ri:'ju:nɪən] *n* 1) susitikimas; 2) susijungimas

reveal [rɪ'vi:l] *v* atskleisti

revenge [rɪ'vendʒ] *n* kerštas; *v* (at)keršyti

revenue ['revənju:] *n* įplaukos, pajamos

Reverend ['revərənd] *n* šventasis (*titulas*)

review [rɪ'vju:] *n* 1) apžvalga; 2) apžiūra; 3) recenzija

revise [rɪ'vaɪz] *v* kartoti (*mokomąją medžiagą*)

revision [rɪ'vɪʒn] *n* (pa)kartojimas

revive [rɪ'vaɪv] *v* 1) atsigauti; 2) atgaivinti

revolt [rɪ'vəult] *v* sukilti, maištauti; ~ing *a* keliantis pasibjaurėjimą

revolution ['revə'lu:ʃn] *n* 1) revoliucija; 2) *tech.* pilnas apsisukimas; ~ary [-ʃenrɪ] *a* revoliucinis; *n* revoliucionierius

revolver [rɪ'vɔlvə] *n* revolveris

reward [rɪ'vɔ:d] *n* atlyginimas; atpildas

rbino ['raɪnəu] (**rhinoceros** [raɪ'nɔsərəs] *n* raganosis

rhyme [raɪm] *n* 1) rimas; 2) eilėraštukas; *v* rimuoti(s)

rhythm ['rɪðəm] *n* ritmas

rib [rɪb] *n* 1) šonkaulis; 2) (*įmezgimo*) rumbelis

ribbon ['rɪbən] *n* kaspinas;

juosta

rice [raɪs] *n* ryžiai

rich [rɪtʃ] *a* turtingas; ~**es** *n pl* turtas

rid [rɪd] *v* to get ~ (of) atsikratyti (*kuo*)

riddle [ˈrɪdl] *n* mįslė

ride [raɪd] *v* (**rode** [rəud]; **ridden** [ˈrɪdn]) 1) joti; 2) važiuoti

ridge [rɪdʒ] *n* kalvagūbris, ketera; kalvų virtinė

ridiculous [rɪˈdɪkjuləs] *a* juokingas

rifle [ˈraɪfl] *n* šautuvas

right I [raɪt] *n* teisė; *a* teisingas; *adv* 1) teisingai; 2) tiesiog

right II *adv* dešinys(is); dešinėn ~**-hand** [-hænd] *a* dešinysis; ~**-handed** [-ˈhændɪd] *a* dešiniarankis

rigorous [ˈrɪgərəs] *a* griežtas; tikslus

rim [rɪm] *n* 1) kraštas, apvadas; 2) (*akinių*) rėmeliai

rind [raɪnd] *n* 1) (*vaisiaus*) žievė; 2) (*sūrio*) plutelė

ring I [rɪŋ] *n* 1) žiedas; 2) arena; 3) ringas

ring II [rɪŋ] *v* (**rang** [ræŋ]; **rung** [rʌŋ]) skambinti; skambėti; ~ up paskambinti (*telefonu*)

rink [rɪŋk] *n* čiuožykla (*t.p.* skating ~)

rinse [rɪns] *v* skalauti

riot [ˈraɪət] *n* riaušės; *v* kelti riaušes

rip [rɪp] *v* įplėšti; (su)plėšyti

ripe [raɪp] *a* prinokęs; ~**ness** *n* brandumas; ~**n** *v* nokti, bręsti

rise [raɪz] *v* (**rose** [rəuz]; **risen** [ˈrɪzn]) 1) kilti; 2) tekėti (*apie saulę*); 3) sukilti

risk [rɪsk] *n* rizika; *v* rizikuoti; ~**y** *a* rizikingas

rival [ˈraɪvl] *n* varžovas; konkurentas; *v* varžytis

river [ˈrɪvə] *n* upė

road [rəud] *n* kelias; ~**sign** [-saɪn] *n* kelio ženklas

roam [rəum] *v* klajoti, bastytis

roar [rɔː] *n* 1) staugimas, riaumojimas; 2) kvatojimas; *v* 1) staugti, riaumoti; 2) kvatoti

roast [rəust] *v* kepti (*orkaitėje*)

rob [rɔb] *v* grobti, plėšti; ~**ber** *n* plėšikas; ~**bery** *n* apiplėšimas

robe [rəub] *n* 1) chalatas; 2) mantija

robin [ˈrɔbɪn] *n* liepsnelė (*paukštis*)

rock I [rɔk] *n* uola, uoliena

rock II *n muz.* rokas

rock III *v* supti(s)

rocket [ˈrɔkɪt] *n* raketa

rocky [ˈrɔkɪ] *a* uolėtas

rod [rɔd] *n* 1) virbas; lazda; lazdelė; 2) *tech.* strypas

rode žr. **ride**

rogue [rəug] n 1) šelmis; 2) sukčius; niekšas

role [rəul] n vaidmuo

roll [rəul] v 1) sukti(s), vynioti(s); 2) ridenti; riedėti; n 1) ritinys; 2) bandelė

roller-skate ['rəuləskeɪt] n pl riedučiai; v važiuoti riedučiais

rolling-pin ['rəulɪŋpɪn] n kočėlas

Roman ['rəumən|a 1) Romos; 2) romėnų; n romėnas

Romania [ru:'meɪnɪə] n Rumunija;~n 1) rumunai; 2) rumunų kalba; a rumuniškas

romance [rəu'mæns] n 1) romantika; 2) romansas

roof [ru:f] n (pl rooves) stogas

room [rum, ru:m] n 1) kambarys; 2) erdvė; vieta

root [ru:t] n šaknis

rope [rəup] n virvė

rose I [rəuz] n rožė

rose II žr. **rise**

rostrum ['rɔstrəm] n pakyla; (kalbėtojo) tribūna

rosy ['rəuzɪ] a rožinis, rausvas

rot [rɔt] v pūti, gesti; ~ten ['rɔtn] a 1) supuvęs; 2) šnek. bjaurus

rota ['rəutə] n grafikas

rouble ['ru:bl] n rublis

rough ['rʌf] a 1) šiurkštus; grubus; 2) apytikris; 3) neišbaigtas; 4) audringas (apie jūrą); ~ly adv 1) šiurkščiai; 2) apytikriai

round [raund] a apvalus, apskritas; prep apie, aplink; adv aplink(ui); n ciklas, ratas; raundas

roundabout ['raundəbaut] a aplinkinis, žiedas (apie kelią); n karuselė

rouse [rauz] v (pa)žadinti

route [ru:t] n maršrutas; trasa

row I [rəu] n eilė

row II [rau] a skandalas; garsus triukšmas

row III [rəu] v irkluoti

rowdy ['raudɪ] a triukšmingas

royal ['rɔɪəl] a karališkasis; t h e Royal Society Karališkoji draugija (mokslų draugija); ~ b l u e rugiagėlių spalva; ~ty n 1) karališkosios šeimos nariai; 2) honoraras

rub [rʌb] v 1) trinti(s); 2) nu(si)trinti, iš(si)trinti; (t.p. ~ off)

rubber ['rʌbə] n 1) guma, kaučiukas; 2) trintukas

rubbish ['rʌbɪʃ] n 1) atmatos, liekanos; 2) šnek. niekai, nesąmonės

rucksack ['rʌksæk] n kup-

sad

rinė

rudder [ˈrʌdə(r)] *n jūr, av.* vairas

rude [ruːd] *a* šiurkštus, nemandagus

rudimentary [ˌruːdɪˈmentrɪ] *a* 1) rudimentinis; 2) elementarus

rug [rʌg] *n* kilimėlis

rugby [ˈrʌgbɪ], *šnek.* **rugger** [ˈrʌgə] *n* regbis

rugged [ˈrʌgɪd] *a* raižytas, nelygus

ruin [ˈruːɪn] *v* sugriauti, sunaikinti; *n* pražūtis, žlugimas

rule [ruːl] *n* 1) taisyklė; 2) valdymas; valdžia; *v* valdyti; viešpatauti

rul|er [ˈruːlə] *n* 1) valdovas; 2) liniuotė; **~ing** *n* valdymas; *a* valdantis; viešpataujantis

rum [rʌm] *n* romas

rumble [ˈrʌmbl] *v* dundėti; *n* dundesys

rumour [ˈruːmə] *n* gandas

run [rʌn] *v* (**ran** [ræn]; **run**) 1) bėgti; 2) važiuoti, pavežti; kursuoti; ~ a w a y pabėgti; ~ o u t baigtis, išsekti; išbėgti; ~ o v e r suvažinėti (*ką*)

rung I [rʌŋ] *žr.* **ring II**

rung II *n* kopėčių skersinis

runner [ˈrʌnə] *n* 1) bėgikas; 2) pasiuntinys; **~-up** [ˈrʌnərˈʌp] *n* antrosios vietos laimėtojas

running [ˈrʌnɪŋ] *a* 1) bėgi-

mo, lenktynių; 2) nenutrūkstamas

runway [ˈrʌnweɪ] *n adv* kilimo ir leidimosi takas

rural [ˈruərəl] *a* kaimiškas

rush [rʌʃ] *v* 1) lėkti, dumt; 2) mesti, pulti; skubėjimas; antplūdis; ~ h o u r didžiausias (*žmonių*) antplūdžio metas (*t.p. transporto*)

rust [rʌst] *n* rūdys; *v* rūdyti

rustle [ˈrʌsl] *v* šlamėti; *n* šlamesys

Russia [ˈrʌʃə] *n* Rusija; **~n** *a* rusiškas, rusų; *n* 1) rusas, -ė; 2) rusų kalba

rusty [ˈrʌstɪ] *a* surūdijęs

rut [rʌt] *n* vėžė, provėža

ruthless [ˈruːθləs] *a* negailestingas

rye [raɪ] *n* (*tik sg*) rugiai

S

sable [ˈseɪbl] *n* sabalas

sabotage [ˈsæbətɑːʒ] *n* sabotažas; *v* sabotuoti

sack [sæk] *n* maištas; *v šnek.* atleisti iš darbo, išmesti

sacred [ˈseɪkrɪd] *a* šventas

sacrifice [ˈsækrɪfaɪs] *n* auka; aukojimas; *v* (pa)aukoti

sad [sæd] *a* liūdnas

saddle ['sædl] *n* balnas; *v* balnoti

safari [sə'fɑːrɪ] *n* safaris

safe [seɪf] *a* saugus; *n* seifas

safety ['seɪftɪ] *n* saugumas (*pvz., eismo*); **~-belt** [-belt] *n* saugos diržas; **~-pin** žiogelis (*segtukas*)

sag [sæg] *v* 1) įdubti, įlinkti; 2) nukarti

said *žr.* say

sail [seɪl] *v* plaukti (*laivu*); *n* burė, **~ing** *n* buriavimas

sailor ['seɪlə] *n* jūrininkas

saint [seɪnt] *n* šventasis; **~ly** *a* šventas

sake [seɪk] *n* for the **~** of dėl ko nors, ko; kieno labui

salad ['sæləd] *n* salotos, mišrainė

salary ['sælərɪ] *n* alga, atlyginimas

sale [seɪl] *n* pardavimas; on **~** parduodama

sales|man ['seɪlzmən] *n* pardavėjas; **~woman** [wumən] *n* pardavėja

salmon ['sæmən] *n* lašiša; *a* oranžinis

salt [sɔːlt] *n* druska; **~y** *a* sūrus

salute [sə'luːt] *v* 1) sveikinti(s); 2) saliutuoti; *n* 1) saliutas; 2) pasveikinimas

same [seɪm] *pron* 1) tas pats; tas pat; toks pat; 2) taip pat;

all the **~** vis tiek

sample ['sɑːmpl] *n* 1) pavyzdys; 2) mėginys

sanction ['sæŋkʃn] *n* 1) sankcija; 2) pritarimas; *v* pritarti, sankcionuoti

sand [sænd] *n* 1) smėlis; 2) *pl* smėlynai

sandal ['sændl] *n* sandalas

sandwich ['sænwɪdʒ] *n* sumuštinis

sane [seɪn] *a* sveiko proto

sang [sæŋ] *žr.* sing

sank *žr.* sink

Santa Claus ['sæntəklɔːz] *n* Kalėdų Senelis

sarcastic [sɑː'kæstɪk] *a* sarkastiškas

sardine [sɑː'diːn] *n* sardinė

sat *žr.* sit

satchel ['sætʃl] *n* kuprinė

satel|lite ['sætəlaɪt] *n* palydovas

satin ['sætɪn] *n* atlasas

satisfaction ['sætɪs'fækʃn] *n* pasitenkinimas

satisfactory ['sætɪs'fæktərɪ] *a* patenkinimas

satisfied ['sætɪsfaɪd] *a* patenkintas

satisfy ['sætɪsfaɪ] *v* 1) pa(si)tenkinti; 2) numalšinti (*alkį*)

Saturday ['sætədɪ] *n* šeštadienis

sauce ['sɔːs] *n* padažas; **~pan** [-pən] *n* prikaistuvis; **~r** *n* lėkštė

sausage ['sɔsɪdʒ] *n* dešra; dešrelė

savage ['sævɪdʒ] *a* laukinis

save [seɪv] *v* 1) (iš)gelbėti; 2) taupyti; ~ up sutaupyti; sukaupti

savings ['seɪvɪŋz] *n* santaupos; ~-**bank** [-beŋk] taupomasis bankas

savio(u)r ['seɪvə] *n* 1) išgelbėtojas; 2) (the S.) Išganytojas

savo(u)r ['seɪvə] *n* 1) skonis; 2) pikantiškumas; *v* 1) mėgautis; 2) gardžiuotis; 3) kvepėti (of – *kuo*); ~y *a* 1) skanus; 2) aštrus, pikantiškas; *n* aštrus užkandis

saw I [sɔ:] *žr.* see

saw II *n* pjūklas; *v* pjauti (*pjūklu*); ~**dust** [-dʌst] *n* pjuvenos; ~-**mill** [-mɪl] *n* lentpjūvė

saxophone ['sæksəfəun] *n* saksofonas

say [seɪ] *v* (said [sed]) sakyti; tarti; let's ~ sakykime, tarkime

saying ['seɪŋ] *n* posakis

scab [skæb] *n* šašas

scaffolding ['skæfəldɪŋ] *n* pastoliai

scald [skɔ:ld] *v* nusiplikyti; *n* nusiplikymas

scale [skeɪl] *n* 1) mastelis; 2) mastas; skalė

scales [skeɪlz] *pl* svarstyklės

scamper ['skæmpə] *v* sprukti

scandal ['skændl] *n* 1) paskalos, apkalbos; 2) skandalas; gėda

scar [skɑ:(r)] *n* randas; *v* išraižyti randais

scarce [skɛəs] *a* retai pasitaikantis; nepakankamas; ~**ly** *adv* vos, ne vos; vos tik

scare ['skɛə] *v* gąsdinti, baidyti; ~**crow** [-krəu] *n* baidyklė; ~**d** *a* išgąsdintas, išsigandęs

scarf [skɑ:f] *n* (*pl* scarfs; scarves [skɑ:vz]) šalikas

scarlet ['skɑ:lət] *a* skaisčiai raudonas

scatter ['skætə] *v* 1) išbarstyti; iš(si)sklaidyti

scene ['si:n] *n* 1) scena; 2) (*veiksmo, įvykio*) vieta; ~**ry** [-rɪ] *n* 1) peizažas; 2) dekoracija

scent [sent] *n* 1) (*malonus*) kvapas; 2) kvepalai; 3) pėdsakas; *v* 1) suuosti; uostyti; 2) kvepėti

schedule ['ʃedju:l] *amer.* ['skedjul] *n* tvarkaraštis

scheme [ski:m] *n* 1) planas, projektas; 2) pinklės

scholar ['skɔlə] *n* 1) mokslininkas; 2) stipendininkas; ~**ship** *n* stipendija

school ['sku:l] *n* mokykla; ~**boy** [-bɔɪ] *n* moksleivis;

~friend [-frend], ~mate [-meɪt] draugas, -ė; ~days [-deɪz] n mokykliniai metai; ~girl [-gə:l] n moksleivė; ~master [-mɑːstə] n mokytojas; ~mistress [-mɪstrəs] n mokytoja

science ['saɪəns] n mokslas; ~ fiction mokslinė fantastika (šnek. sci-fi ['saɪfaɪ])

scientific ['saɪən'tɪfɪk] a mokslinis

scientist ['saɪəntɪst] n mokslininkas

scissors ['sɪzəz] n pl žirklės

scold [skəuld] v barti; ~ing n (iš)barimas

scope [skəup] n užmojis, apimtis

scoop [sku:p] v susemti; n 1) samtelis; 2) šnek. sensacinga žinia

scooter ['sku:tə] n 1) motoroleris; 2) paspirtukas

scorch [skɔːtʃ] n nudeginti; nudegti; n nudegimas

score [skɔː] n sport. rezultatas; v įmušti (įvartį); laimėti (tašką)

scorn [skɔːn] v paniekinti; n panieka; ~ful a (pa)niekinantis

Scot [skɔt] n škotas, -ė; ~ch [skɔtʃ]; ~tish a škotų, škotiškas

Scotland ['skɔtlənd] n Škoti-

ja

scoundrel ['skaundrəl] n niekšas

scout [skaut] n 1) skautas; 2) žvalgas

scowl [skaul] v susiraukti

scramble ['skræmbl] v 1) ropštis; 2) peštis, grumtis; 3) ~d eggs kiaušinienė

scrap [skræp] n 1) skiautelė; 2) likučiai; 3) (metalo) laužas

scrape [skreɪp] v 1) (nu)brozdinti; 2) (nu)skusti

scratch [skrætʃ] v 1) (į)brėžti; 2) kasytis

scream [skri:m] v rėkti, klykti

screech [skri:tʃ] v 1) spiegti; 2) (su)cypti

screen [skri:n] n ekranas; v 1) pridengti, apsaugoti; 2) tikrinti; 3) demonstruoti ekrane; 4) sijoti

screw ['skru:] v suveržti; (už)sukti; n varžtas; ~-driver [-draɪvə] n atsuktuvas

scribble ['skrɪbl] v keverzoti (rašant)

scripture ['skrɪptʃə] n Biblija

scrub [skrʌb] v šveisti, grandyti

scrutiny ['skru:tɪnɪ] n kruopštus apžiūrėjimas

sculptor ['skʌlptə] n skulptorius

sculpture ['skʌlptʃə] n

skulptūra

sea ['si:] *n* jūra; **~gull** [-gʌl] *n* kiras

seal [si:l] *n* antspaudas; *v* antspauduoti

seam [si:m] *n* siūlė

seaman ['si:mən] *n* (*pl* **seamen**) jūrininkas

search [sət:ʃ] *n* 1) ieškojimas; 2) krata; *v* 1) ieškoti (for); 2) daryti kratą

sea|shell ['si:ʃel] *n* geldelė, kriauklė; **~shore** [-ʃɔ:] *n* pajūris

seasick ['si:sɪk] *a* sergantis jūroje

seaside ['si:saɪd] *n* pajūrio kurortas

season ['si:zn] *n* 1) metų laikas; 2) sezonas; *v* paskaninti; **~al** *a* sezoninis

seat [si:t] *n* 1) kėdė; 2) vieta (*atsisėsti*); **~belt** [-belt] *n aut.* saugos diržas

seaweed ['si:wi:d] *n* jūros dumbliai

second I ['sekənd] *n* sekundė

second II *a num* antras; **~ly** *adv* antra

secondary ['sekəndərɪ] *a* antrinis, antraeilis; **~ shool** vidurinė mokykla

second|best ['sekənd'best] *a* antras pagal gerumą, prastesnis; **~class** [-'klɑ:s] *a* antrosios klasės

second-hand ['sekənd'hænd] *a* naudotas, dėvėtas

second-rate ['sekənd'reɪt] *a* antraeilis; antros rūšies

secret ['si:krɪt] *n* paslaptis; *a* slaptas; **~ly** *adv* slaptai

secretarial ['sekrə'tɛərɪəl] *a* sekretorės, sekretoriaus

secretary ['sekrətrɪ] *n* sekretorius, -ė; Secretary of State (*D. Britanijoje*) ministras; *amer.* užsienio reikalų ministras

secretive ['si:krətɪv] *a* paslaptingas

section ['sekʃn] *n* 1) skyrius, dalis; 2) pjūvis; *v* 1) dalyti/ skirstyti į dalis; 2) *med.* išpjauti, padaryti pjūvį

secure [sɪ'kjuə] *a* 1) saugus, patikimas; 2) ramus; 3) tikras; *v* 1) užtikrinti, garantuoti; 2) gauti, užsitikrinti

security [sɪ'kjuərətɪ] *n* saugumas

seduce [sɪ'dju:s] *v* sugundyti; suvedžioti

see [si:] *v* (**saw** [sɔ:], **seen** [si:n]) 1) (pa)matyti; pažiūrėti; 2) pasimatyti; to come to ~ aplankyti; 3) suprasti; I ~ suprantu; štai kaip

seed [si:d] *n* sėkla; grūdas

seek [si:k] *v* (**sought** [sɔ:t]) 1) ieškoti; 2) stengtis; siekti (*ko*)

seem [si:m] *v* atrodyti; i t ~ s
to me man atrodo; ~ingly
mod. matyt

seen žr. see

seep [si:p] *v* sunktis

seesaw ['si:sɔ:] *n* supimo len-
ta; to play on ~ suptis ant
lentos

segment ['segmənt] *n* 1) dalis;
2) skiltis

seize [si:z] *v* 1) (pa)griebti; (pa)-
čiupti; 2) užgrobti, užimti

seldom ['seldəm] *adv* retai

select [sɪ'lekt] *v* atrinkti; ~ion
n atranka; pasirinkimas

self ['self] *n* (*pl* selves [selvz])
pats; aš; (*mano*) asmenybė;
~ish *a* savanaudis; ~-service
['self'sə:vɪs] *attr* savitarnos

self- *pref* savi-, sava-

sell [sel] *v* (sold [səuld]) par-
duoti

semi- ['semɪ] *pref* pus-, pu-
siau-

semi-colon ['semɪ'kəulən] *n*
kabliataškis

semiconductor ['semɪkən'dʌktə]
n fiz. puslaidininkis

semi-final ['semɪ'faɪnl] *n sport.*
pusfinalis

senate ['senɪt] *n* senatas

senator ['senətə] *n* senato-
rius

send [send] *v* (sent [sent]) 1)
siųsti; 2) *rad.* perduoti

senior ['si:nɪə] *a* vyresnis;
vyresnysis

seniority ['si:nɪ'ɔrətɪ] *n* 1)
vyresniškumas; 2) stažas

sensation [sen'seɪʃn] *n* 1) pojū-
tis; 2) sensacija; ~al *a* 1) sen-
sacingas; 2) pritrenkiantis

sense [sens] *n* 1) jausmas;
protas; 2) sąmonė; 3) pras-
mė, reikšmė; *v* jausti; (pa)-
justi; ~less *a* 1) beprasmis;
2) be sąmonės

sensible ['sensəbl] *a* protingas,
praktiškas

sensitive ['sensətɪv] *a* jautrus

sent žr. send

sentence ['sentəns] *n* 1) saki-
nys; 2) bausmė; nuospren-
dis; *v* padaryti nuosprendį,
nuteisti

sentiment ['sentɪmənt] *n* 1)
nuomonė; nuotaika; 2) jaus-
mas

sentry ['sentrɪ] *n* sargybinis

separate ['sepərət] *a* atskiras;
v ['sepəreɪt] at(si)skirti; per-
skirti

September [səp'tembə] *n* rug-
sėjis

sequence ['si:kwəns] *n* seka

Serb ['sə:b] *n* serbas, -ė; ~ian
a serbų

sergeant ['sɑ:dʒənt] *n* puska-
rininkis

serial ['sɪərɪəl] *n* serialas

series ['sɪərɪ:z] *n* serija

serious ['sɪərɪəs] *a* 1) rimtas;

2) sunku

sermon ['sə:mən] *n* pamokslas

servant ['sə:vənt] *n* tarnas

serve [sə:v] *v* 1) tarnauti; 2) aptarnauti

service ['sə:vɪs] *n* 1) tarnyba; 2) aptarnavimas; 3) paslauga; 4) pamaldos

serviette [sə:vɪ'et] *n* servetėlė

session ['seʃn] *n* 1) posėdis; 2) sesija

set I [set] *n* rinkinys, komplektas

set II *v* (set) 1) (pa)dėti; (pa)statyti; (*t.p.* ~ d o w n); 2) nustatyti; ~ i n prasidėti; ~ o f f, ~ o u t išvykti, išsiruošti į (*kelionę*); ~ u p įkurti

setback ['setbæk] *n* kliūtis, stabdys

settee [se'ti:] *n* (*maža*) sofa; minkštasuolis

settle ['setl] *v* 1) įkurti, apsigyventi; 2) susitarti; nutarti; 3) nusistoti; ~**ment** *n* 1) gyvenvietė; 2) susitarimas; ~**r** *n* naujakurys

setting ['setɪŋ] *n* aplinka; fonas

set-to ['settu:] *n šnek*. susiginčijimas; peštynės

set-up ['setʌp] *n* 1) struktūra, organizacija; 2) *šnek*. žabangos, kėslas

seven ['sevn] *num* septyni; ~**teen** [-'ti:n] *num* septyniolika; ~**teenth** [-'ti:nθ] *num* septynioliktas; ~**th** [-θ] *num* septintas; ~**tieth** [-tɪəθ] *num* septyniasdešimtas; ~**ty** [-tɪ] *num* septyniasdešimt

several ['sevrəl] *pron* keletas, keli

severe [sɪ'vɪə] *a* 1) smarkus; 2) griežtas

sew [səu] *v* (sewed [-d], sewn *t.p.* sewed) siūti

sex [seks] *n* 1) lytis; 2) seksas; ~**ual** ['seksuəl] *a* lytinis, seksualinis

shabby ['ʃæbɪ] *a* apšepęs, nuskuręs, aptriušęs

shack [ʃæk] *n* lūšna

shad|e [ʃeɪd] *n* 1) šešėlis; 2) atspalvis; 3) *amer*. užuolaida; *v* pri(si)dengti; užtamsinti; ~**y** *a* pavėsingas; tamsus

shadow ['ʃædəu] *n* šešėlis

shake [ʃeɪk] *v* (shook [ʃuk], shaken ['ʃeɪkn]) 1) kratyti, purtyti; 2) drebėti, drebinti; 3) sukrėsti, sujudinti

shaky ['ʃeɪkɪ] *a* 1) išklibęs; netvirtas; 2) drebantis

shall [ʃæl, ʃəl] *v* (should [ʃəd]) 1) *pagalb. veiksmažodis būsimajam laikui sudaryti (1 asmuo)*: I ~ g o aš eisiu; 2) *mod.*: h e ~ g o jis turi eiti

shallow ['ʃæləu] *a* 1) seklus;

2) lėkštas

shame [ʃeɪm] *n* gėda; **~ful** *a* gėdingas; **~less** *a* begėdis; begėdiškas

shampo [ʃæmˈpuː] *n* šampūnas; *v* išplauti galvą (*šampūnu*)

shan't [ʃɑːnt] = **shall not**

shape [ʃeɪp] *n* pavidalas; forma; *v* suteikti formą

share [ʃeə] *n* 1) dalis; 2) akcija; *v* dalyti; **~holder** [-hə uldə] *n* akcininkas, būti pajininku

shark [ʃɑːk] *n* ryklys

sharp [ʃɑːp] *a* 1) aštrus; smailus; 2) ryškus; smarkus; *adv* tiksliai, lygiai (*apie laiką*); **~en** *v* aštrinti, smailinti

shatter [ˈʃætə(r)] *v* (su)trupinti

shave [ʃeɪv] *v* 1) skusti(s); 2) nudrožti

shawl [ʃɔːl] *n* šalikas

she [ʃiː] *pron* ji

shear [ʃɪə] *v* (**sheard, shorn** [ʃɔːn]) kirpti (avis); **~s** *n pl* didelės žirklės

shed I [ʃed] *v* (**shed**) lieti (*pvz., ašaras*)

shed II *n* pašiūrė

sheep [ʃiːp] *n* (*pl t.p.*) avis, avys

sheer [ʃɪə] *a* 1) visiškas, grynas; 2) statmenas

sheet [ʃiːt] *n* 1) paklodė; 2) lakštas, lapas

shelf [ʃelf] *n* (*pl* **shelves** [ʃelvz]) lentyna

shell [ˈʃel] *n* 1) kiautas, lukštas; 2) *kar.* sviedinys; **~fish** [-fɪʃ] *n* kiaukuotas vėžiagyvis

she'll [ʃiːl] = **she will**

shelter [ˈʃeltə] *n* 1) pastogė; 2) prieglobstis; *v* suteikti pastogę, prieglaudą

shelves *n pl žr.* **shelf**

shepherd [ˈʃepəd] *n* piemuo; **~ess** *n* piemenė

shield [ʃiːld] *n* skydas; *v* uždengti; apsaugoti

shift [ʃɪft] *n* pamaina; n i g h t [d a y] **~** naktinė [dieninė] pamaina

shine [ʃaɪn] *v* (**shone** [ʃɒn]) 1) šviesti, spindėti, blizgėti; 2) šveisti, blizginti (*batus*)

shiny [ˈʃaɪnɪ] *a* žvilgantis, blizgus

ship [ˈʃɪp] *n* laivas; *v* vežti, gabenti (*laivu ar kitu transportu*) **~wreck** [-rek] *n* laivo avarija; **~yard** [-jɑːd] *n* laivų statykla

shirt [ʃɜːt] *n* (*vyriški*) marškiniai

shit [ʃɪt] *vulg.* *n* šūdas; *v* šikti

shiver [ˈʃɪvə] *v* drebėti

shock [ʃɒk] *n* 1) smūgis; 2) sukrėtimas; šokas; **~ing** *a šnek.* baisus, siaubingas

shoe [ˈʃuː] *n* 1) batas; 2) pasaga; **~lace** [-leɪs] *n* batų raištelis

shone žr. shine

shook žr. shake

shoot [ʃuːt] v (shot [ʃɔt]) 1) šaudyti; (nu)šauti; 2) pralėkti; 3) filmuoti; n (augalo) daigas

shop ['ʃɔp] n 1) parduotuvė; ~ a s s i s t a n t n pardavėjas; 2) dirbtuvė; cechas; ~keeper [-kiːpə] n krautuvininkas; ~ping n apsipirkimas

shore [ʃɔː] n (jūros/ežero) krantas

shorn [ʃɔːn] žr. shear

short ['ʃɔːt] a trumpas; to b e ~ (o f) stokoti; n: i n ~ trumpai tariant; ~age n stygius; ~en v sutrumpinti

short-term ['ʃɔːttəːm] a trumpalaikis; artimiausias

shortly [ʃɔːtlɪ] adv netrukus

shorts [ʃɔːts] n pl šortai

shot žr. shoot; n 1) šūvis; 2) šaulys; 3) sport. metimas, smūgis

should [ʃud, ʃəd] v past iš shall 1) pagalbinis veiksmažodis santykiniam būsimajam laikui sudaryti: I said I ~ be at h o m e aš sakiau, kad būsiu namie; 2) mod. turėčiau, turėtum ir t.t. (reiškia privalėjimą, būtinumą); w e ~ g o mes turėtume eiti

shoulder ['ʃəuldə] n petys

shouldn't ['ʃudnt] = should not

shout [ʃaut] v šaukti, rėkti (at)

shove [ʃʌv] v stumti, grūsti; n stumtelėjimas

shovel ['ʃʌvl] n semtuvas, kastuvas; v kasti; pilti semtuvu

show [ʃəu] v (showed [ʃəud], shown [ʃəun]) (pa)rodyti; ~ r o u n d aprodyti (miestą, gamyklą ir pan.); n 1) (pa)rodymas; pasirodymas; 2) paroda; 3) apsimetimas; 4) (kino) seansas; 5) šou, estradinis koncertas

shower ['ʃauə] n 1) liūtis; kruša; 2) dušas

shown [ʃəun] žr. show

shrank [ʃræŋk] žr. shrink

shred [ʃred] n skutas; v sudraskyti į skutelius

shriek [ʃriːk] v klykti; n klyksmas

shrill [ʃrɪl] a šaižus (apie garsą)

shrine [ʃraɪn] (**shrank** [ʃræŋk], **shrunk** [ʃrʌŋk]) v susitraukti

shrivel ['ʃrɪvl] v (su)džiūti, nuvysti

shrub [ʃrʌb] n krūmas

shrug [ʃrʌg] v gūžtelėti pečiais

shrunk žr. shrink

shudder ['ʃʌdə] v drebėti, (nu)šiurpti

shuffle ['ʃʌfl] v 1) šliurinti; šlepsėti; 2) maišyti (kortas)

shut [ʃʌt] *v* (shut) uždaryti; ~ u p! užsičiaupk!

shutter [ˈʃʌtə] *n* langinė

shuttle [ˈʃʌtl] *n* maršrutinis autobusas/lėktuvas/traukinys

shy [ʃaɪ] *a* drovus; baikštus

sick [ˈsɪk] *a* sergantis, nesveikas; to feel ~ bloguoti, norėti vemti; ~ leave nedarbingumo lapelis/atostogos

side [saɪd] *n* 1) pusė; by ~ greta; 2) šalia; šonas; *v* palaikyti (*kieno pusę*)

sideboard [ˈsaɪdbɔːd] *n* indauja

side-effect [ˈsaɪdɪˈfekt] *n* šalutinis poveikis

sidewalk [ˈsaɪdwɔːk] *n amer.* šaligatvis

sideways [ˈsaɪdweɪz] *adv* į šoną, šonu

siege [siːdʒ] *n* apgula, apsiaustis

sigh [saɪ] *v* atsidusti; *n* atsidusimas, atodūsis

sight [saɪt] *n* 1) regėjimas, matymas; 2) reginys, vaizdas; 3) *pl* (*miesto*) įžymybės

sighting [ˈsaɪtɪŋ] *n* pastebėjimas

sightseeing [ˈsaɪtsiːɪŋ] *n* įžymybių apžiūr(in)ėjimas; to go ~ apžiūr(in)ėti įžymybes

sign [saɪn] *n* ženklas; *v* pasirašyti

signal [ˈsɪɡnəl] *n* signalas

signature [ˈsɪɡnətʃə] *n* parašas

significant [sɪɡˈnɪfɪkənt] *a* 1) reikšmingas; 2) žymus

signpost [ˈsaɪnpəʊst] *n* kelio/ krypties ženklas

silen|ce [ˈsaɪləns] *n* tyla; *v* (nu)tildyti; ~t *a* tylus, nekalbus

silk [sɪlk] *n* šilkas; ~y *a* šilkinis

sill [sɪl] *n* palangė

silly [ˈsɪlɪ] *a* kvailas; juokingas

silver [ˈsɪlvə] *n* sidabras; *a attr.* sidabrinis

similar [ˈsɪmɪlə] *a* panašus; ~ity [ˈsɪmɪˈlærətɪ] *n* panašumas

simple [ˈsɪmpl] *a* paprastas

simplification [ˈsɪmplɪfɪˈkeɪʃn] *n* supaprastinimas

simplify [ˈsɪmplɪfaɪ] *v* supaprastinti

simply [ˈsɪmplɪ] *adv* 1) paprastai; 2) tiesiog, tik

sin [sɪn] *n* 1) nuodėmė; 2) yda; *v* nusidėti

since [sɪns] *prep* nuo (*tada*); *adv* nuo to laiko; *cj* 1) nuo to laiko, kai; 2) kadangi

sincer|e [sɪnˈsɪə] *a* nuoširdus; ~ity [sɪnˈserətɪ] *n* nuoširdumas

sing [sɪŋ] *v* (sang [sæŋ]; sung [sʌŋ]) dainuoti; ~er *n* daininninkas

single ['sɪŋgl] *a* 1) vienintelis; 2) vienišas; nevedęs; *n* bilietai į vieną pusę; ~**-handed** [-'hændɪd] *a* pats vienas; *adv* vien savo rankomis

singular ['sɪŋgjulə] *n* vienaskaita

sink [sɪŋk] *v* (sank [sæŋk], sunk [sʌŋk]) 1) skęsti, grimzti; 2) paskandinti; *n* 1) (*vandentiekio*) kriauklė; 2) prausyklė

sip [sɪp] *v* gerti gurkšneliais, srėbti; *n* gurkšnelis

sir [sə:] *n* seras; ponas (*kreipinys*)

siren ['saɪərən] *n* sirena

sister ['sɪstə] *n* sesuo; ~**-in-law** [-rɪnlɔ:] (*pl* sisters-in-law) *n* brolienė

sit [sɪt] *v* (sat [sæt]) 1) sėdėti; 2) posėdžiauti; ~ **down** sėsti(s), pasodinti

site [saɪt] *n* vieta, sklypas; b u i l d i n g ~ statybvietė

sit-in ['sɪtɪn] *n* sėdimasis streikas

sitting ['sɪtɪŋ] *n* 1) (*pusryčių ir pan.*) pamaina; 2) posėdis

situate ['sɪtjueɪt] *v* t o b e ~ d būti (*kur nors*)

situation ['sɪtʃu'eɪʃn] *n* 1) padėtis; situacija; 2) (*buvimo*) vieta; 3) tarnyba

six ['sɪks] *num* šeši; ~**teen** [-'ti:n] *num* šešiolika; ~**teenth** [-'ti:nθ] *num* šešioliktas; ~**th**

[-θ] *num* šeštas; ~**tieth** [-tɪəθ] *num* šešiasdešimtas; ~**ty** *num* šešiasdešimt

size [saɪz] *n* dydis; apimtis; formatas

skate ['skeɪt] *v* čiuožti; *n* pačiūža; ~**board** [-bɔ:d] *n* riedlentė

skeleton ['skelɪtn] *n* griaučiai; skeletas

sketch [sketʃ] nupiešti, apmesti; škicuoti; *n* 1) škicas, eskizas; 2) apybraiža, etiudas

ski [ski:] *n* slidė; *v* slidinėti

skid [skɪd] *v* 1) slysti, buksuoti; 2) stabdyti; *v* 1) slydimas, buksavimas; 2) pavažа, šliūžė

skill [skɪl] *n* 1) įgūdis; 2) meistriškumas; ~**ed** *a* įgudęs; kvalifikuotas; ~**ful** ['skɪlfl] *a* sumanus, nagingas

skin [skɪn] *n* 1) oda; kailis; 2) žievelė

skinny ['skɪnɪ] *a* liesas

skip [skɪp] *v* šokinėti (*t.p. per šokyklę*); ~ p i n g r o p e šokyklė

skipper ['skɪpə] *n* (*laivo*) kapitonas, skiperis

skirt [skə:t] *n* sijonas

skull [skʌl] *n* kaukolė

sky ['skaɪ] *n* dangus; ~**line** [-laɪn] *n* 1) horizonto linija; 2) (*pastatų*) kontūrai (*dangaus fone*)

skyscraper ['skaɪskreɪpə] *n*

dangoraižis

slab [slæb] *n* stora riekė, gabalas

slack [slæk] *a* 1) neįtemptas, palaidas, laisvas; 2) vangus, tingus

slam [slæm] *v* 1) (už)trenkti, trankyti; 2) trenkti(s) (in to – į)

slander ['slɑːndə] *n* šmeižtas; *v* apšmeižti

slang [slæŋ] *n* slengas

slant [slɑːnt] *n* nuožulnumas; šlaitas

slap [slæp] *v* pliaukštelėti; *n* pliaukštelėjimas

slash [slæʃ] *n* pjūvis; *v* 1) perpjauti; (su)pjaustyti; 2) smarkiai sumažinti

slaughter ['slɔːtə] *n* žudymas, žudynės; *v* žudyti; skersti

slave ['sleɪv] *n* vergas; ~**ry** [-rɪ] *n* vergija

sledge [sledʒ] *n* rogės, rogutės

sleep [sliːp] *v* (**slept** [slept]) miegoti; *n* miegas; ~**less** *a* nemiegojęs, bemiegis; ~**y** *a* mieguistas

sleet [sliːt] *n* šlapdriba; *v* kristi šlapdribai

sleeve [sleːv] *n* rankovė

sleigh [sleɪ] *n* rogės

slender ['slendə] *a* plonas, lieknas

slept *žr.* **sleep**

slice [slaɪs] *n* riekė; griežinys

slick [slɪk] *a* 1) sklandus; dailus; 2) vikrus

slide [slaɪd] *v* (**slid** [slɪd]) (pa)slysti

slight [slaɪt] *a* 1) lengvas; nežymus; 2) plonas, lieknas; ~**ly** *adv* šiek tiek, truputį

slim [slɪm] *a* lieknas; *v* suliesėti, sulieknėti

sling [slɪŋ] (**slung** [slʌŋ]) *v* mėtyti; užsimesti; *n* 1) raištis; 2) laidyklė

slink [slɪŋk] (**slunk** [slʌŋk]) *v* sėlinti; slinkti

slip ['slɪp] *n* 1) (pa)slydimas; 2) klaidelė; *v* paslysti; išslysti; ~**per** *n* šlepetė; ~**pery** [-ərɪ] *a* slidus

slit [slɪt] *n* ilgas pjūvis; *v* prapjauti

slither ['slɪðə] *v* slysti

slogan ['sləugən] *n* šūkis

slope [sləup] *n* nuolydis; šlaitas

slot [slɔt] *n* plyšys, skylė; *n* automatas (*pvz., bilietų, kavos ir pan.*)

Slovakia [sləu'vækɪə] *n* Slovakija

Slovenia [sləu'viːnɪə] *n* Slovėnija

slow ['sləu] *a* lėtas; *adv* lėtai, pamažu

slum [slʌm] *n* lūšnynas

slump [slʌmp] *v* (*staigiai,*

smarkiai) kristi, smukti

slung *žr.* **sling**

slunk *žr.* **slink**

slush [slʌʃ] *n* patižęs sniegas

sly [slaɪ] *a* gudrus, suktas

smack [smæk] *v* pliaukštelėti

small [smɔ:l] *a* 1) mažas, mažutis; 2) menkas; 3) smulkus

smart [smɑ:t] *a* 1) puošnus; prašmatnus; 2) smarkus; 3) sumanus

smash [smæʃ] *n* sudužimas; *v* sudaužyti, sudužti; ~**ing** *a* šnek. nuostabus

smear [smɪə] *v* (su)tepti, sutepti; *n* 1) dėmė; 2) šmeižtas

smell [smel] *n* 1) kvapas; 2) uoslė; *v* (**smelt** [smelt] *ir* **smelled**) 1) kvepėti; 2) uostyti; ~**y** *a* dvokiantis

smile [smaɪl] *v* šypsotis; *n* šypsena

smok|**e** [sməuk] *n* 1) dūmai; 2) rūkymas; *v* rūkyti; ~**ed** *a* rūkytas; ~**er** *n* rūkalius; ~**y** *a* pilnas dūmų

smooth [smu:ð] *a* 1) lygus; 2) sklandus

smother ['smʌðə(r)] *v* 1) (už)dusinti; 2) (už)gesinti, užslopinti (*ugnį*)

smoulder ['sməuldə] *v* rusenti

smuggle ['smʌgl] *v* įvežti/

gabenti kontrabandą; ~**r** *n* kontrabandininkas

snack ['snæk] *n* užkandis; ~ **b a r** bufetas, užkandinė

snag ['snæg] *n* kliūtis

snail ['sneɪl] *n* sraigė

snake ['sneɪk] *n* gyvatė

snap ['snæp] *n* spragtelėjimas; ~**shot** [-ʃɔt] *n* nuotrauka

snarl ['snɑ:l] *v* urgzti; *n* urzgimas

snatch ['snætʃ] *v* (pa)griebti; nutverti

sneak [sni:k] *v* sėlinti, slinkti

sneer ['snɪə] *v* šaipytis; *n* pašaipa

sneeze ['sni:z] *v* čiaudėti; *n* čiaudulys

sniff ['snɪf] *v* 1) šnirpšti; 2) uostyti

snip ['snɪp] *v* (at)kirpti; *n* įkirpis, atkarpa

snooze ['snu:z] *v* snūduriuoti; *n* nusnūdimas

snore ['snɔ:] *v* knarkti

snow ['snəu] *n* sniegas; it ~**s** sninga; ~**storm** [-stɔ:m] pūga; ~**y** *a* snieguotas, apklotas sniegu

snug ['snʌg] *a* 1) jaukus; 2) (gerai) prigludęs

so [səu] *adv* 1) taip; ~ **f a s t** taip greitai; ~ **c a n I** aš taip pat galiu/moku; ~ **m u c h** **f o r** tai tiek; 2): ~ **a s** (**to do smth**) tam, kad; ~ ... **a s**

toks...kaip...; taip... kaip...

soak [səuk] v pamerkti, išmirkyti

soap [səup] n muilas

soar [sɔː] v sklandyti; aukštai iškilti/skraidyti

sob [sɔb] v kūkčioti

sober ['səubə] a 1) blaivus; 2) rimtas; 3) ramus (apie spalvas)

so-called ['səu'kɔːld] a attr. vadinamasis

soccer ['sɔkə] n futbolas

social ['səuʃl] a visuomeninis, socialinis

social|ism ['səuʃəlizm] n socializmas; ~ist a socialinis; ~ist n socialistas

society [sə'saiəti] n 1) draugija; 2) bendruomenė

socks [sɔks] n pl puskojinės, vyriškos kojinės

soda-water ['səudəwɔːtə] gazuotas gėrimas

sodium ['səudiəm] n chem. natris

sofa ['səufə] n sofa

soft [sɔft] a minkštas; ~en v (su)minkštinti; (su)minkštėti; ~-hearted [-'hɑːtid] a minkštaširdis

soggy ['sɔgi] a įmirkęs, patižęs

soil I ['sɔil] n dirva

soil II v (su)teršti

solar ['səulə] a saulės; ~

energy saulės energija

sold žr. sell

soldier ['səuldʒə] n kareivis

sole I [səul] n padas

sole II a vienintelis; išimtinis; ~ly adv išimtinai; tiktai

solemn ['sɔləm] a iškilmingas

solicitor [sə'lisitə] n advokatas; įgaliotinis

solid ['sɔlid] a 1) kietas; 2) tvirtas; n fiz. kietasis kūnas

solitary ['sɔlitəri] a vienišas; pavienis

solo ['səuləu] n solo; a 1) solinis; av. savarankiškas; ~ist n solistas

solution [sə'luːʃn] n 1) sprendimas; 2) chem. tirpalas

solve [sɔlv] v (iš)spręsti

some [sʌm] pron 1) kažkoks, tam tikras; koks nors; 2) kai kas, kai kuris, vienas kitas; 3) keletas, keli; 4) truputis, kiek nors; ~ m o r e dar (šiek tiek); ~body [-bɔdi], ~one [-wʌn] kažkas (apie asmenį); ~day [-dei] adv kada nors; ~how [-hau] adv kaip nors; kažkaip; ~thing [-ðiŋ] kažkas (apie daiktą, reiškinį); ~times [-taimz] adv kartais; ~where [-wɛə] kažkur

son [sʌn] n sūnus; ~-in-law ['sʌninlɔː] n (pl sons-in-law) žentas

song [sɔŋ] *n* daina

sonnet ['sɔnɪt] *n* sonetas

soon [su:n] *adv* netrukus, greit(ai); as ~ as kai tik

soot [sut] *n sg* suodžiai

sooth|e [su:ð] *v* (nu)raminti; ~ing *a* raminantis

sooty ['sutɪ] *a* suodinas

sophisticated [sə'fɪstɪkeɪtɪd] *a* 1) išmanantis; 2) įmantrus; sudėtingas

sore [sɔ:] *a* skaudus, skausmingas

sorrow ['sɔrəu] *n* liūdesys, sielvartas; ~ful *a* liūdnas

sorry ['sɔrɪ] *a* liūdnas; nelaimingas; apgailestaujantis; (I'm) ~! atsiprašau!; to be/feel ~ gailėti(s); apgailestauti

sort [sɔ:t] *n* rūšis; *v* rūšiuoti

sought *žr.* seek

soul [səul] *n* 1) siela; 2) būtybė, žmogus

sound I [saund] *n* garsas; *v* skambėti

sound II *a* 1) sveikas, tvirtas; 2) pagrįstas, logiškas ~ly *adv* pagrįstai, protingai; tvirtai, visiškai; ~ly based pagrįstas

soup [su:p] *n* sriuba

sour ['sauə] *a* rūgštus

source [sɔ:s] *n* ištaka, šaltinis

south [sauθ] *n* pietūs; ~ern ['sʌðən] *a* pietinis, pietų;

~ward [-wəd] *adv* į pietus, pietų kryptimi

souvenir ['su:və'nɪə] *n* suvenyras

sovereign ['sɔvrɪn] *n* monarchas, suverenas

Soviet ['səuvət] *n* taryba; *a* tarybinis; sovietinis; tarybų

sow [səu] *v* (sowed [səud], sown [səun] *t.p.* sowed) sėti

space ['speɪs] *n* 1) erdvė; kosmosas; 2) vieta, plotas; 3) tarpas; ~man [-mən] *n* kosmonautas; astronautas; ~ship *n* kosminis laivas

spaciuos ['speɪʃəs] *a* erdvus

spade [speɪd] *n* 1) kastuvas; 2) *pl* (*kortų*) vynai

Spain [speɪn] *n* Ispanija

Spaniard ['spænjəd] *n* ispanas

spaniel ['spænjəl] *n* spanielis (*šuo*)

Spanish ['spænɪʃ] *a* ispanų; ispaniškas; *n* ispanų kalba

spanner ['spænə] *n* veržliaraktis

spare [spɛə] *v* 1) tausoti; gailėti(s); 2) skirti (*laiko, dėmesio*); *a* 1) laisvas, atliekamas; 2) atsarginis; ~ parts atsarginės dalys

spark [spɑ:k] *n* kibirkštis; ~le [-l] *v* kibirkščiuoti, žėrėti, tviskėti

sparrow ['spærəu] *n* žvirblis

spat žr. spit

speak [spi:k] v (spoke [spəuk], spoken ['spəukn]) kalbėti; ~er n kalbėtojas, oratorius

spear [spɪə] n ietis

special ['speʃl] a specialus, ypatingas; ~ist n specialistas; ~ity ['speʃl'ælətɪ] n specialybė; ~ize v specializuotis

species ['spi:ʃi:z] n (pl t.p.) rūšis, atmaina

specific [spɪ'sɪfɪk] a specifinis, ypatingas; tikslus; ~ally adv ypač, ypatingai; specifiškai

specimen ['spesɪmən] n 1) pavyzdys; egzempliorius; 2) mėginys

speck ['spek] n dėmelė; ~led [-ld] a taškuotas

spectacle ['spektəkl] n 1) reginys; 2) pl akiniai

spectacular [spek'tækjulə] a įspūdingas, impozantiškas

spectator [spek'teɪtə] n žiūrovas

speculate ['spekjuleɪt] v spėlioti

sped žr. speed

speech [spi:tʃ] n kalba; kalbėjimas; ~less a netekęs žado

speed [spi:d] n greitis, tempas; v (sped, speeded) skubėti; ~ up pagreitinti; ~y a greitas

spell I ['spel] v (spelt [-t], t.p. spelled) pasakyti, parašyti žodį paraidžiui; how do you ~ this word? kaip rašomas šis žodis? ~ing n rašyba, ortografija

spell II n laikotarpis (trumpas)

spend [spend] v (spent [spent]) 1) (iš)leisti, eikvoti; 2) (pra)-leisti (laiką)

sphere [sfɪə] n 1) rutulys; 2) sfera, sritis

spic|e [spaɪs] n prieskonis; ~y a su prieskoniais

spider ['spaɪdə] n voras

spike [spaɪk] n smaigalys

spill [spɪl] v (spilt [spɪlt], t.p. spilled) išlieti, išpilti

spin [spɪn] (spun [spʌn]) v 1) sukti(s); 2) verpti

spine [spaɪn] n stuburas

spinster ['spɪnstə] n senmergė

spiral ['spaɪərəl] n spiralė; a spiralinis

spire ['spaɪə] n špilis, smailė

spirit ['spɪrɪt] n 1) dvasia; siela; 2) entuziazmas, gyvumas; pl nuotaika; 3) spiritas; pl alkoholiniai gėrimai

spit [spɪt] (spat [spæt]) v spjauti

spite [spaɪt] prep: (in ~ of) nepaisant ko

splash [splæʃ] v (ap)taškyti, (ap)tėkšti

splendid ['splendɪd] a puikus

splinter ['splɪntə] n rakštis;

nuolauža, skeveldra

split [splɪt] v (split) (per)-skelti; (su)skaldyti; (su)skilti

spoil ['spɔɪl] v (spoiled, spoilt [spɔɪlt]) 1) (su)gadinti; 2) gesti *(apie maisto produktus)*; 3) (iš)-lepinti *(vaiką)*; ~**sport** [-spɔ:t] n nuotaikos gadintojas

spoke n rato stipinas; *žr.* **speak**

spoken *žr.* **speak**

spokesman ['spəʊksmən] n atstovas, delegatas

sponge [spʌndʒ] n kempinė

sponsor ['spɔnsə] v rėmėjas; v būti rėmėju, remti; ~**ship** n rėmimas, finansavimas

spontaneous [spɔn'teɪnɪəs] a savaiminis; spontaniškas; stichiškas

spool [spu:l] n ritė

spoon [spu:n] n šaukštas

sport [spɔ:t] n sportas; ~**sman** [-smən] n (pl **sportsmen**) sportininkas; ~**swoman** [-swumən] n sportininkė

spot [spɔt] n 1) dėmė; 2) vieta; 3) spuogelis; **on the** ~ čia pat, vietoje, iš karto, nedelsiant; ~**less** švarus, nedėmėtas

spotlight ['spɔtlaɪt] n prožektorius

spout [spaut] v 1) čiurkšti; 2) deklamuoti; n 1) *(indo)* snapelis, kaklelis; 2) čiurkšlė

sprain [spreɪn] v patempti *(sausgyslę)*; n *(sausgyslės)* patempimas

sprang *žr.* **spring**

spray [spreɪ] v purkšti; n 1) purkštuvas; 2) purslai

spread [spred] v (spread) 1) skleisti, skleisti; 2) patepti, užtepti; 3) (pa)tiesti

spring I [sprɪŋ] n pavasaris

spring II v (sprang [spræŋ], sprung [sprʌŋ]) 1) (pa)šokti; 2) kilti, atsirasti

sprinkle ['sprɪŋkl] v pabarstyti; apšlakstyti

sprint [sprɪnt] n sprintas, trumpos distancijos bėgimas; ~**er** n sprinteris

sprout [spraut] v leisti daigus; n 1) daigas; 2) **Brussels** ~ Briuselio kopūstai

sprung *žr.* **spring**

spun *žr.* **spin**

spur [spɔ:] v (pa)skatinti

spurt [spɔ:t] v trykšti; n čiurkšlė

spy [spaɪ] n šnipas; v šnipinėti

squabble ['skwɔbl] v rietis; n kivirčas

squad [skwɔd] n *(ypač kar.)* būrys; brigada

square [skweə(r)] n 1) kvadratas; 2) aikštė; skveras; a kvadratinis, kampuotas

squash [skwɔʃ] v 1) grūstis, sugrūsti; 2) numalšinti (*priešiš-kumą*); *n* spūstis, grūstis; ~y *a* pažliugęs; minkštas

squat [skwɔt] *v* tupėti, (pri)-tūpti

squeak [skwiːk] *v* girgždėti, girgždesys

squeal [skwiːl] *n* cypimas; *v* cypti; spiegti

squeeze ['skwiːz] *v* suspausti; išspausti; *n* paspaudimas

squirrel ['skwɪrəl] *n* voverė

squirt [skwəːt] *v* 1) purkšti; 2) čiurkšti

stab [stæb] *v* durti; smeigti; t o ~ to death nudurti

stable I ['steɪbl] *a* pastovus, stabilus

stable II *n* arklidė

stack [stæk] *n* krūva, šūsnis; stirta

stadium ['steɪdɪəm] *n* stadionas

staff [stɑːf] (*pl* staffs *ir* staves [stɑːvz]) *n* 1) personalas; 2) štabas; ~room mokytojų/ darbuotojų kambarys

stag [stæg] *n* elnias (*patinas*)

stage [steɪdʒ] *n* 1) scena; 2) stadija; pakopa

stagger ['stægə] *v* šlitinėti; ~ing *a* stulbinantis

stain [steɪn] *n* dėmė

stair ['steə] *n* 1) laiptelis; 2) *pl* laiptai; ~case [-keɪs], ~way [-weɪ] *n* laiptai

stake [steɪk] *n* baslys, kuolas

stale [steɪl] *a* sužiedėjęs (*apie duoną*); išsivadėjęs

stalk [stɔːk] *n* stiebas, kotelis

stall [stɔːl] *n* 1) prekystalis; 2) gardas

stammer ['stæmə] *v* mikčioti

standstill ['stændstɪl] *n* sustojimas; t o come to a ~ *v* sustoti

standard ['stændəd] *a* standartinis, tipinis, pavyzdinis; *n* 1) vėliava; ?) standartas; lygis, norma; ~ of living pragyvenimo lygis

stank žr. **stink**

stamp [stæmp] *n* 1) pašto ženklas; 2) antspaudas; 3) įspaudas; 4) trypimas; *v* 1) anspauduoti; 2) trypti

stand [stænd] *v* (**stood** [stud]) 1) stovėti; 2) sustoti; 3) išlaikyti, (pa)kęsti; ~ up atsistoti

star [stɑː] *n* žvaigždė; ~ry [-rɪ] *a* žvaigždėtas

stare [steə] *v* įdėmiai žiūrėti, spoksoti; *n* spoksojimas

start [stɑːt] *n* 1) pradžia; startas; 2) krūptelėjimas; *v* 1) pra(si)dėti; 2) krūptelėti

startl|e ['stɑːtl] *v* išgąsdinti; ~ing *a* stebėtinas

starve [stɑːv] *v* 1) badauti; 2) mirti badu

state I [steɪt] *n* 1) valstybė; 2) valstija; *a* valstybinis; ~sman

[-smən] *n* (*pl* **statesmen**) valstybės veikėjas

state II *n* 1) būsena, padėtis; *v* 1) pareikšti, konstatuoti; 2) išdėstyti, formuluoti; ~**ment** pareiškimas; išdėstymas

station ['steɪʃn] *n* 1) vieta, postas; 2) stotis; p o l i c e ~ [pə'li:s] nuovada; r a i l w a y ~ geležinkelio stotis

stationary ['steɪʃənrɪ] *a* 1) pastovus; 2) stacionarus

stationer ['steɪʃənə(r)] *n* prekiautojas raštinės reikmenimis; ~**y** ['steɪʃənrɪ] *n* raštinės reikmenys

statistics [stə'tɪstɪks] *n* 1) statistika; 2) *pl* statistiniai duomenys

statue ['stætʃu:] *n* statula

status ['steɪtəs] *n* 1) padėtis, būsena; 2) *teis.* statusas

stay [steɪ] *v* 1) apsistoti, (apsi)-gyventi; 2) (pasi)likti; 3) sustabdyti

steady ['stedɪ] *a* 1) pastovus, nuolatinis; 2) vienodas, stabilus

steak [steɪk] *n* mėsos/žuvies gabalas (*kepsniui*)

steal [sti:l] *v* (**stole** [stəul], **stolen** ['stəulən]) vogti

steam ['sti:m] *n* garai; *v* garuoti; ~**boat** [-bəut], ~**er** *n* garlaivis

steel [sti:l] *n* plienas

steep [sti:p] *a* status

steeple ['sti:pl] *n* (*bažnyčios bokšto*) smailė, varpinė

steer I [stɪə] *n* jautukas

steer II *v* vairuoti; ~**ing**, ~**wheel** *n* vairas, vairutis

stem [stem] *n* kamienas, stiebas

step I ['step] *n* 1) žingsnis; 2) laiptas, laiptelis; *v* žengti

step II ~**daughter** [-dɔ:tə] *n* podukra; ~**father** [-fɑ:ðə] *n* patėvis; ~**mother** [-mʌðə] *n* pamotė; ~**son** [-sʌn] *n* posūnis

stereo ['sterɪəu] *n* stereo aparatas; ~**type** ['sterɪətaɪp] *n* stereotipas

sterling ['stə:lɪŋ] *n* sterlingas; *a* 1) nustatytos prabos; 2) patikimas, tikras

stern I [stə:n] *a* griežtas, rūstus

stern II *n jūr.* laivagalis

stew [stju:] *v* troškinti; *n* troškinys

steward ['stju:əd] *n* 1) stiuardas; 2) prievaizdas; ekonomas; ~**ess** *n* stiuardesė

stick I [stɪk] *n* lazda, lazdelė; pagalys

stick II [stɪk] *v* (**stuck** [stʌk]) 1) (į)smeigti; (į)durti; 2) (pri)kliuoti; (pri)lipti (*t.p.* ~ o u t); 3) išsikišti; kyšoti; ~**y** *a* lipnus

stiff [stɪf] *a* standus, nelankstus

stile [staɪl] *n* lipynė (*perlipti per tvorą*)

still I [stɪl] *a* tylus, ramus; *v* raminti; s i t ~ ! sėdėk ramiai!

still II *adv* (*vis*) dar; vis dėlto

stilts [stɪlts] *n pl* kojakai

stimulate ['stɪmjuleɪt] *v* (pa)-skatinti; (su)žadinti

sting [stɪŋ] *n* gylys; *v* (**stung** [stʌŋ]) (į)gelti

stink [stɪŋk] *v* (**stank** [stæŋk], **stunk** [stʌŋk]; **stunk**) dvokti; *n* smarvė; dvokimas

stir [stəː] *v* 1) judėti, judinti; 2) maišyti; 3) išjudinti; (su)-krutinti, sukelti

stitch [stɪtʃ] *n* 1) dygsnis; 2) (*mezginio*) akis; *v* dygsniuoti; siuvinėti

stock [stɔk] *n* 1) *pl* akcijos; 2) (*prekių*) asortimentas; 3) atsarga; 4) ž.ū. inventorius

stocking ['stɔkɪŋ] *n* kojinė

stole, stolen žr. **steal**

stomach ['stʌmək] *n* skrandis

stone [stəun] *n* akmuo

stony ['stəunɪ] *a* akmenuotas

stood žr. **stand**

stool [stuːl] *n* suoliukas, taburetė, sėdynė

stoop [stuːp] *n* susikūprinimas; nusilenkimas; 2) nusižeminimas; *v* 1) kūprinti(s); 2) nu(si)-lenkti; 3) žemintis

stop ['stɔp] *v* 1) sustoti; nutraukti (*darbą*); 2) nustoti; *n* 1) sustojimas; 2) stotelė; ~**per** [-pə] *n* kamštis

store [stɔː] *v* 1) (su)kaupti; 2) aprūpinti; *n* 1) atsargos; 2) sandėlis; 3) parduotuvė; d e - p a r t m e n t ~ universalinė parduotuvė

storey ['stɔːrɪ] *n* (*namo*) aukštas

stork [stɔːk] *n* gandras

storm [stɔːm] *n* audra; ~**y** *a* audringa

story ['stɔːrɪ] *n* 1) apysaka, apsakymas; 2) pasakojimas

stout [staut] *a* 1) apkūnus; 2) tvirtas, patvarus; 3) atkaklus

stove [stəuv] *n* krosnis

stowaway ['stəuəweɪ] *n* keleivis be bilieto

straight [streɪt] *a* tiesus; *adv* tiesiai; ~**en** *v* (iš)tiesinti; ~**forward** [-'fɔːwəd] *a* 1) (*labai*) paprastas; 2) tiesus

strain [streɪn] *n* įtampa, įtempimas

strainer ['streɪnə] *n* filtras, koštuvas

strand [strænd] *n* sruoga; pluoštas

strang | e ['streɪndʒ] *a* 1) keistas; 2) nepažįstamas, svetimas; ~**er** *n* 1) svetimšalis; 2) nepažįstamasis, svetimas/nevietinis žmogus

strangle ['stræŋgl] *v* (pa)-smaugti

strap [stræp] *n* diržas, dirželis; *v* (su)veržti/(su)rišti diržu

strategy ['strætədʒi] *n* strategija (*ir perk.*)

straw [strɔ:] *n* šiaudai, šiaudas; *a* šiaudinis

strawberry ['strɔ:bri] *n* braškė; w i l d ~ žemuogė

stray [strei] *v* paklysti; *a* 1) paklydęs; benamis; 2) atsitiktinis

streak [stri:k] *n* 1) ruoželis; 2) brūkšnys; *v* 1) dryžuoti; 2) skuosti; (pra)lėkti

stream [stri:m] *n* 1) srovė; 2) upelis

street [stri:t] *n* gatvė

strength ['streŋθ] *n* 1) jėga; 2) stiprumas; atsparumas; ~en *v* (su)stiprinti; (su)stiprėti

stress [stres] *n* 1) kirtis; 2) įtempimas; *v* 1) pabrėžti; 2) kirčiuoti

strech [stretʃ] *v* 1) tęstis, nusidriekti; 2) temptis, (išsi)temptis; ~er *n* neštuvai

stricken ['stɪkən] *a* palaužtas; (*nelaimės ir pan.*) ištiktas

strict [strɪkt] *a* griežtas

stride [straɪd] (**strode** [strəud], **stridden** ['strɪdn]) *v* žingsniuoti; *n* (*ilgas*) žingsnis

strike I [straɪk] *v* (**struck** [strʌk]) 1) (su)duoti, smogti;

2) trenktis; su(si)mušti; 3) kalti; 4) dingtelėti; 5) įskelti (*ugnį*)

strike II *n* streikas; t o g o o n ~ sustreikuoti; *v* streikuoti; ~er *n* streikuotojas

striking ['straɪkɪŋ] *a* stulbinantis, įspūdingas

string [strɪŋ] *n* 1) virvelė; špagatas; 2) styga; 3) eilė, virtinė; *v* (**strung** [strʌŋ]) 1) pririšti; 2) įtempti (*ir perk.*)

strip [strɪp] *v* nuplėšti, nulupti; *n* rėžis, juosta, atraiža

strip|e [straɪp] *n* dryžis, ruoželis; ~ed *a* dryžuotas

strive [straɪv] *v* (**strove** [strəuv], **striven** ['strɪvn]) stengtis; siekti

strode žr. **stride**

stroke [strəuk] *n* smūgis; *v* glostyti

stroll [strəul] *v* vaikštinėti; *n* pasivaikščiojimas

strong [strɒŋ] *a* stiprus; tvirtas; smarkus

struck žr. **strike** I

structure ['strʌktʃə] *n* 1) sandara, struktūra; 2) pastatas

struggle ['strʌgl] *n* kova; *v* kovoti

stub [stʌb] *n* 1) galas, galiukas; nuorūka; 2) (*bilieto ir pan.*) šaknelė

stubborn ['stʌbən] *a* užsispyręs; atkaklus

stuck žr. **stick**

student ['stju:dnt] n studentas, moksleivis

studies ['stʌdɪz] n pl mokslas, mokymasis, studijos

studio ['stju:dɪəu] n studija; dirbtuvė

study ['stʌdɪ] v 1) mokytis; 2) studijuoti; 3) tirti; n 1) mokslinis darbas; 2) tyrimas; 3) darbo kabinetas

stuff [stʌf] n 1) medžiaga; šnek. šlamštas, v (su)kimšti; prikimšti; ~ing n įdaras; kamšalas

stuffy ['stʌfɪ] a tvankus

stumble ['stʌmbl] v suklupti (ir perk.); užkliūti

stump [stʌmp] n 1) kelmas; 2) galas; nuorūka; v 1) šlubčioti; 2) šnek. sugluminti

stun [stʌn] v pritrenkti, apsvaiginti

stung žr. **sting**

stunk žr. **stink**

stunning ['stʌnɪŋ] a 1) stulbinantis, pritrenkiantis; 2) šnek. nuostabus

stunt [stʌnt] v sustabdyti augimą; ~ed a sunykęs

stupid ['stju:pɪd] a kvailas, neprotingas; ~ity [stju:'pɪdətɪ] n bukumas; kvailystė

stutter ['stʌtə] v mikčioti; mikséti; n mikčiojimas

sty I [staɪ] n kiaulidė

sty II n (akies) miežis

style [staɪl] n 1) stilius; maniera; elegancija; 2) mada; fasonas; v sukirpti pagal fasoną; to ~ smb's hair padaryti šukuoseną

subject I ['sʌbdʒɪkt] n 1) dalykas; tema; objektas; 2) (dėstomasis) dalykas, disciplina; 3) pavaldinys

subject II [səb'dʒekt] v pajungti, palenkti (t o)

submarine ['sʌbmə'ri:n] n povandeninis laivas

submit [səd'mɪt] v pasiduoti, nusileisti

subordinate [sə'bɔ:dɪnət] n (pa)valdinys; a 1) pavaldus (to); 2) ne toks svarbus; 3) geom. šalutinis, prijungiamasis

subscribe [səb'skraɪb] v už(si)sakyti, prenumeruoti (to)

subscription [səb'skrɪpʃn] n prenumerata

subsequent ['sʌbsɪkwənt] a einantis po, paskesnis, vėlesnis

subsidiary [səb'sɪdɪərɪ] a pagalbinis, šalutinis; n filialas

substance ['sʌbstəns] n 1) materija; medžiaga; 2) esmė

substantial [səb'stænʃl] a esminis, žymus

substitute ['sʌbstɪtju:t] v 1) pakeisti; 2) pavaduoti; n 1) pakaitalas; 2) pavaduotojas

subtle ['sʌtl] a subtilus, vos

pastebimas

subtract [səb'trækt] v atimti (*apie skaičius*); ~ion [-ʃn] n atimtis

suburb ['sʌbə:b] n priemiestis; ~an a priemiestinis

subway ['sʌbweɪ] n 1) tunelis; 2) *amer.* metro

succeed [sək'si:d] v pasiekti, pavykti (in)

success [sək'ses] n pasisekimas; ~ful a sėkmingas; ~ion [sək'seʃn] n eilė, seka; in ~ iš eilės, vienas po kito; ~or n tęsėjas, perėmėjas

such [sʌtʃ] a, pron toks; ~ a s kaip toks

suck [sʌk] v čiulpti, žįsti

Sudan [su:'dɑ:n] n Sudanas; ~ese ['su:də'nɪz] n sudanietis

sudden ['sʌdn] a staigus; ~ly adv staiga

suffer ['sʌfə] v kentėti, kęsti; ~ing n kančia

sufficient [sə'fɪʃnt] a pakankamas

suffix ['sʌfɪks] n priesaga

suffocate ['sʌfəkeɪt] v (už)-dusti; (už)dusinti

sugar ['ʃugə] n cukrus

suggest [sə'dʒest] v 1) įteikti, duoti (*mintį*); 2) pasiūlyti; ~ion [sə'dʒestʃn] n pasiūlymas

suicide ['sju:saɪd] n savižudybė; to commit ~ v nusižudyti

suit ['su:t] n 1) kostiumas; 2)

komplektas; *teis.* byla; v tikti, atitikti; ~able a tinkamas; ~case [-keɪs] n lagaminas

suite [swi:t] n komplektas, rinkinys

sulk [sʌlk] v pykti, būti nepatenkintam; ~y a paniuręs, susiraukęs

sullen ['sʌlən] a paniuręs, piktas

sum [sʌm] n 1) suma; 2) aritmetikos uždavinys

summary ['sʌmərɪ] n santrauka, suvestinė

summer ['sʌmə] n vasara

summit ['sʌmɪt] n viršūnė (*ir perk.*)

summon ['sʌmən] v 1) iškviesti; sukviesti; 2) reikalauti

sun ['sʌn] n saulė; ~bathe [-beɪð] v degintis saulėje; ~burn [-bə:n] n saulės įdegimas; ~burnt a nudegęs saulėje

Sunday ['sʌndɪ] n sekmadienis

sung žr. sing

sunglasses ['sʌnglɑ:sɪz] n pl saulės akiniai

sunk žr. sink

sunken ['sʌŋkən] a 1) nuskendęs; 2) nusėdęs, pažemėjęs

sunlight ['sʌnlaɪt] n saulės šviesa

sunny ['sʌnɪ] a saulėtas

sunrise ['sʌnraɪz] n saulėtekis

sunset ['sʌnset] *n* saulėlydis

sunshade ['sʌnʃeɪd] *n* skėtis nuo saulės

sunshine ['sʌnʃaɪn] *n* saulės šviesa; saulėkaita

suntan ['sʌntæn] *n* įdegimas (*saulėje*)

super ['su:pə] *a šnek.* nuostabus

super- ['su:pə-] *pref* virš-, ant-, super-

superb [su:'pə:b] *a* 1) aukščiausios rūšies; nuostabus; 2) didžiulis

superficial ['su:pə'fɪʃl] *a* pavirš(ut)inis; paviršutiniškas

superintendent ['su:pərɪn'tendənt] *n* 1) vadovas, valdytojas; 2) vyresnysis policijos inspektorius

superior [su:'pɪərɪə] *a* geresnis; viršesnis; *n* vyresnysis; viršininkas

superlative [su:'pə:lətɪv] *a gram.* aukščiausiasis laipsnis

supermarket [su:'pəmɑ:kɪt] *n* prekybos centras

superpower ['su:pəpauə] *n* supervalstybė

supersonic ['su:pə'sɔnɪk] *a* viršgarsinis

superstition ['su:pə'stɪʃn] *n* prietaras

superstitious ['su:pə'stɪʃəs] *a*

prietaringas

supervise ['su:pəvaɪz] *v* prižiūrėti

supervis|ion ['su:pə'vɪʒn] *n* priežiūra; ~or ['su:pə'vaɪzə] *n* prižiūrėtojas; vadovas

supper ['sʌpə] *n* vakarienė

supplement ['sʌplɪmənt] *n* priedas

supplies [sə'plaɪz] *n pl* atsargos; ištekliai

supply [sə'plaɪ] *n* aprūpinimas, tiekimas; *v* aprūpinti (with); tiekti

support [sə'pɔ:t] *v* paremti, palaikyti; ~er *n* šalininkas; rėmėjas

suppos|e [sə'pəuz] *v* manyti; ~ed *a* spėjamas, tariamas; ~ing *cj* jeigu (*t.p.* ~ that)

suppress [sə'pres] *v* nuslopinti, užgniaužti

supreme [su:'pri:m] *a* aukščiausias

sure [ʃuə] *a* tikras; neabejotinas; to be ~ (of) būti tikram; for ~ būtinai; ~ly *mod.* be abejo

surf [sə:f] *n* bangų mūša

surface ['sə:fɪs] *n* paviršius

surge [sə:dʒ] *n* banga; antplūdis

surgeon ['sə:dʒn] *n* chirurgas

surgery ['sə:dʒərɪ] *n* chirurgija

surname ['sə:neɪm] *n* pavardė

surplus [ˈsəːpləs] *n* perteklius

surpris|e [səˈpraiz] *n* nustebimas; *v* (nu)stebinti; nustebti; ~ing *a* stebinantis, nuostabus

surrender [səˈrendə(r)] *v* pasiduoti; kapituliuoti; *n* pasidavimas

surround [səˈraund] *v* apsupti; ~ings *n pl* apylinkės; aplinka

survey [ˈsəːvi] *n* 1) apklausa; 2) apžvalga

surviv|al [səˈvaivl] *n* išlikimas; ~e *v* išlikti, išgyventi

suspect [səˈspekt] *v* įtarti (of – *kuo*)

suspend [səˈspend] *v* 1) sustabdyti, sulaikyti, nutraukti; 2) pakabinti, pakibti (*ore*)

suspense [səˈspens] *n* nežinia, netikrumas

suspension [səˈspenʃn] *n* 1) sustabdymas, nutraukimas; 2) lingės; *v* nušalinti; 2) laikinai atleisti; 3) sustabdymas, nušalinimas; 4) pakibti

suspicion [səˈspiʃn] *n* įtarimas

suspicious [səˈspiʃəs] *a* įtarus

swallow I [ˈswɔləu] *n* kregždė

swallow II *v* (pra)ryti; *n* rijimas

swam *žr.* swim

swamp [ˈswɔmp] *n* bala, pelkė; ~y *a* pelkėtas, balotas

swan [swɔn] *n* gulbė

swarm [swɔːm] *n* 1) būrys; 2) spiečius; *v* spiestis

swap [swɔp] *v* keistis, apsikeisti

sway [swei] *v* 1) siūbuoti; linguoti; 2) paveikti; *n* siūbavimas

swear [sweə] *v* (swore [swɔː], sworn [swɔːn]) 1) prisiekti; 2) keiktis

sweat [swet] *n* prakaitas; *v* prakaituoti

sweater [ˈswetə] *n* megztinis

sweatheart [ˈswiːthɑːt] *n* mylimasis, -oji

Swed|e [swiːd] *n* švedas, -ė; ~en *n* Švedija; ~ish *a* švediškas; *n* švedų kalba

sweep [swiːp] *v* (swept [swept]) 1) šluoti, valyti; 2) nubraukti

sweet [swiːt] *a* saldus; *n* (*džn. pl*) saldainis; saldumynas

swell [swel] *v* tinti; *n* (*jūros*) bangavimas; ~ing *n* pabrinkimas, ištinimas

swept *žr.* sweep

swerve [swəːv] *v* mestis (*į šalį*); *n* staigus pasisukimas

swift [swift] *a* greitas

swim [swim] *v* (swam [swæm], swum [swʌm]) plaukti; ~mer *n* plaukikas; ~ming *n* plaukimas, maudymasis swindle ['swɪndl] v apgauti; ~r n apgavikas, sukčius

swine [swaɪn] n kiaulė (džn. perk.)

swing [swɪŋ] v (swung [swʌŋ]) 1) supti(s), siūbuoti; 2) mosikuoti; 3) pa(si)sukti; v supimas(is), siūbavimas

Swiss [swɪs] n šveicaras; a šveicariškas

switch ['swɪtʃ] n jungiklis; v ~ on įjungti; ~ off išjungti; ~board [-bɔːd] n komutatorius, skirstomasis skydas

Switzerland ['swɪtsələnd] n Šveicarija

swollen ['swəʊlən] a ištinęs

swoop [swuːp] v 1) smigti; 2) kristi; n smigimas

swop [swɔp] v = swap

sword [sɔːd] n kardas

swore, sworn žr. swear

swot [swɔt] v šnek. kalti (prieš egzaminą)

swum žr. swim

swung žr. swing

syllable ['sɪləbl] n skiemuo

syllabus ['sɪləbəs] n (mokomojo dalyko) programa

symbol ['sɪmbl] n simbolis; ~ic a simbolinis

sympathetic ['sɪmpə'θetɪk] a užjaučiantis; palankus

sympathize ['sɪmpəθaɪz] v užjausti (with – ką)

sympathy ['sɪmpəθɪ] n užuo-

jauta

symptom ['sɪmptəm] n simptomas

synonymous [sɪ'nɔnɪməs] a sinonimiškas

synthetic [sɪn'θetɪk] a sintetinis

Syria ['sɪrɪə] n Sirija; ~n siras

syringe [sɪ'rɪndʒ] n švirkštas

syrup ['sɪrəp] n sirupas

system ['sɪstəm] n 1) sistema; 2) santvarka

T

table ['teɪbl] n 1) stalas 2) lentynėlė; ~-cloth [-klɔð] n staltiesė; ~spoon [-spuːn] n šaukštas

tablet ['teblɪt] n tabletė

tackle ['teækl] n 1) reikmenys; 2) jūr. takelažas; 3) sport. sugriebimas, sustabdymas v 1) (ryžtingai) griebtis, spręsti; 2) sport. (bandyti) atkovoti kamuolį, sustabdyti

tact [tækt] n taktas; ~ful a taktiškas; ~less a netaktiškas

tag [tæg] n etiketė, žymena, kortelė (pvz., prie bagažo)

tail [teɪl] n uodega

tailor ['teɪlə] n siuvėjas

take [teɪk] *v* (**took** [tuk]; **taken**
['teɪkŋ])) 1) (pa)imti; 2) užimti;
nuvesti, nuvežti; (*apie lėktuvą*)
pakilti

tale [teɪl] *n* pasakojimas;
pasaka; paskala; **to tell ~s**
skleisti paskalas

talent ['tælənt] *n* talentas,
gabumai; **~ed** *a* talentingas,
gabus

talk ['tɔːk] *v* kalbėti(s), pa(si)-
kalbėti (to); *n* 1) pokalbis;
pasikalbėjimas; **~ative** [-ətɪv]
a šnekus; 2) *pl* derybos

tall [tɔːl] *a* aukštas

tame [teɪm] *a* 1) prisijaukintas;
2) banalus, neįdomus; *v* prisi-
jaukinti, sutramdyti

tan [tæn] *v* 1) įdegti; 2) rauginti
(*odas*); *n* įdegimas

tangerine ['tændʒə'riːn] *n* man-
darinas

tangle ['tæŋgl] *v* 1) su(si)pai-
nioti, su(si)raizgyti; 2) susiki-
virčyti

tank I [tæŋk] *n* bakas, rezer-
vuaras

tank II *n* tankas; **~er** *n* tank-
laivis

tap I [tæp] *n* čiaupas

tap II *v* (pa)barbenti; (pa)-
tapšnoti

tape ['teɪp] *n* 1) (*magnetofono*)
įrašas, juosta; 2) kaspinas;
~-measure [-meʒə] *n* ruletė;
~-recorder [-rɪkɔːdə] magne-

tofonas

tar [tɑː] *n* derva

target [tɑːgɪt] *n* 1) taikinys; 2)
(*planinė*) užduotis

tariff ['tærɪf] *n* 1) tarifas; 2)
kainynas

tarmac ['tɑːmæk] *n* asfaltas

tart [tɑːt] *n* pyragas

tartan ['tɑːtən] *n* languotas
škotiškas audinys

Tartar ['tɑːtə] *n* totorius, -ė

task [tɑːsk] *n* užduotis, užda-
vinys; **to set a ~** užsibrėžti
uždavinį/tikslą

taste [teɪst] *n* skonis; *v* ra-
gauti

tasty ['teɪstɪ] *a* skanus

tatters ['tætəz] *n pl.* skutai,
skarmalai

tattoo [tə'tuː] *n* tatuiruotė; *v*
tatuiruoti

taught *žr.* **teach**

tax [tæks] *n* mokestis;
v apmokestinti; **~ation**
[tæk'seɪʃn] *n* apmokestini-
mas

taxi ['tæksɪ] *n* taksi; **~ rank**
taksi stovėjimo aikštelė

TB ['tiː'biː] *sut. žr.* **tubercu-
losis**

tea ['tiː] *n* arbata, arbatžolės

teach [tiːtʃ] *v* (**taught** [tɔːt]) 1)
mokyti; dėstyti; 2) išmokyti,
įpratinti

teacher ['tiːtʃə(r)] *n* moky-
tojas

team [ti:m] *n* 1) komanda; 2) brigada

tea-party ['ti:pɑ:tɪ] *n* kviestinė arbatėlė

teapot ['ti:pɔt] *n* arbatinukas

tear I [tɛə] *v* (**tore** [tɔ:]; **torn** [tɔ:n]) 1) plėšyti; 2) nusidėvėti

tear II [tɪə] *n* ašara; ~**ful** *a* ašarotas

tease [ti:z] *v* erzinti

teaspoon ['ti:spu:n] *n* arbatinis šaukštelis

technical ['teknɪkl] *a* techninis, technikos; ~ **college** technikos kolegija

technician [tek'nɪʃn] *n* technikas

technique [tek'ni:k] *n* technika; specialus metodas/būdas

technology [tek'nɔkədʒɪ] *n* technologija, technika

teddy-(bear) ['tedɪbɛə] *n* meškiukas (*žaislas*)

tedious ['ti:dɪəs] *a* nuobodus

teen|ager ['ti:neɪdʒə] *n* paauglys; ~**s** [ti:nz] *n pl* paauglystė

teeth *žr.* tooth

telecast ['telɪkɑ:st] *n* televizijos laida/transliacija

telecommunications ['telɪkəmju:nɪ'keɪʃnz] *n* telekomunikacijos ryšiai

telephone ['telɪfəun] *n* telefonas

telescope ['telɪskəup] *n* teleskopas

televise ['telɪvaɪz] *v* transliuoti per televiziją

television ['telɪvɪʒn] *n* televizija; **telly** ['telɪ] *n šnek.* televizorius

tell [tel] *v* (**told** [təuld]) 1) (pa)pasakoti; 2) (pa)sakyti; 3) įsakyti, liepti

temper ['tempə] *n* susierzinimas, pyktis; nuotaika; t o lose o n e's ~ *v* netekti kantrybės, nesusivaldyti

temperature ['temprəʃə] *n* temperatūra

temple I ['templ] *n* šventovė

temple II *n* smilkinys

temporary ['tempərərɪ] *a* laikinas

tempt [tempt] *v* gundyti, vilioti

temptation [temp'teɪʃn] *n* 1) (susi)gundymas; 2) pagunda

tempting ['temptɪŋ] *n* gundantis, viliojantis

ten [ten] *num* dešimt

tenant ['tenənt] *n* nuomininkas

tend I ['tend] *v* 1) linkti, būti linkusiam; 2) krypti; ~**ency** [-ənsɪ] *n* polinkis, tendencija

tend II *v* prižiūrėti

tender ['tendə] *a* švelnus

tennis ['tenɪs] *n* tenisas; t a b l e ~ stalo tenisas; ~**court** [-kɔ:t] *n* kortas

tense I [tens] *n gram.* laikas

tense II *a* įtemptas

tension ['tenʃn] *n* įtampa

tent [tent] *n* palapinė

tentacle ['tentəkl] *n* 1) čiuptuvėlis; 2) *bot.* ūselis

tentative ['tentətɪv] *a* 1) parengtinis, negalutinis; 2) nedrąsus

tenth [tenθ] *num* dešimtas

term [tɜ:m] *n* 1) terminas, nustatytas laikas; 2) semestras; 3) terminas (*žodis*); 4) *pl* sąlygos; 5) *pl* santykiai

terminal ['tɜ:mɪnl] *n* galinė stotis; galinis punktas; *a* paskutinis, mirtinas

terminus ['tɜ:mɪnəs] galinė stotis, žiedas

terrace ['terəs] *n* 1) terasa; 2) sujungta namų eilė

terrible ['terəbl] *a* baisus, siaubingas; **~y** *adv* baisiai

terrific [tə'rɪfɪk] *a* 1) *šnek.* nuostabus, puikus; 2) didžiulis

terrify ['terɪfaɪ] *v* įvaryti/sukelti siaubą, įbaiminti

territory ['terɪtərɪ] *n* teritorija

terror ['terə] *n* siaubas, baimė; **~ist** *n* teroristas

test [test] *n* 1) (iš)bandymas; 2) patikrinimas, testas; *v* 1) bandyti; 2) patirti

text ['tekst] *n* tekstas; **~-book**

[-buk] *n* vadovėlis

textile ['tekstaɪl] *n* tekstilė

Thai [taɪ] *n* tajas; tailandietis; **~land** [-lænd] *n* Tailandas

Thames [temz] *n* Temzė (*upė*)

than [ðæn, ðən] *cj* negu, kaip, lyginant

thank [θæŋk] *v* dėkoti; **~s**, **~ you** ačiū, dėkoju; **~ful** *a* dėkingas

that [ðæt] *pron* (*pl* those [ðəuz]) 1) anas, tas; 2) kuris, kuri; the book ~ you gave me knyga, kurią man davėte; *cj* kad; taip, toks (*pabrėžiant*)

thatch [θætʃ] *n* šiaudai, nendrės (*stogui dengti*); *v* dengti stogą

thaw [θɔ:] *v* tirpti (*apie sniegą*); *n* atlydys

the [ðə, ðɪ (*prieš balsį*)] žymimasis artikelis: the man you told me vyras, apie kurį kalbėjai; *adv* tuo; **~... ~... kuo... tuo; juo... juo; ~ more... ~ better kuo daugiau... tuo geriau

theatr|e ['θɪətə] *n* teatras; **~ical** *a* 1) teatro; 2) teatrališkas

theft [θeft] *n* vagystė

their [ðeə] *pron* jų; **~s** jų (*be dktv.*)

them [ðəm, ðem] *pron* juos, jiems; **~selves** [-'selvz] *pron*

jie patys; ~si; **t h e y w a s h
~ s e l v e s** jie prausiasi

theme [θiːm] *n* tema

then [ðen] *adv* tada; po to; *a* tuometinis

theoretical [θɪəˈretɪkl] *a* teorinis; teoriškas

therapy [ˈθerəpɪ] *n* terapija

there [ðeə(r)] *adv* 1) ten; ~ **a r e b o o k s** ten yra knygos; 2) čia; ~ **y o u a r e** čia jūs; štai, antai (*sakinio pradžioje pabrėžiant*)

therefore [ˈðeəfɔː(r)] *adv* todėl, dėl to

thermometer [θəˈmɒmɪtə] *n* termometras

these *žr.* this

they [ðeɪ] *pron* jie

they'll [ðeɪl] = they will

they're [ðeə] = they are

thick [θɪk] *a* 1) storas; 2) tankus; *adv* 1) tirštai, gausiai; 2) tankiai; 2) storai

thief [θiːf] *n* (*pl* thieves [θiːvz]) vagis

thigh [θaɪ] *n* šlaunis

thimble [ˈθɪmbl] *n* antpirštis, pirščiukas

thin [θɪn] *a* 1) plonas; 2) liesas

thing [θɪŋ] *n* 1) daiktas; 2) dalykas

think [θɪŋk] *v* (thought [θɔːt]) 1) galvoti; 2) manyti; ~ing *n* mastymas, galvojimas

third [θəːd] *num* trečias

thirst [θəːst] *n* troškulys, troškimas; ~y *a* ištroškęs

thirteen [ˈθəːˈtiːn] *num* trylika; ~th [-θ] tryliktas

thirtieth [ˈθəːtɪəθ] *num* trisdešimta

thirty [ˈθəːtɪ] *num* trisdešimt

this [ðɪs] (*pl* these [ðiːz]) *pron* šitas, šis (*pl* šitie, šie)

thistle [ˈθɪsl] *n* dagys

thorn [θɔːn] *n* spyglys; ~y *a* spygliuotas

thorough [ˈθʌrə] *a* kruopštus, nuodugnus; ~ly *adv* 1) kruopščiai, nuodugniai; 2) visai

those [ðəuz] *žr.* that

though [ðəu] *cj* 1) nors; 2) net jeigu; *adv* tačiau, vis dėlto

thought [θɔːt] *v žr.* think; *n* mintis; ~ful *a* susimąstęs; ~less *a* 1) negalvojantis; 2) neatidus, nedėmesingas

thousand [ˈθauznd] *num* tūkstantis; ~th [-θ] tūkstantasis

thrash [θræʃ] *v* 1) mušti; 2) sumušti, triuškinti; ~ing *n* pėrimas, pyla

thread [θred] *n* siūlas

threat [θret] *n* grasinimas; ~en *v* grasinti; ~ening *a* grasinantis

three [θriː] *num* trys

threshold [ˈθreʃhəuld] *n* slenkstis

threw žr. throw

thrift [θrɪft] *n* taupumas; taupymas

thrill [θrɪl] *v* jaudinti(s); *n* jaudulys; **~ed** *a* susijaudinęs; **~er** *n* sensacinga knyga; **~ing** *a* jaudinantis

thrive [θraɪv] *v* klestėti

throat [θrəʊt] *n* gerklė

throb [θrɔb] *v* plakti, tvinkčioti

throne [θrəʊn] *n* sostas

throttle [θrɔtl] *n tech.* droselis; *v* smaugti

through [θru:] *prep* 1) per; pro; 2) dėka, dėl; *adv* kiaurai; ~ and ~ visiškai

throughout [θru:'aʊt] *prep* per (*visą*); *adv* visiškai, visur; ištisai

throw [θrou] *v* (threw [θru:], thrown [θrəʊn]) 1) mesti; mėtyti; 2) pamesti; partrenkti

thrust [θrʌst] *v* (thrust) 1) (į)stumti, (į)brukti (into); 2) brautis, veržtis

thumb [θʌm] *n* nykštys

thunder ['θʌndə] *n* griausmas, perkūnas; *v* griausti, dundėti; **~storm** [-stɔ:m] *n* perkūnija

Thursday ['θə:zdɪ] *n* ketvirtadienis

thus [ðʌs] *adv* 1) taigi, vadinasi; 2) tuo būdu

tick [tɪk] *n* 1) tiksėjimas; 2) varnelė „paukščiukas"; *v* tiksėti, pažymėti, dėti paukščiuką/varnelę

ticket ['tɪkɪt] *n* 1) bilietas; 2) talonas; kvitas

tickle ['tɪkl] *v* kutenti, *n* kutenimas

tide [taɪd] *n* (*jūros*) potvynis ir atoslūgis

tidy ['taɪdɪ] *a* tvarkingas; *v* (su)tvarkyti

tie [taɪ] *n* 1) ryšys, raištis; 2) kaklaryšis; *v* surišti; pririšti

tiger ['taɪgə] *n* tigras

tight [taɪt] *a* 1) standus; tvirtas; 2) aptemptas, ankštas, siauras; *adv* 1) tvirtai; standžiai; 2) ankštai; ~en *v* 1)su(si)spausti, su(si)veržti; 2)į(si)tempti; ~rope [-rəʊp] *n* įtempta virvė/lynas

tigress ['taɪgrɪs] *n* tigrė

tights [taɪts] *n pl* pėdkelnės

tile [taɪl] *n* čerpė; plytelė

till [tɪl] *prep* iki, ligi; *cj* kol

tilt [tɪlt] *v* pakreipti, pakrypti, pasivirti; *n* pakrypimas, pasvirimas

timber ['tɪmbə] *n* 1) mediena; 2) sienojas, rastas

time [taɪm] *n* 1) laikas; h a v e a g o o d / n i c e ~ gerai praleisti laiką; 2) kartas

timetable ['taɪmteɪbl] *n* tvarkaraštis; (*darbo*) grafikas

tin [tɪn] *n* 1) alavas; 2) skarda; 3) skardinė; dėžutė (*konser-*

vams); ~**ned** *a* konservuotas

tinkle ['tɪŋkl] *v* skamb(tel)-
éti, (su)žvangéti; *n* žnag(tel)-
ėjimas, skambinimas

tiny ['taɪnɪ] *a* mažytis, smul-
kutis

tip I galas, galiukas

tip II *n* sąslavynas, sąvarty-
nas; *v* 1) pakreipti; paversti;
pakrypti; 2) išlieti

tip III *n* arbatpinigiai

tiptoe ['tɪptəu] *v* vaikščioti/eiti
ant galų pirštų

tire ['taɪə] *v* varginti; pa-
vargti

tired ['taɪəd] *a* pavargęs

tissue ['tɪʃuː] *n* 1) audinys; 2)
popierinė servetėlė

title ['taɪtl] 1) titulas; 2) pa-
vadinimas, antraštė; ~ p a g e
antraštinis lapas

to [tu, tə] *prep* 1) atitinka liet.
k. naudininką; į, pas, prie (žy-
mint kryptį); l e t ' s g o ~ t h e
c l u b eime į klubą; 2) dažniau-
siai verčiama naudininku; ~
m e man

toad [təud] *n* rupūžė

toast I [təust] *v* skrudinti; *n*
skrebutis

toast II *n* tostas

tobacco [tə'bækəu] *n* taba-
kas

today [tə'daɪ] *adv* šiandien

toe [təu] *n* kojos pirštas

toffee ['tɔfɪ] *n* irisas

together [tə'geðə] *adv* kartu,
drauge

toil [tɔɪl] *v* (*sunkiai*) dirbti,
plušti

toilet ['tɔɪlɪt] *n* tualetas

tokien ['təukən] *n* ženklas, *a
attr* simboliškas

told *žr.* tell

tolerance ['tɔlərəns] *n* pakan-
tumas, tolerancija

tomato [tə'mɑːtəu] *n* (*pl* ~es
[-z]) pomidoras

tomb ['tuːm] *n* kapas; ~**stone**
[-stəun] *n* antkapis

tomorrow [tə'mɔrəu] *adv* ry-
toj

ton [tʌn] *n* tona

tone [təun] *n* tonas

tongs [tʌŋz] *n pl* replės

tongue [tʌŋ] *n* liežuvis

tonight [tə'naɪt] *adv* šį vakarą,
šiąnakt

tonne [tɔn] *n* tona

too [tuː] *adv* 1) taip pat; 2)
per daug

took *žr.* take

tool [tuːl] *n* įrankis (*ir perk.*)

tooth ['tuːθ] *n* (*pl* teeth [tiːθ])
dantis; ~**brush** [-brʌʃ] *n* dantų
šepetėlis; ~**paste** [-peɪst] *n*
dantų pasta

top [tɔp] *n* viršūnė; viršus; *a*
1) viršutinis; 2) aukščiausias,
didžiausias

topic ['tɔpɪk] *n* tema, dalykas;
~**al** *a* aktualus

topple ['tɔpl] *v* nuvirsti, nu-
griūti

torch [tɔ:tʃ] *n* 1) žibintas; 2)
deglas, fakelas

tore, torn žr. **tear**

tornado [tɔ:'neɪdəu] *n* tor-
nadas

torpedo [tɔ:'pi:dəu] *n* torpeda;
v torpeduoti

torrent ['tɔrənt] *n* srovė, srau-
tas

tortoise ['tɔ:təs] *n* vėžlys

tortur|e ['tɔ:tʃə] *v* kankinti;
n kankinimas; ~**er** *n* kankin-
tojas

Tory ['tɔ:rɪ] *n* toris, konser-
vatorius

toss [tɔs] *v* sviesti, mesti; *n*
metimas

total ['təutl] *a* visas, bendras;
n suma

touch [tʌtʃ] *v* 1) liesti; 2)
jaudinti; ~ **down** nusileisti;
n 1) (prisi)lietimas; 2) ryšys,
sąlytis

tough [tʌf] *a* 1) tvirtas, ištver-
mingas; 2) kietas; 3) griežtas

tour [tuə] *n* kelionė; *v* ga-
stroliuoti, keliauti; ~**ist** *n*
turistas

tournament ['tuənəmənt] *n*
sport. turnyras

tow [təu] *v* buksyruoti; *n* 1)
buksyras; 2) kuodelis

toward [tə'wɔ:d] *prep* 1) link,
į; 2) apie; ~ **noon** apie vi-
durdienį

towel ['tauəl] *n* rankšluostis

tower ['tauə] *n* bokštas; ~
block daugiaaukštis pasta-
tas

town [taun] *n* miestas; ~
hall *n* rotušė; ~**speale**
['taunzpi:pl] *n* miestiečiai

toxic ['tɔksɪk] *a* nuodingas,
toksinis

toy [tɔɪ] *n* žaislas

trace [treɪs] *n* 1) kelias, takas;
2) pėdsakas (*ir perk.*); *v* 1) (su)-
sekti; palikti pėdsaką; ~**suit**
[-su:t] *n* šiltas treningas

tractor ['træktə] *n* traktorius

trad|e [treɪd] *n* 1) amatas, pro-
fesija; 2) prekyba; *v* prekiauti;
~**er**, ~**esman** ['treɪdzmən] *n*
prekybininkas

tradition [trə'dɪʃn] *n* tradicija;
~**al** *a* tradicinis

traffic ['træfɪk] *n* eismas; trans-
portas; ~ **jam** eismo spūstis/
grūstis

tragedy ['trædʒədɪ] *n* trage-
dija

tragic ['trædʒɪk] *a* tragiškas

trail [treɪl] *v* vilktis; sekti (*pė-
domis*); *n* 1) pėdsakai, takas; 2)
kelias; ~**er** *n* priekaba

train I [treɪn] *n* traukinys

train II *v* 1) treniruoti; 2)
mokyti, ruošti; 3) dresiruoti;
~**er** *n* treneris; ~**ing** *n* moky-
mas; treniruotė

traitor ['treɪtə] *n* išdavikas
tram [træm] *n* tramvajus
tramp [træmp] *v* klajoti, bastytis; *n* valkata
trample ['træmpl] *v* (su)trypti (*pvz., žolę*)
transfer [træns'fə] 1) perkelti, pervežti; 2) perduoti; *n* ['trænsfə] 1) perkėlimas; 2) perdavimas
transaction [træn'zækʃn] *n* sandoris
transform [træns'fɔːm] *v* pa-(si)keisti, transformuoti
transistor [træn'zɪstə] *n* tranzistorius
transition [træn'zɪʃn] *n* perėjimas
translate [trænz'leɪt] *v* (iš)versti (*papr. raštu*) (from, into)
translation [trænz'leɪʃn] *n* vertimas
transmit [trænz'mɪt] *v* perduoti; persiųsti; transliuoti
transperent [træn'spærənt] *a* permatomas
transplant [træns'plɑːnt] *v* persodinti (*ir med.*)
transport *v* [træn'spɔːt] gabenti, vežti, transportuoti; *n* ['trænspɔːt] transportas; gabenimas, pervežimas
trap [træp] *n* spąstai; *v* gaudyti spąstais
travel ['trævl] *v* keliauti; *n* kelionė; ~ler *n* keleivis

trawl ['trɔːl] *n* tralas, tinklas; ~er *n* traleris
tray [treɪ] *n* padėklas
treacher|ous ['tretʃərəs] *a* klastingas; išdavikiškas; ~y *n* išdavystė, klasta
tread [tred] *v* (trod [trɔd]; trodden ['trɔdn]) 1) (už)minti; 2) eiti, žengti
treason ['triːzn] *n* išdavimas, išdavystė
treasure ['treʒə] *n* lobis, turtai, brangenybės
treat ['triːt] *v* 1) elgtis; 2) traktuoti, nagrinėti; 3) gydyti; 4) (pa)vaišinti; ~ment *n* 1) gydymas; 2) elgimasis; ~y *n* sutartis
tree [triː] *n* medis
tremble ['trembl] *v* drebėti
tremendous [trə'mendəs] *a* didžiulis, milžiniškas
tremor ['tremə] *n* drebėjimas, virpulys
trench [trentʃ] *n* apkasas, tranšėja
trespass ['trespəs] *v* neteisėtai įeiti, pažeisti; *n* pažeidimas
trial ['traɪəl] *n* 1) teismo procesas; 2) bandymas
triangle ['traɪæŋgl] *n* trikampis
triangular [traɪ'æŋgjulə] *a* trikampis
tribe [traɪb] *n* gentis
tribunal [traɪ'bjuːnl] *n* tri-

bunolas

tribute ['trɪbju:t] n 1) duoklė; 2) dovana

trick [trɪk] n 1) gudrybė, apgaulė; 2) pokštas; 3) triukas; ~y a keblus

trifle ['traɪfl] n (a ~) trumputis

trigger ['trɪgə] n 1) (ginklo) gaidukas; 2) kibirkštis, priežastis; v sukelti, būti priežastimi

trim [trɪm] v 1) apkarpyti; apvežioti, apsiuvinėti (drabužio kraštus); n apkarpymas; a tvarkingas

trip [trɪp] n išvyka, ekskursija

triple ['traɪpl] a attr trigubas; tilypis

triumph ['traɪəmf] n triumfas; ~ant [traɪ'ʌmfənt] a triumfuojantis

trod, trodden žr. tread

trolley ['trɒlɪ] n 1) vežimėlis; 2): ~bus troleibusas

troops [tru:ps] n (tik pl) kariuomenė

trophy ['trəʊfɪ] n 1) trofėjus; 2) prizas

tropic ['trɒpɪk] n pl tropikai, atogrąžos; a tropinis

trouble ['trʌbl] n rūpestis, bėda, nemalonumai; v 1) trukdyti 2) kelti nerimą

trough [trɒf] n lovys

trousers ['traʊzəz] n pl kel-

nės

trout [traʊt] n upėtakis

trowel ['traʊəl] n kastuvėlis, mentė

truant ['tru:ənt] n pravaikštininkas (mokinys)

truce [tru:s] n paliaubos

truck [trʌk] n 1)(atvira) platforma; vagonėlis; 2) sunkvežimis

trudge [trʌdʒ] v kėblinti; n varginanti kelionė

true [tru:] a tikras; teisingas; to come ~ išsipildyti; it is ~ tai tiesa; ~ly adv 1) tikrai; 2) nuoširdžiai

trumpet ['trʌmpɪt] n trimitas

trunk [trʌŋk] n 1) (medžio) kamienas; 2) liemuo

trunk-call ['trʌŋk kɔ:l] n tarpmiestinis pokalbis (telefonu)

trunks ['trʌŋks] n glaudės

trust ['trʌst] n 1) pasitikėjimas; 2) kreditas; ~worthy [-wə:ðɪ] a patikimas

truth [tru:θ] n tiesa; ~ful a teisingas

try [traɪ] v 1) (iš)bandyti, (iš)-mėginti; 2) stengtis (for); ~ on pri(si)matuoti

T-shirt ['ti:ʃə:t] n marškinėliai

tub [tʌb] n 1) kubilas; indelis; 2) amer. vonia

tube [tju:b] n 1) vamzdis; 2) (Londono) metro

tuberculosis [tju:'bə:kju'ləusıs] *n* džiova

tubing ['tju:bıŋ] *n* vamzdžiai, vamzdynas

tuck [tʌk] *v* su(si)kišti; *n* klostė

Tuesday ['tju:zdı] *n* antradienis

tuft [tʌft] *n* kuokštas

tug [tʌg] *n* truktelėjimas; *v* truktelėti; tempti, tampyti

tuition [tjɪ'ʃn] *n* 1) mokymas; 2) mokestis už mokslą

tulip ['tju:lıp] *n* tulpė

tumble ['tʌmbl] *v* (nu)virsti, (nu)griūti; *n* griuvimas

tumbler ['tʌmblə] *n 1)* bokalas; 2) *el.* perjungiklis

tummy ['tʌmı] *n* pilvelis

tune [tju:n] *n* 1) melodija; 2) tonas

Tunisia [tju:'nıʒə] *n* Tunisas; ~**n** [-zıən] *n* tunisietis

tunnel ['tʌnl] *n* tunelis

turban ['tə:bən] *n* turbanas

Turk [tə:k] *n* turkas; ~**ery** [-ı] *n* Turkija; ~**ish** *a* turkiškas, turkų; *n* turkų kalba

turkey ['tə:kı] *n* kalakutas

turmoil ['tə:mɔıl] *n* sąmyšis, suirutė

turn [tə:n] *v* 1) sukti(s), ap(si)sukti; 2) nukreipti, kreiptis; 3) tapti; pavirsti; 4) išversti; ~ **off** išjungti (*aparatą*); ~ **on** įjungti; ~ **out** (**to be**) pasirodyti (*esant*); ~ **over** ap(si)versti; *n* 1) pa(si)sukimas, apsisukimas; 2) posūkis

turnip ['tə:nıp] *n* ropė

turntable ['tə:nteıbl] *n* (*grotuvo*) diskas

tusk [tʌsk] *n* iltis

tutor ['tju:tə] *n* dėstytojas; repetitorius

TV ['ti:'vi:] *sutr. n* televizija

tweed [twi:d] *n* tvidas (*vilnonė medžiaga*)

tweezers ['twi:zəz] *n pl* pincetas

twelfth [twelfθ] *num* dvyliktas

twelve [twelv] *num* dvylika

twent|ieth ['twentıəθ] *num* dvidešimtas; ~**y** ['twentı] *num* dvidešimt

twice [twaıs] *adv* 1) dukart; 2) dvigubai

twig [twıg] *n* šakelė

twilight ['twaılaıt] *n* 1) prieblanda, sutema; 2) saulėlydis

twin [twın] *n* dvynys

twinkle ['twıŋkl] *v* mirgėti, spindėti; *n* liepsnelė (*akyse*)

twist [twıst] *v* pinti (*siūlus*), suktis; *n* 1)(susi)sukimas, pynimas

twitter ['twıtə(r)] *v* čiulbėti; *n* čiulbėjimas

two [tu:] *num* du

type [taıp] *n* tipas, rūšis; *v* 1) spausdinti mašinėle; rinkti kompiuteriu; 2) klasifikuoti pagal tipus

typical ['tɪpɪkl] *a* tipiškas; būdingas

tyrant ['taɪərənt] *n* tironas

tyre ['taɪə] *n* padanga; f l a t ~ nuleista padanga

typist ['taɪpɪst] *n* asmuo, rašantis mašinėle

U

Uganda ['jugændə] *n* Uganda

ugly ['ʌglɪ] *n* ne gražus, bjaurus

UK ['ju:'keɪ] *n sutr.* = U n i t e d K i n g d o m

Ukrain [ju:'kreɪn] *n* Ukraina; *a* ukrainiečiy; *n* 1) ukrainietis, -ė; 2) ukrainiečių kalba

ultimate ['ʌltɪmət] *a* 1) galutinis; 2) pirminis, pagrindinis; ~ly *adv* galų gale, galiausiai

umbrella [ʌm'brelə] *n* skėtis

umpire ['ʌmpaɪə] *n sport.* teisėjas; *v* teisėjauti

UN ['ju:'en] *n sutr.* = U n i t e d N a t i o n s

un- [ʌn-] *pref* be-, at-, iš-, ne-, **unable** ['ʌn'eɪbl] *a* negalintis, nesugebantis; t o b e ~ negalėti

unaccustomed ['ʌnə'kʌstəmd] *a* neįprastas, nepripratęs

unafraid ['ʌnə'freɪd] *a* nebijantis

unanimous [ju:'nænɪməs] *a* vienbalsiškas, vieningas

unarmed ['ʌn'ɑ:md] *a* neginkluotas

unattractive ['ʌnə'træktɪv] *a* nepatrauklus

unaware ['ʌnə'wɛə] *a* nežinantis; ~s *adv* nelauktai, iš netyčių

unbearable ['ʌn'bɛərəbl] *a* nepakeliamas, nepakenčiamas

unbeaten [ʌn'bi:tn] *a* nesumuštas, nenugalėtas, nepralenktas

unbelievable ['ʌnbɪ'li:vəbl] *a* neįtikėtinas

un|breakable ['ʌn'breɪkəbl] *a* nedūžtantis; ~broken [-'brəukən] *a* 1) nesudaužytas; 2) nepalaužtas, nenugalėtas

unbutton ['ʌn'bʌtn] *v* at(si)segti (*sagas*)

uncertain ['ʌn'sə:tn] *a* netikras, nežinantis

unchanged [ʌn'tʃeɪndʒ] *a* nepasikeitęs

uncle ['ʌŋkl] *n* dėdė

unconditional ['ʌnkən'dɪʃnəl] *a* besąlyginis, besąlygiškas

unconfortable [ʌn'kʌmfetəbl] *a* nepatogus

uncommon [ʌnˈkʌmən] *a* retas, nepaprastas

unconsciuos [ʌnˈkɔnʃəs] *a* be sąmonės

uncontrolled [ˈʌnkənˈtrəuld] *a* nevaldomas

uncooked [ʌnˈkukt] *a* nevirtas

unco-operative [ˈʌnkəuˈɔpərətɪv] *a* nelinkęs bendradarbiauti

uncover [ʌnˈkʌvə] *v* 1) atidengti; 2) atskleisti (*paslaptį*)

under [ˈʌndə] *prep* 1) po, apačioje; 2) prie (*žymint epochą, valdymą*); 3) pagal

under- [ʌndə-] *pref* 1) po-, apatinis; 2) ne (*žymint nepakankamumą*)

underclothes [ˈʌndəkləuðz] *pl* apatiniai drabužiai

underestimate [ˈʌndərˈestɪmeɪt] *v* nepakankamai (į)vertinti

undergo [ˈʌndəˈgəu] (**underwent** [ˈʌndəˈwent], **undergone** [ˈʌndəˈgɔn]) *v* patirti, pergyventi

undergraduate [ˈʌndəˈgrædʒuət] *n* universiteto studentas

underground [ˈʌndəgraund] *a* 1) požeminis; 2) pogrindinis; *n* (the ~) metro; *adv* [ˈʌndəˈgraund] 1) po žeme; 2) pogrindyje

undergrowth [ˈʌndəgrəuθ] *n* pomiškis

underline [ˈʌndəˈlaın] *v* pabrėžti; pabraukti

undermine [ˈʌndəˈmaın] *v* pakirsti, pakenkti

underneath [ˈʌndəˈniːθ] *prep* po; *adv* apačioje; *n* apačia

understand [ˈʌndəˈstænd] *v* (**understood** [ˈʌndəˈstud]) suprasti; ~able *a* suprantamas; ~ing *n* supratimas

undertak|e [ˈʌndəˈteɪk] *v* (**undertook** [ˈʌndəˈtuk], **undertaken** [ˈʌndəˈteɪkən]) 1) imtis; 2) pasižadėti; *n* 1) sumanymas; 2) pažadas, įsipareigojimas

underwater [ˈʌndəˈwɔːtə] *a* povandeninis

underway [ˈʌndəˈweɪ] *a* : to be ~ vykti

underwear [ˈʌndəwɛə] *n* apatiniai baltiniai

underwent žr. undergo

undo [ˈʌnˈduː] *v* (**undid** [-ˈdid], **undone** [-ˈdʌn]) 1) atrišti, atsegti; 2) išardyti; *v* panaikinti (*kas padaryta*)

undoubtedly [ʌnˈdautɪdlɪ] *mod.* be abejo

undress [ʌnˈdres] *v* nu(si)rengti

uneasy [ʌnˈiːzɪ] *a* 1) ne ramus; 2) nesmagus, suvaržytas

unemployed [ˈʌnɪmˈplɔid] *a* bedarbis; *n* (the ~) bedarbiai

unemployment [ˈʌnɪmˈplɔimənt] *n* nedarbas

uneven [ʌnˈiːvn] *a* nelygus

unexpected [ˈʌnɪksˈpektɪd] *a* nelauktas, netikėtas

unexplored [ˈʌnɪksˈplɔːd] *a* neištirtas

unfair [ʌnˈfeə] *a* 1) neteisingas; šališkas; 2) nesąžiningas

unfaithful [ʌnˈfeɪθl] *a* neištikimas

unfamiliar [ˈʌnfəˈmɪlɪə] *a* nepažįstamas; nesusipažinęs (with)

unfashionable [ʌnˈfæʃnəbl] *a* nemadingas

unfasten [ʌnˈfɑːsn] *v* at(si)rišti, at(si)segti

unfavourable [ʌnˈfeɪvərəbl] *a* nepalankus, neigiamas

unfinished [ʌnˈfɪnɪʃt] *a* nebaigtas

unfold [ʌnˈfəuld] *v* 1) išvynioti, at(si)skleisti; 2) rutulioti(s), plėtoti(s)

unfortunate [ʌnˈfɔːtʃənət] *a* nelaimingas, nesėkmingas; ~**ly** *mod.* deja, nelaimei

unfriendly [ʌnˈfrendlɪ] *a* nedraugiškas

ungrateful [ʌnˈgreɪtfl] *a* nedėkingas

unhappy [ʌnˈhæpɪ] *a* nelaimingas

unhealthy [ʌnˈhelθɪ] *a* nesveikas

unhelpful [ʌnˈhelpfl] *a* nepadedantis, nepaslaugus

unidentified [ˈʌnaɪˈdentɪfaɪd] *a* neatpažintas

uniform [ˈjuːnɪfɔːm] *a* vienodas, nesikeičiantis; *n* uniforma

unify [ˈjuːnɪfaɪ] *v* (su)vienyti

union [ˈjuːnɪən] *n* 1) sajunga; 2) vienybė; 3) profsajunga (*t.p.* t r a d e ~; *amer.* l a b o u r ~)

unique [juːˈniːk] *a* unikalus

unit [ˈjuːnɪt] *n* 1) vienetas; 2) sekcija, elementas; 3) *kar.* dalinys

unite [juːˈnaɪt] *v* su(si)vienyti, su(si)jungti

united [juːˈnaɪtɪd] *a* suvienytas; jungtinis; t h e U. K i n g d o m Jungtinė Karalystė; t h e U. N a t i o n s Jungtinės Tautos; t h e U. S t a t e s Jungtinės Valstijos

universal [ˈjuːnɪˈvɜːsl] *a* 1) pasaulinis, visuotinis; 2) universalus

universe [ˈjuːnɪvɜːs] *n* visata; kosmosas

university [ˈjuːnɪˈvɜːsətɪ] *n* universitetas

unjust [ʌnˈdʒʌst] neteisingas, neteisus

unkind [ʌnˈkaɪnd] *n* negeras, negeranoriškas

unknown [ʌnˈnəun] *a* nepažįstamas, nežinomas

unleash [ʌnˈliːʃ] *v* sukelti, išlieti (*jausmus*)

unless [ən'les] *cj* 1) jei ne; nebent; ~ he comes jei jis neateis; 2) išskyrus

unlike ['ʌn'laɪk] *prep* skirtingai nuo; *a* nepanašus; ~ly *a* nepanašus (*į tiesą*)

unload [ʌn'ləud] *v* iškrauti

unlock [ʌn'lɔk] *v* atrakinti

unlucky [ʌn'lʌkɪ] *a* nelaimingas; nesėkmingas

unmarried ['ʌn'mærɪd] *a* nevedęs; netekėjusi

unnatural [ʌn'nætʃrəl] *a* nenatūralus

unneccessary [ʌn'nesəsrɪ] *a* bereikalingas, nereikalingas

unpack [ʌn'pæk] *v* išpakuoti

unpaid ['ʌn'peɪd] *a* nesumokėtas

unpleasant [ʌn'pleznt] *a* nemalonus

unpopular [ʌn'pɔpjulə] *a* nepopuliarus

unqualified [ʌn'kwɔlɪfaɪd] *a* nekvalifikuotas

unreliable ['ʌnrɪ'laɪəbl] *a* nepatikimas

unrest [ʌn'rest] *n* neramumai; bruzdėjimas

unsatisfactory ['ʌnsætɪs'fæktərɪ] *a* nepatenkinamas

unseen [ʌn'si:n] *a* nematytas

unselfish [ʌn'selfɪʃ] *a* nesavanaudis, nesavanaudiškas

unsteady [ʌn'stedɪ] *a* netvir-

tas

unseccessful ['ʌnsək'sesfl] *a* nesėkmingas

unsuitable [ʌn'su:təbl] *a* netinkamas

unsympathetic ['ʌnsɪmpə'θetɪk] *a* 1) neužjaučiantis; 2) nesimpatingas

untidy [ʌn'taɪdɪ] *n* netvarkingas

untie [ʌn'taɪ] *v* atrišti

until [ən'tɪl] *prep* iki; *cj* kol; ~ six iki šešių; wait ~ he comes palauk, kol jis ateis

untrue [ʌn'tru:] *a* neteisingas, netikras; neištikimas

untruthful [ʌn'tru:θfl] *a* melagingas, neteisingas

unused *a* ['ʌn'ju:zd] 1) nenaudojamas, nevartojamas; 2) [ʌn'ju:st] neįpratęs (to)

unusual [ʌn'ju:ʒuəl] *a* nebaprastas

unveil ['ʌn'veɪl] *v* atidengti (*paminklą*)

unwanted [ʌn'wɔntɪd] *a* nenorimas

unwelcome [ʌn'welkəm] *a* nepageidaujamas

unwell [ʌn'wel] *a* nesveikas, negaluojantis

unwilling [ʌn'wɪlɪŋ] *a* nenorintis; nelinkęs

unwrap [ʌn'ræp] *v* išvynioti

up [ʌp] *prep, adv* aukštyn; į viršų; ~ the steps laiptais

į viršų; ~ a n d d o w n aukštyn
ir žemyn; t i m e i s ~ laikas
pasibaigę

uphill ['ʌp'hɪl] *adv* į kalną

upon [ə'pɒn] *prep žr.* on

upper ['ʌpə] *a* viršutinis

upright ['ʌpraɪt] *a* tiesus, sta-
čias, status

uprising ['ʌpraɪzɪŋ] *n* sukili-
mas, maištas

uproar ['ʌprɔ:] *n* sujudimas;
šurmulys

uproot [ʌp'ru:t] *v* išrauti

upset [ʌp'set] *v* (upset) 1) nu-
liūdinti; 2) sugriauti (*planus*);
3) ap(si)versti

upside-down ['ʌpsaɪd'daun]
adv aukštyn kojomis, apvers-
tai

upstairs ['ʌp'stɛəz] *adv* (*laip-
tais*) į viršų, aukštyn; h e l i v e s
~ jis gyvena virš mūsų

up-to-date ['ʌptə'deɪt] *a* šiuo-
laikinis

upturned ['ʌp'tə:nd] *adv* ap-
verstas (*dugnu į viršų*)

upwards ['ʌpwədz] *adv* aukš-
tyn

uranium [juə'reɪnɪəm] *n* ura-
nas

urban ['ə:bən] *a attr* miesto

urge [ə:dʒ] *v* 1) raginti; 2) reika-
lauti; įtikinėti; *n* potraukis

urgent ['ə:dʒənt] *a* skubus

Uruguay ['juərəgwaɪ] *n* Urug-
vajus

us [ʌs, əs] *pron* mums, mus;
w i t h ~ su mumis

US(A) [ju:es, 'ju:es'eɪ] *n sutr.*
JAV

use *v* [ju:z] naudoti, vartoti; *n*
['ju:s] 1) nauda; 2) vartojimas;
3) pa(si)naudojimas; ~d *a* 1)
[ju:zd] panaudotas, pavarto-
tas; 2) [ju:sd] įpratęs; t o b e
~ būti įpratusiam (to); ~ful
a naudingas; ~less *a* nenau-
dingas

usual ['ju:zuəl] *a* paprastas,
įprastas; a s ~ kaip paprastai;
~ly *adv* paprastai

utensil [ju:'tensl] *n* rakandas,
indas; reikmuo

utilize ['ju:tɪlaɪz] *v* panaudoti,
utilizuoti

U-turn ['ju:tə:n] *n aut.* apsi-
gręžimas

utmost ['ʌtməust] *a* 1) toli-
miausias; 2) didžiausias; *n*
aukščiausias laipsnis; t o t h e
~ kiek įmanoma

utter I ['ʌtə] *a* visiškas

utter II *v* pratarti, (pa)saky-
ti; išreikšti (*žodžiais*).; ~ance
n 1) išreiškimas (*žodžiais*); 2)
pasakymas, pareiškimas

Uzbek ['uzbek] *n* uzbekas, -ė;
~istan [-ısta:n] *n* Uzbekis-
tanas

V

vacancy ['veɪkənsɪ] *n* 1) laisva/vakuojanti vieta; 2) (*viešbučio*) laisvas kambarys

vacant ['veɪkənt] *a* laisvas, neužimtas

vacation [və'keɪʃn] *n* atostogos; to go on ~ išeiti atostogų

vaccine ['væksi:n] *n* vakcina

vacuum ['vækjəm] *n* vakuumas, tuštumà; ~ flask *n* termosas; ~-cleaner [-kli:nə] *n* dulkių siurblys

vague [veɪg] *a* neaiškus, miglotas

vain [veɪn] *a* tuščias, bergždžias; in ~ veltui, bergždžiai

valid ['vælɪd] *a* 1) pagrįstas, svarus; 2) galiojantis

valley ['vælɪ] *n* slėnis

valuable ['væljubl] *a* vertingas, brangus; *n pl* brangenybės

value ['vælju:] *n* 1) vertė; 2) *pl* vertybės; 3) *mat.* dydis; *v* (į)vertinti

valve [vælv] *n* vožtuvas

van [væn] *n* furgonas

vanilla [və'nɪlə] *n* vanilė

vanish ['vænɪʃ] *v* dingti, pranykti

vanity ['vænətɪ] *n* tuštybė

variable ['vɛərəbl] *a* kintamas

variety [və'raɪətɪ] *n* 1) įvairovė; daugybė; 2) rūšis; 3) varjetė, estrada (t.p. ~ show)

various ['vɛərɪəs] *a* įvairus

varnish ['vɑ:nɪʃ] *n* lakas; *v* lakuoti

vary ['vɛərɪ] *v* kisti; įvairuoti

vase [vɑ:z] *n* vaza

vast [vɑ:st] *a* 1) didžiulis; 2) platus

Vatican ['vætɪkən] *n* (the ~) Vatikanas

vault I [vɔ:lt] *n* 1) rūsys; 2) saugykla

vault II *v* (per)šokti

veal [vi:l] *n* veršiena

vegetable ['vedʒtəbl] *n* daržovė

vehicle ['vi:əkl] transporto priemonė

veil [veɪl] *n* 1) šydai, vualis; 2) *perk.* skraistė

vein [veɪn] *n* vena; gysla

velvet ['velvɪt] *n* aksomas

vengeance ['vendʒəns] *n* kerštas

ventilation ['ventɪ'leɪʃn] *n* vėdinimas

ventilator ['ventɪleɪtə] *n* ventiliatorius

venture ['ventʃə] *v* rizikuoti; *n* rizikingas žingsnis/sumanymas; joint ~ bendra įmonė

veranda [və'rɑ:ndə] *n* veranda

verb [və:b] *n* veiksmažodis;

~al *a* žodinis

verdict ['və:dɪkt] *n* sprendimas, verdiktas

verge [və:dʒ] *n* kraštas; on the ~ of ruin ant bedugnės krašto

versatile ['və:sətaɪl] *a* įvairiapusis; lankstus

verse [və:s] *n* eilėraštis

versus ['və:səs] *prep teis. sport.* prieš

vertical ['və:tɪkl] *a* vertikalus

very ['verɪ] *adv* labai; *a* (the ~) 1) (*tas*) pats; kaip tik tas; 2) tikras

vessel ['vesl] *n* 1) indas; 2) laivas

vest [vest] *n* 1) (*apatiniai*) marškinėliai; *amer.* liemenė

veterinary ['vetərənərɪ] *a* veterinarijos; ~ surgeon veterinarijos gydytojas

vet I [vet] *sutr. n* veterinaras

vet II *n amer. šnek.* veteranas

veto ['vi:təu] *v* vetuoti; *n* veto

via ['vaɪə] *prep* per

vicar ['vɪkə] *n* (*anglikonų*) pastorius

vice [vaɪs] *n* yda; silpnybė

vice- [vaɪs] *pref* vice-

vicious ['vɪʃəs] *a* 1) žiaurus, baisus, aršus; 2) piktas

victim ['vɪktɪm] *n* auka

victor ['vɪktə] *n* nugalėtojas

victoriuos [vɪk'tɔ:rɪəs] *a* per-

galingas

victory ['vɪktərɪ] *a* pergalė

video ['vɪdɪəu] *n* 1) vaizdo įrašas; 2) magnetofonas

Vietnam [vɪet'næm] *n* Vietnamas; ~ese *n* vietnamietis

view [vju:] *n* 1) vaizdas, reginys; 2) požiūris; 3) regėjimo laukas; ~er *n* žiūrovas

vigorous ['vɪgərəs] *a* stiprus, energingas, smarkus

vile [vaɪl] *a* bjaurus, niekšiškas

villa ['vɪlə] *n* vila

village ['vɪlɪdʒ] *n* kaimas; gyvenvietė

villain ['vɪlən] *n* niekšas; piktadarys

vine [vaɪn] *n* vijoklinis augalas; vynmedis

vinegar ['vɪnɪgə] *n* actas

vineyard ['vɪnjəd] *n* vynuogynas

viola [vɪ'əulə] *n* altas (*muz. instrumentas*)

violate ['vaɪəleɪt] *v* 1) pažeisti (*įstatymą*); sulaužyti; 2) išniekinti (*kapą*)

violence ['vaɪələns] *n* 1) smurtas, prievartavimas; 2) smarkumas

violent ['vaɪələnt] *a* 1) smurtinis; 2) įsiutęs

violet ['vaɪəlɪt] *n bot.* našlaitė; *a* violetinis

violin ['vaɪə'lɪn] *n* smuikas

virgin ['vɜ:dʒɪn] n skaisti mergaitė; skaistuolis, -ė

visa ['vi:zə] n viza

visible ['vɪzəbl] a matomas

vision ['vɪʒn] n 1) vizija; įsivaizdavimas; 2) regėjimas

visit ['vɪzɪt] n ap(si)lankymas; vizitas; v ap(si)lankyti; ~or n svečias

visual ['vɪʒuəl] a regimasis

vital ['vaɪtl] a gyvybiškai svarbus; gyvybinis

vivid ['vɪvɪd] a ryškus, aiškus

vocabulary [və'kæbjulərɪ] n žodynas, žodžių atsarga

vocal ['vəukl] a 1) iškalbingas; 2) balso; vokalinis

voice ['vɔɪs] n balsas

volcanic [vɔl'kænɪk] a vulkaninis

volcano [vɔl'keɪnəu] n ugni-kalnis

volleyball ['vɔlɪbɔ:l] n sport. tinklinis

volume ['vɔlju:m] n 1) tomas; 2) tūris; apimtis

voluntary ['vɔləntrɪ] a savanoriškas

volunteer [vɔlən'tɪə] n savanoris

vomit ['vɔmɪt] v vemti

vote [vəut] n 1) (rinkimų) balsas; 2) balsavimas; v balsuoti

vow [vau] n įžadas, priesaika; v prisiekti, prižadėti

vowel ['vauəl] n balsė, balsis

voyage ['vɔɪɪdʒ] n kelionė (jūra, erdvėlaiviu)

vulgar ['vʌlgə] a vulgarus

vulnerable ['vʌlnərəbl] a pažeidžiamas; silpnas

W

wade [weɪd] v bristi, braidyti

wag [wæg] v 1) vizginti; 2) kraipyti (galvą); n vizginimas

wages ['weɪdʒɪz] n pl (darbininkų) uždarbis, darbo užmokestis

wag(g)on ['wægən] n 1) (krovinių) vežimas; furgonas; 2) platforminis vagonas

wail [weɪl] v raudoti; aimanuoti; n raudojimas, aimana

waist [weɪst] n liemuo, juosmuo; ~coat ['weɪskəut] n liemenė; ~-deep [-'di:p] adv a iki juosmens (apie gylį)

wait ['weɪt] v laukti (for – ko); ~er n padavėjas; ~ing-room [-ɪŋrum] n laukiamasis; ~ress n padavėja

wake [weɪk] v (woke [wəuk], waked [weɪkt]; woken ['wəukn]) 1) pabusti; 2) (pa)žadinti

Wales [weɪlz] n Velsas

walk [wɔ:k] v vaikščioti, eiti;

n (pasi)vaikščiojimas

wall ['wɔːl] *n* siena; W. S t r e e t
Volstritas; ~**paper** [-peɪpə] *n*
tapetai

wallet ['wɒlɪt] *n* piniginė
(*popieriniams pinigams, do-
kumentams*)

walnut ['wɔːlnʌt] *n* 1) graikinis
riešutas; 2) riešutmedis

waltz [wɔːls] *n* valsas

wander ['wɒndə] *v* klajoti,
keliauti;~**er** *n* keliauninkas,
klajūnas

want [wɒnt] *v* 1) norėti; 2)
stokoti; *n* 1) stoka; 2) skur-
das

war ['wɔː] *n* karas; ~**like** [-laɪk]
a karingas; ~**time** [-taɪm] *n*
karo metas

ward [wɔːd] *n* globa; sargyba

warden ['wɔːdən] *n* 1)
prižiūrėtojas; 2) komendan-
tas

warder ['wɔːdə] *n* kalėjimo
prižiūrėtojas

wardrobe ['wɔːdrəub] *n* dra-
bužių spinta

ware ['wɛə] *n* 1) dirbiniai; 2)
pl prekės; ~**house** [-haus] *n*
prekių sandėlis

warm [wɔːm] *a* šiltas; (*perk.
t.p.*) karštas; ~**th** [-θ] *n* ši-
luma

warn [wɔːn] *v* įspėti, perspė-
ti

warrant ['wɔrənt] *n teis.* orde-
ris; įgaliojimas; 2) pateisini-
mas; *v* 1) pateisinti; 2) garan-
tuoti, laiduoti

warship ['wɔːʃɪp] *n* karo lai-
vas

wary ['wɛərɪ] *a* apdairus;
budrus

was žr. **be**

wasn't ['wɒznt] = **was not**

wash [wɒʃ] *v* 1) prausti(s); 2)
skalbti; 3) skalauti; ~**ing** *n* 1)
skalbiniai; 2) plovimas; ~ i n g
m a c h i n e skalbimo mašina;
~ i n g p o w d e r skalbimo
milteliai

wasp [wɒsp] *n* vapsva

waste [weɪst] *n* švaistyti, eikvo-
ti; *n* 1) iššvaistymas; 2) atlie-
kos; 3) dykvietė

watch I [wɒtʃ] *n* (*kišeninis, ran-
kinis*) laikrodis

watch II *v* 1) stebėti; 2) žiūrėti;
~**man** ['wɒtʃmən] *n* sargas

water ['wɔːtə] *n* vanduo; *v* 1)
(pa)laistyti; 2) ašaroti; ~**colour**
[-kʌlə] *n* akvarelė; ~**fall** [-fɔːl]
n krioklys; ~**proof** [-pruːf] *a*
nepralaidus vandeniui

wave [weɪv] *n* banga; *v* 1) ban-
guoti; 2) mojuoti

wax [wæks] *n* vaškas; *v* vaškuo-
ti

way [weɪ] *n* 1) kelias; 2) bū-
das; i n t h i s ~ šiuo būdu; ◊
b y t h e ~ beje; o n t h e ~
pakeliui; ~ o u t išeitis; ~**side**

[-saɪd] n pakelė

WC ['dʌblju:'si:] n tualetas

we [wi:] pron mes

weak [wi:k] a silpnas; ~en v silpninti, silpnėti, silpti; ~ness n silpnumas, silpnybė

wealth [welθ] n turtai, lobis; ~y a turtingas

weapon ['wepən] n ginklas

wear [weə] v (wore ['wɔ:], worn ['wɔ:n]) nešioti, dėvėti; ~ out nusidėvėti; ~y a pavargęs, išvargintas

weather ['weðə] n oras

weav|e [wi:v] v (wove [wəuv], woven ['wəuvn]) 1) austi; 2) pinti; ~er n audėjas

web [web] n 1) voratinklis; 2) perk. raizginys

wed [wed] v tuoktis

wedding ['wedɪŋ] n vestuvės

wedge [wedʒ] n pleištas; v į(si)sprausti

Wednesday ['wenzdɪ] n trečiadienis

weed [wi:d] n piktžolė; v ravėti

week ['wi:k] n savaitė; ~day [-deɪ] n darbo diena; ~end [-'end] n savaitgalis; ~ly a savaitinis; n savaitraštis

weep [wi:p] v (wept [wept]) verkti

weigh [weɪ] v 1) (pa)sverti; 2) perk. slėgti

weight ['weɪt] n svoris; ~less-

ness n nesvarumas

weird [wɪəd] a keistas, nesuprantamas

welcome ['welkəm] v sveikinti; a laukiamas, mielas; ◊ you're ~ prašom, nėra už ką

welfare ['welfɛə] n gerovė

well I [wel] n šulinys

well II adv (better ['betə], best [best]) gerai; to be ~ būti sveikam, gerai jaustis

well-being ['wel'bi:ɪŋ] n gerovė; gera savijauta

well-known ['wel'nəun] a žinomas, garsus, įžymus

we'll = we will, we shall

well-off ['wel'ɔf] a pasiturintis

went žr. go

were [wɔ:, wə] v past pl žr. be

weren't [wɔ:nt] = were not

Welsh [welʃ] a valų; Velso; n 1) (the ~) velsiečiai; valai; 2) valų kalba

west ['west] n vakarai; ~ern [-ən] a vakarinis, vakarų; ~ward [-wəd] adv į vakarus, vakarų kryptimi

wet [wet] a šlapias

whale [weɪl] n banginis

wharf [wɔ:f] n prieplauka

what [wɔt] pron kas; ~ever [-'evə] pron kad ir kas būtų

wheat [wi:t] n kviečiai

wheel ['wi:l] n 1) ratas; 2) vairas; ~barrow [-bærəu] n karutis, vienratis; ~chair [-ˈtʃɛə] *n* invalido vežimėlis

when [wen] *adv*, *cj* kada, kai; ~ever [-evə] *adv* kada tik, kai tik

where [wɛə] *adv*, *cj* kur; ~as [-ˈæz] *cj* o, tuo tarpu; ~ever [-evə] *adv* kur tik *cj* kad ir kur būtų, kur be

whether [ˈweðə] *cj* ar

which [wɪtʃ] *pron* kuris; katras; ~ever [-evə] *pron* bet kuris

while [waɪl] *n* laikas; for a ~ valandėlę, valandėlei; *cj* 1) (*tuo metu*) kai; kol; 2) nepaisant to, kad nors ir

whilst [waɪlst] *cj* = while

whimper [ˈwɪmpə] *v* verkšlenti; *n* verkšlenimas

whine [waɪn] *v* 1) kaukti, gausti; 2) unkšti; *n* kauksmas, gausmas

whip [wɪp] *v* čaižyti, pliekti; *n* botagas

whiskers [ˈwɪskəz] *pl* 1) ūsai; 2) žandenos

whisky [ˈwɪskɪ] *n* viskis, degtinė

whisper [ˈwɪspə] *v* šnabždėti

whistle [ˈwɪsl] *v* švilpti; *n* 1) švilpukas; 2) švilpimas

white [waɪt] *a* 1) baltas; 2) išblyškęs

whizz [wɪz] *v* *šnek.* zvimbti, lėkti

who [hu:] *pron* kas (*apie as-*

menį); kuris; ~ever [hu:ˈevə] *pron* 1) kad ir kas; 2) kas tik

whole [həul] *a* visas, ištisas; ◊ on the ~ iš viso, apskritai; ~sale [-seɪl] *n* didmeninis pardavimas; *adv* didmenomis; urmu

wholly [ˈhəulɪ] *adv* visiškai, absoliučiai

whom [hu:m] *pron* ką, kam; kurį (*plg.* who)

whose [hu:z] *pron* kieno; kurio

why [waɪ] *adv* kodėl; *int* na!, nagi!

wicked [ˈwɪkɪd] *n* negeras, nedoras

wide [ˈwaɪd] *a* 1) platus; 2) didžiulis, didelis; 1 m ~ vieno metro pločio; *adv* plačiai; ~spread [-spred] *a* plačiai paplitęs

widow [ˈwɪdəu] *n* našlė; ~er *n* našlys

width [wɪdθ] *n* plotis

wife [waɪf] *n* (*pl* wives [waɪvz]) žmona

wig [wɪg] *n* perukas

wild [waɪld] *a* 1) laukinis; 2) audringas

will I [wɪl] *n* 1) valia; 2) testamentas

will II *v* (would) 1) *mod* norėti; malonėti (*ko prašant*); 2) *sudaro būsimąjį laiką*; he ~ go jis eis willing ['wɪlɪŋ] *a* pasiruošęs, norintis; ~ly *adv* noriai

willow ['wɪləu] *n* gluosnis, karklas

win [wɪn] *v* (won [wʌn]) 1) laimėti; 2) išlošti

wind I [wɪnd] *n* vėjas

wind II [waɪnd] *v* (wound [waund]) 1) vynioti (*siūlus ir pan.*); 2) (už)sukti (*pvz., laikrodį*)

windmill ['wɪndmɪl] *n* vėjo malūnas

window ['wɪndəu] *n* langas; ~pane [-peɪn] *n* lango stiklas; ~sill [-sɪl] *n* palangė

windscreen ['wɪndskriːn] *n aut.* priekinis stiklas; ~wiper stiklo valytuvas

windy ['wɪndɪ] *n* vėjuotas

wine [waɪn] *n* vynas

wing [wɪŋ] *n* sparnas

wink [wɪŋk] *v* mirktelėti; *n* mirktelėjimas

winn|er ['wɪnə] *n* laimėtojas; ~ing *a attr* 1) laimintysis; 2) žavus, kerintis

winter ['wɪntə] *n* žiema

wipe [waɪp] *v* šluostyti, valyti

wire ['waɪə] *n* 1) viela; 2) laidas

wisdom ['wɪzdəm] *n* išmintis

wise [waɪz] *a* protingas, išmintingas

wish [wɪʃ] *v* 1) norėti; 2) linkėti; *n* 1) noras; 2) linkėjimas

wit [wɪt] *n* 1) sveikas protas; quick ~s sumanus, nuovokus 2) sąmojis; 3) sąmoningas žmogus

with [wɪð] *prep* 1) su; kartu; 2) *reiškia įrankį, priemonę; verčiama naginininku*; ~ a knife peiliu; 3) (*reiškia priežastį*); ~ fear iš baimės

withdrow [wɪð'drɔː] *v* (withdrew [wɪð'druː], withdrawn [wɪð'drɔːn]) 1) pasitraukti, pasišalinti; 2) *kar.* at(si)traukti; ~al *n* 1) pasitraukimas; 2) nutraukimas

wither ['wɪðə] *v* (nu)vysti; (su)džiūti

within [wɪ'ðɪn] *prep, adv* viduje; from ~ iš vidaus; ~ a year metų laikotarpyje

without [wɪð'aut] *prep* be; to do ~ smth apsieiti be ko

witness ['wɪtnɪs] *n* liudininkas; *v* liudyti

witty ['wɪtɪ] *a* sąmojingas

wobble ['wɔbl] *v* 1) svirduliuoti; 2) klibėti

woke, woken *žr.* woke

wolf [wulf] *n* (*pl* wolves [wulvz]) vilkas

woman ['wumən] *n* (*pl* women ['wɪmɪn]) moteris

won *žr.* win

wonder ['wʌndə] *v* 1) stebėtis; 2) norėti žinoti

wonderful ['wʌndəfl] *a* nuostabus, puikus

won't [wəunt] = will not

wood ['wud] *n* 1) miškas; 2) medíena, malkos; ~ed *a* miškingas; ;~en medinis; ~land [-lənd] *n* miškinga vietovė

wool [wul] *n* vila; ~len, ~ly *a* vilnonis

word ['wə:d] *n* žodis; ~ing *n* suformulavimas; formuluotė

wore žr. **wear**

work ['wə:k] *n* 1) darbas; 2) veikalas, kūrinys; *v* dirbti; ~er *n* darbininkas; ~ing *a* 1) dirbantis; veikiantis; darbo; ~s *n* 1) gamykla; įmonė; 2) *pl* darbai; ~shop [-ʃɔp] *n* cechas; dirbtuvė

world [wə:ld] *n* pasaulis; ~wide [-'waıd] *a* pasaulio masto

worm [wə:m] *n* kirmėlė

worn žr. **wear**

worried ['wʌrıd] *a* neramus, nerimastingas, susirūpinęs

worry ['wʌrı] *v* nerimauti; jaudinti;

worse [wə:s] (*aukštesnysis laipsnis iš* bad(ly)) *a* blogesnis; *adv* blogiau

worship ['wə:ʃıp] *v* garbinti, dievinti

worst [wə:st] (*aukščiausias laipsnis iš* bad(ly)) *a* blogiausias; *adv* blogiausia

worth ['wə:θ] *a* vertas; *n* vertė; ~less *a* bevertis; ~while [-waıl]

a attr apsimokamas, vertas; ~ly [-ðı] *a* kilnus, vertas, nusipelnęs (of)

would [wud, wəd] *v past iš* will; 1) *sudaro santykinį būsimąjį laiką:* he said he ~ come jis sakė, kad ateis; 2) *tariamosios nuosakos formoms sudaryti:* if he knew he ~ come jei jis žinotų, ateitų; 3) reiškiant pasikartojantį veiksmą, praeityje verčiamu būtuoju dažniniu laiku

wouldn't ['wudnt] = would not

wound [wu:nd] *n* žaizda; *v* 1) sužeisti; 2) įžeisti

wounded ['wu:ndıd] *a* sužeistas; *n* (the ~) sužeistieji

wrap [ræp] *v* 1) (i)vynioti; 2) (ap)supti, apsiausti; ~per *n* įvynioklis; vyniojamas popierius (*t.p.* ~ ping paper)

wreath [ri:θ] *n* vainikas

wreck [rek] *v* to be ~ed (su)dužti, (su)žlugdyti; *n* ~age sudužusio laivo/automobilio liekanos

wrench [rentʃ] *v* 1) timptelti, išplėšti; 2) išnirti; *n* 1) išnirimas; 2) trūktelėjimas

wrestl |e ['resl] *v* eiti imtynių; ~r *n* imtynininkas; ~ing *n* imtynės

wretched ['retʃıt] *a* 1) vargšas, nelaimingas; 2) niekam tikęs

wriggle ['rɪgl] *v* 1) sukinėti(s);
2) išsisukti

wring [rɪŋ] *v* (**wrung** [rʌŋ])
(iš)gręžti

wrinkle ['rɪŋkl] *n* raukšlė; *v*
raukšlėti(s); ~**d** *a* raukšlėtas

wrist ['rɪst] *n* riešas; ~**watch**
[-wɔtʃ] *n* rankinis laikrodis

write [raɪt] *v* (**wrote** [rəut],
written ['rɪtn]) rašyti; to ~
down už(si)rašyti

writer ['raɪtə] *n* rašytojas

writing ['raɪtɪŋ] *n* 1) rašymas;
raštas, užrašas; in ~ raštu; 2)
pl raštai, kūriniai

written žr. **write**

wrong [rɔŋ] *a* 1) neteisingas;
klaidingas; 2) neteisus; to be
~ būti neteisiam; 3) negeras,
blogas; anything ~? ar
kas nutiko?; *n* skriauda, nuo-
skauda; ~**ly** *adv* klaidingai

wrote žr. **write**

wrung [rʌŋ] žr. **wring**

wry [raɪ] *a* 1) kreivas; 2)
iškreiptas

X

Xmas ['krɪsməs] *sutr. šnek.*
Kalėdos

X-ray ['eksreɪ] *n* (*ppr. pl*) rent-
geno spinduliai; rentgeno

nuotrauka; *v* peršviesti rent-
geno spinduliais

Y

yacht [jɔt] *n* jachta; ~**ing** *n*
sport. buriavimas

Yankee ['jæŋkɪ] *n šnek.* jankis,
amerikietis

yard I [jɑ:d] *n* kiemas

yard II *n* jardas (=91,44 cm)

yawn [jɔ:n] *v* žiovauti

year ['jɪə, 'jɜ:] *n* metai; the
New Year Naujieji metai;
~**ly** *a* metinis; *adv* kasmet

yearn [jɜ:n] *v* trokšti (*ko*), la-
bai norėti

yeast [ji:st] *n* (*tik sg*) mielės

yell [jel] *v* šaukti, klykti; *n*
šauksmas, riksmas

yellow ['jeləu] *a* geltonas

yelp [jelp] *n* 1) amtelėjimas;
2) spiegimas; *v* 1) amčioti; 2)
(su)spiegti

Yemen ['jemən] *n* Jemenas

yes [jes] taip

yesterday ['jestədɪ] *adv* vakar

yet [jet] *adv* 1) dar; n o t ~ dar
ne; 2) *cj* tačiau, jau

yield [ji:ld] *n* 1) derlius; 2) (*pro-
dukcijos*) kiekis; m i l k ~ pri-
milžis; *v* 1) nusileisti; pasiduo-
ti; 2) gauti (*derlių, pelną*)

yoghurt, yoghourt ['jɔgət] *n* jogurtas

yoke [jəuk] *n* jungas

yolk [jəuk] *n* kiaušinio trynys

you [ju:] *pron* jūs, tu; jus, tave; jums, tau

you'd [ju:d] = you had; you would

you'll [ju:l] = you will

young [jʌŋ] *a* jaunas; *n* (the ~) jaunimas

your [jɔ:] *pron* jūsų, tavo; ~s *pron* jūsų, tavo (*be dktv.*); ~self [-'self] *pron* tu pats; look at ~self pažiūrėk į save! wash ~self (~selfes) nusiprausk (nusiprauskite)!

you're = you are

youth ['ju:θ] *n* 1) jaunystė; 2) jaunimas; 3) paauglys, jaunuolis, -ė; *a* jaunimo; ~hostel jaunų turistų stovykla/bazė

zodiac ['zəudɪæk] *n* zodiakas; signs of the ~ Zodiako ženklai

zone [zəun] *n* zona, juosta, rajonas

zoo [zu:] *n* zoologijos sodas

zoology [zəu'ɔlədʒɪ] *n* zoologija

zoom [zu:m] *v šnek.* 1) (pra)-švilpti, (pra)zvimbti; 2) *komp.* keisti vaizdo mastelį

Z

zebra ['zi:brə] *n* zebras; ~ crossing pėsčiųjų perėja

zero ['zɪərəu] *n* nulis

zig-zag ['zɪgzæg] *n* zigzagas

zinc [zɪŋk] *n* cinkas

zip ['zɪpə, zɪp] (*amer.* zipper) *n* užtrauktukas; *v* užsegti užtrauktuku (*t.p.* ~ up)

NETAISYKLINGAI KAITOMI ŽODŽIAI
(lietuvių anglų žodyno dalyje pažymėti žvaigždute *)

I. Daiktavardžiai:
po dvitaškio rašomos d a u g i s k a i t o s formos.

bath vonia: b a t h s [-ðz]
calf [kɑ:f] veršis: c a l v e s [kɑ:vz]
child vaikas: c h í l d r e n
deer elnias: d e e r
foot [fut] koja; péda: f e e t
goose [gu:s] žąsis: g e e s e
half [hɑ:f] pusė: h a l v e s [hɑ:vz]
house [-s] namas: hóu s e s [-ziz]
knife peilis: k n í v e s
leaf lapas: l e a v e s
life gyvenimas: l i v e s
loaf kepalas: l o a v e s
louse [-s] utėlė: l i c e
man vyras, žmogus: m e n
mouse pelė: m i c e
mouth burna: m o u t h s [-ðz]
oath priesaika: o a t h s [-ðz]
ox jautis: óx e n

path takas: p a t h s [-ðz]
scarf šalikas: s c a r v e s / s c a r f s
sheaf pėdas: s h e a v e s
sheath makštis: s h e a t h s [-ðz]
sheep avis: s h e e p
shelf lentyna: s h e l v e s
thief [θi:f] vagis: t h i e v e s [θi:vz]
tooth dantis: t e e t h
wharf prieplauka: w h a r v e s / w h a r f s
wife žmona: w i v e s
wolf [wu-] vilkas: w o l v e s [wu-]
wóman ['wu-] moteris: wó m e n ['wimin]
wreath vainikas: w r e a t h s [-ðz]
youth [ju:'ð] jaunuolis: y o u t h s [ju:ðz]

II. Būdvardžiai ir prieveiksmiai:

po dvitaškio pateikiamos a u k š t e s n i o j o ir
a u k č i a u s i o j o laipsnių formos.

bad blogas: w o r s e ; worst
bád(ly) blogai: w o r s e ;
worst
far tolimas *ir* **far** toli: f á r t h e r /
f ú r t h e r [-ðə/-ðə]; f á r t h e s t /
f ú r t h e s t [-ð-/-ð-] (*perk. prasme tik* fúrther)
good geras: b é t t e r , b e s t

ill nesveikas ir **ill** blogai:
w o r s e ; w o r s t
little mažai; máža: l e s s ;
l e a s t
mány daug *pl*: m o r e ; m o s t
much daug *sing*: m o r e ;
m o s t
well gerai: b é t t e r ; b e s t

III. Veiksmažodžiai:

po dvitaškio pateikiami netaisyklingųjų veiksmažodžių
b ū t a s i s l a i k a s (past tense) ir II d a l y v i s (participle
II, past participle). Modaliniai veiksmažodžiai turi tik
b ū t ą j į l a i k ą. Kitos visų veiksmažodžių vientisinės formos
sudaromos taisyklingai.

aríse kilti, atsirasti: aróse;
arísen
awáke žadinti, busti: awóke;
awóken
be būti (*pres am, is, are*): was,
were; been
bear gimdyti: bore; borne *ir*
born; *forma* born *vartojama*
junginyje be born gimti *ir*
savarankiškai reikšme gimęs
(*bet*: b o r n e b y h e r jos
pagimdytas)
beat mušti: beat; béaten

becóme tapti: becáme;
becóme
begín pradėti: begán; begún
bend lenkti(s): bent; bent
bind rišti: bound; bound
bite kąsti: bit, bít(ten)
bleed kraujuoti: bled; bled
blow pūsti: blew; blown
break laužti: broke; bróken
breed veisti: bred; bred
bring atnešti: brought;
brought
build statyti: built; built

burn deg(in)ti: burnt; burnt
burst sprogti: burst; burst
buy pirkti: bought; bought
can *pres* galiu: could
cast mesti: cast; cast
catch gaudyti: caught; caught
choose (pasi)rinkti: chose; chósen
cleave skelti, skilti: clove/cleft/cleaved; cleaved/clóven/cleft
cling kibti: clung; clung
come ateiti: came; come
cost kainuoti: cost; cost
creep šliaužti: crept; crept
cut pjauti: cut; cut
deal smogti: dealt; dealt
dig kasti: dug; dug
do daryti (*pres 3.sing* does): did; done
draw traukti; piešti: drew; drawn
dream sapnuoti, svajoti: dreamt/dreamed; dreamt/dreamed
drink gerti: drank; drunk
drive varyti; vairuoti: drove; dríven
dwell gyventi: dwelt; dwelt
eat valgyti: ate [et, eit]; éaten
fall kristi: fell; fállen
feed maitinti: fed; fed
feel jausti: felt; felt
fight kovoti: fought; fought
find rasti: found; found

flee bėgti: fled; fled
fling sviesti: flung; flung
fly skristi: flew; flown
forbíd (už)drausti: forbáde; forbídden
forgét užmiršti: forgót; forgótten
forgíve atleisti: forgáve; forgíven
freeze šalti: froze; frózen
get gauti; tapti *irkiti*: got; got (gótten *amer.*)
give duoti: gave; gíven
go eiti: went; gone
grind malti; galąsti: ground; ground
grow augti: grew; grown
hang kabėti; karti: hung; hung; *reikšme* karti (*bausti*): hanged; hanged
have turėti (*pres 3.sing* has): had; had
hear girdėti: heard; heard
hide slėpti: hid; híd(den)
hit trenkti; pataikyti: hit; hit
hold laikyti: held; held
hurt sužeisti: hurt; hurt
keep laikyti: kept; kept
kneel klauptis(s): knelt; knelt
knit megzti: knít(ted); knít(ted)
know žinoti: knew; known
lay dėti: laid; laid
lead vesti: led; led
lean palinkti, atsiremti: leant/leaned; leant/leaned

leap šokti: leapt/leaped; leapt/leaped

learn [lə:n] mokytis: learnt/learned; learnt/learned

leave palikti: left; left

lend (pa)skolinti: lent; lent

let leisti: let; let

lie gulėti: lay; lain

light apšviesti: lit/líghted; lit/líghted

lose pamesti: lost; lost

make daryti: made; made

may *pres* galiu: míght

mean reikšti: meant; meant

meet su(si)tikti: met; met

misléad klaidinti: misléd; misléd

mistáke suklysti: mistóok; mistáken

mow pjauti: mowed; mowed/mown

pay mokėti: paid; paid

put dėti, statyti: put; put

read skaityti: read; read

ride joti, važiuoti: rode; rídden

ring skambėti, skambinti: rang; rung

rise kilti: rose; rísen

run bėgti: ran; run

saw pjauti: sawed; sawn/sawed

say sakyti (*pres* 3.*sing* says): said; said

see matyti: saw; seen

seek ieškoti: sought; sought

sell parduoti: sold; sold

send siųsti: sent; sent

set (nu)statyti: set; set

sew siūti: sewed; sewn/sewed

shake kratyti: shook; sháken

shall *pres* turi: should

shear kirpti: sheared; shorn/sheared

shed (pra)lieti: shed; shed

shine šviesti: shone; shone

shoe kaustyti: shod; shod

shoot šauti: shot; shot

show rodyti: showed; shown

shrink susitraukti: shrank; shrunk

shut uždaryti: shut; shut

sing dainuoti: sang; sung

sink skęsti: sank; sunk

sit sėdėti: sat; sat

sleep miegoti: slept; slept

slide slysti: slid; slid

sling sviesti: slung; slung

slink sėlinti: slunk; slunk

slit rėžti: slit; slit

smell kvepėti: uostyti: smelt; smelt

sow sėti: sowed; sowed/sown

speak kalbėti: spoke; spóken

speed greitinti: sped/spéeded; sped/spéeded

spell skaityti/rašyti (*žodį*) paraidžiui: spelt/spelled; spelt/spelled

spend (iš)leisti: spent; spent

spill išpilti, pralieti: spilt/spilled; spilt/spilled

spin verpti: spun; spun
spit spjauti: spat; spat
split skilti: split; split
spoil gadinti: spoilt/spoiled; spoilt/spoiled
spread plisti: spread; spread
spring šokti; kilti: sprang; sprung
stand tovėti: stood; stood
steal vogti; sėlinti: stole; stólen
stick įsmeigti; kyšoti: stuck; stuck
sting dvokti: stank; stunk
strew barstyti: strewed; strewn/strewed
stride žengti (*dideliais žingsniais*): strode; strídden
strike šerti, mušti: struck; struck
string verti: strung; strung
strive siekti: strove; stríven
swear prisiekti: swore; sworn
sweep šluoti: swept; swept
swell tinti: swelled; swóllen/swelled
swim plaukti: swam; swum
swing supti(s): swung; swung
take imti: took; táken
teach mokyti: taught; taught
tear plėšti: tore; torn

tell pasakoti; sakyti: told; told
think galvoti: thought; thought
thrive klestėti: throve; thríven
throw mesti: threw; thrown
thrust kišti: thrust; thrust
tread užminti: trod; tródden
understánd suprasti: understóod; understóod
undertáke imtis (*ko nors*): undertóok; undertáken
upsét apversti: upsét; upsét
wake (pa)busti; žadinti: woke/waked; waked/wóken
wear dėvėti: wore; worn
weave austi: wove; wóven
weep verkti: wept; wept
will *pres* noriu: would
win laimėti: won; won
wind raitytis; vinguriuoti: wound; wound
withdráw atsitraukti: withdréw; withdráwn
withhóld sulaikyti: withhéld; withhéld
withstánd atsilaikyti: withstóod; withstóod
wring gręžti: wrung; wrung
write rašyti: wrote; wrítten

GEOGRAFINIAI VARDAI

Adrijos jūra the Adriátic Sea
Afganistanas Afghánistan
Afrika África
Airija Íreland
Albanija Albánia
Aleutų salos Aléutian Íslands
Aliaska Aláska
Alma Ata *m.* Alma-Áta
Alpės *kl.* the Alps
Altajus *kl.* the Altái
Alžyras 1) *(šalis)* Algéria; 2) *m.* Algíers
Amazonė *up.* the Ámazon
Amerika América
Amsterdamas *m.* Ámsterdám
Amūras *up.* the Amúr
Anglija Éngland
Andai *kl.* the Ándes
Ankara *m.* Ánkara
Antarktika the Antárctica
Antarktis the Antárctic Regions *pl*
Antilų salos the Antílles
Apeninai *kl.* Ápennines
Arabija Arábia
Aralo jūra the Áral Sea
Araratas *kl.* Árarat
Argentina Argentína
Arktis the Árctic
Armėnija Arménia
Artimieji Rytai Near East *sing*
Ašchabadas *m.* Ashkhabád

Atėnai *m.* Áthens
Atlanto vandenynas the Atlántic Ócean
Australija Austrália
Austrija Áustria
Azerbaidžanas Azerbaiján
Azija Ásia
Azovo jūra the Sea of Ázov

Bagdadas *m.* Bag(h)dád
Baikalas *ež.* the Baikál
Baku *m.* Bakú
Balkanų kalnai the Bálkan Móuntains; the Bálkans; **Balkanų pусiasalis** the Bálkan Península
Baltarusija Belarús
Baltijos jūra the Báltic (Sea)
Baltoji jūra the White Sea
Bangladešas Bangladésh
Barenco jūra the BárentsSea
Beirutas *m.* Beirút
Belgija Bélgium
Belgradas m. Belgráde
Beringo jūra the Béring Sea; **Beringo sąsiauris** the Béring Strait(s)
Berlynas *m.* Berlín
Bernas *m.* Bern(e)
Birma Búrma(h); *dabar t.p.* Miangma
Birmingamas *m.* Bírmingham
Biskajos įlanka the Bay of Bíscay

Biškekas Bishkéck
Bolivija Bolívia
Bombėjus m. Bombáy
Borneo sl. Bórneo
Bosforas the Bósporus
Bosnija Bósnia
Bostonas m. Bóston
Botsvana Botswána
Braitonas m. Bríghton
Bratislava m. Bratisláva
Brazilija Brazíl
Briuselis m. Brússels
Budapeštas m. Búdapest
Buenos Airės m. Búenos Áires
Bukareštas m. Búcharest
Bulgarija Bulgária

Ceilonas sl. Ceylón
Ciurichas m. Zúrich

Čekija Czech Republic, Czé-
chia
Čikaga m. Chicágo
Čilė Chíle

Damaskas m. Damáscus
Danija Dénmark
Dardanelai, Dardanelų sąsiauris
the Dardanélles
Delis m. Délhi
Detroitas m. Detróit
Didysis/Ramusis vandenynas the
Pacific Ócean
Didžioji Britanija Great Brí-
tain
Dnepras up. the Dníeper
Dnestras up. the Dníester
Donas up. the Don
Dublinas m. Dúblin
Dunojus up. the Dánube
Dušanbė m. Dyushámbe

Duvras m. Dóver
Džakarta m. Djakárta
Džomolungma kl. Chomolúng-
ma

Edinburgas m. Édinburgh
Egėjo jūra the Aegéan Sea
Egiptas Égypt
Ekvadoras Ecuadór
Elba sl. Élba
Elbė up. the Elbe
Elbrusas kl. Élbrus
Estija Estónia
Etiopija Ethiópia
Etna kl. Étna
Europa Éurope
Everestas kl. Everest; dabar Džo-
molungma

Farerų salos the Fá(e)roes
Filadelfija m. Philadélphia
Filipinai (šalis) the Philippines;
sl. the Philippine Íslands
Florida Flórida (JAV valstija ir
pusiasalis)

Gana Ghána
Gangas up. the Gánges
Gibraltaras Gibráltar
Glazgas m. Glásgow
Golfo srovė the Gulf Stream
Graikija Greece
Grenlandija sl. Gréenland
Grinvičas m. Gréenwich
Gruzija Geórgia
Gvinėja Guínea

Haga the Hague
Hamburgas m. Hámburg
Havajų salos the Hawáiian Ís-
lands

Helsinkis *m.* Hélsinki
Himalajai *kl.* the Hi-maláya(s)
Hirosima *m.* Hiróshima
Honkongas *m.* Hong Kong

Indija Índia
Indijos vandenynas the Índian Ócean
Indonezija Indonésia
Irakas Iráq
Iranas Irán
Islandija Íceland
Ispanija Spain
Italija Ítaly
Izraelis Ísrael

Japonija Japán
Java *sl.* Jáva
Jemenas Yémen
Jenisejus *up.* the Yeniséi
Jerevanas *m.* Yereván
Jeruzalė *m.* Jerúsalem
Jungtinės Amerikos Valstijos the United States of América
Juodoji jūra the Black Sea

Kabulas *m.* Kábul
Kairas *m.* Cáiro
Kalifornija Califórnia
Kaliningradas *m.* Kalíningrad
Kalkuta *m.* Calcútta
Kambodža Cambódia
Kamčiatka Kamchátka
Kamerūnas Cameroõn
Kampučija Kampushéa
Kanada Cánada
Karakumai the Kara Kúm
Karelija Karélia
Karpatai *kl.* the Carpáthians; the Carpáthian Móuntains
Kaspijos jūra the Cáspian Sea

Kaukazas the Cáucasus
Kaunas *m.* Káunas
Kazachstanas Kazakhstán
Kembridžas *m.* Cámbridge
Kentukis Kentúcky
Kijevas *m.* Kíev
Kinija Chína
Kirgizstanas Kirghizstán
Kišiniovas *m.* Kishinév
Klaipėda *m.* Kláipeda
Klondaikas the Klóndike
Kolumbija Colómbia
Kongas Cóngo; *up.* the Cóngo
Kopenhaga *m.* Copenhágen
Kordiljerai *kl.* the Cordilléra
Korėja Koréa; **Pietų [Šiaurės] K.** South [North] Koréa
Koventris *m.* Cóventry
Kreta *sl.* Crete
Krymas the Criméa
Kroatija Croátia
Kuba *sl.* Cúba
Kurilų salos the Kuríl Íslands
Kuršių marios the Curónian Bay;
Kuršių nerija the Curónian Isthmus/Spit
Kvebekas *m.* Quebéc

Lamanšas the Énglish Chánnel
Laosas Láos
Latvija Látvia
Lena *up.* the Léna
Lenkija Póland
Lesotas Lesoētho
Libanas Lébanon
Liberija Libérija
Libija Líbya
Lichtenšteinas Líechtenstein
Lidsas *m.* Leeds
Lietuva Lithuánia
Lisabona *m.* Lísbon

Liuksemburgas Lúxemburg
Liverpulis *m.* Líverpool
Lodzė *m.* Lodz
Londonas *m.* Lóndon
Los Andželas *m.* Los Ángeles
Lvovas *m.* Lvov

Madagaskaras *sl.* Madagáscar
Madera *sl.* Madéira
Madridas *m.* Madríd
Makedonija Macedónia
Malaizija Malásia
Malaja Maláya
Malis Maêli
Maljorka *sl.* Majórka, Mallórca
Malta Maêlta
Mančesteris *m.* Mánchester
Marmuro jūra the Sea of Mármara
Marokas Morócco
Masačiusetsas Massachúsetts
Maskva *m.* Móscow
Mauritanija Mauritánia
Medina *m.* Medína
Meka *m.* Mécca
Meksika México
Melburnas *m.* Mélbourne
Mičiganas Míchigan
Minskas *m.* Minsk
Misisipė the Mississíppi
Misuris the Missóuri
Miunchenas *m.* Múnich
Moldova Moldóva
Monblanas *kl.* Mont Blanc
Monakas Mónaco
Mongolija Mongólia
Monrealis *m.* Montreál
Montevidėjas *m.* Montevidéo
Mozambikas Mozambíque

Nagasakis *m.* Nagasáki

Namibija Namíbia
Nankinas *m.* Nankíng
Naujoji Gvinėja *sl.* New Guínea
Naujoji Zelandija New Zéaland
Negvoji jūra the Dead Sea
Neapolis *m.* Náples
Nemunas *up.* the Némunas
Neva *up.* the Néva
Nepalas Nepál
Neris *up.* the Néris
Niagara *up.* the Niágara
Nyderlandai the Nétherlands
Nigerija Nigéria
Nikaragva Nicarágua
Nilas *up.* the Nile
Niujorkas *m.* New York
Normandija Nórmandy
Norvegija Nórway

Obė *up.* the Ob
Ochotsko jūra the Sea of Okhótsk
Okeanija Oceánia
Oksfordas *m.* Óxford
Olandija Hólland
Olsteris Úlster
Orknio salos the Órkney Íslands
Oslas *m.* Óslo
Otava *m.* Óttawa

Pa de Kalė (*sąsiauris*) the **Straits of Dóver**
Pakistanas Pakistán
Palestina Pálestine
Pamyras *kl.* the Pamírs
Panama Panamá; **Panamos kanalas** the Panamá Canál
Paragvajus Páraguay
Paryžius *m.* Páris

Pchenjanas *m.* Pyóngyáng
Pekinas *m.* Pekíng
Persijos álanka the Pérsian Gulf
Peru Perú
Pietų Afrika South África (*šalis*)
Pietų Amerika South América
Pirėnai *kl.* the Pyrenées
Polinezija Polynésia
Portugalija Pórtugal
Praga *m.* Prague
Prancūzija France
Prūsija Prússia
Puerto Rikas *sl.* Puerto Ríco

Ramusis/Didysis vandenynas the Pacífic Ócean
Raudonoji jūra the Red Sea
Reikjavikas *m.* Réykjavik
Reinas *up.* the Rhine
Ryga *m.* Ríga; **Rygos įlanka** the Gulf of Ríga
Rio de žaneiras *m.* Rio de Janéiro
Roma *m.* Rome
Rumunija Ro(u)mánia
Rusija Rússia

Sachalinas *sl.* Sákhalin
Sachara the Sahára
Saksonija Sáxony
San Franciskas *m.* San Francísco
Sankt Peterburgas *m.* St. Pétersburg
Sardinija *sl.* Sardínia
Saudo Arabija Saudi Arábia
Sena *up.* the Seine
Senegalas Senegál
Serbija Sérbia

Seulas *m.* Seoul
Sibiras Sibéria
Sicilija *sl.* Sícily
Silezija Silésia
Singapūras Singapóre
Sirija Sýria
Skandinavija Scandinávia
Slovakija Slovákia
Slovėnija Slovénia
Sofija *m.* Sófia
Somalis Somália
Stambulas *m.* Stambúl
Stokholmas *m.* Stóckholm
Strasburas *m.* Strásbourg
Sudanas the Sudán
Sueco kanalas the Súez Canál
Sumatra *sl.* Sumátra
Suomija Fínland

Šanchajus *m.* Shanghái
Šiaurės Airija Northern Íreland
Šiaurės Amerika North América
Šiaurės jūra the North Sea
Škotija Scótland
Špicbergenas *sl.* Spítsbergen
Šri Lanka Sri Lánka
Švedija Swéden
Šveicarija Switzerland

Tadžikistanas Tajikistán
Tailandas Tháiland
Taivanis *sl.* Taiwán
Talinas *m.* Tállinn
Tanzanija Tanzanía
Tasmanija *sl.* Tasmáni.
Taškentas *m.* Tashként
Tbilisis *m.* Tbilísi
Teheranas *m.* Teh(e)rán
Tel Avivas *m.* Tél Avív

Temzė *up.* the Thames
Tian šanis *kl.* Tien Shán
Tibetas Tibét
Tirana *m.* Tiréna
Togas Tógo
Tokijas *m.* Tókyo
Torontas *m.* Torónto
Tunisas (*šalis*) Tunísia; *m.* Túnis
Turkija Túrkey
Turkmėnistanas Turkmenistán
Uganda Ugánda
Ukraina the Ukráine
Ulan Batoras *m.* Úlan Bátor
Uoliniai kalnai the Rócky Móuntains
Uralas *kl.* the Úrals
Urugvajus Úruguay
Uzbekistanas Uzbekistán

Vaito sala the Isle of Wight
Varšuva *m.* Wársaw
Vašingtonas *m.* Wáshington

Vatikanas Vátican
Velsas Wales
Venecija *m.* Vénice
Venesuela Venezuéla
Vengrija Húngary
Versalis *m.* Versáilles
Viduržemio jūra the Mediterránean (Sea)
Viena *m.* Viénna
Vietnamas Vietnám
Vilnius *m.* Vílnius
Vysla *up.* the Vístula
Vokietija Gérmany
Volga *up.* the Vólga
Vroclavas *m.* Wróclaw

Zagrebas *m.* Zágreb
Zambija Zámbia
Zelandija *s.* Zéaland
Zimbabvė Zímbabwe

Ženeva *m.* Genéva

Piesarskas, Bronislovas

Pi27   Lietuvių-anglų, anglų-lietuvių kalbų žodynas =
Lithuanian-English, English-Lithuanian dictionary : 12 000 +
13 000 = 25 000 žodžių ir posakių / B. Piesarskas. – 2-oji laida. –
Vilnius : FNS Group, 2011. – 397, [13] p.

  ISBN 978-609-8057-00-3

              UDK 801.3=882=20

                    2011
                  FNS Group
               leidykla SIROKAS

                  spausdino
            UAB „Spindulio spaustuvė"
          Vakarinis aplinkkelis 24, Kaunas